중학교

국어 1-2
평가문제집

이삼형 교과서편

구성과 특징

대단원 미리 보기

대단원의 학습 목표와 대단원에서 배울 내용을 정리하고, 확인 문제를 통해 이를 확인하도록 하였습니다.

소단원 도입

교과서의 소단원 도입 활동인 '생각 열기'의 내용을 확인하고, 소단원의 학습 목표와 핵심 원리를 이해하도록 하였습니다.

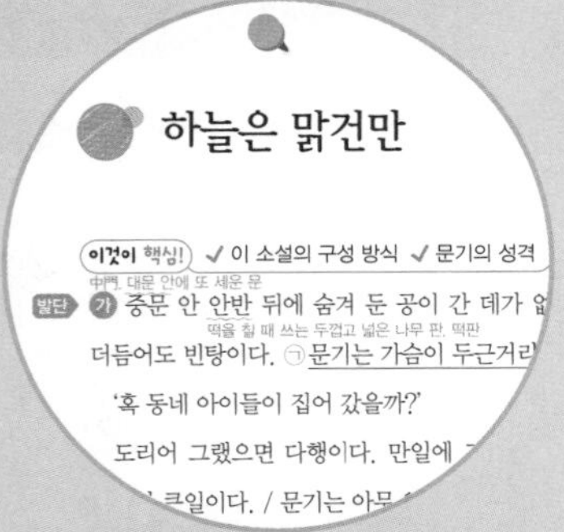

소단원 본문

'이것이 핵심'과 '핵심 확인'를 통해 글의 구성 단계별 핵심 내용을 정리하고, '핵심 개념'을 통해 활동 단원의 주요 개념을 확인하도록 하였습니다. '확인 문제'의 풍부한 문제를 바탕으로 본문의 내용을 꼼꼼하게 확인 · 평가할 수 있도록 하였습니다.

학습 활동 다지기

학습 활동의 예시 답을 확인하고 이에 따른 문제를 풀어 봄으로써 소단원의 주요 내용을 확인하고, '수행 평가 대비 활동'을 통해 창의 · 융합 활동을 바탕으로 한 수행 평가를 대비할 수 있도록 하였습니다.

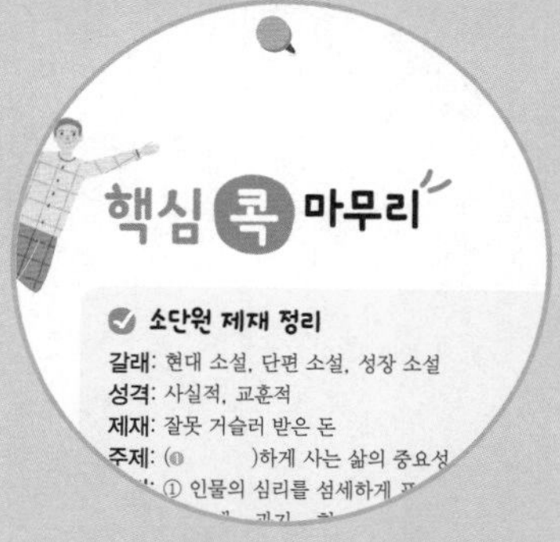

핵심 콕 마무리

소단원 제재의 핵심 내용과 소단원 학습 내용의 핵심 원리를 한눈에 확인할 수 있도록 정리하였습니다.

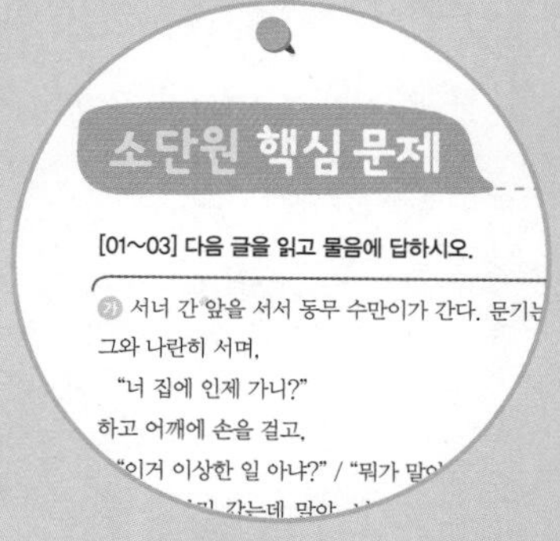

소단원 핵심 문제

소단원에서 꼭 알아야 할 다양한 유형의 핵심 문제를 풀어 봄으로써 자신의 실력을 평가해 보도록 하였습니다. 또한 서술형 문제의 비중을 높여 내신에서 논술형 문제를 대비할 수 있도록 하였습니다.

단원 + 단원

대단원에 포함된 각 소단원을 연결하는 '단원 + 단원' 활동을 정리하고, 각 활동에 대한 해설과 예시 답안을 제시하였습니다.

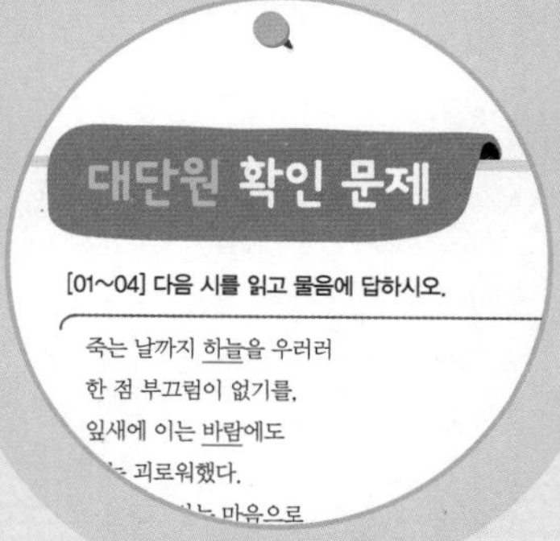

대단원 확인 문제

각 소단원에서 배운 학습 내용을 종합적으로 평가하도록 하였습니다. 시험에 꼭 나올 만한 문제를 통해 대단원의 내용을 정확히 이해하였는지 확인하고, 내신을 완벽하게 대비하도록 하였습니다.

차례

4 간추리고, 따져 보고

5 독서는 폭넓게, 표현은 다양하게

별, 하늘, 사람

(1) 서시 (2) 하늘은 맑건만 (3) 괜찮아

대단원 미리 보기

대단원 학습 목표

문학 인간의 성장을 다룬 작품을 읽으며 삶을 성찰하는 태도를 지닌다.
쓰기 자신의 삶과 경험을 바탕으로 독자에게 감동이나 즐거움을 주는 글을 쓸 수 있다.

(1) 서시

말하는 이의 성찰이 담긴 시를 읽으며 자신의 삶을 되돌아볼 수 있다.

- 「서시」에 나타난 시어의 의미를 이해하고 시의 주제 파악하기
- 「서시」에 나타난 삶의 태도를 이해하고 자신의 삶 성찰하기

「서시」는 부끄러움 없이 살고자 하는 소망이 담긴 시이다. 이 시에서 말하는 이는 자신의 삶을 되돌아보고 앞으로의 삶을 다짐하는 성찰적 태도를 드러내고 있다. 시를 감상하면서 시인의 생각과 삶에 관한 태도를 이해하고 이를 통해 자신의 삶을 성찰할 수 있도록 한다.

(2) 하늘은 맑건만

등장인물의 고민과 성장을 다룬 소설을 읽으며 삶을 성찰하는 태도를 지닌다.

- 「하늘은 맑건만」을 읽고, 주인공의 갈등과 그 해결 과정을 통해 삶의 바람직한 가치관 찾기
- 「하늘은 맑건만」을 읽고, 자신의 삶 성찰하기

「하늘은 맑건만」은 자신이 저지른 잘못과, 그것을 무마하기 위한 거짓말로 갈등을 겪는 소년이 이를 해결하며 성장하는 과정을 그린 소설이다. 주인공이 겪는 문제 상황과 그 해결 과정을 살펴봄으로써 자신의 삶을 성찰하고 바람직한 가치관이란 무엇인지 생각해 볼 수 있다.

(3) 괜찮아

자신의 삶과 경험을 바탕으로 독자에게 감동이나 즐거움을 주는 글을 쓸 수 있다.

- 「괜찮아」를 읽고, 감동이나 즐거움을 주는 글의 특성 알기
- 자신의 경험을 바탕으로 감동이나 즐거움을 주는 글 쓰기

「괜찮아」를 읽고 '괜찮아'라는 말과 관련된 글쓴이의 경험과 깨달음을 간접적으로나마 체험하여 볼 수 있다. 또한 경험을 담은 글의 특성과 가치를 이해하고 자신의 삶에 대한 성찰을 바탕으로 다른 이에게 감동과 즐거움을 주는 글을 쓸 수 있다.

문학 작품 속 인물을 통해 내 모습을 되돌아보고 나의 마음을 다듬어서 글로 쓰면, 내가 조금 더 성장할 수 있을 거야.

• 정답과 해설 p.2

성찰이란 자신을 되돌아보고 잘못이나 부족한 점이 없는지 생각하여 반성하는 태도를 뜻한다.

확인 문제

01 다음 중 '성찰'의 의미 및 역할과 거리가 먼 것은?

① 타인의 잘잘못을 따지는 것
② 바람직한 가치관에 대해 고민하는 것
③ 자신의 삶을 되돌아보고 반성하는 것
④ 문제를 인식하고 개선할 기회를 주는 것
⑤ 지나간 잘못을 해결할 방법을 생각하는 것

02 다음 빈칸에 들어갈 알맞은 말을 쓰시오.

> 성장 소설에서 주인공이 겪는 내부 또는 외부와의 충돌, 대립은 소설의 (　　　)으로 제시되며, 주인공은 이러한 상황을 극복하고 문제를 해결하기 위해 고민하고 노력하는 성찰의 과정을 통해 성장하게 된다.

감동이나 즐거움을 주는 글 쓰기란 자신의 삶에서 의미 있는 경험을 담아 쓴 글을 통해 타인에게 감동과 즐거움을 주는 글 쓰기이다.

확인 문제

03 다음 빈칸에 들어갈 알맞은 말을 쓰시오.

> 자신의 삶과 경험을 진지하고 솔직하게 표현한 글은 독자에게 (　　　)이나 (　　　)을 줄 수 있다.

1 서시

• 생각 열기 다음 상황을 보고 자신을 되돌아보는 활동을 해 봅시다.

늑대의 모습이 양으로 비친 까닭을 상상해 봅시다.

예시 답 • 늑대의 성품이 양처럼 순하기 때문이다.
• 늑대가 양처럼 순해지기를 원하고 있기 때문이다.

이 호수에 자기 자신을 비춘다면 어떤 모습일까요?

예시 답 • 유명한 연예인이 된 모습 / • 익살스러운 만화 주인공의 모습 등

• 학습 목표로 내용 엿보기

"자신의 모습을 되돌아보는 것은 삶을 살아가는 데 꼭 필요한 태도야. 작가들은 끊임없이 자신의 삶을 돌이켜 보고 고민하면서 이를 작품에 녹여내지. 시를 감상하면서 말하는 이가 자신의 삶을 대하는 태도를 살펴보고, 이에 비추어 나 자신의 삶을 되돌아봐야겠어."

핵심 1 「서시」를 감상하고, 시에서 말하는 이가 자신의 삶을 어떻게 성찰하고 있는지 이해하기

핵심 2 「서시」의 말하는 이처럼 자신의 삶을 성찰하고 이를 시로 표현하기

핵심 원리 이해하기 성찰

1. 성찰

자신을 되돌아보고 잘못이나 부족한 점이 없는지 생각하여 살펴봄.

2. 문학 작품에서 성찰이 갖는 의미

• 작품에는 작가의 고민과 삶에 관한 성찰이 나타남.
• 작품을 감상하면서 독자는 자신의 삶을 성찰해 볼 수 있음.

3. 「서시」에 나타난 성찰

> 죽는 날까지 하늘을 우러러 / 한 점 부끄럼이 없기를,
> 잎새에 이는 바람에도 / 나는 괴로워했다.

→ 자신의 삶을 성찰하는 태도가 드러남.

개념 확인 콕콕 • 정답과 해설 p.2

01 다음에 나타난 '나'의 태도로 적절한 것은?

> 죽는 날까지 하늘을 우러러
> 한 점 부끄럼이 없기를,
> 잎새에 이는 바람에도
> 나는 괴로워했다.

① 긍정적 태도 ② 절망적 태도
③ 성찰적 태도 ④ 풍자적 태도
⑤ 희망적 태도

02 다음 빈칸에 들어갈 알맞은 말을 쓰시오.

> 자신을 되돌아보고 잘못이나 부족함이 없는지 생각하여 살펴보는 것을 (   )이라고 한다. 이를 통해 우리는 더 나은 사람으로 성장할 수 있다.

03 다음 중 성찰하는 모습으로 보기 어려운 것은?

① 나 스스로 나를 돌아보았을 때, 자랑스러운 점도 있지만 부끄러운 점도 있다.
② 중학교 1학년이 되니 내가 무엇을 하며 살고 싶은지 고민이 없었다는 생각이 든다.
③ 내가 본 철수는 자기가 맡은 일을 철저히 하기 위해 성실하게 행동하는 사람이다.
④ 어머니가 나를 위하는 모습을 보며 나는 어머니의 사랑을 얼마나 되돌려 드리고 있는지 부끄러워졌다.
⑤ 가까운 사람에게 오히려 함부로 대하는 나의 모습이 가장 먼저 고쳐야 할 나의 모습이라는 생각이 든다.

본문 미리보기

본문 안내

이 소단원은 우리가 삶을 살아가는 데 꼭 필요한 '성찰'의 태도를 다루고 있다. 시인들은 삶에 대해 끊임없이 성찰하고 고민하며 그 과정에서 얻은 생각들을 시 속에 담아낸다. 일제 강점기라는 힘들고 고통스러운 시대를 살았던 시인 윤동주 역시 자신의 삶에 대해 깊이 성찰하였고 그 속에서 얻은 생각을 담아 「서시」를 창작하였다. 이 작품을 통해 우리는 삶을 성찰하는 태도를 배우고 스스로에 대해 이해할 수 있으며, 이를 바탕으로 더욱 성장할 수 있다.

1연 1~4행		1연 5~8행		2연
부끄러움 없는 삶에 대한 소망	→	앞으로 살아갈 순수한 삶에 대한 결의	→	암울한 현실 상황에 대한 판단

본문 개관

★ **글쓴이 소개** 윤동주

시인. 북간도 명동에서 태어났다. 암울한 분위기 속에서도 동시를 지으면서 유년의 평화를 지향하던 초기를 거쳐 후기에 해당하는 연희전문학교 재학 시절의 시들은 일제 말의 암흑기를 배경으로 한 자아 성찰의 시 세계를 보여 준다. 주요 작품으로는 「자화상」, 「쉽게 씌어진 시」, 「십자가」 등이 있다.

★ **갈래** 자유시, 서정시

이 시는 정해진 형식이나 운율에 구애받지 않고 자유로운 형식으로 이루어진 자유시이며, 자신의 삶을 성찰하는 시인의 감정과 정서를 담은 서정시이다.

★ **성격** 성찰적, 고백적, 의지적, 상징적

이 시의 말하는 이는 자신의 삶을 되돌아보고 부끄러움 없이 살아가기를 원하며 아주 작은 바람에도 괴로움을 느꼈음을 고백하고 있다. 괴로움을 안겨 주는 '바람'이 '오늘 밤'에도 존재하겠지만, 그래도 말하는 이는 '나한테 주어진 길'을 의지적으로 걸어가고자 한다. '바람', '길' 등의 시어들이 '고난', '숙명' 등 추상적인 의미를 띠며 상징적으로 사용되었다.

★ **제재** 별

하늘을 우러러 한 점 부끄럼이 없기를 바라는 말하는 이가 원하는 것은 '별을 노래하는 마음으로 / 모든 죽어 가는 것을 사랑'하면서 '나한테 주어진 길을 / 걸어가'는 것이다. '별'은 말하는 이가 추구하는 이상적인 대상이다.

★ **주제** 부끄러움 없는 삶에 대한 소망과 의지

말하는 이는 '잎새에 이는 바람'에도 괴로워한다. '별을 노래하는 마음'으로 살아가고자 하지만 '오늘 밤에도 별이 바람에 스치운다'. 부끄럽지 않은 삶을 소망하는 말하는 이의 현실은 이렇게 힘들고 괴롭다. 하지만, 말하는 이는 힘들고 괴로운 현실에 지쳐 자신의 소망을 포기하는 대신에, '나한테 주어진 길을 / 걸어가야겠다'고 이야기한다.

서시

윤동주

이것이 핵심! ✔「서시」에 나타난 성찰적 태도

죽는 날까지 하늘을 우러러
한 점 부끄럼이 없기를,
잎새에 이는 바람에도
나는 괴로워했다.
별을 노래하는 마음으로
모든 죽어 가는 것을 사랑해야지.
그리고 나한테 주어진 길을
걸어가야겠다.

오늘 밤에도 별이 바람에 스치운다.

- 말하는 이의 태도

시적 상황	말하는 이의 태도
• 죽는 날까지 하늘을 우러러 / 한 점 부끄럼이 없기를, / 잎새에 이는 바람에도 / 나는 괴로워했다. • 별을 노래하는 마음으로 / 모든 죽어 가는 것을 사랑해야지. / 그리고 나한테 주어진 길을 / 걸어가야겠다.	자신의 삶을 되돌아보고 반성하는 태도 + 부끄러움이 없는 순수한 삶에 대한 의지
오늘 밤에도 별이 바람에 스치운다.	어둡고 암울한 현실에서도 빛나는 별처럼 양심을 지키며 살아야겠다는 의지

→ 말하는 이의 성찰적, 의지적 태도가 잘 드러남.

- 시인과 말하는 이의 관계를 통해 알 수 있는 성찰적 태도

「서시」의 시인 = 윤동주		「서시」의 말하는 이
진학, 가정 문제 등의 개인적 사정과 일제 강점기라는 시대적 현실로 인해 삶의 어려움을 겪음.	=	'바람'처럼 자신에게 닥치는 시련으로 인해 자신이 추구하는 삶을 살아가기에 어려움을 느낌.

→ 일제 강점기라는 고난의 현실을 살아가면서 부끄러움이 없는 순수한 삶을 살고자 끊임없이 자신을 성찰하고 굳게 의지를 다졌던 시인의 태도가 나타남.

확인 문제

• 정답과 해설 p.2

01 이 시의 말하는 이에 대한 설명으로 가장 적절한 것은?

① 자신의 삶을 되돌아보고 반성하고 있다.
② 자신의 모습을 우스꽝스럽게 표현하여 웃음을 유발하고 있다.
③ 자신의 삶을 아름답고 평화로운 것으로 여기며 만족하고 있다.
④ 자신이 처한 현실을 부정적으로 바라보며 강하게 비판하고 있다.
⑤ 자신의 현재와 과거를 비교하여 미래에 대한 희망을 이야기하고 있다.

02 이 시에 대한 감상으로 적절하지 않은 것은?

① 말하는 이는 순수하고 깨끗한 삶을 추구하는 사람이로군.
② 말하는 이가 살아가는 현실은 어둡고 힘들지만 그 속에 소박한 행복도 존재해.
③ 말하는 이는 지금까지의 삶의 태도를 바꾸지 않고 계속 자신의 의지대로 살아가려고 해.
④ 스스로에 대해 깊이 고민하고 그 속에서 나아갈 바를 찾는 말하는 이의 성찰적 태도가 인상적이야.
⑤ 잎새에 이는 바람에도 괴로움을 느끼는 걸 보니 말하는 이는 자신의 삶을 평가하는 기준이 엄격한 사람이야.

03 이 시의 표현상의 특징으로 적절한 것은?

① 동일한 행과 연의 반복
② 대립적 이미지의 시어 사용
③ 특정 인물을 듣는 이로 설정
④ 상징적 시어를 활용한 시대 비판
⑤ 직유, 은유 등 다양한 비유법의 사용

서술형

04 이 시에서 말하는 이의 성찰 기준이 되는 시어를 찾고, 이를 바탕으로 말하는 이의 성찰 태도에서 본받을 점을 서술하시오.

학습 활동

• 정답과 해설 p.2

이해 활동

1. 다음 활동을 하면서 이 시에 나오는 시어들의 뜻을 파악해 봅시다.

❶ 다음 대화에서 이 시의 시어 '하늘'과 비슷한 뜻으로 쓰인 '하늘'을 찾고, 그 뜻을 말해 봅시다.

> 영지: 가을이라 그런지 하늘이 높고 푸르구나.
> 민준: 저런 하늘을 보면 내 마음도 맑아지는 것 같아.
> 수정: 하늘도 무심하시지, 요즘 난 되는 일이 없어.
> 현우: 하늘은 스스로 돕는 자를 돕는다잖아. 다 잘 될 거야.

예시 답 수정과 현우가 말한 '하늘' / '하늘'의 뜻 – 절대자를 달리 이르는 말, 하느님 등

❷ ❶의 활동을 바탕으로 이 시에 쓰인 다음 시어들이 뜻하는 바를 자유롭게 말해 봅시다. 예시 답

- 별 말하는 이가 추구하는 것, 순수한 소망, 이상적인 세계, 희망 등
- 밤 암담한 현실, 말하는 이가 살아가는 어두운 시대적 상황, 일제 강점기 등
- 바람 시련, 고난, 어려움, 양심의 가책 등
- 길 말하는 이의 삶, 운명 등

이해 다지기 문제

1 밑줄 친 단어의 의미가 이 시의 '하늘'과 가장 유사한 것은?
① 바다는 거울처럼 차고 잔잔하고 고요하다.
② 붉고 검은 저녁노을은 묘한 슬픔을 느끼게 한다.
③ 내가 얼마나 착하게 살았는지 저 달님은 아시겠지.
④ 겨울이 오면 가난한 사람들은 더 춥고 고달파진다.
⑤ 푸른 하늘을 날아오르는 새처럼 자유롭게 살고 싶다.

목표 활동

1. 다음 활동을 하면서 말하는 이가 어떤 사람인지 파악해 봅시다.

❶ 이 시의 내용을 다음과 같이 세 부분으로 나누어 정리해 봅시다.

1연 1~4행	과거	'나'는 부끄럽지 않은 삶을 살고자 했지만, 작은 바람에도 괴로워했다.
1연 5~8행	미래	별을 노래하는 마음으로 모든 죽어 가는 것을 사랑하면서 '나'의 길을 가고 싶다.
2연	현재	'나'의 현실은 여전히 힘들고 암담한 상황이다.

❷ 이 시의 내용을 바탕으로 말하는 이는 어떤 사람일지 말해 봅시다.

예시 답 양심에 비추어 한 점 부끄러움 없이 살고자 늘 성찰하는 사람이다. / 고통스러운 현실 속에서 절망하지 않고 꿋꿋하게 자신에게 주어진 길을 가고자 다짐하는 사람이다. / 고난과 시련 속에서도 순결한 삶을 살고자 의지를 다지는 사람이다.

목표 다지기 문제

1 이 시의 말하는 이에 대한 설명으로 가장 적절한 것은?
① 힘들고 어려운 현실에 절망하여 무기력해져 있다.
② 죽음을 앞두고 자신의 지나온 삶을 아쉬워하고 있다.
③ 자신을 성찰하며 부끄러움 없는 삶을 추구하고 있다.
④ 잘못을 반성하며 현실을 희망적으로 바라보고 있다.
⑤ 자신과 타인 모두에게 너그러운 태도를 보이고 있다.

2. 다음은 윤동주 시인의 삶을 다룬 영화와 회고록의 일부입니다. 이를 바탕으로 아래의 활동을 해 봅시다.

㉮ 몽규: 자기 생각 펼치기에는 산문이 좋지. 시는 될 수 있는 대로 빼라. 인민을 나약한 감상주의자로 만드는 것이 시 아니야. 안 그래?

동주: 시도 자기 생각 펼치기에 부족하지 않아. 사람들 마음속에 살아 있는 진실을 드러낼 때 문학은 온전하게 힘을 얻는 거고, 그 힘이 하나하나 모여서 세상을 바꾸는 거라고.

– 『동주』(루스 이 소니도스 제작, 2016)

㉯ 1941년 9월, 우리의 알차고 즐거운 생활에 난데없는 불행이 닥쳐왔다. 당시에 김송 씨가 감시 대상이었던 데다가 집에 묵고 있는 학생들이 연희전문학교 학생들이었기 때문에, 우리를 향한 일제의 눈초리는 날이 갈수록 날카로워졌다. 일본 고등계 형사가 아무 때나 찾아와 우리 방 서가에 꽂혀 있는 책 이름을 적어 가기도 하고, 고리짝

을 뒤져서 편지를 빼앗아 가기도 하면서 우리를 괴롭혔다. 우리는 다시 하숙을 옮기지 않을 수 없었다. 그때 마침 졸업반이었던 동주는 생활이 무척 바쁘게 돌아가고 있는 형편이었다. 진학에 대한 고민, 시국에 대한 불안, 가정에 대한 걱정, 이런 가운데 하숙집을 또 옮겨야 하는 일이 겹치면서 동주는 무척 괴로워하는 눈치였다. 「서시」는 이 무렵에 쓴 시이다.

– 『윤동주』(서강대학교 출판부, 2006)

1 시인이 살았던 시대는 어떠하였는지 말해 봅시다.

예시 답 일제 강점기로, 대학생들을 향한 일제의 감시가 심한 때였다.

2 시인의 삶에 비추어 보았을 때 시인의 모습이 「서시」에 어떻게 나타나 있는지 이야기해 봅시다.

예시 답 일제 강점기라는 암울한 현실 속에서도 시로 세상을 바꾸겠다는 신념을 드러냄. / 일제 강점기 지식인으로서 현실의 시련과 고난에도 희망과 꿈을 잃지 않고 자신의 길을 걸어가겠다는 의지를 다짐.

목표 다지기 문제

2 (나)에 제시된 시인 윤동주의 여러 상황들 중 「서시」의 '잎새에 이는 바람'으로 표현되었다고 볼 수 없는 것은?

① 알차고 즐거운 생활 ② 진학에 대한 고민
③ 시국에 대한 불안 ④ 가정에 대한 걱정
⑤ 하숙집을 또 옮겨야 하는 일

창의·융합 활동

혼자 하기

「서시」의 일부분을 활용하여 자신의 삶을 성찰하는 시를 써 봅시다.

1. 자신의 삶을 되돌아보았을 때 고치고 싶은 자세나 행동이 있다면 적어 봅시다.

예시 답 친구나 동생과 싸웠을 때 내가 잘못한 것은 별거 아니라고 생각하고 다른 사람이 잘못한 것만 크게 생각하고 서운해하곤 했다.

2. 1을 바탕으로 새로운 다짐을 드러내는 시를 써 보고, 친구들 앞에서 발표해 봅시다.

죽는 날까지 하늘을 우러러
한 점 부끄럼이 없기를,
잎새에 이는 바람에도 / 나는 괴로워했다.
별을 노래하는 마음으로
모든 죽어 가는 것을 사랑해야지.
그리고 나한테 주어진 길을 / 걸어가야겠다.

오늘 밤에도 별이 바람에 스치운다.

↓

죽는 날까지 하늘을 우러러
한 점 부끄럼이 없기를,
예시 답 친구들의 작은 핀잔에도 / 나는 늘 서운해했다.
바다와 같은 마음으로 / 반 친구들을 사랑해야지.
그리고 티끌처럼 작은 마음을 / 산처럼 키워야겠다.

오늘도 친구들과 행복한 웃음을 나눈다.

수행 평가 대비 활동

| 수행 평가 TIP | 「서시」를 바탕으로 시를 창작하는 활동이므로 「서시」의 형식을 살리면서 삶에 관한 자신의 성찰을 잘 드러낼 수 있어야 합니다. 단어, 문장이나 구절을 바꿔 보면서 자기 생각을 「서시」의 형식으로 표현해 보도록 합니다.

1 평가 내용 확인하기

- 자신의 삶에 관해 성찰하고 새롭게 다짐하기
- 「서시」의 형식에 맞추어 자신이 성찰한 내용을 시로 표현하기

2 평가 기준 확인하기

- 자신의 삶을 되돌아보고 시에 드러냈는가?

윤동주의 「서시」처럼 자신만의 성찰과 다짐이 드러날 수 있어야 합니다.

- 참신하고 개성 있는 표현을 하였는가?

「서시」의 형식을 바탕으로 하되, 자신의 삶에 대한 내용, 내가 말하고자 하는 바가 참신한 자신만의 표현으로 드러날 수 있어야 합니다.

- 활동에 적극적으로 참여하였는가?

가벼운 재미 위주의 시를 쓰기보다는 자신의 삶에 대한 성찰이 깊이 있게 드러나는 시를 써야 합니다.

수행 평가 +

1. 자신의 삶을 성찰하여 반성할 점을 모두 적어 봅시다.

도와줄게 자신의 삶을 진지하게 되돌아보고 고치고 싶은 자신의 모습을 솔직하게 표현해 봅니다.

예 • 거친 말이나 욕을 함부로 해서 다른 사람의 마음을 아프게 했다.
• 게으름을 부리다가 과제나 시험을 제대로 준비하지 못해서 망치고 후회하는 일을 반복하고 있다.
• 속상하거나 화가 나면 얼굴에 바로 나타나서 관련이 없는 사람들까지 불편하게 만든다.

2. 1의 내용을 바탕으로 새로운 다짐을 드러내는 시를 써 봅시다.

도와줄게 자신의 삶에 대한 성찰과 다짐이 잘 드러나도록 표현해 봅니다. 가장 적절한 표현을 고민해 보며 여러 번의 퇴고를 거치면 더욱 좋은 시로 표현할 수 있습니다.

핵심 콕 마무리

소단원 제재 정리

갈래: 자유시, 서정시
성격: 성찰적, 고백적, 의지적, 상징적
제재: 별
주제: 부끄러움 없는 삶에 대한 소망과 의지
특징: ① 자신의 삶에 관한 성찰과 반성이 잘 드러남.
② 이미지의 대립을 통해 시의 상황과 주제를 제시함.
③ '과거 → 미래 → 현재'의 순서로 시상을 전개함.

제재 한눈에 보기

1연	1~4행	자신의 삶을 진지하게 되돌아봄. → 반성, (❹)의 태도
	5~8행	앞으로의 순수한 삶을 다짐함. → 의지적 태도
2연	암울한 현실과 시대의 인식	

핵심 원리

성찰의 뜻: 자기 자신을 되돌아보고 잘못이나 부족한 점이 없는지 깊이 살펴보는 것

삶에 성찰이 필요한 이유
자기 자신을 진지하게 되돌아봄으로써 자신을 더 깊이 이해할 수 있으며 이를 통해 지금보다 더 성장할 수 있음.

핵심 내용

(1) 시상의 전개

1연 1~4행	(❶) 없는 삶에 대한 소망
1연 5~8행	순수한 삶을 살아가고 싶은 의지
2연	암울한 현실 상황에 대한 판단

↓

이 시는 부끄러움 없는 순수한 삶을 추구하며 끊임없이 스스로를 성찰하는 말하는 이의 삶의 자세와 의지를 노래하고 있다. 2연의 '별이 (❷)에 스치우는 밤'의 어둡고 암울한 현실 속에서, 말하는 이의 삶의 자세와 다짐은 우리의 삶을 깊이 성찰하게 만드는 계기가 되어 준다.

(2) 시어의 의미

말하는 이의 상황 = 밤 → 어둡고 암울한 시대적 상황

도덕적 판단의 절대적 기준이 되는 존재	하늘	↔	바람
순수한 소망, 이상적 세계	별		시련이나 고난

↑

길	말하는 이가 살아갈 삶

→ 긍정적 의미의 시어(하늘, 별)와 부정적 의미의 시어(밤, 바람)의 (❸)을 통해 말하는 이가 추구하는 바와 이를 방해하는 현실 상황을 잘 드러냄.

(3) 삶에 대한 말하는 이의 태도

죽는 날까지 하늘을 우러러 / 한 점 부끄럼이 없기를, 잎새에 이는 바람에도 / 나는 괴로워했다.
• 자신의 삶을 반성하고 성찰하는 태도 • 스스로를 진지하고 엄격하게 대하는 태도 • 부끄러움이 없는 삶을 추구하는 태도
별을 노래하는 마음으로 / 모든 죽어 가는 것을 사랑해야지. 그리고 나한테 주어진 길을 / 걸어가야겠다.
• 순수하고 아름다운 것을 추구하는 태도 • 모든 존재를 (❺) 태도 • 자신의 삶을 꿋꿋하게 살아가고자 하는 태도

(4) 시에 반영된 사회적 현실

1941년 9월, 우리의 알차고 즐거운 생활에 난데없는 불행이 닥쳐왔다. 당시에 김송 씨가 감시 대상이었던 데다가 집에 묵고 있는 학생들이 연희전문학교 학생들이었기 때문에, 우리를 향한 일제의 눈초리는 날이 갈수록 날카로워졌다. 일본 고등계 형사가 아무 때나 찾아와 우리 방 서가에 꽂혀 있는 책 이름을 적어 가기도 하고, 고리짝을 뒤져서 편지를 빼앗아 가기도 하면서 우리를 괴롭혔다. 우리는 다시 하숙을 옮기지 않을 수 없었다. 그때 마침 졸업반이었던 동주는 생활이 무척 바쁘게 돌아가고 있는 형편이었다. 진학에 대한 고민, 시국에 대한 불안, 가정에 대한 걱정, 이런 가운데 하숙집을 또 옮겨야 하는 일이 겹치면서 동주는 무척 괴로워하는 눈치였다. 「서시」는 이 무렵에 쓴 시이다.

↓

• 잎새에 이는 바람에도 / 나는 괴로워했다.
• 오늘 밤에도 별이 바람에 스치운다.

(❻)라는 시대적 상황 속에서 일제의 감시와 억압을 받았지만, 부끄러움 없는 삶을 추구하며 끊임없이 성찰하고 반성하는 시인 윤동주의 삶이 시를 통해 드러남.

정답 ❶ 부끄러움 ❷ 바람 ❸ 대립 ❹ 성찰 ❺ 사랑하는 ❻ 일제 강점기

소단원 핵심 문제

• 정답과 해설 p.2

[01~05] 다음 시를 읽고 물음에 답하시오.

(가) 죽는 날까지 하늘을 우러러
한 점 부끄럼이 없기를,
잎새에 이는 바람에도 / 나는 괴로워했다.

(나) 별을 노래하는 마음으로
모든 죽어 가는 것을 사랑해야지.
그리고 나한테 주어진 길을 / 걸어가야겠다.

(다) 오늘 밤에도 별이 바람에 스치운다.

출제 예감 90% 학습 활동 응용

01 이 시에 대한 설명으로 적절한 것은?

① 말하는 이가 고난을 극복한 과정이 잘 드러나 있다.
② 말하는 이는 현실에 순응하며 살아가고자 노력한다.
③ 말하는 이는 자신이 처한 현실을 긍정적으로 생각한다.
④ 말하는 이가 추구하는 삶과 현실이 서로 대립하고 있다.
⑤ 삶에 관한 말하는 이의 유쾌한 인식이 잘 드러나 있다.

출제 예감 95% 학습 활동 응용

02 (가)~(다)에 대한 설명으로 적절하지 않은 것은?

① (가)에는 말하는 이의 성찰과 반성이 드러나 있다.
② (가)에는 말하는 이가 처한 시대 상황이 나타나 있다.
③ (나)에는 미래의 삶에 대한 의지적인 태도가 나타나 있다.
④ (나)에는 말하는 이가 추구하는 삶의 모습이 드러나 있다.
⑤ (다)에는 말하는 이가 겪는 현실적 어려움이 드러나 있다.

출제 예감 95% 학습 활동 응용

03 다음의 ㉠~㉢에 들어갈 시어가 순서대로 제시된 것은?

> (㉠), (㉡)과 (㉢)은 서로 대립적이다. (㉠), (㉡)이 긍정적 의미로 해석되는 반면 (㉢)은 부정적 의미로 해석된다. (㉡)은 시련과 고난을 의미하는 (㉢)에 의해 흔들리지만 그럼에도 말하는 이는 (㉡)을 추구하고자 한다.

① 밤, 하늘, 별
② 밤, 별, 하늘
③ 바람, 하늘, 별
④ 하늘, 바람, 별
⑤ 하늘, 별, 바람

출제 예감 95% 학습 활동 응용

04 다음을 고려할 때, 이 시의 말하는 이의 모습으로 가장 적절한 것은?

> 이 시는 윤동주가 연희전문학교 졸업을 1개월 앞둔 1941년에 자신의 시집 서문으로 쓴 작품이다. 일제 강점 말기인 이 시기에 시인은 '한 점 부끄럼'도 없는 삶을 추구하지만 식민지 현실 속의 시인이 이런 삶을 살아가기란 쉬운 일이 아니었을 것이다.

① 학생으로서 탐구하고 고민하는 학문에 매진하며 자신의 삶에 만족하는 사람
② 사회적 상황으로 인한 문제점의 현실적인 해결책을 찾기 위해 깊이 고민하는 사람
③ 시대적 상황으로 인해 자신의 미래를 위한 삶 대신 사회를 위한 삶을 선택한 사람
④ 자신의 꿈과 현실 상황을 잘 절충하여 두 가지 모두 만족시킬 수 있는 타협점을 찾아낸 사람
⑤ 현실의 어려움에 굴복하지 않고 자신이 추구하는 삶을 살기 위해 끊임없이 자신을 성찰하는 사람

출제 예감 90% 서술형

05 〈보기〉는 이 시의 시인이 쓴 또 다른 시이다. ⓐ를 참고하여 이 시의 '별'과 〈보기〉의 '별'의 공통적 의미를 서술하시오.

> 보기
>
> 별 하나에 추억과
> 별 하나에 사랑과
> 별 하나에 쓸쓸함과
> 별 하나에 동경과
> 별 하나에 시와
> 별 하나에 어머니, 어머니,
>
> ⓐ 어머님, 나는 별 하나에 아름다운 말 한마디씩 불러 봅니다. [하략]
>
> – 윤동주, 「별 헤는 밤」

[06~10] 다음 시를 읽고 물음에 답하시오.

가 죽는 날까지 하늘을 우러러
한 점 부끄럼이 없기를,

나 잎새에 이는 바람에도
나는 괴로워했다.

다 별을 노래하는 마음으로
모든 죽어 가는 것을 사랑해야지.

라 그리고 나한테 주어진 ㉠길을
걸어가야겠다.

마 오늘 밤에도 별이 바람에 스치운다.

출제 예감 85%

06 이 시를 읽고 난 후의 감상으로 적절한 것은?

① 말하는 이가 살아가는 현실이 평화롭고 아름답게 그려져 있구나.
② 말하는 이는 별처럼 순수하고 깨끗한 삶을 살아가기를 소망하고 있구나.
③ 말하는 이는 자신의 희망이 이루어지지 못할 것을 예감하고 슬퍼하고 있구나.
④ 말하는 이는 작은 자극에도 예민하게 반응하는 자신을 부끄러워하며 괴로워하고 있구나.
⑤ 말하는 이는 자신을 괴롭히는 대상에 대한 강한 적개심을 드러내며 맞서 싸울 것을 다짐하고 있구나.

출제 예감 95% 학습 활동 응용

07 다음 중 밑줄 친 어휘의 의미가 ㉠의 의미와 가장 유사한 것은?

① 이 문제를 해결할 길은 두 사람이 서로 조금씩 양보하는 것뿐이다.
② 퇴근 시간이라 평소보다 길이 막혀서 약속 시간에 많이 늦을 것 같다.
③ 마침내 길고 끔찍했던 전쟁이 끝나고 그는 고향으로 가는 길에 올랐다.
④ 자신보다 약하고 어린 자를 위해 자신을 희생할 줄 아는 것이 사람의 길이다.
⑤ 어머니로서의 길은 그 자신을 위한 것이라기보다 자신의 자식들을 위한 것이다.

출제 예감 80% 학습 활동 응용

08 이 시는 '과거에 대한 성찰과 반성 – 미래의 삶에 대한 다짐 – 현실 상황에 대한 인식'의 구조로 되어 있다. (가)~(마) 중 '미래의 삶에 대한 다짐'에 속하는 것의 기호를 모두 쓰시오.

사고력 확장 문제

[09~10] 이 시와 함께 〈보기〉의 시를 읽고 물음에 답하시오.

보기

해야 솟아라. 해야 솟아라. 말갛게 씻은 얼굴 고운 해야 솟아라. 산 넘어 산 넘어서 어둠을 살라 먹고, 산 넘어서 밤새도록 어둠을 살라 먹고, 이글이글 애띤 얼굴 고운 해야 솟아라.

– 박두진, 「해」

출제 예감 90% 학습 활동 응용

09 다음은 이 시의 '별'[A]과 〈보기〉의 '해'[B]에 관한 학생들의 해석이다. 적절하게 해석한 사람끼리 묶인 것은?

민서: [A]는 긍정적인 의미를 지닌 시어인 반면에 [B]는 부정적인 의미를 지닌 시어야.
은찬: [A]는 말하는 이가 추구하는 삶의 모습을 표현하고 있어.
준현: 〈보기〉의 '어둠'은 [B]와 대립적 의미를 지닌 시어로군.
채원: 이 시의 '하늘'과 [B]는 유사한 의미를 가지고 있어.
현수: [A]는 상징적 의미를 지니지만 [B]는 상징적 의미를 지니지 않아.

① 민서, 은찬, 준현
② 민서, 은찬, 현수
③ 민서, 채원, 현수
④ 은찬, 준현, 채원
⑤ 준현, 채원, 현수

출제 예감 95% 서술형 논술 대비

10 말하는 이의 삶에 대한 태도를 중심으로 이 시와 〈보기〉 시의 차이점을 서술하시오.

조건

• 두 시의 공통점을 포함할 것
• (가), (나)의 말하는 이의 태도를 중심으로 서술할 것

2 하늘은 맑건만

• 생각 열기 다음은 동요 「피노키오」 노랫말의 일부입니다. 이 노랫말을 읽고, 각자의 생각을 이야기해 봅시다.

꼭두각시 인형 피노키오 / 나는 네가 좋구나.
파란 머리 천사 만날 때는 / 나도 데려가 주렴.
피아노 치고 미술도 하고 영어도 하면 바쁜데
너는 언제나 공부를 하니 말썽쟁이 피노키오야.
우리 아빠 꿈속에 오늘 밤에 나타나
내 얘기 좀 잘해 줄 수 없겠니.
먹고 싶은 것이랑 놀고 싶은 놀이랑
모두모두 할 수 있게 해 줄래.

피노키오에게 '나'의 말을 전해 들은 '아빠'는 어떤 말씀을 하실까요?

예시 답 • 건강에 나쁜 음식을 줄 수는 없단다. 몸에 나쁘지만 않다면 네가 좋아하는 건 다 먹으렴.
• 아빠도 널 실컷 놀게 해 주고 싶지만 훌륭한 어른으로 성장하기 위해서는 공부도 필요하단다.

노랫말 속 '나'의 바람대로 산다면 어떨지 친구들과 의견을 나눠 봅시다.

예시 답 • 처음에는 행복할 수도 있지만 나중에는 걱정이 될 것 같다.
• 다른 친구들은 공부하는데 나만 놀면 내 마음이 불편할 것 같다.

• 학습 목표로 내용 엿보기

"우리는 일상생활 속에서 이런저런 문제에 부딪히면서 고민하고 갈등하곤 해. 이런 갈등을 겪으면서 우리는 성장해 나가는 것 같아. 문학 작품 속의 인물이 성장 과정에서 겪는 일들을 살펴보고 내가 살아가는 모습도 되돌아봐야겠어."

핵심 1 「하늘은 맑건만」에서 주인공의 고민과 성장 과정 이해하기

핵심 2 삶을 성찰하는 태도 지니기

핵심 원리 이해하기 소설을 통한 삶의 성찰

1. 인간의 성장을 다룬 소설 등장인물이 성장 과정에서 겪는 여러 어려움과 고민, 갈등을 구체적으로 형상화한 작품을 말함.

2. 인간의 성장을 다룬 소설 읽기의 필요성
• 소설 속 다양한 삶의 모습을 통해 자신의 삶을 성찰할 수 있음.
• 바람직하고 가치 있는 삶이 무엇인지를 탐구할 수 있음.

3. 소설을 감상하며 자신의 삶 성찰하기
인물이 처한 상황이나 경험 파악하기 → 인물의 태도나 성찰 내용 파악하기 → 인물이 얻은 깨달음을 바탕으로 자신의 삶 성찰하기

개념 확인 콕콕 • 정답과 해설 p.3

01 다음 빈칸에 들어갈 알맞은 말을 각각 쓰시오.

> 소설의 갈등이란 등장인물의 마음속 서로 다른 생각이 모순되고 대립되는 상황(□□ 갈등) 또는 등장인물과 등장인물을 둘러싼 외부 요소들이 모순되고 대립되는 상황(□□ 갈등)을 의미한다.

02 〈보기〉에 나타난 갈등은 갈등의 종류 중 어디에 속하는가?

> 보기
> 나는 많이 놀고 싶은데 아빠는 공부부터 해야 한다며 나를 못 놀게 하실 때가 많다. 공부를 하나도 안 해도 되고 놀기만 하는 동화 속 피노키오가 정말 부럽다.

① '나'의 내적 갈등
② '나'와 사회와의 갈등
③ '나'와 자연과의 갈등
④ '나'와 '아빠'와의 외적 갈등
⑤ '나'와 '피노키오'와의 외적 갈등

03 소설을 통해 삶을 성찰하는 태도로 적절하지 않은 것은?

① 등장인물의 갈등 해결 방식을 무조건 따른다.
② 등장인물의 고민을 자신의 상황과 연결시켜 생각한다.
③ 등장인물의 갈등과 그 해결 방식을 통해 자신의 삶을 성찰한다.
④ 등장인물의 갈등 해결 방식을 보며 자신이라면 어떻게 할지 고민한다.
⑤ 등장인물의 갈등과 그 해결 방식을 통해 바람직한 삶의 태도가 무엇일지 고민한다.

본문 미리보기

본문 안내

이 소단원은 삶의 바람직한 가치관이란 무엇인지 성찰해 보게 하기 위한 단원이다. 「하늘은 맑건만」은 양심에 어긋나는 행동을 반복한 뒤 죄책감을 느끼며 괴로워하는 주인공 문기의 모습을 통해 양심을 지키는 정직한 삶의 중요성을 일깨워 준다. 독자는 작품 속의 상황에 자신을 대입하여 자신이라면 어떻게 해결할지 간접적으로 고민하여 볼 수 있고 이에 비추어 자신의 삶을 성찰하여 볼 수 있다.

발단	→	전개	→	위기	→	절정	→	결말
심부름 갔다가 고깃간 주인에게 거스름돈을 더 받은 문기	→	거스름돈을 쓰고 나서 자신의 행동을 뉘우치는 문기	→	숙모의 돈을 훔친 자신의 죄를 뒤집어쓴 점순을 보며 괴로워하는 문기	→	자신의 잘못을 고백하려다 못 하고 교통사고를 당하는 문기	→	삼촌에게 모든 잘못을 털어놓고 후련해 하는 문기

본문 개관

★ **글쓴이 소개** 현덕

소설가. 서울 출생. 1938년 『조선일보』의 신춘문예에 소설 「남생이」를 발표하며 문단에 나왔다. 광복 후 '조선문학가동맹'에 참여하였고, 1950년에 월북하였다.

★ **갈래** 현대 소설, 성장 소설

이 글은 현실에 있음 직한 이야기를 글쓴이가 상상하여 꾸며 낸 소설로 1938년에 발표되었다. 주인공 문기가 갈등을 겪으며 정신적으로 성장하고 가치관을 형성해 가는 과정을 담고 있다.

★ **성격** 사실적, 교훈적

이 글은 성장기 소년이 흔히 겪을 수 있는 양심의 문제를 잘 보여 준다. 보호자에게 거짓말을 하고 난 뒤 고민하는 문기의 상황은 누구나 공감할 수 있는 것이다. 고깃간 주인이 잘못 거슬러 준 큰돈을 같이 써 버리자고 문기를 설득하는 수만의 모습도 우리 현실 속에서 얼마든지 존재할 만하다. 등장인물의 모습을 통해 우리는 자신의 삶을 함께 되돌아볼 수 있다.

★ **제재** 잘못 거슬러 받은 돈

이 소설은 고깃간 주인이 자신이 받은 돈을 착각하여 문기에게 거슬러 줘야 할 돈보다 많은 돈을 주면서 생기는 사건을 바탕으로 하고 있다. 돈에 대한 유혹에 넘어가 거짓말을 하고 이 사실이 들통날까 봐 두려워하는 주인공의 모습을 통해 독자에게 정직함의 의미를 가르쳐 준다. 작은아버지(삼촌)에게 자신의 잘못을 고백하며 몸과 마음이 편해지는 문기의 모습은 정직의 미덕이 우리에게 주는 떳떳함이 어떤 것인지 잘 보여 준다.

★ **주제** 정직하게 사는 삶의 중요성

이 글은 잘못을 저지른 뒤 양심의 가책을 느끼며 괴로워하는 주인공 문기의 갈등과 그 해결 과정을 통해 우리에게 정직한 삶의 중요성을 전달하고 있다.

하늘은 맑건만

현덕

이것이 핵심! ✔ 이 소설의 구성 방식 ✔ 문기의 성격

발단 가 중문 안 안반 뒤에 숨겨 둔 공이 간 데가 없다. 팔을 넣어 아무리 더듬어도 빈탕이다. ㉠문기는 가슴이 두근거리기 시작하였다.

(중문: 中門. 대문 안에 또 세운 문 / 안반: 떡을 칠 때 쓰는 두껍고 넓은 나무 판. 떡판)

'혹 동네 아이들이 집어 갔을까?'

도리어 그랬으면 다행이다. 만일에 그 공이 숙모 손에 들어가기나 했으면 큰일이다. / 문기는 아무 일 없는 태도로 전날과 다름없이 안마당에서 화초분에 물을 준다. 그러면서 연해 ㉡숙모의 눈치를 살핀다. 숙모는 부엌에서 저녁을 짓는다. 마루로 부엌으로 오르고 내릴 때 얼굴이 마주치는 것이다. 문기는 자기를 보는 숙모 눈에 별다른 것이 없다 싶었다. 문기는 차츰 생각을 고친다.

(연해: 행위나 현상이 끊이지 않고 계속 이어져)

'필시 공은 거지나 동네 아이들이 집어 갔기 쉽지. 그렇지 않으면 작은어머니가 알고 가만있을 리 있나.' / 조금 후 문기는 아랫방으로 내려갔다. / 그리고 책상 서랍을 열어 보았을 때 ㉢문기는 또 좀 놀랐다. 서랍 속에 깊숙이 간직해 둔 쌍안경이 보이질 않는다. 그것뿐이 아니다. 서랍 안이 뒤죽박죽이고 누가 손을 댔음이 분명하다.

'인제 얼마 안 있으면 작은아버지가 회사에서 돌아오시겠지. 그리고 필시 일은 나고 말리라.'

문기는 책상 앞에 돌아앉아 책을 펴들었다. 그러나 ㉣눈은 아물아물 가슴은 두근두근 도무지 글이 읽어지질 않는다.

나 며칠 전 일이다. 문기는 저녁에 쓸 고기 한 근을 사 오라고 숙모에게 지전 한 장을 받았다. 언제나 그맘때면 사람이 붐비는 삼거리 고깃간이다. 한참을 기다려서 문기 차례가 왔다. 문기는 지전을 내밀었다. 뚱뚱보 고깃간 주인은 그 돈을 받아 둥구미에 넣고 천천히 고기를 베어 저울에 단 후 종이에 말아 내밀었다. ㉤그리고 그 거스름돈으로 지전 아홉 장과 그 위에 은전 몇 닢을 얹어 내주는 것이 아닌가.

(지전: 지폐 / 둥구미: 짚으로 둥글고 깊게 엮어 만든 그릇)

다 문기는 어리둥절하였다. 처음 그 돈을 숙모에게 받을 때와 고깃간 주인에게 내밀 때까지도 일 원짜리로만 알았던 것이다. 문기는 돈과 주인을 의심스레 쳐다보았다. 허나 그는 다음 사람의 고기를 베느라

확인 문제

• 정답과 해설 p.3

01 이와 같은 글의 특징으로 옳은 것은?

① 운율이 있는 언어로 압축하여 표현한다.
② 논리적인 근거를 들어 자신의 주장을 펼친다.
③ 무대 공연을 목적으로 행동 위주로 표현한다.
④ 현실 세계에 있음 직한 일을 상상하여 꾸며 쓴다.
⑤ 자신의 경험이나 느낌을 형식의 제약 없이 자유롭게 쓴다.

핵심

02 (가)~(다)의 구성 단계상 역할을 바르게 설명한 것은?

① 갈등이 구체화된다.
② 갈등이 점차 고조된다.
③ 갈등이 최고조에 이른다.
④ 사건의 실마리가 드러난다.
⑤ 갈등이 해결되고 사건이 마무리된다.

03 이 글의 시대적 배경을 알 수 있게 하는 단어가 아닌 것은? (정답 2개)

① 쌍안경 ② 지전
③ 삼거리 ④ 고깃간
⑤ 은전

04 이 글이 현재 시점에서 이야기를 시작하여 과거의 이야기를 서술하는 역순행적 구성을 취하고 있음을 보여 주는 문장을 찾아 쓰시오.

05 ㉠~㉤ 중 나머지 넷의 시초가 되는 사건은?

① ㉠ ② ㉡ ③ ㉢
④ ㉣ ⑤ ㉤

분주하다. 문기는 주몃주몃하는 사이 사람에게 밀려 뒷줄로 나오고 말았다. 그러나 다시 생각하면 정말 숙모가 일 원짜리를 준 것인지 아닌지 모르겠다. 아니라면 도리어 큰일이 아닌가. 하여튼 먼저 숙모에게 알아볼 일이었다. 문기는 집을 향해 돌아가면서도 연해 고개를 갸웃거리며 그 일을 생각하였다. 내가 잘못 본 것인가, 고깃간 주인이 잘못 본 것인가 하고.

주몃주몃: 망설이며 머뭇거리는 모양

발단 | 문기는 고깃간 주인의 실수로 거스름돈을 더 받게 됨.

핵심 확인 역순행적 구성(입체적 구성) 방식

사건이 시간의 흐름에 따르지 않고 시간이 뒤바뀌어 전개되는 구성 방식

↓ 효과

- '현재 – 과거 – 현재'의 구성 방식을 취해 문기의 현재 상황이 며칠 전 상황과 관련되어 있음을 효과적으로 제시하며 독자들의 궁금증을 유발함.
- 문기의 현재 상황과 심리를 효과적으로 제시해 줌.

이것이 핵심! ✓ 인물의 역할 ✓ 인물의 심리 변화

전개1 라 골목 모퉁이를 꺾어 돌아섰다. 서너 간 앞을 서서 동무 수만이가 간다. 문기는 쫓아가 그와 나란히 서며,

간: 길이의 단위. 한 간은 여섯 자로, 1.81818미터에 해당함.

"너 집에 인제 가니?" / 하고 어깨에 손을 걸고,

"이거 이상한 일 아냐?" / "뭐가 말야?"

"고길 사러 갔는데 말야. 난 일 원짜리로 알구 냈는데 십 원으로 거슬러 주니 말야." / "정말야? 어디 봐."

문기는 손바닥을 펴 돈과 또 고기를 보였다. 수만이는 잠시 눈을 끔벅끔벅 무슨 궁리를 하는 듯 문기 얼굴을 보고 섰더니,

"너 이렇게 해 봐라." / "어떻게 말야?"

"먼저 잔돈만 너희 작은어머니에게 주는 거야." / "그러고 어떡해?"

"그리고 아무 말 없거든 내게로 나와. 헐 일이 있으니."

"무슨 헐 일?" / "글쎄, 그러구만 나와. 다 좋은 일이 있으니."

마침내 문기는 수만이가 이르는 대로 잔돈만 주머니에서 꺼내 놓았다. 숙모는 그 돈을 받아 두 번 자세히 세어 보고 주머니에 넣고는 아무 말 없이 돌아서 고기를 씻는다. 그래도 문기는 한동안 머뭇머뭇 눈치를 보다가 슬며시 밖으로 나갔다. 그리고 문밖에는 수만이가 이상한 웃음으로 그를 맞이하였다.

핵심 확인 문기의 성격

거스름돈을 잘못 받고 이상하다고 생각하지만 그냥 집으로 돌아옴.

↓

소심하고 내성적인 성격

06 이와 같은 글을 감상할 때 주목해야 할 내용이 아닌 것은?

① 등장인물의 성격
② 갈등의 해결 과정
③ 갈등의 원인과 진행
④ 인물의 심리 상태 변화
⑤ 등장인물의 실존 여부 확인

핵심

07 이 글에서 예상되는 수만의 역할로 가장 적절한 것은?

① 비극적 결말을 예고한다.
② 배경의 현실성을 확보한다.
③ 주인공의 갈등을 심화시킨다.
④ 사건 전개에 우연성을 더한다.
⑤ 주인공이 죄책감을 갖도록 부추긴다.

08 다음은 이 글에 등장하는 문기와 수만에 대해 정리한 내용이다. 적절한 것은?

문기	• 비겁한 성격임. …………………… ① • 낙천적인 성격임. ………………… ② • 성격의 변화가 없는 인물임. …… ③
수만	• 사건을 이끌어 가는 인물임. …… ④ • 적극적이고 대담한 성격의 소유자임. ………………………………… ⑤

마 수만이가 있다던 좋은 일이란 다른 것이 아니었다. 거리에서 보고 지내던 온갖 가지고 싶고 해 보고 싶은 가지가지를 한번 모조리 돈으로 바꾸어 보자는 것이다.

그러나 문기는, / "돈을 쓰면 어떻게 되니?"

"염려 없어. 나 하는 대로만 해."

하고 머뭇거리는 문기 어깨에 팔을 걸고 수만이는 우쭐거리며 걸음을 옮긴다. / 하기는 문기 역시 돈으로 바꾸고 싶은 것이 없지 않은 터, 그리고 수만이가 시키는 대로 끌려 하기만 하면 남이 하래서 하는 것이니까 어떻게 자기 책임은 없는 듯싶었다. 그리고 수만이는 수만이대로 돈은 문기가 만든 돈, 나중에 무슨 일이 난다 하여도 자기 책임은 없으니까 또 안심이었다. 이래서 두 소년은 마침내 손이 맞고 말았다.

바 그래도 으슥한 골목을 걸을 때는 알 수 없는 두려움에 가슴이 두근거리었으나, 밝은 큰 한길로 나오자 차차 다른 기쁨으로 변했다. 길 좌우편 환한 상점 유리창 안의 온갖 것이 모두 제 것인 양, 손짓해 부르는 듯했다. 드디어 그들은 공을 샀다. 만년필을 샀다. 쌍안경을 샀다. 만화책을 샀다. 그리고 활동사진 구경도 갔다. 다니며 이것저것 군것질도 했다. / 그리고 그 나머지 돈으로 또 한 가지 즐거운 계획이 있었다. 조그만 환등 기계 한 틀을 사자는 것이다. 이것을 놀려 아이들에게 일 전씩 받고 구경을 시킨다. 그리고 여기서 나오는 것으로 두고두고 용돈에 주리지 않도록 하자는 계획이다. 하고 오늘 저녁부터 그 첫 착수를 하자는 약조였다.

환등 기계: 강한 불빛을 사진 필름에 비추어 확대경을 통해 영상이 크게 보이게 하는 장치
놀려: 이용하여
주리지: 원하는 것을 얻지 못하여 몹시 아쉬워하지
약조: 조건을 붙여서 약속함.

전개 1	문기와 수만은 잘못 받은 거스름돈으로 갖고 싶은 물건을 마음껏 삼.

핵심 확인

수만의 역할
- 거스름돈을 잘못 받았는지 확인하기 위해 문기에게 얕은꾀를 알려 줌.
- 문기를 부추겨 잘못된 행동을 하게 하면서 새로운 사건을 불러일으킴.

문기의 심리 변화

'알 수 없는 두려움'	양심의 가책 때문에 생긴 두려움
↓	
'다른 기쁨'	물건을 사는 재미에 빠져 느끼는 기쁨

09 이 글에 드러난 문기와 수만에 대한 평가로 적절한 것은?

① 문기는 고깃간 주인에게 거스름돈을 적극적으로 돌려주려고 한다.
② 문기는 거스름돈으로 갖고 싶은 물건들을 사면서 강한 죄책감에 시달린다.
③ 수만은 고깃간 주인에게 거스름돈을 언젠가는 돌려주어야 한다고 생각한다.
④ 수만은 제안을 통해 문기가 거스름돈을 쓰도록 부추기는 영악한 면모를 보인다.
⑤ 문기와 수만은 거스름돈을 쓴 데 대한 문제가 발생하면 서로 책임을 지고자 한다.

10 〈보기〉의 뜻을 가진 관용구를 (마)에서 찾아 그대로 쓰시오.

보기
함께 일할 때 생각, 방법 따위가 서로 잘 어울리다.

서술형
11 (마)에서 알 수 있는 문기와 수만의 성격 차이를 구체적인 근거를 들어 서술하시오.

낱개 확인 문제
12 (바)에 드러나는 문기의 심리 변화를 바르게 정리한 것은?

① 기쁨 → 공포
② 두려움 → 기쁨
③ 즐거움 → 죄책감
④ 행복함 → 불안감
⑤ 어리둥절함 → 두려움

이것이 핵심! ✓ 작품의 구성 ✓ 인물이 처한 상황

전개2 **사** 그러나 ⓐ이 즐거운 계획을 앞두고 이내 올 것이 오고 말았다. 안방에서 저녁상을 받고 앉았던 삼촌은 문기를 불렀다. 두 번 세 번 문기야, 소리가 아랫방 창을 울린다. ㉠방 안에서 문기는 못 들은 양 대답하지 않는다. 그러나 네 번째는 안방 미닫이를 열고 삼촌은,

미닫이: 문이나 창 따위를 옆으로 밀어서 여닫는 방식. 또는 그런 방식의 문이나 창을 통틀어 이르는 말

"문기 아랫방에 없니?"

댓돌 위에 신이 놓여 있는데 없는 양할 수는 없다. 기어이 문기는 그 삼촌 앞에 나가 무릎을 꿇고 앉지 않을 수 없었다. 삼촌은 잠잠히 식사를 계속한다. 그 상 밑에 안반 뒤에 숨겨 두었던 공이 와 있다. 상을 물릴 임시에 삼촌은 입을 열었다.

댓돌: 섬돌. 집채의 앞뒤에 오르내릴 수 있게 놓은 돌층계

임시: 대략 어떤 시기와 일치하는 즈음에

"너 요새 학교에 매일 갔었니?" / "네."

삼촌은 상 밑에 그 공을 굴려 내며,

"이거 웬 공이냐?" / "수만이가 준 공이에요."

"이것두?" / 하고 삼촌은 무릎 밑에서 쌍안경을 꺼내 들었다.

"네." / "수만이가 얼마나 돈을 잘 쓰는 아인지 몰라도 이 공은 오십 전은 줬겠구나. 이건 못 줘도 일 원은 넘겨 줬겠구."

그리고 삼촌은, / "수만이란 뭘 하는 집 아이냐?"

문기는 고개를 숙이고 앉아 말이 없다. 삼촌은 숭늉을 마시고 상을 물렸다.

"네 입으로 수만이가 줬다니 ㉡네 말이 옳겠지. 설마 네가 날 속이기야 하겠니? 하지만 남이 준다고 아무것이고 덥적덥적 받는다는 것두 좀 생각해 볼 일이거든."

덥적덥적: 무슨 일에나 가리지 않고 행동하는 모양

삼촌은 다시 말을 계속한다.

"말 들으니 너 요샌 저녁두 가끔 나가 먹는다더구나. 그것두 수만이에게 얻어먹는 거냐?"

핵심

13 문기가 ㉠처럼 행동하는 이유를 바르게 설명한 것은?

① 자신의 행동에 대한 죄책감 때문에
② 자신의 일에 참견하는 삼촌에 대한 반감 때문에
③ 자신의 일을 고자질한 숙모에 대한 원망 때문에
④ 밥을 먹고 있을 때는 삼촌을 만나고 싶지 않았기 때문에
⑤ 삼촌 방과 문기 방이 멀리 떨어져 있어서 잘 안 들렸기 때문에

14 ㉡처럼 말하는 삼촌을 대하는 문기의 심리로 적절한 것은?

① 삼촌은 별걸 다 참견하셔.
② 삼촌이 나에게 거짓말을 하는 거야.
③ 삼촌은 내가 속이는 걸 모르시는군.
④ 하마터면 삼촌에게 들킬 뻔했잖아. 조심해야지.
⑤ 나를 믿어 주는 삼촌에게 거짓말을 하는 것이 죄송해.

15 이 글에서 〈보기〉에 해당하는 부분을 찾아 5어절로 쓰시오.

보기
- 문기가 자신의 잘못을 숨기고 있는데 삼촌이 부르는 난처한 상황을 나타내는 부분임.
- 문기의 불안한 심정을 나타냄.

16 문기가 삼촌을 매우 어려워하고 있음을 알 수 있는 구절을 찾아 쓰시오.

서술형

17 ⓐ의 구체적인 내용이 무엇인지 쓰시오.

(아) 문기는 벌겋게 얼굴이 달아 수그리고 앉았다. 삼촌은 잠시 묵묵히 건너다만 보고 있더니 음성을 고쳐 엄한 어조로,

"어머님은 어려서 돌아가시구 아버지는 저 모양이시구, 앞으로 집안을 일으킬 사람은 너 하나야. 성실치 못한 아이들하고 어울려 다니다 혹 나쁜 데 빠지거나 하면 첫째 네 꼴은 뭐구 내 모양은 뭐냐? 난 너 하나는 어디까지든지 공부도 시키구 사람을 만들어 주려구 애를 쓰는데 너두 그 뜻을 받아 주어야 사람이 아니냐."

그리고 삼촌은 이렇게 뒤뚝 맘 한번 잘못 가졌다가 영 신세를 망치고 마는 예를 이것저것 들어 말씀하고는 이후론 절대 이런 것들을 받아들이지 말라는 단단한 다짐을 받은 후 문기를 내보냈다.

뒤뚝: 몸의 중심을 잃고 한쪽으로 기울어지는 모양. 여기서는 '자칫'의 뜻

전개 2 | 문기는 삼촌에게 나쁜 데 빠지지 말라는 꾸중을 들음.

핵심 확인

과거와 현재를 넘나드는 역순행적 구성

현재		과거		현재
중문 안 안반 뒤에 숨겨 둔 공을 찾으며 불안해하는 문기	→	숙모의 심부름을 하던 중 수만의 꾐에 넘어간 문기	→	삼촌에게 꾸중을 들으며 잘못을 반성하는 문기

삼촌의 꾸중

삼촌이 문기를 꾸중하는 이유	성실하지 못한 아이들과 어울려 다니다가 나쁜 길로 빠질까 봐

문기의 상황

문기의 상황	• 어머니는 돌아가시고 아버지는 제대로 된 구실을 못함. • 어려운 집안 형편 때문에 삼촌 집에 얹혀 살고 있음.

이것이 핵심! ✓ 인물의 성격 ✓ 인물의 갈등 해결 과정 ✓ 갈등의 양상

전개3 (자) 문기는 아랫방에 내려와 혼자 되자 삼촌 앞에서보다 갑절 ㉠ 얼굴이 달아올랐다. 지금까지 될 수 있는 대로 생각지 않으려고 힘을 써 오던 그편에 정면으로 제 몸을 세워 놓고 보지 않을 수 없었다. 그러자 자기라는 몸은 벌써 삼촌의 이른바 나쁜 데 빠지고 만 것이었다. 그야 자기는 수만이가 시켜서 한 일이니까 잘못이 없다는 것이지만, 당초에 그것은 제 허물을 남에게 미루려는 얄미운 구실이 아니고 뭐냐. 그리고 문기는 이미 삼촌을 속이었다.

서술형

18 (아)까지의 이야기를 사건이 일어난 순서에 따라 다음과 같이 정리할 때 빈칸에 들어갈 알맞은 내용을 쓰시오.

문기가 거스름돈을 더 받음.	→	문기가 더 받은 돈을 수만과 함께 써 버림.
		↓
삼촌이 문기에게 생긴 공을 보며 문기를 꾸중함.	←	

19 (아), (자)에서 추측할 수 있는 문기의 속마음으로 적절하지 않은 것은?

① 삼촌을 속인 것에 대해 죄책감을 느끼고 있다.
② 이것저것 훈계를 하는 삼촌에 대해 거부감을 느끼고 있다.
③ 수만의 핑계를 대고 돈을 써 버린 것에 대해 후회하고 있다.
④ 써서는 안 될 돈을 쓴 것에 대해 양심의 가책을 느끼고 있다.
⑤ 자신을 길러 준 삼촌의 기대를 저버린 것을 미안해하고 있다.

서술형

20 (아)를 통해 알 수 있는 삼촌의 성격을 쓰시오.

21 (자)에서 주로 드러나는 갈등의 유형은?

① 개인 내부의 갈등 ② 개인과 개인의 갈등
③ 개인과 사회의 갈등 ④ 개인과 자연의 갈등
⑤ 개인과 운명의 갈등

서술형

22 문기 스스로 자기의 잘못으로 반성하는 두 가지를 (자)를 참고하여 간단하게 서술하시오.

23 ㉠에 드러나는 문기의 심리는?

① 행복함 ② 불안함 ③ 부끄러움
④ 자랑스러움 ⑤ 짜증스러움

또 써서는 아니 될 돈을 쓰고 말았다. 아아, 일찍이 어머니를 여의고 아버지란 사람은 일상 천 냥 만 냥 하고 허한(속이 빈, 참되지 않고 터무니없는) 소리만 하면서 남루한(옷 따위가 낡아 해지고 차림새가 너저분한) 주제에 거처가 없이 시골, 서울로 돌아다니는 사람이고, 어려서부터 문기를 길러 낸 사람이 삼촌이었다. 그리고 조카의 장래를 자기의 그것보다 더 중히 알고 염려하며 잘되어 주기를 바라는 삼촌이었다. 그 삼촌의 기대에 어그러지지 않는 인물이 되어 보이겠다고 엊그제도 주먹을 쥐고 결심하던 문기가 아니냐. 생각할수록 낯이 뜨거워지는 일이다.

차 마침내 문기는 공과 쌍안경을 집어 들고 문밖으로 나갔다. 어둑어둑 저물어 가는 한길이다. 문기는 골목으로 들어섰다. 대낮에 많은 사람 가운데에서 거리낌 없이 가지고 놀던 그 공이 지금은 사람이 드문 골목 안에서도 ㉠남이 볼까 두려워졌다. 컴컴해질수록 더 허옇게 드러나 보이는 커다란 공을 처치하기에 곤란해 문기는 옆으로 꼈다 뒤로 돌렸다 하며 ㉡사람의 눈을 피한다.

[A] 쌍안경이 든 ㉢불룩한 주머니가 또 성화다(몹시 귀찮게 구는 일). 골목 하나를 돌아서 나올 즈음 문기는 모르고 흘리는 것인 양 슬며시 쌍안경을 꺼내 길바닥에 떨어뜨렸다. 그리고 걸음을 빨리하여 건너편 골목으로 들어간다. 개천가 앞에 이르렀다. 거기서 문기는 커다란 공을 바지 앞에 품고 앉아서 ㉣길 가는 사람이 없기를 기다린다.

자전거가 가고 노인이 오고 동이 뜬(사이가 조금 생긴) 그 중간을 타서 문기는 허옇게 흐르는 물 위로 공을 던져 버렸다. 이어 양복 안주머니에 간직해 두었던 나머지 돈을 꺼내 들었다. 그것도 마저 던져 버리려다가 문득 들었던 손을 멈춘다. 그리고 잠시 둥실둥실 물을 따라 떠나가는 공을 통쾌한 듯 바라보다가는 돌아서 걸음을 옮긴다.

문기는 삼거리 고깃간을 향해 갔다. 그리고 뒷골목으로 돌아가 나머지 돈을 종이에 싸서 담 너머로 그 집 안마당을 향해 던졌다.

그제야 문기는 무거운 짐을 풀어놓은 듯 ㉤어깨가 거뜬했다. 아까 물 위로 둥실둥실 떠 가던 그 공, 지금은 벌써 십 리고 이십 리고 멀리 떠갔을 듯싶은 그 공과 함께 문기는 자기의 허물도 멀리 사라져 깨끗이 벗어난 듯 ⓐ속이 후련했다. 그리고,

'다시는, 다시는…….' / 하고 문기는 두 번 다시 그런 허물을 범하지 않겠다고 백번 다지며 집을 향해 돌아간다.

24 이 글을 통해 알 수 있는 사실이 아닌 것은?

① 문기의 어머니는 일찍 돌아가셨다.
② 문기는 어려서부터 삼촌 집에서 자랐다.
③ 문기의 아버지는 돈을 벌러 서울에 가셨다.
④ 삼촌은 문기를 잘 키우기 위해 애쓰고 있다.
⑤ 문기는 삼촌의 기대에 어긋나지 않으려 한다.

25 ㉠~㉤에서 알 수 있는 문기의 심리 중 나머지 넷과 다른 것은?

① ㉠ ② ㉡ ③ ㉢
④ ㉣ ⑤ ㉤

26 이 글에서 <보기>에 해당하는 부분을 찾아 4어절로 쓰시오.

보기
- 공과 쌍안경을 버리고 돈도 돌려주고 난 뒤 죄책감에서 벗어난 문기의 심리
- 다른 대상에 빗대어 표현함.
- 직유법을 사용함.

27 [A]에 나타난 문기의 행동을 비판적으로 이해한 내용으로 적절하지 않은 것은?

① 누구나 한 번은 실수할 수 있는 거야.
② 물건을 버린다고 해서 문제가 해결되지는 않아.
③ 삼촌에게 솔직하게 고백하는 게 나을 것 같은데.
④ 물건을 몰래 버리고 속이 후련했다는 건 비겁한 행동 같아.
⑤ 고깃간 주인에게 찾아가 고백하고 용서를 비는 게 옳지 않을까?

핵심
28 문기가 ⓐ처럼 느끼는 이유로 알맞은 것은?

① 착한 일을 했기 때문에
② 수만을 따돌렸기 때문에
③ 삼촌이 하라는 대로 했기 때문에
④ 조금이나마 죄책감에서 벗어났기 때문에
⑤ 어차피 버려야 할 물건들을 버렸기 때문에

(카) 그러나 문기는 그것만으로는 도저히 자기 허물을 완전히 벗을 수 없었다. 그가 자기 집 어귀에 이르렀을 때 뜻하지 않은 것이 기다리고 있다 나타났다.

"너 어디 갔다 오니?"

하고 컴컴한 처마 밑에서 수만이가 튀어나오며 반긴다.

"지금 느이 집에 다녀오는 길이다."

그리고 문기 어깨에 팔 하나를 걸고 한길을 향해 돌아서며,

"어서 가자."

약조한 환등 틀을 사러 가자는 것이다. 극장 앞 장난감 가게에 있는 조그만 환등 틀을 오고 가는 길에 물건도 보고 가격도 보아 두었던 것이다. 그리고 오늘 낮에도 보고 온 것이었건만 수만이는,

"그새 팔리지나 않았을까?"

하고 걸음을 재촉한다. 문기는 생각 없이 몇 걸음 끌려가다가는 갑자기 그 팔을 쳐 내리며 물러선다.

"난 싫다."

수만이는 어리둥절해 쳐다본다.

"뭐 말야? 환등 틀 사기 싫단 말야?"

"난 인제 돈 가진 것 없다." / "뭐?"

하고 수만이는 의외라는 듯 눈이 둥그레지다가는 금세 ㉠능청스러운 웃음을 지으며,

"너 혼자 두고 쓰잔 말이지. 그러지 말구 어서 가자."

"정말 없어. 지금 고깃간 집 안마당으로 던져 주고 오는 길이야. 공두 쌍안경두 버리구."

하고 문기는 증거를 보이느라고 이쪽저쪽 주머니를 털어 보이는 것이나 수만이는 흥 하고 코웃음을 친다.

"누군 너만 못 약을 줄 아니?"

그리고 연신 빈정댄다.

"고깃간 집 마당으로 던졌다? 아주 핑계가 됐거든."

"거짓말 아니다. 참말야."

할 뿐, ㉡문기는 어떻게 변명할 줄을 몰라 쳐다보기만 하다가 고개를 떨어뜨리고 울상을 한다.

29 이 글의 특징으로 알맞은 것은?

① 흥미 위주의 비현실적인 이야기이다.
② 우연성에 의존하여 사건을 전개하고 있다.
③ 인물의 심리를 사실적으로 묘사하고 있다.
④ 성격에 변화가 없는 평면적 인물만 등장한다.
⑤ 인물 사이의 갈등이 없이 심리적 갈등만 나타나고 있다.

30 (카)에서 수만의 등장이 하는 역할로 적절한 것은?

① 사건을 해결한다.
② 사건의 결말을 암시한다.
③ 작품의 주제를 드러낸다.
④ 갈등의 원인을 알게 한다.
⑤ 또 다른 갈등을 유발한다.

날개 확인 문제

31 이 글에서 문기와 수만이 갈등하게 되는 원인은?

① 문기 혼자 돈을 쓰려고 해서
② 수만이 문기의 돈을 가로채서
③ 문기가 돈을 주인에게 돌려주어서
④ 문기가 삼촌에게 모든 사실을 고백하여서
⑤ 수만이 문기에게 약속한 물건을 주지 않아서

32 수만이 ㉠과 같은 웃음을 지은 이유로 알맞은 것은?

① 원래 낙천적인 성격이어서
② 돈을 자기가 가지고 있어서
③ 문기가 돈을 혼자 다 써 버려서
④ 문기의 말이 진실이라는 것을 알아서
⑤ 문기가 거짓말을 하고 있다고 생각해서

33 ㉡을 통해 알 수 있는 문기의 성격은?

① 활달하다.
② 소극적이다.
③ 적극적이다.
④ 외향적이다.
⑤ 능청스럽다.

타 "오늘 작은아버지에게 막 꾸중 듣구. 그리고 나두 인젠 그런 건 안 헐 작정이다."

"그래도 나하고 약조헌 건 실행해야지. 싫으면 너는 빠져도 좋아. 그럼 돈만 이리 내."

하고 턱밑에 손을 내민다.

"정말 없대두 그래."

수만이는 내밀었던 손으로 대뜸 멱살을 잡는다.

"이게 그래두 느물대거든."

엉큼한 마음을 숨기고 겉으로 천연스럽게 굴거든.

이런 때 마침 기침을 하며 이웃집 사람이 골목으로 들어서자 수만이는 슬며시 물러선다. 그러나,

"낼은 안 만날 테냐. 어디 두고 보자!"

하고 피해 가는 문기 등을 향해 소리쳤다.

전개 3	수만은 고깃간 집에 돈을 돌려주었다는 문기의 말을 믿지 않고 문기에게 화를 냄.

핵심 확인

문기의 행동과 성격

인물	행동	성격
문기	• 수만이 하자는 대로 거스름돈을 씀. • 삼촌의 훈계를 듣고 양심의 가책을 느낌.	• 다른 사람의 말에 잘 넘어가는 편이고, 의존적이며 소심함. • 잘못을 뉘우칠 줄 아는 착한 심성을 지녔음.

문기의 갈등 해결 과정

쌍안경		공		돈
길바닥에 떨어뜨림.	→	개천에 던져 버림.	→	고깃간 주인집 안마당을 향해 던짐.

↓ 죄책감에서 벗어남.

갈등의 양상

문기의 내적 갈등	삼촌에게 사실대로 말해야 함.	⟷	삼촌에게 사실대로 말할 수 없음.
문기와 수만의 외적 갈등	남은 돈을 고깃간 집 안마당에 던져 돈이 없는 문기	⟷	남은 돈을 다 내놓으라고 문기를 위협하는 수만

34 (타)에서 인물들이 나누는 대화의 역할로 알맞은 것은?

① 주제를 암시한다.
② 시대적 배경을 제시한다.
③ 인물 간의 갈등을 표출한다.
④ 앞의 내용을 요약·정리한다.
⑤ 갈등을 해결하며 사건을 종결한다.

35 문기와 수만의 갈등이 본격적으로 시작됨을 알 수 있게 하는 수만의 행동을 (타)에서 찾아 그대로 쓰시오.

36 (타)의 단어를 다음과 같이 바꾸어 썼을 때 글의 흐름상 적절하지 않은 것은?

① 작정 → 생각
② 약조 → 약속
③ 실행해야지 → 지켜야지
④ 멱살 → 손목
⑤ 느물대거든 → 능글맞거든

37 문기가 자신의 행동을 성찰한 내용으로 적절하지 않은 것은?

① '잘못된 행동을 하면 편안하게 살 수가 없구나.'
② '수만과 한 약속을 지키지 못한 것이 가장 마음에 걸린다.'
③ '남의 돈을 다 써 버리기 전에 잘못을 되돌릴 수 있어 다행이다.'
④ '앞으로 삼촌을 걱정시키거나 실망시킬 만한 일은 하지 말아야겠어.'
⑤ '삼촌께 사실을 말씀드리지는 못했지만 내 힘으로 내 잘못을 되돌릴 수 있을 거야.'

서술형

38 자신이 문기였다면 (타)와 같은 상황에서 어떻게 대응했을지 쓰시오.

이것이 핵심! ✓ 인물의 갈등 대응 방식 ✓ 인물의 성격

위기1 (파) 이튿날 아침이다. 학교에 가는 길에 문기가 큰 한길로 나오자 맞은편 판장에 백묵으로 커다랗게 '김문기는' 하고 그 밑에 동그라미 셋을 쳐 '㉠○○○했다.' 하고 써 있다. 그리고 학교 어귀에 이르러 삼거리 잡화상 빈지판에도 같은 것이 씌어 있는 것이다. 문기는 이번에도 무춤하고 보다가는 얼른 모자를 벗어서 이름자만 지워 버렸다. 그러는 것을 건너편 길모퉁이에서 수만이가 일그러진 웃음으로 보고 섰다. 그리고 문기가 앞으로 지나가자,

판장: 판판하고 넓게 켠 나무판자
빈지판: 한 짝씩 끼웠다 떼었다 할 수 있게 만든 문. 흔히 가게에서 문 대신 씀.
무춤하고: 놀라거나 어색하여 동작을 갑자기 멈추고

"왜 겁이 나니? 지우게."

하고 뒤를 오면서 작은 소리로,

"그래, 정말 돈 너만 두고 쓸 테냐. 그럼 요건 약과다."

그리고 수만이는 추근추근하게 쫓아다니며 은근히 골리었다.

추근추근하게: 몹시 끈질기게

ⓐ 철봉 틀 옆에 정신없이 선 문기를 불시에 다리오금을 쳐 골탕을 먹게 하였다. 단거리 경주 연습을 하는 척 달음박질을 하다가는 일부러 문기 앞으로 달려들어 몸째 부딪는다.

다리오금: 무릎 뒤쪽의 오목한 부분

그리고 으슥한 곳에서 단둘이 만나는 때면 수만이는,

"너 네 맘대루만 허지. 나두 내 맘대루 헐 테다. 내 안 풍길 줄 아니? 풍길 테야."

풍길: 소문 낼

하고 손을 들어 꼽는다.

"풍기기만 하면, 첫째, 학교에서 쫓겨날 것이요, 둘째, 너희 집에서 쫓겨날 것이요, 그리고 남의 걸 훔친 거나 일반이니까 또 그런 곳으로 붙들려 갈 것이요." / 하고는 또, / "풍길 테다."

사실 그다음 시간 교실을 들어갔을 때 문기는 크게 놀랐다. 칠판 한가운데, '김문기는 ○○○했다.'가 커다랗게 씌어 있다. 뒤미처 선생님이 들어왔다. 일은 간단히, 선생님이 한번 쳐다보고 누구 장난이냐 하고 쓱쓱 지워 버리고는 고만이었지만 선생님이 들어오고 그것을 지우기까지의 그동안 문기는 실로 앞이 캄캄했다.

그러나 수만이는 그것으로 그만두지 않았다. 학교를 파해 거리로 나와서는 한층 심했다. 두어 간 문기를 앞세워 놓고 따라오면서 연해 수만이는,

파해: 어떤 일을 마치거나 그만둬

"앞에 가는 아이는 공공공했다지."

날개 확인 문제

39 ㉠에 들어갈 말로 가장 적절한 것은?

① 도적질 ② 거짓말
③ 헛소리 ④ 장난질
⑤ 고자질

40 (파)의 단어를 다음과 같이 다른 단어로 바꾸어 썼을 때 의미가 그대로 유지되지 않는 것은?

① 무춤하고 → 멈칫하고
② 추근추근하게 → 끈질기게
③ 골리었다 → 웃기었다
④ 풍길 → 소문 낼
⑤ 파해 → 마쳐

41 이 글에서 문기를 괴롭히는 수만의 행동이 아닌 것은?

① 협박하기
② 다리오금 치기
③ 칠판에 낙서하기
④ 빈지판에 낙서하기
⑤ 도적질했다고 떠들기

42 수만이 ⓐ와 같이 행동하는 이유로 알맞은 것은?

① 문기가 운동을 못해서
② 문기와 같이 놀기 위해서
③ 아이들에게 인기를 얻기 위해서
④ 문기에게 돈을 받아 내기 위해서
⑤ 문기의 나쁜 버릇을 고치기 위해서

43 (파)에서 시대적 배경을 짐작하게 하는 단어는?

① 백묵 ② 잡화상
③ 빈지판 ④ 철봉
⑤ 교실

그리고 점점 더해 나중엔 도적질을 거꾸로 붙여서,

"앞에 가는 아이는 '질적도'했다지."

하고 거리거리 외며 따라오는 것이다. / 문기 집 가까이 이르렀다. 수만이는 문기 앞으로 다가서며 작은 음성으로 조졌다.

일이나 말이 허술하게 되지 않도록 단단히 단속했다.

"너 지금으로 가지고 나오지 않으면 낼은 가만 안 둔다. 도적질했다 하구 똑바루 써 놓을 테야."

(하) 문기는 여전히 못 들은 척 걸음만 옮긴다. 자기 집 마당엘 들어섰다. 숙모는 뒤곁에서 화초 모종을 하는지,

"여기 심어라, 저기 심어라."

하고 아랫집 심부름하는 아이와 이야기하는 소리가 날 뿐 집 안엔 아무도 없다.

그리고 눈앞에 보이는 붓장 안 앞턱에 잔돈 얼마와 지전 몇 장이 놓여 있다. 그리고 문밖엔 지금 수만이가 돈을 가지고 나오기를 기다리고 섰다. 여기서 문기는 두 번째 허물을 범하고 말았다.

무엇을 보관하는 장의 한 가지

"진작 듣지."

하고 빙그레 웃는 수만이 얼굴에다 뺨을 때리듯 돈을 던져 주고 문기는 달아났다.

위기 1	문기는 돈을 내놓으라는 수만의 협박에 못 이겨 숙모의 돈을 훔침.

핵심 확인

문기의 갈등 대응 방식

문기가 행한 두 번째 허물

수만의 협박을 견디지 못해 숙모의 돈을 훔쳐 수만에게 준 것 → 당장의 어려움은 해결할 수 있었지만 다른 문제를 일으켜 문기의 갈등을 심화시키는 결과를 낳음.

수만의 행동과 성격

인물	행동	성격
수만	• 문기를 꾀어 거스름돈을 쓰게 함. • 남은 돈을 돌려주었다는 문기의 말을 믿지 않고 문기를 협박함.	• 자신의 욕심을 중시하며 계산적임. • 자신이 얻고자 하는 것을 위해서는 수단과 방법을 가리지 않음.

44 문기가 수만의 괴롭힘에 느꼈을 심정을 추측한 것으로 적절한 것은?

① 나는 잘못이 없으므로 당당하다.
② 사실이 아니므로 크게 신경 쓰지 않겠다.
③ 내가 한 일을 다른 사람들이 알게 될까 봐 두렵다.
④ 다른 아이들이 수만보다는 나를 더 믿기에 걱정이 없다.
⑤ 수만이 원래 그런 아이라는 것을 알기에 별 관심이 없다.

45 (하)에서 드러나는 문기의 갈등 대응 방식으로 볼 때, 문기의 성격은 어떠한가?

① 활달하다 ② 교활하다
③ 소심하다 ④ 악랄하다
⑤ 강직하다

46 〈보기〉에 해당하는 부분을 (하)에서 찾아 5어절로 쓰시오.

보기
문기의 심리적 갈등이 더욱 심해지는 계기가 되는 상황

서술형

47 이 글에서 문기가 범한 '두 번째 허물'은 무엇인지 쓰시오.

이것이 핵심! ✓ 인물의 심리

위기2 **거** 급한 걸음으로 문기는 네거리 하나를 지났다. 또 하나를 지났다.

또 하나를 지났다. 걸음은 차차 풀이 죽는다. 그리고 문기는 이런 생각을 하였다.

'나는 몰래 작은어머니 돈을 축냈다. 그러나 갚으면 고만 아니냐. 그 돈 값어치만큼 밥도 덜 먹고 학용품도 아껴 쓰고 옷도 조심해 입고 이렇게 갚으면 고만 아니냐.'

몇 번이고 이 소리를 속으로 되뇌며 문기는 떳떳이 얼굴을 들고 집으로 들어갈 수 있을 만한 뱃심(용기)을 만들려 한다. 그러나 일없이(아무런 까닭이나 실속 없이) 공원으로 거리로 돌며 해를 보낸다.

너 날이 저물어서 문기는 풀이 죽어 집 마루에 걸터앉았다. 숙모가 방에서 나오다 보고, / "너 학교에서 인제 오니?"

그리고 이어, / "너 혹 붓장 안의 돈 봤니?"

하다가는 채 문기가 입을 열기 전에 숙모는,

"학교서 지금 오는 애가 알겠니. 참 점순이 고년 앙큼헌 년이드라. 낮에 내가 뒤꼍에서 화초 모종을 내고 있는데 집을 간다고 나가더니 글쎄 돈을 집어 갔구나."

문기는 잠잠히 듣기만 한다. 그러나 속으로는 갚으면 고만이지 소리를 또 한 번 외어 본다.

더 그날 밤이었다. 아랫방 들창 밑에 훌쩍훌쩍 우는 어린아이 울음소리가 났다. 아랫집 심부름하는 아이 점순이 음성이었다. 숙모가 직접 그 집에 가서 무슨 말을 한 것은 아니로되 자연 그 말이 한 입 건너 두 입 건너 그 집에까지 들어갔고, 그리고 그 집 주인 여자는 점순이를 때려 쫓아낸 것이다. 먼저는 동네 아이들이 모여 지껄지껄하더니 차차 하나 가고 둘 가고 훌쩍훌쩍 우는 그 소리만 남는다. 방 안의 문기는 그 밤을 ㉠뜬눈으로 새웠다.

위기 2	점순이 숙모의 돈을 훔친 혐의로 누명을 쓰고 쫓겨나자 문기는 매우 괴로워함.

핵심 확인 문기의 심리 파악

문기가 뜬눈으로 밤을 새운 이유	엉뚱하게도 점순이 돈을 훔친 사람으로 누명을 썼기 때문

48 (너), (더)에 나타난 문기의 상황에 대한 반응으로 적절하지 <u>않은</u> 것은?

① 엎친 데 덮친 격이로군.
② 언 발에 오줌 누기라더니.
③ 가면 갈수록 첩첩산중이로군.
④ 호미로 막을 것을 가래로 막게 되었네.
⑤ 늦게 배운 도둑이 날 새는 줄 모른다더니.

49 (더)에 나타난 갈등 양상과 유사한 것은?

① 소음을 일으키는 위층과 갈등하는 아래층
② 재혼을 비난하는 사회 현실 속에서 힘들어하는 어머니
③ 에밀의 나비를 훔쳐 망가뜨린 '나'와 이를 비난하는 에밀
④ 아버지를 아버지라 부를 수 없는 현실과 갈등하는 홍길동
⑤ 땅을 얻기 위해 마름집 아들 경완의 나비를 잡아 주어야 하지만 그러기 싫은 '나'

50 (더)에서 점순의 울음소리를 듣는 문기의 심리를 가장 잘 파악한 것은?

① 점순의 미련함을 비웃었을 거야.
② 자기 때문에 쫓겨난 점순에게 미안할 거야.
③ 점순을 찾아가서 따뜻하게 위로하고 싶을 거야.
④ 점순을 모함한 작은어머니에게 화가 날 거야.
⑤ 점순의 처지가 자기와 비슷하다고 느낄 거야.

51 ㉠과 관련이 깊은 한자 성어는?

① 이목구비(耳目口鼻)
② 목불식정(目不識丁)
③ 전전반측(輾轉反側)
④ 설상가상(雪上加霜)
⑤ 동상이몽(同床異夢)

서술형

52 (거)에서 문기가 일없이 거리를 돌아다니는 이유를 쓰시오.

이것이 핵심! ✔ 인물의 심리와 갈등

절정 (러) 이튿날 아침이다. 문기는 밥을 두어 술 뜨다가는 고만둔다. 그 돈을 갚기 위한 그것이 아니다. 도무지 입맛이 나지 않았다. 학교엘 갔다. 첫 시간은 수신 시간, 그리고 ⓐ공교로이 제목이 '정직'이다. 선생님은 ⓑ뒷짐을 지고 교단 위를 왔다 갔다 하며 거짓이라는 것이 얼마나 악한 것이고 정직이 얼마나 귀하고 중한 것인가를 ⓒ누누이 말씀한다. 그리고 안경 쓴 선생님의 그 눈이 번쩍하고 문기 얼굴에 머물렀다 가고 가고 한다. 그럴 때마다 문기는 ㉠가슴이 뜨끔뜨끔해진다. 문기는 자기 한 사람에게만 들리기 위한 정직이요, 수신 시간인 듯싶었다. 그만치 선생님은 제 속을 다 들여다보고 하는 말인 듯싶었다.

수신: 일제 강점기의 '도덕' 과목. 시대적 배경을 알 수 있음.

운동장에서도 문기는 ⓓ풀이 없다. 사람 없는 교실 뒤 버드나무 옆 그런 데만 찾아다니며 고개를 숙이고 깊은 생각에 잠기거나 팔짱을 찌르고 왔다 갔다 하기도 한다. 그러다 누가 등을 치면 소스라쳐 깜짝깜짝 놀란다.

언제나 다름없이 하늘은 맑고 푸르건만 문기는 어쩐지 그 하늘조차 쳐다보기가 두려워졌다. 자기는 감히 떳떳한 얼굴로 그 하늘을 쳐다볼 만한 사람이 못 된다 싶었다.

언제나 다름없이 여러 아이는 넓은 운동장에서 마음대로 뛰고 마음대로 지껄이고 마음대로 즐기건만 문기 한 사람만은 어둠과 같이 컴컴하고 무거운 마음에 잠겨 고개를 들지 못한다. 무엇보다도 문기는 전일처럼 맑은 하늘 아래서 아무 거리낌 없이 즐길 수 있는 마음이 갖고 싶다. 떳떳이 하늘을 쳐다볼 수 있는, 떳떳이 남을 대할 수 있는 마음이 갖고 싶었다.

(머) 오후 해 저물녘이다. 문기는 책보를 흔들흔들 고개를 숙이고 담임 선생님 집 앞을 왔다가는 ⓔ무춤하고 섰다가 그대로 지나가고 그대로 지나가고 한다. 세 번째는 드디어 그 집 문 안을 들어서서 선생님을 찾았다. 선생님은 문기를 안방으로 맞아들였다. 학교에서 볼 때 엄하고 딱딱하던 선생님은 의외로 부드러이 웃는 낯으로 문기를 대한다. 문기는 선생님 앞에 엎드려 모든 것을 자백할 결심이었다. 그런데 선생님의 부드러운 태도에 도리어 문기는 말문이 열리지 않았다. 다음은 건넌방에서 어린애가 울어 못 했다. 다음은 사모님이 들락날락하고 그리고 다음엔 손님이 왔다. 기어이 문기는 입을 열지 못한 채 물러 나오고 말았다.

책보: 책을 싸는 보자기

핵심

53 (러)~(머)의 구성 단계에 대한 설명으로 적절한 것은?

① 갈등이 심화되고 긴장이 고조된다.
② 갈등이 해소되며, 사건이 마무리된다.
③ 갈등의 원인과 사건의 실마리가 제시된다.
④ 갈등이 최고조에 이르러 극적인 변화를 일으킨다.
⑤ 갈등이 본격적으로 시작되면서 사건이 전개된다.

54 (러)에서 이 글의 시대적 배경이 일제 강점기임을 알 수 있게 하는 단어를 찾아 쓰시오.

서술형 날개 확인 문제

55 (러)의 내용을 참고하여, 이 소설의 제목 '하늘은 맑건만'의 의미를 서술하시오.

56 ㉠과 관련이 깊은 속담은?

① 내 코가 석 자다.
② 콩 심은 데 콩 난다.
③ 도둑이 제 발 저린다.
④ 아니 땐 굴뚝에 연기 날까.
⑤ 벙어리 속은 벙어리가 안다.

57 ⓐ~ⓔ의 뜻풀이로 옳지 않은 것은?

① ⓐ: 우연히 그렇게 되는 것이 기이하게
② ⓑ: 두 손을 등 뒤로 젖혀 마주 잡은 것
③ ⓒ: 여러 번 자꾸
④ ⓓ: 기운
⑤ ⓔ: 깜짝 놀라고

버 ⓐ먼저보다 갑절 무겁고 컴컴한 마음이었다. 도저히 문기의 약한 어깨로는 지탱하지 못할 무거운 눌림이다. 걸음은 집을 향해 가는 것이지만 반대로 마음은 멀어진다. 장차 집엘 가서 대할 숙모가 두려웠고 삼촌이 두려웠고 더욱이 점순이가 두려웠다.

어느덧 걸음은 삼거리를 지나고 있었다. 문기 등 뒤에서 아주 멀리 뿡뿡하고 자동차 소리와 비켜라, 비켜라 하는 사람의 소리가 나는 듯하더니 갑자기 귀밑에서 크게 울린다. 언뜻 돌아다보니 바로 눈앞에 자동차 머리가 달려든다. 그리고 ㉠문기는 으쓱하고 높은 데서 아래로 떨어지는 듯싶은 감과 함께 정신을 잃고 말았다.

절정	문기는 자신의 잘못된 행동을 자책하며 괴로워하다가 집으로 돌아오는 길에 교통사고를 당함.

핵심 확인

문기의 심리 파악

문기가 맑고 푸른 하늘을 제대로 쳐다보지 못하는 이유	하늘은 정직하지 못한 행동 때문에 괴로워하는 문기의 상황과 대조되어 문기의 죄책감을 심화시키는 역할을 함. 하늘을 못 보는 것은 문기의 죄책감이 심하다는 것을 보여 주는 행동임.

문기의 내적 갈등의 심화 과정

숙모의 돈을 훔침. → 점순이 문기 대신 죄를 뒤집어씀. → 수신 시간에 '정직'과 관련된 내용을 배움. → 맑고 푸른 하늘을 보고 죄책감과 양심의 가책을 느끼며 괴로워함. → 담임 선생님께 모든 것을 자백하려 했으나 결국 하지 못함. → 마음의 괴로움이 더욱 커짐.

이것이 핵심! ✓ 제목의 의미 ✓ 소설을 통한 삶의 성찰

결말 서 얼마 동안을 지났는지 모른다. 문기가 어렴풋이 눈을 떴을 때 무섭게 전등불이 밝아 눈이 부시었다. 문기는 다시 눈을 감았다. 두 번째 문기는 눈을 뜨자 희미하게 삼촌의 얼굴이 나타나며 그것이 차차 똑똑해지더니 삼촌은,

"너 내가 누군지 알겠니?"/ 하고 웃지도 않고 내려다본다. 문기는 이것도 꿈인가 하고 한번 웃어 주려면서 그대로 맑은 정신이 났다. 문기는 병원 침대 위에 누워 있었다. 어디 아픈 데는 없으면서도 몸을 움직일 수는 없다. 삼촌은 근심스러운 얼굴로 내려다본다.

58 이 글은 일제 강점기에 쓰였다. 이러한 사회적 배경이 이 작품에 중대한 영향을 미치지 않은 이유로 타당한 것은?

① 일제의 검열이 심했기 때문에
② 어른들도 읽는 동화이기 때문에
③ 비현실적인 배경을 선택했기 때문에
④ 작가가 사회적 배경을 무시했기 때문에
⑤ 개인의 갈등을 주로 다루고 있기 때문에

59 ㉠과 같은 사건이 이 글에서 하는 역할은?

① 갈등이 해결된다.
② 비극적 결말을 암시한다.
③ 주제가 표면적으로 드러난다.
④ 인물의 비극적 운명을 예고한다.
⑤ 사건의 극적인 전환을 가져온다.

60 이 글에 나타난 문기의 행동을 평가한 내용으로 적절하지 않은 것은?

① 거스름돈을 더 받은 사실을 알게 되었을 때 주인에게 그 돈을 바로 돌려주었어야 했어.
② 부당하게 얻은 돈을 쓰자는 수만의 유혹에 쉽게 넘어가지 말았어야 했어.
③ 삼촌이 문기를 걱정하여 훈계를 할 때 모든 사실을 털어놓았어야 했어.
④ 수만의 협박을 피하기 위해 숙모의 돈을 훔치는 대신 어른들에게 사실을 알리고 도움을 요청했어야 했어.
⑤ 자신의 죄를 대신 뒤집어쓰고 쫓겨나는 점순을 위로하며 물질적인 도움을 주었어야 했어.

서술형

61 문기가 ⓐ와 같이 내면적 갈등을 겪는 이유는 무엇인지 문기의 잘못을 모두 열거하시오.

"작은아버지."

하고 문기는 입을 열었다. 그리고,

"저는 마땅히 받아야 할 벌을 받은 거예요."

하고 문기는 눈을 감으며 한 마디 한 마디 그러나 똑똑하게 처음부터 끝까지 먼저 고깃간 주인이 일 원을 십 원으로 알고 거슬러 준 것, 그 돈을 써 버린 것, 그리고 또 붓장 안의 돈을 자기가 훔쳐낸 것, 이렇게 하나하나 숨김없이 ㉠ 자백을 하자, 이때까지 겹겹으로 싸고 있던 허물이 한 꺼풀 한 꺼풀 벗어지면서 따라 마음속의 어둠도 차차 사라지며 맑아지는 것을 문기는 확실히 깨달을 수 있었다. 마음이 맑아지며 따라 몸도 가뜬해진다(가볍고 상쾌해진다). 내일도 해는 뜨고 하늘은 맑아지리라. 그리고 문기는 그 하늘을 떳떳이 마음껏 쳐다볼 수 있을 것이다.

결말 문기는 삼촌에게 그동안의 모든 일을 고백하고 가벼워진 마음을 느낌.

핵심 확인

제목 '하늘은 맑건만'의 의미

하늘		문기
언제나 다름없이 맑고 푸름.	⟷	정직하지 못한 행동으로 떳떳하지 못함.

- 문기의 상황과 대조적인 상황을 보여 줌.
- 문기가 자신의 상황이 잘못된 것임을 인식하고 양심의 가책과 죄책감을 느끼고 있음을 드러냄.
- 맑고 깨끗한 하늘처럼 양심을 지키며 정직하고 떳떳하게 살자는 작가의 생각을 전달함.

소설을 통한 삶의 성찰

문기		독자
양심을 속이는 잘못을 저지르고 이에 대한 죄책감과 양심의 가책으로 괴로워함.	→	정직한 삶의 가치에 대해 생각해 보고 자신의 삶을 되돌아봄.

62 〈보기〉의 설명에 해당하는 부분을 (서)에서 찾아 7어절로 쓰시오.

보기
- 삼촌에게 모든 것을 고백한 뒤의 문기의 후련한 심정이 드러남.
- 앞으로의 문기의 태도를 비유적으로 표현함.

63 (서)와 같은 갈등의 해결 방식을 통해 알 수 있는 이 글의 주제로 가장 알맞은 것은?

① 떳떳하게 살자.
② 친구를 잘 사귀자.
③ 맑은 하늘을 지키자.
④ 거스름돈을 잘 세어 보자.
⑤ 가족에게 거짓말을 하지 말자.

64 이 글에서 문기의 고백을 들은 삼촌의 반응을 상상한 것으로 적절하지 않은 것은?

① 문기의 심정을 이해하고 용서할 것이다.
② 그동안 마음고생이 많았을 문기를 위로할 것이다.
③ 문기를 데리고 고깃간 주인에게 가서 돈을 물어 줄 것이다.
④ 문기를 괴롭힌 수만에게 똑같이 복수를 하라고 충고할 것이다.
⑤ 문기에게 다시는 그러한 일을 하지 않겠다는 약속을 받아 낼 것이다.

65 ㉠의 내용으로 알맞지 않은 것은?

① 거스름돈을 더 받은 것
② 더 받은 거스름돈을 써 버린 것
③ 삼촌에게 거짓말을 한 것
④ 숙모의 돈을 훔친 것
⑤ 점순에게 죄를 뒤집어씌운 것

서술형 | 날개 확인 문제

66 삼촌에게 자백을 한 후 문기가 어떤 심정을 느꼈을지 서술하시오.

학습 활동

• 정답과 해설 p.7

이해 활동

1. 다음은 이 소설의 주요 장면입니다. 각 장면에 알맞은 내용을 써 봅시다. 예시 답

공에 발이 달렸나? 문기의 가슴은 두근거렸다.

수만은 문기가 받은 거스름돈이 맞는지 확인하자며 문기에게 얕은꾀를 알려 준다.

문기는 수만과 함께 더 받은 거스름돈으로 물건들을 사러 다닌다.

집으로 돌아온 문기는 삼촌의 꾸중을 들으며 양심의 가책을 느낀다.

문기는 쌍안경과 공을 내다 버리고 남은 돈을 삼거리 고깃간 집 마당에 던져 넣는다.

문기는 약속대로 환등기를 사러 가자는 수만에게 돈을 돌려주었다고 이야기하지만, 수만은 믿지 않고 돈을 가져오라며 문기를 괴롭힌다.

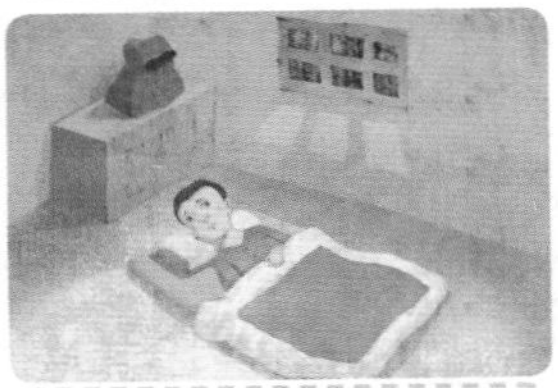

문기는 돈을 내놓으라는 수만의 협박에 못 이겨 숙모의 돈을 훔치고 이 때문에 점순이 쫓겨난다. 문기는 양심의 가책으로 밤새 잠을 이루지 못한다.

문기는 자신의 잘못된 행동으로 괴로워하다가 집으로 돌아오는 길에 교통사고를 당한다.

병원에서 깨어난 문기는 자신의 모든 잘못을 삼촌에게 고백한다.

이해 **다지기 문제**

1 다음은 이 소설의 주요 장면을 정리한 내용이다. 시간 순서대로 나열한 것은?

> ㉠ 문기가 집으로 돌아오는 길에 교통사고를 당함.
> ㉡ 고깃간 주인이 문기가 준 돈을 착각하여 큰돈을 거슬러 줌.
> ㉢ 문기는 점순에 대한 미안함으로 밤새 잠을 이루지 못함.
> ㉣ 문기가 환등기를 살 수 없다고 하자 수만이 문기를 협박함.
> ㉤ 수만과 문기가 공이며 만년필, 쌍안경 등 갖고 싶은 물건들을 마음껏 삼.

① ㉡-㉠-㉣-㉤-㉢　② ㉡-㉢-㉣-㉤-㉠
③ ㉡-㉤-㉣-㉢-㉠　④ ㉤-㉢-㉠-㉣-㉡
⑤ ㉤-㉣-㉢-㉠-㉡

2 이 소설 전체에 대한 설명으로 적절하지 <u>않은</u> 것은?

① 문기의 내적 갈등이 드러난다.
② 문기와 수만의 갈등이 드러난다.
③ 문기와 삼촌의 갈등이 드러난다.
④ 결말 이후 문기는 마음이 편안해졌을 것이다.
⑤ '현재 – 과거 – 현재'의 순서에 따라 사건이 전개된다.

3 다음은 이 소설의 주요 장면들이다. 주인공 문기의 심리가 나타나 있지 <u>않은</u> 장면은?

공에 발이 달렸나? 문기의 가슴은 두근거렸다.

문기는 삼촌 앞에서 얼굴이 벌겋게 달아올랐다.

문기의 귓가에 밤새 점순의 울음소리가 쟁쟁했다.

문기는 눈앞으로 달려든 자동차에 치어 정신을 잃고 말았다.

문기는 자신이 마땅히 받아야 할 벌을 받았다고 여겼다.

목표 활동

1. 문기가 다음과 같은 상황에서 어떻게 행동했는지 써 봅시다.

상황	문기의 행동
숙모의 심부름으로 고깃간에 간 문기는 거스름돈을 잘못 받음.	어찌 된 일인지 의아해하다가 수만을 만나서 잘못 받은 거스름돈으로 이것저것 물건도 사고 군것질도 하였다.
공과 쌍안경이 어디서 났는지를 묻는 삼촌에게 거짓말을 둘러대고 훈계를 들음.	예시 답 양심의 가책을 느낀 문기는 잘못 받은 거스름돈으로 산 공과 쌍안경을 버리고 남은 돈을 고깃간 집 마당으로 던졌다.
수만이 문기에게 남은 돈을 내놓으라며 협박함.	예시 답 문기는 수만의 협박에 시달리다가 결국 이를 못 이기고 숙모의 돈을 훔쳐 수만에게 주었다.

목표 다지기 문제

1 삼촌이 공의 출처를 묻는 상황에 직면한 문기에게 해 줄 조언으로 가장 적절한 것은?

① 거짓말은 문제를 해결하는 방법이 아니야. 정직하게 행동하렴.
② 어른의 잘못된 행동을 비판하는 것은 나쁜 행동이 아니야. 용기를 내.
③ 불손한 태도는 다른 사람에게 불쾌함을 불러일으켜. 어른께 예의를 갖춰야지.
④ 가까운 친구일수록 서로 상처 줄 때가 있어. 상대를 존중하는 태도가 필요하단다.
⑤ 친구에게 잘못된 행동을 권하는 사람은 좋은 친구가 아니야. 친구에 대한 너의 잘못을 반성해야 해.

[2~3] 다음을 보고 물음에 답하시오.

원인	문기는 잘못 받은 거스름돈을 돌려주지 않고 씀.
진행 과정	삼촌에게 꾸중을 들은 문기는 공과 쌍안경을 수만에게 받았다고 거짓말을 함. →
	문기는 수만에게 돈을 내놓으라는 협박을 받음. →
	문기는 자신 때문에 누명을 쓰고 쫓겨난 점순의 울음소리를 들음. →
	수신 시간에 정직에 대해 배움. →
해결	문기는 무거운 마음으로 집으로 돌아가다가 교통사고를 당함. →

2 이 소설을 감상한 내용으로 적절하지 않은 것은?

① 이 소설에서 사건의 시작점이 된 것은 '잘못 받은 거스름돈'이로군.
② 수만은 문기에게 문제를 해결할 적절한 방법을 제시해 주는 인물이로군.
③ 문기의 갈등이 점점 커지는 이유는 문제의 해결 방법이 옳지 않았기 때문이로군.
④ 문제 상황에 관한 문기의 대처 방법을 보니, 정직하지 못한 태도는 문제를 악화시킨다는 생각이 드는군.
⑤ 문기의 마음속에는 자신의 잘못된 행동을 고백하고 싶은 마음과 숨기고 싶은 마음이 대립하고 있군.

3 ㉠~㉤은 각각 위 표의 빈칸에 들어갈 내용이다. 들어갈 순서대로 기호를 쓰시오.

㉠ 사실을 밝히지 못하고 뜬눈으로 밤을 새움.
㉡ 삼촌에게 자신의 잘못을 사실대로 털어놓음.
㉢ 수만의 협박에 못 이겨 숙모의 돈을 훔쳐다가 수만에게 줌.
㉣ 양심의 가책을 느껴 공과 쌍안경을 버리고 남은 돈을 고깃간 집 마당에 던짐.
㉤ 정직하지 못했던 자신의 행동을 반성하고 담임 선생님을 찾아갔으나 잘못을 고백하지 못함.

2. 문기가 겪은 갈등이 문기의 성장에 어떤 영향을 끼쳤을지 생각해 봅시다.

1 사건이 전개되는 과정에서 문기의 심정은 어떻게 변화했는지 파악해 봅시다.

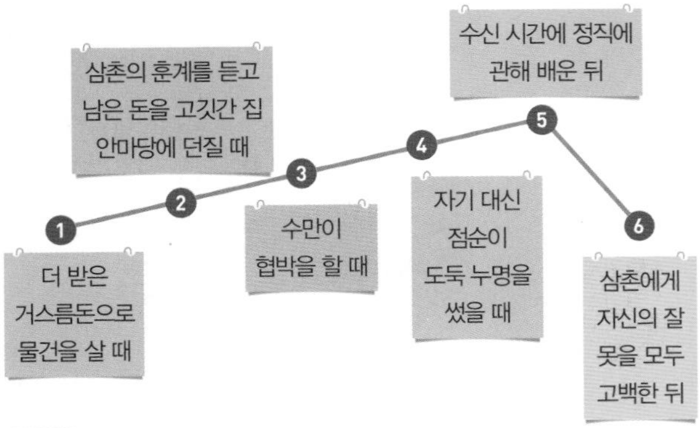

예시 답

❶ 처음에는 알 수 없는 두려움에 가슴이 두근거렸으나 점차 즐거움을 느낌.

❷ 무거운 짐을 내려놓은 듯 마음이 개운하고 속이 후련해짐.

❸ 앞이 캄캄할 만큼 두려움과 불안함을 느낌.

❹ 밤새 잠을 이루지 못할 정도로 심한 죄책감을 느낌.

❺ 무엇을 어떻게 해야 할지 몰라 답답해하고 우울함을 느낌.

❻ 마음속이 후련해지는 기분을 느낌.

2 **1**의 경험을 통해 문기는 어떤 모습으로 성장했을지 말해 봅시다.

예시 답 문기는 양심을 속이는 행동이 얼마나 자신을 힘들게 하는지, 떳떳한 마음을 지니고 사는 일이 얼마나 소중한지를 깨닫게 되었을 것이고, 이후에는 정직하게 살려고 노력하는 사람으로 성장했을 것이다.

목표 **다지기 문제**

4 이 소설의 감상을 돕기 위한 질문으로 적절하지 않은 것은?

① 문기가 고깃간 집 마당에 던진 돈은 얼마였나?
② 문기는 더 받은 거스름돈을 왜 돌려주지 않았나?
③ 수신 시간에 배운 내용은 문기에게 어떤 영향을 미쳤나?
④ 삼촌에게 고백하기 전과 후 문기가 하늘을 보는 태도는 어떻게 달라졌나?
⑤ 문기의 행동이 점순에게 미친 영향은 무엇이며, 그것은 문기에게 또 어떤 영향을 미쳤나?

5 다음은 ❻ 이후에 문기가 쓴 일기의 내용이다. 적절하지 않은 것은?

> 오늘 드디어 삼촌께 나의 잘못을 모두 털어놓았다. ① 모든 사건은 고깃간 주인에게 받은 거스름돈에서 비롯되었다고. ② 순간의 유혹에 넘어가 그 돈을 돌려주지 않고 써 버린 것이 시작이었다고. ③ 잘못을 해결하기 위해 숙모의 돈을 훔쳤고 그것 때문에 점순이 누명을 써서 쫓겨나게 되었다고. ④ 그동안 내 마음이 얼마나 불편했고 두려웠고 불안했는지 모두 말씀드렸다. ⑤ 그 힘든 과정 속에서 맑은 하늘을 바라보는 것만이 나의 유일한 낙이었다는 것도 함께 말이다.

6 이 소설의 전개 과정에서 알 수 있는 문기의 심정으로 적절하지 않은 것은?

① 수만이 협박을 할 때 – 앞이 캄캄할 만큼 두려움과 불안함을 느낌.
② 삼촌에게 자신의 잘못을 모두 고백하고 난 뒤 – 마음속이 후련해지는 기분을 느낌.
③ 자기 대신 점순이 도둑 누명을 썼을 때 – 밤새 잠을 이루지 못하고 죄책감에 시달림.
④ 더 받은 거스름돈으로 물건을 살 때 – 두려움도 있었으나 점차 기쁨과 즐거움을 느낌.
⑤ 수신 시간에 정직에 대해 배운 뒤 – 자신의 잘못을 분명히 알게 되어 마음이 편안해짐.

7 이 소설의 결말을 고려할 때, 문기가 추구하는 삶의 방향으로 적절한 것은?

① 친구와의 우정을 소중히 여기자.
② 양심에 따라 정직하게 살아가자.
③ 효도하는 때를 놓쳐 후회하지 말자.
④ 가족에게 사랑한다는 말을 아끼지 말자.
⑤ 나보다 어려운 처지의 사람을 많이 도와주자.

3. **자신이 문기였다면 다음과 같은 상황에서 어떻게 행동했을지 적어 봅시다.** 예시 답

상황	나의 행동
삼촌의 훈계를 들을 때	• 삼촌에게 사실대로 말하고, 삼촌과 함께 고깃간 주인을 찾아가 잘못 받은 거스름돈을 돌려주고 용서를 빌었을 것이다. • 삼촌이 실망할 것이 두려워 일단은 거짓말로 그 상황을 모면하려 하였을 것이고, 문기처럼 괴로워하였을 것이다.
수만이 남은 돈을 내놓으라고 협박할 때	• 모른 척하고 수만이 지칠 때까지 기다렸을 것이다. • 선생님이나 삼촌에게 사실을 털어놓고 도움을 청했을 것이다. • 수만의 잘못을 짚어 주고, 같이 자백하자고 설득했을 것이다. • 수만에게 한 번 더 협박하면 둘이 같이 공과 쌍안경을 산 일을 모두에게 말하겠다고 편지를 쓸 것이다.

4. **자신도 이 소설의 내용과 비슷한 경험을 한 적이 있는지 떠올려 보고, 그 경험을 통해 무엇을 깨달았는지 써 봅시다.**

예시 답

언제, 무슨 일이 있었나요?	초등학교 6학년 때 친구 집에 놀러 갔다가 친구가 아끼는 장난감 로봇을 실수로 망가뜨렸는데, 아무 말도 하지 못하고 집으로 돌아왔다. 그다음 날 친구가 속상해하는 말을 듣고 양심에 찔려 친구 얼굴을 똑바로 바라볼 수 없었다.
문제 상황을 어떻게 해결했나요?	부모님께 말씀드리고 새 장난감 로봇을 친구에게 사서 주면서, 로봇을 망가뜨린 점과 그러고 말도 안 하고 모른 체한 것을 진심으로 사과하였다.
그 경험을 통해 무엇을 깨달았나요?	잘못을 저질렀을 때는 바로 정직하게 고백하고 사과해야 한다.

목표 다지기 문제

8 이 소설을 통해 우리가 얻을 수 있는 삶의 깨달음으로 적절한 것은?

① 양심을 지키며 정직하고 떳떳하게 행동해야 한다.
② 나만 생각하지 말고 다른 사람과 더불어 살아야 한다.
③ 개인적 이익보다 공동체의 가치를 우선해야 할 때도 있다.
④ 자신이 필요한 것을 정확히 파악하고 절약하는 삶을 추구해야 한다.
⑤ 자신의 장점을 계발하여 보다 나은 사람이 되기 위해 노력해야 한다.

9 〈보기〉의 '나'에게 문기가 해 줄 조언으로 가장 적절한 것은?

보기

나는 오늘 큰 잘못을 했다. 학교에서 친구가 아끼는 물건을 실수로 망가뜨렸는데 그 사실을 친구에게 말하지 못했다. 친구가 망가진 물건을 보고 많이 속상해했는데 내가 실수로 그랬다는 말을 하지 못하고 말았다. 친구가 속상해하던 모습에 잠도 오지 않는다.

① 이미 친구가 모르고 지나간 일이니 그냥 덮어 두세요.
② 아직 늦지 않았으니 내일이라도 자신이 저지른 잘못을 정직하게 고백하세요.
③ 혼자 충분히 반성하고 괴로워한 후 다음부터는 그러지 않겠다고 스스로 다짐하세요.
④ 다음에 친구가 어떤 큰 실수를 했을 때 이번의 일을 생각하고 너그럽게 용서해 주세요.
⑤ 친구에게 물건을 망가뜨린 일은 이야기하지 말고 새 물건을 사준 뒤 선물이라고 말하세요.

10 다음은 이 소설과 관련된 질문과 학생의 답변이다. 적절하지 않은 것은?

Q) 문기의 잘못은 무엇인가?
A) 문기의 잘못은 다음과 같다. 첫째, ① 거스름돈이 잘못된 것을 알았으면서도 주인에게 이 사실을 알리지 않았다. 둘째, ② 친구 수만을 꼬드겨서 공과 쌍안경을 샀다. 셋째, ③ 공과 쌍안경에 관해 추궁하는 삼촌에게 수만이 준 것이라고 거짓말을 하였다.

Q) 문기의 그러한 잘못을 해결할 방법은 무엇인가?
A) ④ 문기의 잘못을 해결할 방법은 정직하게 사실을 털어놓는 것이다. ⑤ 내가 문기라면 삼촌에게 사실대로 말하고 자신의 잘못을 해결하기 위해 도움을 요청할 것이다.

자신이 한 일 되돌아보기, 성찰

문학 작품에는 작가의 경험과 삶의 성찰이 담겨 있습니다. 따라서 문학 작품을 읽을 때는 문학 작품의 내용을 자신의 삶과 관련지어 보는 태도를 지니는 것이 좋습니다.

창의 · 융합 활동

함께하기

다음 〈미덕 카드〉를 보고 아래의 활동을 해 봅시다.

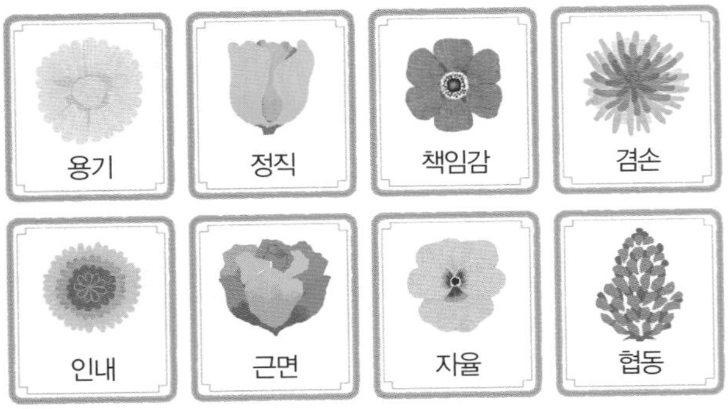

〈미덕 카드〉

1. 〈미덕 카드〉에서 자신에게 가장 필요한 미덕을 골라 보고, 그 미덕의 뜻을 사전에서 찾아 적어 봅시다. 예시 답

- 필요한 미덕: 자율
- 미덕의 뜻: 남의 지배나 구속을 받지 아니하고 자기 스스로의 원칙에 따라 어떤 일을 하는 일. 또는 자기 스스로 자신을 통제하여 절제하는 일

2. 같은 카드를 고른 사람끼리 모둠을 만들어 각자 그 미덕이 필요한 까닭을 이야기해 봅시다. 예시 답

나는 자율 카드를 골랐어. 왜냐하면 나는 나 스스로 무언가를 하지 않아. 늘 엄마의 지시대로만 움직여. 밥 먹는 것도, 씻는 것도, 청소하는 것도, 공부하는 것도, 게임을 멈추는 것도, 잠자리에 드는 것도. 그래서 자율적으로 내가 할 일을 선택하고 실행하는 미덕이 필요하다고 생각했어.

3. 필요한 미덕을 기르는 방법은 무엇일지 모둠원들과 토의해 봅시다. 예시 답 생략

4. 토의한 내용을 바탕으로 실천 방법을 작성해 봅시다.

예시 답

필요한 미덕	자율
실천 방법	일상생활이 순조롭게 지속될 수 있도록 계획표를 구체적으로 짠다. / 반드시 해야 하는 일과 안 해도 되는 일, 하지 말아야 할 일 등을 정한다. / 반드시 해야 하는 일은 스스로 하고야 만다. / 계획표에 정한 시간을 지킨다. 등

수행 평가 대비 활동

| 수행 평가 TIP | 이 수행 평가 활동은 우리 생활에 필요한 바람직한 가치와, 이를 실천하기 위한 구체적인 방법들을 생각해 보는 활동입니다. 자신의 삶에 관한 성찰을 바탕으로 자신에게 가장 필요한 미덕 카드를 고르고 모둠 친구들과 함께 토의해 봅시다.

1 평가 내용 확인하기

- 자신에게 필요한 미덕을 제시하고 모둠에서 설명하기
- 모둠 토의를 통해 미덕을 기르는 방법을 구체적으로 작성하기

2 평가 기준 확인하기

- 모둠원들과 서로 협력하며 토의를 하였는가?

자신에게 필요한 미덕의 뜻, 그 미덕을 고른 까닭 등 자신에게 필요한 미덕에 관한 생각을 먼저 잘 정리해 두어야 모둠에서의 토의가 원활하게 이루어질 수 있습니다. 다른 친구들이 자기 생각을 이야기할 때 잘 들어주며 자유롭게 이야기할 수 있는 분위기를 만들어 봅시다.

- 미덕을 기르는 방법을 구체적으로 작성하였는가?

필요한 미덕을 기르는 방법을 모둠 친구들과 함께 생각해 보고 다양한 실천 방법을 정리해 보되, 실제로 의미가 있는 방법인지 판단해 봅시다.

수행 평가 +

1. 소설 한 편을 골라 그 소설의 주인공에게 필요한 미덕을 골라 보고 그 미덕의 뜻을 찾아봅시다.

도와줄게 소설 속 주인공의 상황이 어떠한지 살펴보고, 이를 바탕으로 주인공에게 필요한 미덕이 무엇인지 생각해 봅시다.

예 소설 「하늘은 맑건만」의 주인공 문기에게 필요한 미덕은 '용기'입니다. '용기'란 '씩씩하고 굳센 기운. 또는 사물을 겁내지 아니하는 기개'를 의미합니다.

2. 소설 주인공에게 그 미덕이 필요한 이유를 이야기해 보고, 필요한 미덕을 기르는 실천 방법을 세 가지로 제시해 봅시다.

도와줄게 선택한 미덕이 주인공에게 왜 필요한지 미덕을 선택한 이유를 소설의 내용과 관련지어 설명하고, 주인공이 그러한 미덕을 기르기 위해 실천할 수 있는 방법을 정리해 봅시다.

예 소설 「하늘은 맑건만」의 주인공 문기는 자신의 잘못을 고백하지 못하고 잘못된 방법으로 해결하려다가 점점 곤란한 상황에 빠지게 됩니다. 문기에게 '용기'라는 미덕이 있다면 갈등 상황에서 벗어나는 데 큰 힘이 될 것이라고 생각합니다. 문기가 용기를 기르기 위해서 첫째, 잘못이라고 생각되었을 때는 즉시 사과하고 용서를 구할 것, 둘째, 어렵더라도 자신이 옳다고 생각하는 일을 할 것, 셋째, 도움이 필요하다고 생각할 때는 도움을 요청할 것 등의 실천 방법을 사용할 수 있습니다.

핵심 콕 마무리

✓ 소단원 제재 정리

갈래: 현대 소설, 단편 소설, 성장 소설
성격: 사실적, 교훈적
제재: 잘못 거슬러 받은 돈
주제: (❶)하게 사는 삶의 중요성
특징: ① 인물의 심리를 섬세하게 표현함.
② '현재 – 과거 – 현재'의 역순행적 구성을 취함.
③ 당시 시대 상황을 알 수 있는 어휘가 잘 나타남.

✓ 제재 한눈에 보기

발단	심부름을 갔다가 (❹)을 더 받은 문기
전개	(❹)을 써 버린 자신의 행동을 뉘우치는 문기
위기	자신 때문에 쫓겨난 점순을 보며 괴로워하는 문기
절정	담임 선생님께 잘못을 고백하려 했지만 아무 말도 못 하고 돌아오는 길에 교통사고를 당하는 문기
결말	삼촌에게 모든 잘못을 털어놓고 후련해하는 문기

핵심 원리

소설을 통한 삶의 성찰

- 등장인물이 겪는 갈등 상황의 원인, 갈등 상황에 따른 인물의 심리 파악하며 읽기
- 등장인물이 자신의 고민을 해결하기 위해 사용한 방법이 무엇인지 생각하기
- 자신이 등장인물이라면 어떤 행동을 선택하며 어떤 방식으로 문제를 해결할지 생각해 보기
- 등장인물의 모습을 통해 자신의 삶 성찰하기

핵심 내용

(1) 제목의 의미

(❷)	⟷	문기
언제나 다름없이 맑고 푸름.	⟷	정직하지 못한 행동으로 떳떳하지 못함.

- 문기의 상황과 대조적인 상황을 보여 줌.
- 문기가 양심의 가책을 느끼고 있음을 드러냄.

(2) 소설의 구성 방식

현재	→	과거	→	현재
문기가 숨겨 둔 공을 찾으며 불안해함.	→	문기가 잘못 거슬러 준 돈을 써 버림.	→	문기가 삼촌의 꾸중을 들으며 잘못을 반성함.

↓

(❸)적 구성 방식을 사용함.

(3) 소설에 나타난 갈등

내적 갈등	잘못 받은 거스름돈을 마음대로 써 버린 잘못을 들키고 싶지 않은 문기의 마음 ↕ 자신의 잘못을 솔직하게 고백하고 잘못을 빌어야 한다고 생각하는 문기의 마음
외적 갈등	잘못 받은 거스름돈을 돌려주고 더 이상 잘못을 거듭하지 않으려는 문기 ↕ 남은 거스름돈으로 환등기를 사고 싶은데 문기가 이를 거부하자 문기를 협박하는 (❺)

(4) 인물의 성격

문기	다른 사람의 말에 잘 넘어가는 편이고, 의존적이며 소심함. 잘못을 뉘우칠 줄 아는 착한 심성을 지녔음.
수만	자신의 욕심을 중시하며 계산적임. 자신이 얻고자 하는 것을 위해서는 수단을 가리지 않음.

(5) 소설을 통한 삶의 성찰

문기	(❻)을 속이는 잘못을 저지르고 이에 대한 죄책감과 (❻)의 가책으로 괴로워함.
↓	
독자	'정직'한 삶의 가치에 대해 생각해 보고 자신의 삶을 되돌아봄.

정답 ❶ 정직 ❷ 하늘 ❸ 역순행 ❹ 거스름돈 ❺ 수만 ❻ 양심

소단원 핵심 문제

• 정답과 해설 p.8

[01~03] 다음 글을 읽고 물음에 답하시오.

(가) 서너 간 앞을 서서 동무 수만이가 간다. 문기는 쫓아가 그와 나란히 서며,

"너 집에 인제 가니?"

하고 어깨에 손을 걸고,

"이거 이상한 일 아냐?" / "뭐가 말야?"

"고길 사러 갔는데 말야. 난 일 원짜리로 알구 냈는데 십 원으로 거슬러 주니 말야." / "정말야? 어디 봐."

문기는 손바닥을 펴 돈과 또 고기를 보였다. 수만이는 잠시 눈을 끔벅끔벅 무슨 궁리를 하는 듯 문기 얼굴을 보고 섰더니,

"너 이렇게 해 봐라." / "어떻게 말야?"

"먼저 잔돈만 너희 작은어머니에게 주는 거야."

"그러고 어떡해?"

"그리고 아무 말 없거든 내게로 나와. 헐 일이 있으니."

"무슨 헐 일?"

"글쎄, 그러구만 나와. 다 좋은 일이 있으니."

(나) 수만이가 있다던 좋은 일이란 다른 것이 아니었다. 거리에서 보고 지내던 온갖 가지고 싶고 해 보고 싶은 가지 가지를 한번 모조리 돈으로 바꾸어 보자는 것이다.

그러나 문기는,

"돈을 쓰면 어떻게 되니?"

"염려 없어. 나 하는 대로만 해."

하고 머뭇거리는 문기 어깨에 팔을 걸고 수만이는 우쭐거리며 걸음을 옮긴다.

하기는 문기 역시 돈으로 바꾸고 싶은 것이 없지 않은 터, 그리고 수만이가 시키는 대로 끌려 하기만 하면 남이 하래서 하는 것이니까 어떻게 자기 책임은 없는 듯싶었다. 그리고 수만이는 수만이대로 돈은 문기가 만든 돈, 나중에 무슨 일이 난다 하여도 자기 책임은 없으니까 또 안심이었다. 이래서 두 소년은 마침내 손이 맞고 말았다.

그래도 으슥한 골목을 걸을 때는 알 수 없는 두려움에 가슴이 두근거리었으나, 밝은 큰 한길로 나오자 차차 다른 기쁨으로 변했다. 길 좌우편 환한 상점 유리창 안의 온갖 것이 모두 제 것인 양, 손짓해 부르는 듯했다. 드디어 그들은 공을 샀다. 만년필을 샀다. 쌍안경을 샀다. 만화책을 샀다. 그리고 활동사진 구경도 갔다. 다니며 이것저것 군것질도 했다.

출제 예감 80%

01 이 글의 등장인물에 대한 설명으로 적절한 것은?

① 수만과 문기는 진심으로 상대방을 배려하고 있다.
② 문기는 자신의 잘못된 행동을 수만의 탓으로 돌리고 있다.
③ 문기는 평소 품행이 불량한 수만에게 거리를 두고 있다.
④ 수만은 거스름돈 얘기를 듣고 이것을 돌려주어야 한다고 생각한다.
⑤ 수만은 문기가 잘못된 행동을 하는 것을 안타깝게 여기고 문기와 함께 있어 주기로 한다.

출제 예감 90% 학습 활동 응용

02 이 글에 나타난 문기의 심리 변화 과정을 바르게 나타낸 것은?

① 기쁨 → 걱정 → 두려움 → 의아함
② 기쁨 → 두려움 → 걱정 → 솔깃함
③ 의아함 → 걱정 → 기쁨 → 두려움
④ 의아함 → 두려움 → 솔깃함 → 걱정
⑤ 의아함 → 솔깃함 → 두려움 → 기쁨

출제 예감 90% 학습 활동 응용

03 이 글의 전개상 (가)와 (나) 사이에 있었음 직한 사건으로 적절한 것은?

① 문기가 작은어머니에게 심부름을 잘했다고 용돈을 받음.
② 문기가 작은어머니에게 더 받은 거스름돈까지 모두 드림.
③ 문기가 수만과 함께 고깃간으로 가서 잘못 받은 거스름돈을 모두 돌려줌.
④ 작은어머니가 문기가 거스름돈을 많이 받은 것을 알고 문기를 크게 꾸중함.
⑤ 작은어머니가 일 원에 대한 거스름돈을 받고 문기에게 아무 말도 하지 않음.

[04~07] 다음 글을 읽고 물음에 답하시오.

삼촌은 상 밑에 그 공을 굴려 내며,

"이거 웬 공이냐?" / "수만이가 준 공이에요."

"이것두?"

하고 삼촌은 무릎 밑에서 쌍안경을 꺼내 들었다.

"네." [중략]

"네 입으로 수만이가 줬다니 네 말이 옳겠지. 설마 네가 날 속이기야 하겠니? 하지만 남이 준다고 아무것이고 덥적덥적 받는다는 것두 좀 생각해 볼 일이거든."

삼촌은 다시 말을 계속한다.

"말 들으니 너 요샌 저녁두 가끔 나가 먹는다더구나. 그것두 수만이에게 얻어먹는 거냐?"

문기는 벌겋게 얼굴이 달아 수그리고 앉았다. 삼촌은 잠시 묵묵히 건너다만 보고 있더니 음성을 고쳐 엄한 어조로,

"어머님은 어려서 돌아가시구 아버지는 저 모양이시구, 앞으로 집안을 일으킬 사람은 너 하나야. 성실치 못한 아이들하고 어울려 다니다 혹 나쁜 데 빠지거나 하면 첫째 네 꼴은 뭐구 내 모양은 뭐냐? 난 너 하나는 어디까지든지 공부도 시키구 사람을 만들어 주려구 애를 쓰는데 너두 그 뜻을 받아 주어야 사람이 아니냐."

그리고 삼촌은 이렇게 뒤뚝 맘 한번 잘못 가졌다가 영 신세를 망치고 마는 예를 이것저것 들어 말씀하고는 이후론 절대 이런 것들을 받아들이지 말라는 단단한 다짐을 받은 후 문기를 내보냈다.

문기는 아랫방에 내려와 혼자 되자 삼촌 앞에서보다 갑절 얼굴이 달아올랐다. 지금까지 될 수 있는 대로 생각지 않으려고 힘을 써 오던 그편에 정면으로 제 몸을 세워 놓고 보지 않을 수 없었다. 그러자 자기라는 몸은 벌써 삼촌의 이른바 나쁜 데 빠지고 만 것이었다. 그야 자기는 수만이가 시켜서 한 일이니까 잘못이 없다는 것이지만, 당초에 그것은 제 허물을 남에게 미루려는 얄미운 구실이 아니고 뭐냐. 그리고 문기는 이미 삼촌을 속이었다.

또 써서는 아니 될 돈을 쓰고 말았다. 아아, 일찍이 어머니를 여의고 아버지란 사람은 일상 천 냥 만 냥 하고 허한 소리만 하면서 남루한 주제에 거처가 없이 시골, 서울로 돌아다니는 사람이고, 어려서부터 문기를 길러 낸 사람이 삼촌이었다. 그리고 조카의 장래를 자기의 그것보다 더 중히 알고 염려하며 잘되어 주기를 바라는 삼촌이었다. 그 삼촌의 기대에 어그러지지 않는 인물이 되어 보이겠다고 엊그제도 주먹을 쥐고 결심하던 문기가 아니냐. 생각할수록 낯이 뜨거워지는 일이다.

출제 예감 80% 학습 활동 응용

04 이 글의 내용과 일치하지 않는 것은?

① 문기는 자신의 아버지를 부정적으로 생각하고 있다.
② 삼촌은 문기가 자신을 속이지 않을 것이라 믿고 있다.
③ 삼촌은 수만을 좋지 못한 아이로 여겨 경계하고 있다.
④ 문기는 부모님이 모두 돌아가시고 삼촌 부부의 손에 자라고 있다.
⑤ 문기는 그동안 자신의 그릇된 행동을 수만이 시켜서 한 것으로 합리화하고 있었다.

출제 예감 90% 학습 활동 응용

05 이 글을 통해 알 수 있는 문기의 심리로 적절한 것은?

① 공과 쌍안경을 샀던 일을 후회하고 있다.
② 하지도 않은 잘못을 질책 받고 속상해하고 있다.
③ 수만과 새로운 물건을 사러 갈 일을 기대하고 있다.
④ 자신을 이해해 주지 않는 작은아버지를 원망하고 있다.
⑤ 작은아버지가 왜 자신에게 이런 말을 하는지 몰라 어리둥절해하고 있다.

출제 예감 85% 서술형

06 이 글에서 삼촌은 문기에게 어떤 역할을 하는지 쓰시오.

출제 예감 80%

07 문기가 생각하는 자신의 잘못으로 적절하지 않은 것은?

① 삼촌을 속인 것
② 써서는 안 될 돈을 쓴 것
③ 삼촌의 기대에 어긋나는 행동을 한 것
④ 삼촌이 싫어하는 수만과 어울려 논 것
⑤ 자신의 허물을 수만에게 미루어 버린 것

소단원 핵심 문제

[08~10] 다음 글을 읽고 물음에 답하시오.

(가) 마침내 문기는 공과 쌍안경을 집어 들고 문밖으로 나갔다. 어둑어둑 저물어 가는 한길이다. 문기는 골목으로 들어섰다. 대낮에 많은 사람 가운데에서 거리낌 없이 가지고 놀던 그 공이 지금은 사람이 드문 골목 안에서도 남이 볼까 두려워졌다. 컴컴해질수록 더 허옇게 드러나 보이는 커다란 공을 처치하기에 곤란해 문기는 옆으로 꼈다 뒤로 돌렸다 하며 사람의 눈을 피한다.

(나) 문기는 삼거리 고깃간을 향해 갔다. 그리고 뒷골목으로 돌아가 나머지 돈을 종이에 싸서 담 너머로 그 집 안마당을 향해 던졌다.

그제야 문기는 무거운 짐을 풀어놓은 듯 어깨가 거뜬했다. 아까 물 위로 둥실둥실 떠 가던 그 공, 지금은 벌써 십 리고 이십 리고 멀리 떠갔을 듯싶은 그 공과 함께 문기는 자기의 허물도 멀리 사라져 깨끗이 벗어난 듯 속이 후련했다. 그리고,

'다시는, 다시는…….'

하고 문기는 두 번 다시 그런 허물을 범하지 않겠다고 백 번 다지며 집을 향해 돌아간다.

(다) "난 인제 돈 가진 것 없다." / "뭐?"

하고 수만이는 의외라는 듯 눈이 둥그레지다가는 금세 능청스러운 웃음을 지으며,

"너 혼자 두고 쓰잔 말이지. 그러지 말구 어서 가자."

"정말 없어. 지금 고깃간 집 안마당으로 던져 주고 오는 길이야. 공두 쌍안경두 버리구."

하고 문기는 증거를 보이느라고 이쪽저쪽 주머니를 털어 보이는 것이나 수만이는 흥 하고 코웃음을 친다.

"누군 너만 못 약을 줄 아니?"

그리고 연신 빈정댄다.

"고깃간 집 마당으로 던졌다? 아주 핑계가 됐거든."

(라) 그리고 으슥한 곳에서 단둘이 만나는 때면 수만이는,

"너 네 맘대루만 허지. 나두 내 맘대루 헐 테다. 내 안 풍길 줄 아니? 풍길 테야." / 하고 손을 들어 꼽는다.

"풍기기만 하면, 첫째, 학교에서 쫓겨날 것이요, 둘째, 너희 집에서 쫓겨날 것이요, 그리고 남의 걸 훔친 거나 일반이니까 또 그런 곳으로 붙들려 갈 것이요."

하고는 또, / "풍길 테다."

(마) 칠판 한가운데, ㉠<u>'김문기는 ○○○했다.'</u>가 커다랗게 씌어 있다. 뒤미처 선생님이 들어왔다. 일은 간단히, 선생님이 한번 쳐다보고 누구 장난이냐 하고 쓱쓱 지워 버리고는 고만이었지만 선생님이 들어오고 그것을 지우기까지의 그동안 문기는 실로 앞이 캄캄했다.

출제 예감 70%

08 (가)~(마)에 대한 설명으로 적절하지 <u>않은</u> 것은?

① (가): 등장인물의 심리가 직접 제시되어 있다.
② (나): 3인칭 전지적 작가 시점이 잘 나타나 있다.
③ (다): 인물 간의 갈등이 시작되고 있다.
④ (라): 한 인물의 행동으로 갈등이 심화되고 있다.
⑤ (마): 갈등 해결의 실마리가 드러나 있다.

출제 예감 95% 학습 활동 응용

09 이 글을 읽으며 독자들이 나눈 대화 중 적절하지 <u>않은</u> 것은?

① 은주: 문기가 수만이에게 돈을 줄 수 없는 상황이로군.
② 상훈: 수만이는 돈을 받고 싶어 하니까 문기가 돈을 줄 때까지 계속 괴롭히겠지.
③ 혜진: 문기가 수만이에게 돈이 없다는 사실을 솔직하게 털어놓는다면 문제가 해결될 거야.
④ 경호: 수만이의 협박에서 벗어나고 싶은 마음에 문기가 또 다른 잘못을 저지른다면 문기의 고민이 더 커지겠군.
⑤ 정화: 문기가 선생님이나 작은아버지께 그동안의 잘못을 고백하고 도움을 받았으면 좋겠어.

출제 예감 80% 서술형

10 ㉠에 담긴 수만의 의도를 설명하고 이를 바탕으로 수만의 성격을 서술하시오.

[11~14] 다음 글을 읽고 물음에 답하시오.

(가) 문기는 책보를 흔들흔들 고개를 숙이고 담임 선생님 집 앞을 왔다가는 무춤하고 섰다가 그대로 지나가고 그대로 지나가고 한다. 세 번째는 드디어 그 집 문 안을 들어서서 선생님을 찾았다. 선생님은 문기를 안방으로 맞아들였다. 학교에서 볼 때 엄하고 딱딱하던 선생님은 의외로 부드러이 웃는 낯으로 문기를 대한다. 문기는 선생님 앞에 엎드려 모든 것을 자백할 결심이었다. 그런데 선생님의 부드러운 태도에 도리어 문기는 말문이 열리지 않았다. 다음은 건넌방에서 어린애가 울어 못 했다. 다음은 사모님이 들락날락하고 그리고 다음엔 손님이 왔다. 기어이 문기는 입을 열지 못한 채 물러 나오고 말았다.

(나) 먼저보다 갑절 무겁고 컴컴한 마음이었다. 도저히 문기의 약한 어깨로는 지탱하지 못할 무거운 눌림이다. 걸음은 집을 향해 가는 것이지만 반대로 마음은 멀어진다. 장차 집엘 가서 대할 숙모가 두려웠고 삼촌이 두려웠고 더욱이 점순이가 두려웠다.

어느덧 걸음은 삼거리를 지나고 있었다. 문기 등 뒤에서 아주 멀리 뿡뿡하고 자동차 소리와 비켜라, 비켜라 하는 사람의 소리가 나는 듯하더니 갑자기 귀밑에서 크게 울린다. 언뜻 돌아다보니 바로 눈앞에 자동차 머리가 달려든다. 그리고 문기는 으쓱하고 높은 데서 아래로 떨어지는 듯싶은 감과 함께 정신을 잃고 말았다.

(다) "작은아버지."
하고 문기는 입을 열었다. 그리고,
"저는 마땅히 받아야 할 벌을 받은 거예요."
하고 문기는 눈을 감으며 한 마디 한 마디 그러나 똑똑하게 처음부터 끝까지 먼저 고깃간 주인이 일 원을 십 원으로 알고 거슬러 준 것, 그 돈을 써 버린 것, 그리고 또 붓장 안의 돈을 자기가 훔쳐낸 것, 이렇게 하나하나 숨김없이 자백을 하자, 이때까지 겹겹으로 싸고 있던 허물이 한 꺼풀 한 꺼풀 벗어지면서 따라 마음속의 어둠도 차차 사라지며 맑아지는 것을 문기는 확실히 깨달을 수 있었다.

출제 예감 90%

11 이 글에 주로 드러나는 갈등의 유형으로 적절한 것은?

① 인물의 내적 갈등
② 인물과 사회와의 갈등
③ 인물과 운명과의 갈등
④ 인물과 자연과의 갈등
⑤ 인물과 인물 간의 갈등

출제 예감 85% 학습 활동 응용

12 이 글을 읽고 문기의 행동을 평가한 내용으로 적절하지 않은 것은?

① 뒤늦게나마 작은아버지에게 자신의 잘못을 고백한 것은 잘한 일이야.
② 정당하게 얻은 돈이 아닌데 그 돈을 써 버린 것은 잘못된 행동이야.
③ 선생님이 잘못을 고백할 기회를 주셨는데도 사실을 말하지 못한 것은 잘못된 행동이야.
④ 또 다른 문제가 발생하자 이를 해결하려고 붓장 안의 돈을 훔친 것은 좋은 해결 방법이 아니야.
⑤ 고깃간 주인에게 돈을 잘못 거슬러 주었다는 사실을 처음부터 이야기하지 않은 것은 잘못된 행동이야.

출제 예감 80%

13 (다)에 대한 설명으로 적절한 것은?

① 등장인물 간의 갈등이 심화되고 있다.
② 소설의 주제를 분명하게 전달하고 있다.
③ 새로운 갈등이 이어질 것을 암시하고 있다.
④ 비극적 결말에 대한 복선이 제시되어 있다.
⑤ 시대적 상황에 대한 비판이 강하게 드러나 있다.

출제 예감 95% 서술형 학습 활동 응용

14 이 글의 문기를 통해 그 중요성을 깨달을 수 있는 미덕은 무엇인지 밝히고, 그 의미를 쓰시오.

조건
이 글의 주제와 연관 지어 생각할 것

소단원 핵심 문제

[15~16] 다음 글을 읽고 물음에 답하시오.

(가) "고길 사러 갔는데 말야. 난 일 원짜리로 알구 냈는데 십 원으로 거슬러 주니 말야."

"정말야? 어디 봐."

문기는 손바닥을 펴 돈과 또 고기를 보였다. 수만이는 잠시 눈을 끔벅끔벅 무슨 궁리를 하는 듯 문기 얼굴을 보고 섰더니,

"너 이렇게 해 봐라." / "어떻게 말야?"

"먼저 잔돈만 너희 작은어머니에게 주는 거야."

"그러고 어떡해?"

"그리고 아무 말 없거든 내게로 나와. 헐 일이 있으니."

(나) 그러나 문기는, / "돈을 쓰면 어떻게 되니?"

"염려 없어. 나 하는 대로만 해."

하고 머뭇거리는 문기 어깨에 팔을 걸고 수만이는 우쭐거리며 걸음을 옮긴다.

하기는 문기 역시 돈으로 바꾸고 싶은 것이 없지 않은 터, 그리고 수만이가 시키는 대로 끌려 하기만 하면 남이 하래서 하는 것이니까 어떻게 자기 책임은 없는 듯싶었다. 그리고 수만이는 수만이대로 돈은 문기가 만든 돈, 나중에 무슨 일이 난다 하여도 자기 책임은 없으니까 또 안심이었다. 이래서 두 소년은 마침내 손이 맞고 말았다.

(다) 아아, 일찍이 어머니를 여의고 아버지란 사람은 일상 천 냥 만 냥 하고 허한 소리만 하면서 남루한 주제에 거처가 없이 시골, 서울로 돌아다니는 사람이고, 어려서부터 문기를 길러 낸 사람이 삼촌이었다. 그리고 조카의 장래를 자기의 그것보다 더 중히 알고 염려하며 잘되어 주기를 바라는 삼촌이었다. 그 삼촌의 기대에 어그러지지 않는 인물이 되어 보이겠다고 엊그제도 주먹을 쥐고 결심하던 문기가 아니냐. 생각할수록 낯이 뜨거워지는 일이다.

(라) '다시는, 다시는…….' / 하고 문기는 두 번 다시 그런 허물을 범하지 않겠다고 백번 다지며 집을 향해 돌아간다.

그러나 문기는 그것만으로는 도저히 자기 허물을 완전히 벗을 수 없었다. 그가 자기 집 어귀에 이르렀을 때 뜻하지 않은 것이 기다리고 있다 나타났다. [중략]

"난 인제 돈 가진 것 없다." / "뭐?"

하고 수만이는 의외라는 듯 눈이 둥그레지다가는 금세 능청스러운 웃음을 지으며,

"너 혼자 두고 쓰잔 말이지. 그러지 말구 어서 가자."

(마) 그리고 으슥한 곳에서 단둘이 만나는 때면 수만이는,

"너 네 맘대루만 허지. 나두 내 맘대루 헐 테다. 내 안 풍길 줄 아니? 풍길 테야."

하고 손을 들어 꼽는다.

"풍기기만 하면, 첫째, 학교에서 쫓겨날 것이요, 둘째, 너희 집에서 쫓겨날 것이요, 그리고 남의 걸 훔친 거나 일반이니까 또 그런 곳으로 붙들려 갈 것이요."

하고는 또, / "풍길 테다."

사실 그다음 시간 교실을 들어갔을 때 문기는 크게 놀랐다. 칠판 한가운데, '김문기는 ○○○했다.'가 커다랗게 씌어 있다.

출제 예감 90% 학습 활동 응용

15 (가)~(마)에 나타난 문기의 심정으로 적절한 것은?

① (가): 돈을 더 거슬러 받고 고마움을 느낌.
② (나): 수만의 제안에 죄책감을 느낌.
③ (다): 삼촌의 기대에 부담감을 느낌.
④ (라): 수만을 만나 반가움을 느낌.
⑤ (마): 수만의 행동에 불안감을 느낌.

출제 예감 85%

16 (가)~(마)에 대한 독자의 감상으로 적절하지 않은 것은?

① (가): 수만이 약삭빠르고 음흉한 성격임을 알 수 있어.
② (나): 문기와 수만은 서로에게 책임을 떠넘기며 자신의 잘못을 합리화하고 있어.
③ (다): 삼촌은 문기에게 긍정적인 영향을 주는 사람이야.
④ (라): 문기에게 문제가 여전히 존재하는 것으로 보아 문기가 취한 해결 방법이 적절하지 못한 것이었나 보군.
⑤ (마): 수만은 다른 사람들에게 문기의 잘못을 구체적으로 알리고 있군.

[17~19] 다음 글을 읽고 물음에 답하시오.

가 숙모는 뒤꼍에서 화초 모종을 하는지,
"여기 심어라, 저기 심어라." / 하고 아랫집 심부름하는 아이와 이야기하는 소리가 날 뿐 집 안엔 아무도 없다.

그리고 눈앞에 보이는 붓장 안 앞턱에 잔돈 얼마와 지전 몇 장이 놓여 있다. 그리고 문밖엔 지금 수만이가 돈을 가지고 나오기를 기다리고 섰다. 여기서 문기는 두 번째 허물을 범하고 말았다.

나 숙모는, / "학교서 지금 오는 애가 알겠니. 참 점순이 고년 앙큼헌 년이드라. 낮에 내가 뒤꼍에서 화초 모종을 내고 있는데 집을 간다고 나가더니 글쎄 돈을 집어 갔구나."

문기는 잠잠히 듣기만 한다. 그러나 속으로는 갚으면 고만이지 소리를 또 한 번 외어 본다.

다 그날 밤이었다. 아랫방 들창 밑에 훌쩍훌쩍 우는 어린아이 울음소리가 났다. 아랫집 심부름하는 아이 점순이 음성이었다. 숙모가 직접 그 집에 가서 무슨 말을 한 것은 아니로되 자연 그 말이 한 입 건너 두 입 건너 그 집에까지 들어갔고, 그리고 그 집 주인 여자는 점순이를 때려 쫓아낸 것이다. 먼저는 동네 아이들이 모여 지껄지껄하더니 차차 하나 가고 둘 가고 훌쩍훌쩍 우는 그 소리만 남는다. 방 안의 문기는 그 밤을 뜬눈으로 새웠다.

라 첫 시간은 수신 시간, 그리고 공교로이 제목이 '정직'이다. 선생님은 뒷짐을 지고 교단 위를 왔다 갔다 하며 거짓이라는 것이 얼마나 악한 것이고 정직이 얼마나 귀하고 중한 것인가를 누누이 말씀한다. 그리고 안경 쓴 선생님의 그 눈이 번쩍하고 문기 얼굴에 머물렀다 가고 가고 한다. 그럴 때마다 문기는 가슴이 뜨끔뜨끔해진다. 문기는 자기 한 사람에게만 들리기 위한 정직이요, 수신 시간인 듯싶었다. 그만치 선생님은 제 속을 다 들여다보고 하는 말인 듯싶었다.

마 언제나 다름없이 [하늘]은 맑고 푸르건만 문기는 어쩐지 그 하늘조차 쳐다보기가 두려워졌다. 자기는 감히 떳떳한 얼굴로 그 하늘을 쳐다볼 만한 사람이 못 된다 싶었다.

언제나 다름없이 여러 아이는 넓은 운동장에서 마음대로 뛰고 마음대로 지껄이고 마음대로 즐기건만 문기 한 사람만은 어둠과 같이 컴컴하고 무거운 마음에 잠겨 고개를 들지 못한다. 무엇보다도 문기는 전일처럼 맑은 하늘 아래서 아무 거리낌 없이 즐길 수 있는 마음이 갖고 싶다. 떳떳이 하늘을 쳐다볼 수 있는, 떳떳이 남을 대할 수 있는 마음이 갖고 싶었다.

출제 예감 70%

17 (가)에서 알 수 있는 내용으로 적절하지 않은 것은?

① 문기는 수만에게 약점이 잡혀 있는 상태이다.
② 문기가 수만에게 돈을 주면서 모든 일이 해결된다.
③ 문기는 눈앞의 갈등을 해결하고자 잘못을 또 저질렀다.
④ 수만은 문기가 잘못된 행동을 하도록 부추기는 인물이다.
⑤ 수만은 도덕성보다 돈을 받는 일을 중요하게 여기고 있다.

출제 예감 70%

18 이 글의 [하늘]에 대한 설명으로 적절한 것만 골라 묶은 것은?

ⓐ 문기에게 마음의 위안이 되어 준다.
ⓑ 문기에게 양심의 가책을 느끼게 한다.
ⓒ 문기가 추구하는 심리 상태를 드러낸다.
ⓓ 문기가 자신의 행동을 합리화하도록 부추긴다.
ⓔ 문기에게 부모님에 대한 그리움을 불러일으킨다.

① ⓐ, ⓑ ② ⓐ, ⓔ ③ ⓑ, ⓒ
④ ⓒ, ⓓ ⑤ ⓓ, ⓔ

출제 예감 85% 학습 활동 응용

19 다음은 이 글의 주요 내용을 정리한 것이다. 적절하지 않은 것은?

①문기는 수만의 협박에 못 이겨 숙모의 돈을 훔치고 만다. ②수만의 협박은 해결하였지만, 자신의 잘못을 점순이 뒤집어쓴 것에 대한 죄책감으로 문기의 마음은 여전히 불편하다. ③점순이 아랫집에서 쫓겨났다는 것을 알고 문기는 잠을 이루지 못한다. ④다음 날 학교 수신 시간에 선생님은 정직에 관해 수업하면서 문기를 쳐다보자 문기는 선생님이 자신의 잘못을 모두 알고 있음을 깨닫는다. ⑤문기는 다시 아무 거리낌 없는 떳떳한 마음으로 생활하고 싶다고 생각한다.

3 괜찮아

• 생각 열기 다음 장면을 보고 떠오른 생각과 경험을 친구들과 나눠 봅시다.

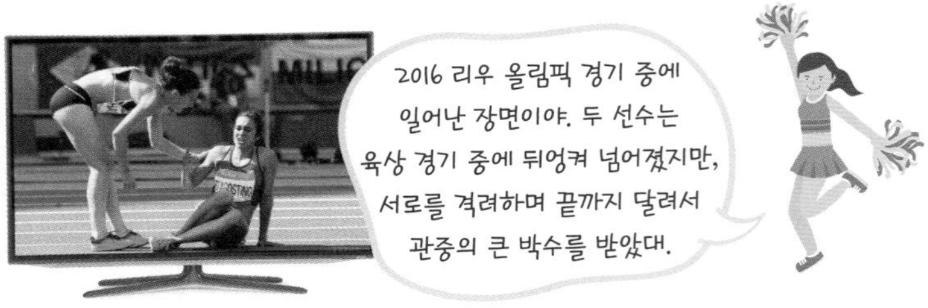

이 장면을 보고 든 생각이나 느낌을 말해 봅시다.

예시 답 경쟁 관계에 있을 두 선수가 서로 도와주는 모습이 감동적이다. 두 선수 모두 넘어지는 바람에 순위권에서 멀어졌을 텐데 끝까지 서로 격려하면서 결승점을 통과했다니 정말 눈물이 날 것 같다.

이와 비슷한 경험을 한 적이 있다면 그때의 경험을 이야기해 봅시다.

예시 답 6학년 체육 대회 때 친구하고 우리 반 대표로 이인삼각 달리기를 했는데, 내가 넘어지는 바람에 꼴찌를 해서 그 친구에게 미안했던 적이 있었다. 그런데 그 친구가 괜찮다고 오히려 나를 위로해 준 게 두고두고 생각난다. 그때 친구가 해 준 말은 정말 큰 위로가 되었다.

• 학습 목표로 내용 엿보기

"마음을 울리는 글을 읽으며 다들 한 번쯤은 미소를 짓거나 눈물을 흘려 본 적이 있었을 거야. 글쓴이의 삶과 경험이 잘 드러난 글을 읽고, 나의 삶과 경험을 바탕으로 독자에게 감동이나 즐거움을 주는 글을 써 봐야겠어."

핵심 1 「괜찮아」를 읽고, 감동이나 즐거움을 주는 글의 특성 알기

핵심 2 자신의 경험을 바탕으로 감동이나 즐거움을 주는 글 쓰기

핵심 원리 이해하기 삶과 경험을 담은 글 쓰기

1. 삶과 경험을 담은 글 쓰기의 의의

- 자신의 삶과 생활을 되돌아보면서 자신의 삶을 성찰해 볼 수 있다.
- 서로의 경험을 공유함으로써 정신적으로 성장할 수 있다.
- 글을 통해 다른 사람의 삶을 경험하며 타인을 폭넓게 이해할 수 있다.

2. 삶과 경험을 담은 글 쓰기의 유의점

- 자신의 가치 있는 경험을 통해 얻은 생각과 느낌을 독자에게 전달하는 것을 목적으로 한다.
- 솔직하고 진솔하게 쓸 때 독자에게 더 큰 감동과 즐거움을 줄 수 있다.
- 내 경험을 독자도 공감하고 즐거움을 느끼도록 독자를 고려하여 쓴다.

개념 확인 콕콕

• 정답과 해설 p.10

01 삶과 경험을 담은 글을 쓸 때 유의할 점이 아닌 것은?

① 독자가 나의 경험에 공감할 수 있게 독자를 고려하여 글을 쓴다.
② 독자의 감동과 즐거움을 위해 자신의 경험을 미화하여 글을 쓴다.
③ 다양한 표현 방법을 사용하여 자기 생각이나 느낌을 효과적으로 표현한다.
④ 보고, 듣고, 겪은 일 중에서 소중하고 가치 있는 일들을 소재로 선택해 쓴다.
⑤ 자신의 가치 있는 경험과, 그것을 통해 얻은 깨달음을 독자에게 전달하고자 노력하며 글을 쓴다.

02 다음 빈칸에 들어갈 알맞은 말을 쓰시오.

> 삶과 경험을 담은 글을 씀으로써 우리는 자신의 삶을 (　　　　)할 수 있다. 자신의 삶과 생활을 되돌아봄으로써 감동이나 즐거움을 주었던 경험이 무엇이었는지 떠올려 보고 이를 통해 그때의 깨달음을 다시 한번 생각하게 되기 때문이다.

03 자신의 삶과 경험을 담은 글 쓰기 과정의 일부를 다음과 같이 정리할 때 ㉠, ㉡에 들어갈 알맞은 말을 쓰시오.

(㉠)	자신의 삶과 경험을 진지하게 되돌아보고 그 경험들 중 독자에게 감동이나 즐거움을 줄 수 있는 것을 선택하여 내용으로 삼음.
내용 조직하기	'처음 – 중간 – 끝'의 일반적인 형식에 따라 개요를 작성함.
표현하기	경험에서 얻은 생각이나 느낌을 (㉡)하게 표현하여 글을 씀.

본문 미리보기

본문 안내

이 소단원은 글쓴이의 경험이 담긴 글을 읽고 감동이나 즐거움을 주는 글의 특성을 파악하여, 이를 바탕으로 각자 자신의 경험을 소재로 감동이나 즐거움을 주는 글을 쓸 수 있게 하기 위한 단원이다. 「괜찮아」는 다리가 불편한 글쓴이가 그런 자신을 배려해 주었던 사람들에 대한 따뜻한 기억을 담은 글로, 어린 시절의 경험을 통해 얻은 깨달음을 감동적으로 전달하고 있다. 이 글을 통해 삶과 경험을 담은 글이 주는 감동과 즐거움을 느껴 보고, 자신의 경험과 깨달음을 담은 글을 창작하는 과정을 배워 보자.

처음		중간		끝
초등학교 시절 몸이 불편한 '나'를 배려해 준 친구들	→	'괜찮아'라는 말에 담긴 일화들	→	'나'에게 희망을 주는 말이 된 '괜찮아'

본문 개관

★ **글쓴이 소개** 장영희

영문학자. 수필가. 소아마비 장애와 암 투병 속에서도 희망을 잃지 않는 삶을 실천하며, 수필과 일간지의 칼럼 등을 통해 따뜻한 글로 희망을 전했다. 『문학의 숲을 거닐다』, 『생일』, 『축복』의 인기로 '문학 전도사'라는 별칭을 얻기도 했다.

★ **갈래** 수필

이 글은 글쓴이가 자신의 경험과 그 속에서 얻은 깨달음을 쓴 수필이다. 수필은 일정한 형식 없이 자신이 경험한 일과 그 일을 통해 느낀 점을 쓴 글로서, 글쓴이의 삶과 경험을 담은 글을 쓸 때 가장 자주 선택되는 갈래이다.

★ **성격** 회상적, 체험적, 교훈적

이 글의 글쓴이는 자신의 어린 시절 함께 어울렸던 친구들과, 우연히 만난 깨엿 장수와의 추억을 회상하고 이러한 자신의 경험을 통해 우리가 타인에게 행하는 배려와 격려가 큰 힘이 될 수 있다는 교훈을 전달하고 있다.

★ **제재** 어린 시절 골목길에서의 추억

이 글에는 글쓴이가 경험한 추억이 제시되어 있다. 다리가 불편한 글쓴이에게 물건을 맡기거나 심판의 역할을 주면서 글쓴이를 놀이에 끼워 주려 했던 친구들의 따뜻한 배려, 깨엿을 주며 글쓴이를 향해 '괜찮다'고 말하는 깨엿 장수에 관한 추억을 제시하며 이 글의 주제를 전달하고자 한다.

★ **주제** 다른 사람에 대한 배려와 격려의 소중함

이 글에서 글쓴이는 자신의 경험담을 소재로 하여 '괜찮아'라는 말 속에 담긴 배려와 격려의 의미를 솔직하고 담담하게 이야기하며 자신이 얻은 깨달음을 전달하고 있다.

괜찮아

장영희

이것이 핵심! ✓ 글쓴이의 경험

처음 가 초등학교 때 우리 집은 제기동에 있는 작은 한옥이었다. 골목 안에는 고만고만한 한옥 네 채가 서로 마주 보고 있었다. 그때만 해도 한 집에 아이가 보통 네댓은 되었으므로 그 골목길에만 초등학교 아이들이 줄잡아 열 명이 넘었다. 그 때문에 학교가 파할 때쯤 되면 골목 안은 시끌벅적 아이들의 놀이터가 되었다.

나 어머니는 내가 집에서 책만 읽는 것을 싫어하셨다. 그래서 방과 후 골목길에 아이들이 모일 때쯤이면 어머니는 대문 앞 계단에 작은 방석을 깔고 나를 거기에 앉히셨다. 아이들이 노는 것을 구경이라도 하라는 뜻이었다.

다 딱히 놀이 기구가 없던 그때, 친구들은 대부분 술래잡기, 사방치기, 공기놀이, 고무줄놀이 등을 하고 놀았지만, 나는 공기놀이 외에는 어떤 놀이에도 참여할 수 없었다. 하지만 골목 안 친구들은 나를 위해 꼭 무언가 역할을 만들어 주었다. 고무줄놀이나 달리기를 하면 내게 심판을 시키거나 신발주머니와 책가방을 맡겼다. 그뿐인가. 술래잡기를 할 때는 한곳에 앉아 있는 내가 답답해할까 봐, 미리 내게 어디에 숨을지를 말해 주고 숨는 친구도 있었다.

(사방치기: 땅바닥에 여러 공간을 구분해 그려 놓고, 그 안에서 납작한 돌을 한 발로 차서 차례로 다음 공간으로 옮기다가 정해진 공간에 가서는 돌을 공중으로 띄워 받아 돌아오는 놀이)

우리 집은 골목 안에서 중앙이 아니라 구석 쪽이었지만 내가 앉아 있는 계단 앞이 친구들의 놀이 무대였다. ㉠놀이에 참여하지 못해도 난 전혀 소외감이나 박탈감을 느끼지 않았다. 아니, 지금 생각하면 내가 소외감을 느낄까 봐 친구들이 배려해 준 것이었다.

(박탈감: 무언가를 빼앗겼다고 여기는 느낌이나 기분)

처음 ┊ 초등학교 시절 골목길에서 몸이 불편한 '나'를 배려해 준 친구들

핵심 확인 글쓴이의 경험

시 · 공간적 배경: 초등학교 때('나'의 어린 시절) 제기동 작은 한옥 골목길

'나'	친구들
몸이 불편함. → 공기놀이 외의 어떤 놀이에도 참여할 수 없음.	'나'의 역할을 만들어 줌. → '나'가 소외감을 느끼지 않도록 배려함.

• 확인 문제 •

• 정답과 해설 p.10

01 이 글에 대한 설명으로 적절하지 않은 것은?

① 특별히 정해진 형식이 없다.
② 의미 있는 삶의 경험을 담고 있다.
③ 진솔한 내용으로 독자에게 감동을 준다.
④ 글쓴이가 추구하는 가치가 잘 드러난다.
⑤ 글쓴이와 글 속의 '나'는 일치하지 않는다.

핵심

02 이 글의 중심 제재로 가장 적절한 것은?

① 그리운 어머니에 대한 추억
② 어린 시절 제일 좋아한 놀이
③ 항상 나를 배려해 주었던 친구들
④ 불편한 몸으로 인해 받았던 차별
⑤ 어린 시절의 유일한 취미였던 독서

낱개 확인 문제

03 이 글의 내용과 일치하는 것은?

① 어머니는 여자인 '나'가 책을 읽는 것을 싫어하셨다.
② 어머니는 '나'가 친구들과 어울릴 수 있도록 유도하셨다.
③ 친구들은 공기놀이 외에 다른 놀이에는 '나'를 끼워 주지 않았다.
④ '나'의 집과 떨어진 골목 중앙이 동네 친구들이 모여 노는 주된 장소였다.
⑤ 보통 아이가 네댓은 되었던 시대였으므로 '나'의 형제들도 여러 명이었다.

서술형

04 ㉠의 이유를 서술하시오.

이것이 핵심! ✓ 글쓴이의 경험 ✓ 글쓴이의 의도

중간 라 그 골목길에서의 일이다. 초등학교 1학년 때였던 것 같다. 하루는 우리 반이 좀 일찍 끝나서 나 혼자 집 앞에 앉아 있었다. 그런데 그때 마침 깨엿 장수가 골목을 지나고 있었다. 그 아저씨는 가위만 쩔렁이며 내 앞을 지나더니 다시 돌아와 내게 ㉠ 깨엿 두 개를 내밀었다. 순간 그 아저씨와 내 눈이 마주쳤다. 아저씨는 아무 말도 하지 않고 아주 잠깐 미소를 지어 보이며 말했다.

"괜찮아."

마 무엇이 괜찮다는 것인지는 몰랐다. 돈 없이 깨엿을 공짜로 받아도 괜찮다는 것인지, 아니면 목발을 짚고 살아도 괜찮다는 것인지……. 하지만 그건 중요하지 않다. 중요한 건 내가 그날 마음을 정했다는 것이다. 이 세상은 그런대로 살 만한 곳이라고, 좋은 친구들이 있고, 선의(착한 마음)와 사랑이 있고, '괜찮아'라는 말처럼 용서와 너그러움이 있는 곳이라고 믿기 시작했다는 것이다.

핵심 확인 글쓴이의 경험

- 시 · 공간적 배경: 초등학교 1학년 때('나'의 어린 시절) 집 앞 골목길

'나'	깨엿 장수
몸이 불편함. → 목발을 짚고 생활함.	깨엿을 내밀며 "괜찮아."라고 함. → '나'에게 세상이 용서와 너그러움이 있는 곳이라고 믿게 해 줌.

- 글쓴이의 의도: 어린 시절 깨엿 장수를 통해 느낀 선의와 사랑, 너그러움에 대해 이야기하고자 함.

05 이 글의 특징으로 적절하지 않은 것은?

① 어린 시절의 경험을 제시하고 있다.
② 독자에게 감동과 깨달음을 주고 있다.
③ 삶에 대한 이해와 성찰이 드러나 있다.
④ 세상에 대한 긍정적인 시선이 나타나 있다.
⑤ 유머와 위트로 독자에게 즐거움을 주고 있다.

06 (라)에 나타난 사건이 글쓴이에게 의미 있는 경험인 이유로 가장 적절한 것은?

① 자신의 한계를 인식하게 된 사건이어서
② 세상에 대한 믿음을 얻게 된 사건이어서
③ 사회적 편견에 처음 맞닥뜨린 사건이어서
④ 자신의 진로를 결정하게 해 준 사건이어서
⑤ 타인의 배려를 받아 본 유일한 사건이어서

07 '나'에 대한 설명으로 적절한 것은?

① 다리가 불편하다.
② 먹을 것을 좋아한다.
③ 경제적으로 어려운 처지이다.
④ 다른 사람을 잘 믿지 못한다.
⑤ 친구가 없어 외톨이 신세이다.

핵심

08 글쓴이의 생각을 바탕으로 할 때, '깨엿 장수'에 관한 설명으로 가장 적절한 것은?

① 흥과 끼가 넘치는 사람
② 어린아이를 예뻐하는 사람
③ 경제적 형편이 넉넉한 사람
④ 마음이 따뜻하고 다정한 사람
⑤ '나'와 같은 어려움을 겪고 있는 사람

서술형 날개 확인 문제

09 ㉠의 행동에는 어떠한 마음이 담겨 있을지 추측하여 쓰시오.

바 어느 방송 채널에 오래전의 학교 친구를 찾는 프로그램이 있다. 한 번은 어느 가수가 나와서 초등학교 때 친구들을 찾았는데, 함께 축구 시합을 하던 이야기가 나왔다. 당시 허리가 36인치일 정도로 뚱뚱한 친구가 있었는데, 뚱뚱해서 잘 뛰지 못한다고 다른 친구들이 축구팀에 끼워 주려고 하지 않았다. 그때 그 가수가 나서서 말했다.

㉠"그럼 얜 골키퍼를 하면 함께 놀 수 있잖아!"

그래서 그 친구는 골키퍼로 친구들과 함께 축구를 했고, 몇십 년이 지난 후에도 그 따뜻한 말과 마음을 그대로 기억하고 있었다.

사 '괜찮아.' 난 지금도 이 말을 들으면 괜히 가슴이 찡해진다.

지난 2002년 월드컵 4강에서 독일에 졌을 때 관중들은 선수들을 향해 외쳤다. / "괜찮아! 괜찮아!"

혼자 남아 문제를 풀다가 결국 골든벨을 울리지 못하면 친구들이 얼싸안고 말해 준다. / "괜찮아! 괜찮아!"

아 '그만하면 참 잘했다'고 용기를 북돋워 주는 말, '너라면 뭐든지 다 눈감아 주겠다'는 [ ]의 말, '무슨 일이 있어도 나는 네 편이니 넌 절대 외롭지 않다'는 [ ]의 말, '지금은 아파도 슬퍼하지 말라'는 나눔의 말, 그리고 마음으로 일으켜 주는 [ ]의 말, 괜찮아.

중간 ┊ '괜찮아'라는 말과 관련된 다양한 경험과 그 말에 담긴 여러 가지 뜻

이것이 핵심! ✔ '괜찮아'의 의미 ✔ 글쓴이의 의도

끝 **자** 참으로 신기하게도 힘들어서 주저앉고 싶을 때마다 난 내 마음속에서 작은 속삭임을 듣는다. 오래전 따뜻한 추억 속 골목길 안에서 들은 말,

"괜찮아! 조금만 참아. 이제 다 괜찮아질 거야."

아, 그래서 '괜찮아'는 이제 다시 시작할 수 있다는 [ ]의 말이다.

끝 ┊ '나'에게 희망을 주는 말이 된 '괜찮아'

핵심 확인 '괜찮아'의 의미

용기를 북돋워 주는 말, 용서의 말, 격려의 말, 나눔의 말, 부축의 말	→	다시 시작할 수 있다는 희망의 말

글쓴이의 의도: '괜찮아'라는 말에 담긴 다른 사람에 대한 배려와 격려의 소중함을 일깨우고자 함.

핵심

10 이 글의 '나'가 할 말과 거리가 먼 것은?

① 좌절하는 이를 진심으로 격려해 주세요.
② 타인의 배려와 관심을 당연시하지 마세요.
③ 타인의 아픔을 외면하지 말고 응원해 주세요.
④ 다정한 말 한 마디가 다른 사람에게는 큰 힘이 됩니다.
⑤ 힘들고 지친 사람에게 따뜻한 말 한 마디를 건네 주세요.

핵심 | 날개 확인 문제

11 (아), (자)의 빈칸에 들어갈 수 없는 단어는?

① 격려 ② 부축 ③ 비난
④ 용서 ⑤ 희망

12 '어느 가수'가 ㉠처럼 말한 이유로 가장 적절한 것은?

① 친한 친구의 편을 들어주고 싶었기 때문에
② 운동에 서툰 친구를 놀려 주고 싶었기 때문에
③ 어떻게든 빨리 경기를 시작하고 싶었기 때문에
④ 친구에게서 골키퍼로서의 재능을 발견했기 때문에
⑤ 친구가 소외감을 느끼지 않도록 하고 싶었기 때문에

13 이 글의 내용을 다음과 같이 정리할 때 빈칸에 공통으로 들어갈 알맞은 말을 쓰시오.

> 어린 시절 '나'가 친구들로부터 받은 배려의 경험 → 어린 시절 '나'가 깨엿 장수로부터 "(　　)"라는 말을 듣고 위안을 받은 경험 → 사회 구성원들 간에 "(　　)"라는 말을 통해 배려와 격려의 의미를 전한 일화들

다지기 학습 활동

• 정답과 해설 p.11

이해 활동

1. 이 글의 글쓴이가 어린 시절 경험한 일과 그것을 통해 깨달은 점을 파악해 봅시다. 예시 답

어린 시절의 경험	깨달은 점
친구들과의 경험 어린 시절 몸이 불편한 나에게 친구들이 놀이에서 역할을 마련해 줌.	몸이 불편한 '나'가 소외감을 느낄까 봐 친구들이 배려해 준 것이라는 걸 깨닫고 고마움을 느낌.
깨엿 장수 아저씨와의 경험 목발을 옆에 두고 대문 앞에 앉아 있는 나에게 깨엿 장수 아저씨가 괜찮다고 말함.	이 세상은 그런대로 살 만한 곳이며, 좋은 친구들이 있고 선의와 사랑이 있고, '괜찮아'라는 말처럼 용서와 너그러움이 있는 곳이라고 생각하게 됨.

이해 다지기 문제

1 '나'가 세상에 대한 긍정적인 인식을 갖게 된 계기로 이 글에 제시된 것은?

① '나'의 꾸준한 노력
② 타인의 배려와 격려
③ '나'의 낙천적인 성격
④ 어머니의 지극한 사랑
⑤ 어머니가 키워 준 독립심과 자립심

2 '나'가 어린 시절에 친구들이나 깨엿 장수 아저씨에게 보인 반응으로 적절한 것은?

① 깨엿 장수 아저씨가 내민 깨엿을 보며 반가움을 느낀다.
② 낯선 깨엿 장수 아저씨의 친밀한 행동을 불편하게 여긴다.
③ 친구들과 깨엿 장수 아저씨의 따뜻한 태도에 고마움을 느낀다.
④ 친구들과 깨엿 장수 아저씨의 지나친 배려에 불쾌함을 느낀다.
⑤ 다리가 불편한 자신을 생각해 주는 친구들의 태도를 당연하게 여긴다.

2. '괜찮아'라는 말이 글쓴이의 삶에 어떤 영향을 끼쳤는지 생각해 봅시다.

1 다음 상황에 쓰인 "괜찮아!"가 뜻하는 바를 말해 봅시다.

가 2002년 월드컵 4강에서 우리나라 선수들이 독일에 졌을 때

예시 답 • 열심히 뛰었으니 괜찮아.
• 힘내라.
• 다음에 잘하면 돼.

나 혼자 남아 문제를 풀던 친구가 결국 골든벨을 울리지 못했을 때

예시 답 • 열심히 풀었으니 괜찮아.
• 힘내라.
• 다음에 잘하면 돼.

2 글쓴이가 '괜찮아'라는 말을 떠올릴 때는 언제이고, 이 말을 통해 얻게 된 것은 무엇인지 말해 봅시다.

예시 답 힘들어서 주저앉고 싶을 때마다 '괜찮아'라는 말을 떠올리며 희망을 얻는다.

이해 다지기 문제

3 글쓴이가 생각하는 '괜찮아'의 의미와 관련이 <u>없는</u> 것은?

① (시험을 망친 친구에게) "괜찮아."
② (실수로 접시를 깨트린 사람에게) "괜찮아요."
③ (골든벨을 울리지 못한 최후의 일인에게) "괜찮아."
④ (저녁 메뉴로 햄버거가 어떤지 묻는 친구에게) "괜찮아."
⑤ (2002년 월드컵 4강에서 패배한 우리나라 선수들에게) "괜찮아."

4 '괜찮아'라는 말이 필요한 상황으로 적절하지 <u>않은</u> 것은?

① 생각지도 못한 실수를 한 사람을 용서해 줄 때
② 연속된 실수에도 자만하고 있는 사람을 깨우쳐 줄 때
③ 희망을 잃은 사람에게 다시 시작할 희망을 주고자 할 때
④ 힘들어서 주저앉고 싶어 하는 사람에게 용기를 북돋아 줄 때
⑤ 원하는 결과를 얻지 못하고 좌절한 사람을 일으켜 주고 싶을 때

목표 활동

1. 이 글을 읽고 느낀 감동이나 즐거움을 떠올리며 아래의 활동을 해 봅시다.

1 이 글의 내용 중에서 감동이나 즐거움을 느낀 장면을 떠올려 보고, 그 장면을 그려 봅시다.

예시 답 깨엿 장수 아저씨가 목발을 옆에 두고 앉아 있는 글쓴이에게 깨엿을 건네며 "괜찮아."라는 말로 용기를 북돋아 주는 장면

2 이 글에서 인상 깊었던 표현이나 말을 찾아 적고, 어떤 점에서 인상적이었는지 말해 봅시다.

인상 깊었던 표현이나 말

예시 답 "그럼 얜 골키퍼를 하면 함께 놀 수 있잖아!"

그 까닭

예시 답 뚱뚱한 친구를 배려해 주는 말로 내가 배려를 받는 것처럼 마음이 따뜻해졌기 때문이다.

목표 다지기 문제

1 이 글에서 깨엿 장수 아저씨와 관련된 일화를 읽은 독자의 감상으로 적절한 것은?

① 깨엿 장수 아저씨의 말에는 "괜찮아, 용기를 내!"라는 의미가 담겨 있군.
② '나'는 깨엿 장수 아저씨가 깨엿을 건네며 자신을 동정한다는 것을 깨닫고 슬픔을 느꼈어.
③ '나'는 친구들로부터 받은 소외감과 외로움을 깨엿 장수 아저씨의 말을 통해 이겨 냈구나.
④ 깨엿 장수 아저씨가 '나'에게 깨엿을 준 이유는 가난한 형편의 '나'를 측은하게 여겼기 때문이야.
⑤ 깨엿 장수 아저씨는 '나'에게 깨엿을 줌으로써 '나'의 잘못을 용서하겠다는 의미를 전달하고 있군.

자신의 삶과 경험이 담긴 글 쓰기

자신의 삶과 경험을 진지하게 되돌아보고 이를 진솔한 언어로 표현한 글은 독자에게 감동이나 즐거움을 줍니다. 자신의 삶 속에서 직접 보고, 듣고, 경험한 것 가운데 독자에게 감동이나 즐거움을 줄 수 있는 내용을 선정하여 자신의 진솔한 언어로 글을 써 봅시다.

2. 자신의 삶과 경험을 바탕으로 독자에게 감동이나 즐거움을 주는 글을 써 봅시다.

1 자신이 지금까지 경험한 일을 떠올려 보고, 그중에서 다른 사람과 나누고 싶은 특별한 경험 한 가지를 찾아 봅시다. 예시 답

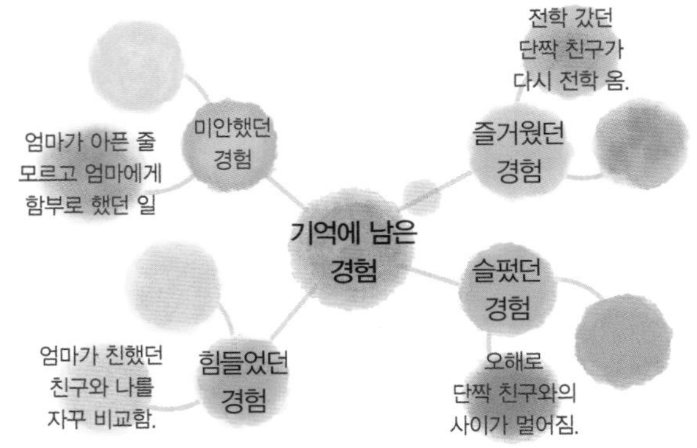

2 1에서 찾은 경험과 관련된 내용을 구체적으로 적어 봅시다.

• 언제, 무슨 일을 경험하였나요?

예시 답 초등학교 5학년 때 어릴 적 단짝 친구와 관계가 멀어졌다가 다시 가까워진 적이 있는데, 친구의 상황을 이해하고 내가 진심으로 사과한 뒤에 더욱 친해졌다.

• 그때 무엇을 느꼈나요?

예시 답 친구와 갈등이 생기면 진심으로 상대를 이해하고 사과할 줄 알아야 한다는 것과, 아무리 친한 사이여도 관계를 유지하기 위해서는 노력이 필요하다는 것, 갈등을 잘 극복하면 친구 사이가 더욱 친밀해진다는 것을 느꼈다.

3 앞에서 마련한 내용을 바탕으로 자신의 경험이 잘 드러나도록 한 편의 글을 써 봅시다. 예시 답 생략

3. 쓴 글을 친구들과 돌려 읽고, 다음 점검표를 이용하여 서로 평가해 봅시다. (점검표는 교과서 52쪽 참조)

목표 다지기 문제

2 삶과 경험을 담은 글을 평가하는 기준으로 적절하지 않은 것은?

① 자신의 경험을 진실하고 솔직하게 표현하였는가?
② 경험을 통해 느낀 점이나 깨달은 점을 잘 드러냈는가?
③ 독자에게 감동이나 즐거움을 줄 수 있는 경험을 선정하였는가?
④ 모든 사람이 공감할 만한 보편적인 사건이나 경험을 다루었는가?
⑤ 독자에게 경험을 생생하게 전달하기 위해 구체적으로 묘사하였는가?

창의·융합 활동

함께하기

1. 다음 기사를 읽고 아래의 활동을 해 봅시다.

중앙일보 2011년 12월 28일

12층에 이사 왔어요

힘세고 멋진 아빠랑 예쁜 엄마와 착하고 깜찍한 준희, 귀여운 여동생 지민. 저희는 16일 날 이사 왔어요. 새해 복 많이 받으세요. 1206호 사는 준희 올림

아파트 엘리베이터 벽에 붙은 일곱 살 꼬마의 벽보가 주민들의 마음을 녹였다. 주인공은 지난 22일 충북 청주의 한 아파트에 이사를 온 일곱 살 꼬마 준희. 이 벽보를 본 주민들도 쪽지에 다양한 환영의 글을 남겨 훈훈한 정을 더했다.

1 이 기사 속 아파트 주민이 되어 각자 '준희'에게 보낼 쪽지를 만들어 봅시다.

예시 답 • 준희야, 우리 아파트에 이사 온 걸 환영한다. 우리 아파트에서 소중한 추억 많이 만들고 행복하게 지내렴.
• 준희야, 너도 새해 복 많이 받아.
• 준희네처럼 행복하고 단란한 가족이 우리 아파트에 이사 온 것을 환영해.
• 준희야, 너의 편지를 읽고 기분이 무척 좋아졌어. 우리 잘 지내 보자.

2 쪽지를 모아 한곳에 붙여 놓고, 준희에게 감동이나 즐거움을 줄 만한 쪽지를 선정해 봅시다.

예시 답 생략

함께하기

2. 반 친구들과 서로를 격려하는 내용을 담은 쪽지를 주고받아 봅시다.

예시 답 ○○야, 요즘 늦게까지 학원에서 공부하느라 많이 힘들지? 우리 모두 최선을 다하고 열심히 생활한 다음에 방학 때 신나게 놀자!

수행 평가 대비 활동

| 수행 평가 TIP | 훈훈한 사연을 담은 기사 내용을 참고하여 친구들과 쪽지를 주고받으면서 글이 주는 감동과 즐거움을 느껴 보는 활동입니다. 준희의 편지를 보면 알 수 있듯이 짧은 글을 통해서도 감동과 깨달음을 전달할 수 있습니다. 자신이 느낀 감동이나 깨달음을 진실하고 솔직하게 전달한다면 독자도 이를 함께 느낄 수 있습니다. 준희의 편지가 주는 감동을 고려하여 친구에게 하고 싶은 격려나 응원의 말을 생각해 보고 어떻게 표현해야 자신의 마음을 잘 드러낼 수 있을지 고민해 봅시다.

1 평가 내용 확인하기

- 기사의 내용을 잘 이해하기
- 감동이나 즐거움을 주는 내용을 담아 쪽지로 표현하기

2 평가 기준 확인하기

- 상대를 응원하는 내용을 쪽지에 담았는가?

지금 친구에게 위로나 격려가 필요한 상황이 어떤 것인지 살펴보고 자신의 삶과 경험 중 친구의 상황과 비슷했었던 것을 골라 봐요. 그 당시 자신이 어떤 감정을 느꼈는지, 또 어떤 해결 방법을 선택했는지 떠올려 보고 그 내용들을 구체적으로 쪽지에 담아 친구에게 전달하도록 해요.

- 활동에 적극적으로 참여하였는가?

형식이나 분량 등에 구애받지 말고 진실된 마음을 담아 쪽지를 쓰도록 해요. 진실하고 솔직하게 쓴 글이 친구에게 감동이나 즐거움을 전해 주는 경험을 통해 글쓰기에서 진심이 갖는 힘을 깨달을 수 있어요.

수행 평가 +

1. 학교에서의 경험 중에서 감동이나 즐거움을 얻었던 경험을 떠올려 봅시다.

도와줄게 일상생활의 여러 경험을 떠올려 보고 그중에서 특별히 의미가 있었던 경험을 소재로 선정합니다.

예 – 엄마와의 갈등으로 속상해하고 있었는데, 친구가 자신도 그런 경험이 있다며 공감해 주어 속상한 마음이 가라앉았다.
– 아침에 늦잠을 자서 지각을 했는데, 친구가 어디 아픈 것은 아닌지 무슨 일이 있었는지 걱정해 주어 마음이 따뜻해졌다.

2. 1의 내용을 가지고 자신의 삶과 깨달음을 담은 시를 창작해 봅시다.

도와줄게 소재로 선정한 경험을 다시 떠올려 보고 그때의 감동이나 깨달음 등을 어떻게 제시할지 구상하여 봅니다. 또한 전체 몇 연으로 쓸지, 각 연에서 어떤 내용을 쓸지, 어떻게 마무리할지 등 시의 전체적인 형식도 함께 생각해 봅니다.

핵심 콕 마무리

소단원 제재 정리

갈래: 수필
성격: 회상적, 체험적, 교훈적
제재: 어린 시절 골목길에서의 추억
주제: 다른 사람에 대한 배려와 격려의 소중함
특징: ① 어린 시절 경험을 통해 얻은 깨달음을 진솔하게 표현함.
② 말 한 마디가 살아가는 데 큰 힘이 될 수 있다는 것을 보여 줌.

제재 한눈에 보기

처음	초등학교 시절 골목길에서 몸이 불편한 '나'를 배려해 준 친구들
중간	① 깨엿 장수 아저씨와의 일화 ② '괜찮아'라는 말에 담긴 여러 가지 뜻
끝	'나'에게 희망을 주는 말이 된 '괜찮아'

핵심 원리

삶과 경험을 담은 글 쓰기
- 개념: 자신의 삶과 경험을 통해 얻은 생각이나 느낌을 효과적으로 표현하여 독자에게 감동과 즐거움을 주는 글 쓰기
- 과정: (❶) 하기 → 내용 생성 및 선정하기 → 내용 조직하기 → 표현하기 → 고쳐쓰기

감동이나 즐거움을 주는 글 읽기 방법

글쓴이의 (❷)에 공감하며 읽기	• 글쓴이가 경험을 통해 느끼고 생각한 것을 파악함. • 글쓴이의 생각과 자기 생각을 비교해 보고 글쓴이의 생각에 공감할 수 있는지 판단함.
자신의 삶과 경험을 떠올리며 읽기	• 글쓴이의 (❷)에 비추어 자신의 삶의 모습을 돌아봄. • 글쓴이의 경험으로부터 배울 점은 무엇이고, 어떻게 사는 것이 가치 있는 삶인지를 판단함.
공동체의 가치관이나 윤리와 비교하며 읽기	• 글쓴이의 가치관에 영향을 준 것이 무엇인지 생각해 봄. • 내가 속한 사회의 가치관과 윤리를 다시 생각해 봄.

핵심 내용

(1) 글쓴이의 처지와 어릴 적 경험

'나'의 처지	• 공기놀이 외의 놀이에 참여할 수 없음. • (❸)을 짚고 살아가야 함.

'나'의 어릴 적 경험	
친구들과 관련된 일화	• 심판이나 물건 보관 등 몸이 불편한 '나'도 할 수 있는 역할을 만들어 줌. • 한곳에 앉아 있는 '나'를 위해 자신이 숨을 곳을 미리 말해 줌.
깨엿 장수 아저씨와 관련된 일화	깨엿 두 개를 내밀며 "괜찮아."라고 말해 줌.

↓

(❹)에 관한 긍정적 인식을 가지게 됨.

(2) '(❺)'에 담긴 의미

• 깨엿 장수 아저씨의 '괜찮아' • 친구가 기억하는 어느 가수의 일화 • 2002년 월드컵 4강 때 선수들을 향한 관중의 '괜찮아' • 골든벨 울리기에 실패한 친구를 향한 다른 친구들의 '괜찮아'	=	• 용기를 북돋워 주는 말, 용서의 말, 격려의 말, 나눔의 말, 부축의 말, 희망의 말 • 타인에 대한 따뜻함, 용서, 너그러움, 선의, 사랑이 담긴 말

(3) 이 글이 주는 감동

몸이 불편한 '나'가 (❻)이나 박탈감을 느끼지 않도록 배려하는 친구들의 행동	'나'에게 (❼)을 주며 '괜찮아'라고 말해 준 깨엿 장수 아저씨	몸이 뚱뚱한 친구가 (❽)를 맡아 축구 경기를 함께 할 수 있도록 배려한 어느 가수의 행동

↓

타인을 위한 배려와 격려의 마음

정답 ❶ 계획 ❷ 경험 ❸ 목발 ❹ 세상 ❺ 괜찮아 ❻ 소외감 ❼ 깨엿 ❽ 골키퍼

소단원 핵심 문제

• 정답과 해설 p.12

[01~04] 다음 글을 읽고 물음에 답하시오.

(가) 초등학교 때 우리 집은 제기동에 있는 작은 한옥이었다. 골목 안에는 고만고만한 한옥 네 채가 서로 마주 보고 있었다. 그때만 해도 한 집에 아이가 보통 네댓은 되었으므로 그 골목길에만 초등학교 아이들이 줄잡아 열 명이 넘었다. 그 때문에 학교가 파할 때쯤 되면 골목 안은 시끌벅적 아이들의 놀이터가 되었다.

(나) 어머니는 내가 집에서 책만 읽는 것을 싫어하셨다. 그래서 방과 후 골목길에 아이들이 모일 때쯤이면 어머니는 대문 앞 계단에 작은 방석을 깔고 나를 거기에 앉히셨다. 아이들이 노는 것을 구경이라도 하라는 뜻이었다.

(다) 딱히 놀이 기구가 없던 그때, 친구들은 대부분 술래잡기, 사방치기, 공기놀이, 고무줄놀이 등을 하고 놀았지만, 나는 공기놀이 외에는 어떤 놀이에도 참여할 수 없었다. 하지만 골목 안 친구들은 나를 위해 꼭 무언가 역할을 만들어 주었다. 고무줄놀이나 달리기를 하면 내게 심판을 시키거나 신발주머니와 책가방을 맡겼다. 그뿐인가. 술래잡기를 할 때는 한곳에 앉아 있는 내가 답답해할까 봐, 미리 내게 어디에 숨을지를 말해 주고 숨는 친구도 있었다.

(라) 우리 집은 골목 안에서 중앙이 아니라 구석 쪽이었지만 내가 앉아 있는 계단 앞이 친구들의 놀이 무대였다. 놀이에 참여하지 못해도 난 전혀 소외감이나 박탈감을 느끼지 않았다. 아니, 지금 생각하면 내가 소외감을 느낄까 봐 친구들이 배려해 준 것이었다.

(마) 아저씨는 가위만 쩔렁이며 내 앞을 지나더니 다시 돌아와 내게 깨엿 두 개를 내밀었다. 순간 그 아저씨와 내 눈이 마주쳤다. 아저씨는 아무 말도 하지 않고 아주 잠깐 미소를 지어 보이며 말했다. / "괜찮아."

무엇이 괜찮다는 것인지는 몰랐다. 돈 없이 깨엿을 공짜로 받아도 괜찮다는 것인지, 아니면 목발을 짚고 살아도 괜찮다는 것인지……. 하지만 그건 중요하지 않다. 중요한 건 내가 그날 마음을 정했다는 것이다. 이 세상은 그런대로 살 만한 곳이라고, 좋은 친구들이 있고, 선의와 사랑이 있고, '괜찮아'라는 말처럼 용서와 너그러움이 있는 곳이라고 믿기 시작했다는 것이다.

출제 예감 85%

01 이 글에 대한 설명으로 가장 적절한 것은?

① 후반부의 반전이 독자에게 강한 충격을 안겨 준다.
② 경험에 관한 진솔한 표현이 독자에게 감동과 깨달음을 준다.
③ 어린 시절에 재미있었던 추억만을 회상하여 독자에게 즐거움을 준다.
④ 현실을 잘 반영한 사건을 들어 독자에게 문제의식을 가질 것을 촉구한다.
⑤ 하나의 사건을 여러 가지 관점으로 설명하여 사건에 관한 독자의 지식을 넓혀 준다.

출제 예감 90%

02 (가)~(마)의 중심 내용으로 적절하지 않은 것은?

① (가): 어린 시절 '나'가 살았던 곳 소개
② (나): 방과 후 '나'가 대문 앞 계단에 앉아 있었던 이유
③ (다): 어린 시절 '나'가 친구들과 자주 했던 놀이의 종류
④ (라): 친구들이 골목 중앙이 아닌 '나'의 집 계단 앞에서 주로 놀았던 이유
⑤ (마): 깨엿 장수 아저씨와의 일화

출제 예감 80%

03 이 글의 글쓴이가 〈보기〉의 글을 썼다고 할 때, 적절하지 않은 것은?

보기

① 나는 다리가 불편하여 평생 목발을 짚고 살아야 한다. ② 어머니는 이런 내게 많은 책을 권해 주셨다. ③ 어린 시절 나의 친구들은 골목길에서 술래잡기, 사방치기, 공기놀이, 고무줄놀이 등을 하며 놀았다. ④ 친구들은 앉아만 있는 나도 놀이에 참여할 수 있도록 심판이나 물건 보관 등의 역할을 맡겨 주었다. ⑤ 술래잡기를 할 때 친구들은 내가 소외감을 느낄까 봐 자기가 어디에 숨을지 미리 알려 주기도 했다.

출제 예감 80% 서술형

04 이 글에서 어린 시절 '나'에게 긍정적 영향을 미친 두 대상을 찾고, '나'가 이들에게 받은 영향을 서술하시오.

소단원 핵심 문제

[05~07] 다음 글을 읽고 물음에 답하시오.

(가) 초등학교 1학년 때였던 것 같다. 하루는 우리 반이 좀 일찍 끝나서 나 혼자 집 앞에 앉아 있었다. 그런데 그때 마침 깨엿 장수가 골목을 지나고 있었다. 그 아저씨는 가위만 쩔렁이며 내 앞을 지나더니 다시 돌아와 내게 깨엿 두 개를 내밀었다. 순간 그 아저씨와 내 눈이 마주쳤다. 아저씨는 아무 말도 하지 않고 아주 잠깐 미소를 지어 보이며 말했다. / "괜찮아."

무엇이 괜찮다는 것인지는 몰랐다. [중략] 하지만 그건 중요하지 않다. 중요한 건 내가 그날 마음을 정했다는 것이다. 이 세상은 그런대로 살 만한 곳이라고, 좋은 친구들이 있고, 선의와 사랑이 있고, '괜찮아'라는 말처럼 용서와 너그러움이 있는 곳이라고 믿기 시작했다는 것이다.

(나) 어느 방송 채널에 오래전의 학교 친구를 찾는 프로그램이 있다. 한번은 어느 가수가 나와서 초등학교 때 친구들을 찾았는데, 함께 축구 시합을 하던 이야기가 나왔다. 당시 허리가 36인치일 정도로 뚱뚱한 친구가 있었는데, 뚱뚱해서 잘 뛰지 못한다고 다른 친구들이 축구팀에 끼워 주려고 하지 않았다. 그때 그 가수가 나서서 말했다.

"그럼 얜 골키퍼를 하면 함께 놀 수 있잖아!"

그래서 그 친구는 골키퍼로 친구들과 함께 축구를 했고, 몇십 년이 지난 후에도 그 따뜻한 말과 마음을 그대로 기억하고 있었다.

㉠'괜찮아.' 난 지금도 이 말을 들으면 괜히 가슴이 찡해진다.

지난 2002년 월드컵 4강에서 독일에 졌을 때 관중들은 선수들을 향해 외쳤다. / "괜찮아! 괜찮아!"

혼자 남아 문제를 풀다가 결국 골든벨을 울리지 못하면 친구들이 얼싸안고 말해 준다.

"괜찮아! 괜찮아!"

'그만하면 참 잘했다'고 용기를 북돋워 주는 말, '너라면 뭐든지 다 눈감아 주겠다'는 용서의 말, '무슨 일이 있어도 나는 네 편이니 넌 절대 외롭지 않다'는 격려의 말, '지금은 아파도 슬퍼하지 말라'는 나눔의 말, 그리고 마음으로 일으켜 주는 부축의 말, 괜찮아.

참으로 신기하게도 힘들어서 주저앉고 싶을 때마다 난 내 마음속에서 작은 속삭임을 듣는다. 오래전 따뜻한 추억 속 골목길 안에서 들은 말,

"괜찮아! 조금만 참아. 이제 다 괜찮아질 거야."

아, 그래서 '괜찮아'는 이제 다시 시작할 수 있다는 희망의 말이다.

출제 예감 75%

05 이 글을 읽는 방법으로 가장 적절한 것은?

① 어휘의 사전적 의미에 주목하여 읽는다.
② 제시된 정보의 정확성과 신뢰성을 판단하며 읽는다.
③ 제시된 내용에 허위나 과장이 없는가를 파악하며 읽는다.
④ 글쓴이의 삶을 간접 경험하고 이와 관련된 자신의 경험을 떠올리며 읽는다.
⑤ 글쓴이의 주장과 이를 뒷받침하는 근거가 타당한가를 판단하며 비판적으로 읽는다.

출제 예감 75%

06 (가), (나)에 대한 설명으로 적절한 것은?

① (가)는 실제 사건, (나)는 허구적인 사건을 다루고 있다.
② (가)와 (나) 모두 어떤 말에 담긴 의미를 설명하고 있다.
③ (가)와 (나) 모두 글쓴이가 직접 겪은 경험을 이야기하고 있다.
④ 글쓴이에게 (가)는 긍정적, (나)는 부정적으로 기억되고 있다.
⑤ (가)에는 객관적, (나)에는 주관적 태도가 드러나 있다.

출제 예감 90% 학습 활동 응용

07 ㉠의 의미로 적절하지 않은 것은?

① 타인을 위한 따뜻한 마음을 드러내는 말
② 약자를 위한 배려와 격려가 담겨 있는 말
③ 자신의 잘못을 반성하고 성찰하게 하는 말
④ 좌절을 극복하게 하고 희망을 안겨 주는 말
⑤ 글쓴이에게 가슴 찡한 감동을 안겨 주는 말

[08~10] 다음 글을 읽고 물음에 답하시오.

(가) 딱히 놀이 기구가 없던 그때, 친구들은 대부분 술래잡기, 사방치기, 공기놀이, 고무줄놀이 등을 하고 놀았지만, 나는 공기놀이 외에는 어떤 놀이에도 참여할 수 없었다. 하지만 ㉠골목 안 친구들은 나를 위해 꼭 무언가 역할을 만들어 주었다. 고무줄놀이나 달리기를 하면 ㉡내게 심판을 시키거나 신발주머니와 책가방을 맡겼다. 그뿐인가. 술래잡기를 할 때는 한곳에 앉아 있는 내가 답답해할까 봐, ㉢미리 내게 어디에 숨을지를 말해 주고 숨는 친구도 있었다.

우리 집은 골목 안에서 중앙이 아니라 구석 쪽이었지만 ㉣내가 앉아 있는 계단 앞이 친구들의 놀이 무대였다.

(나) 하루는 우리 반이 좀 일찍 끝나서 나 혼자 집 앞에 앉아 있었다. 그런데 그때 마침 깨엿 장수가 골목을 지나고 있었다. 그 아저씨는 가위만 쩔렁이며 내 앞을 지나더니 다시 돌아와 내게 깨엿 두 개를 내밀었다. 순간 그 아저씨와 내 눈이 마주쳤다. 아저씨는 아무 말도 하지 않고 아주 잠깐 미소를 지어 보이며 말했다.

"괜찮아." / 무엇이 괜찮다는 것인지는 몰랐다. 돈 없이 깨엿을 공짜로 받아도 괜찮다는 것인지, 아니면 목발을 짚고 살아도 괜찮다는 것인지……. 하지만 그건 중요하지 않다. 중요한 건 내가 그날 마음을 정했다는 것이다. 이 세상은 그런대로 살 만한 곳이라고, 좋은 친구들이 있고, 선의와 사랑이 있고, '괜찮아'라는 말처럼 용서와 너그러움이 있는 곳이라고 믿기 시작했다는 것이다.

(다) 어느 방송 채널에 오래전의 학교 친구를 찾는 프로그램이 있다. 한번은 어느 가수가 나와서 초등학교 때 친구들을 찾았는데, 함께 축구 시합을 하던 이야기가 나왔다. 당시 허리가 36인치일 정도로 뚱뚱한 친구가 있었는데, 뚱뚱해서 잘 뛰지 못한다고 다른 친구들이 축구팀에 끼워 주려고 하지 않았다. 그때 그 가수가 나서서 말했다.

"그럼 얜 골키퍼를 하면 함께 놀 수 있잖아!"

그래서 그 친구는 골키퍼로 친구들과 함께 축구를 했고, 몇십 년이 지난 후에도 그 따뜻한 말과 마음을 그대로 기억하고 있었다.

(라) '그만하면 참 잘했다'고 용기를 북돋워 주는 말, '너라면 뭐든지 다 눈감아 주겠다'는 용서의 말, '무슨 일이 있어도 나는 네 편이니 넌 절대 외롭지 않다'는 격려의 말, '지금은 아파도 슬퍼하지 말라'는 나눔의 말, 그리고 마음으로 일으켜 주는 부축의 말, 괜찮아.

참으로 신기하게도 힘들어서 주저앉고 싶을 때마다 난 내 마음속에서 작은 속삭임을 듣는다. 오래전 따뜻한 추억 속 골목길 안에서 들은 말,

"괜찮아! 조금만 참아. 이제 다 괜찮아질 거야."

아, 그래서 '괜찮아'는 이제 다시 시작할 수 있다는 희망의 말이다.

출제 예감 80%

08 ⓐ~ⓔ 중 이 글에 대한 설명으로 적절한 것을 모두 고른 것은?

ⓐ (가), (나)에는 글쓴이의 실제 경험이 제시되어 있다.
ⓑ (나)에는 글쓴이가 얻은 깨달음이 제시되어 있다.
ⓒ (다)에는 글쓴이가 바람직하게 생각하는 행동이 드러나 있다.
ⓓ (라)에는 글쓴이가 생각하는 우리 사회의 문제점과 해결 방안이 드러나 있다.
ⓔ (다)와 (라)에는 어린 시절에 저지른 잘못에 관한 글쓴이의 고백이 제시되어 있다.

① ⓐ, ⓑ, ⓒ　② ⓐ, ⓑ, ⓔ　③ ⓐ, ⓓ, ⓔ
④ ⓑ, ⓒ, ⓓ　⑤ ⓒ, ⓓ, ⓔ

출제 예감 90%

09 이 글에서 다음 설명에 해당하는 소재를 찾아 쓰시오.

어린 시절 우연히 공짜로 얻게 된 것으로, 이것을 받으면서 들었던 "괜찮아."라는 말은 글쓴이로 하여금 삶에 관한 긍정적인 가치관을 갖도록 한다.

출제 예감 80% 서술형

10 이 글이 감동을 주는 이유를 ㉠~㉣을 통해 알 수 있는 친구들의 의도와 관련지어 설명하시오.

단원+단원

인물의 성장이 담긴 영화의 시나리오를 읽고, 주인공의 삶을 이해해 봅시다.

완득이

김려령 원작 / 이한 각색

[전체 줄거리] 고등학생인 완득은 척추 장애가 있는 아버지와 언제부터인가 가족이 된 민구 삼촌과 함께 산다. 가난하고 공부도 못하는 완득에게 옆집에 사는 담임 선생님 동주는 사사건건 자신을 괴롭히는 존재이다. 어느 날 동주 선생님은 완득에게 존재조차 모르고 살았던 친엄마를 만나 보라고 한다. 완득은 처음에는 엄마의 존재를 부인하며 만나고 싶어 하지 않다가 엄마를 만나게 되고, 필리핀에서 온 엄마가 무엇 때문에 아버지와 헤어지게 되었는지 알게 되면서 엄마와 아빠를 더 깊이 이해한다. 이제까지 친구라고는 없었던 완득은 윤하와 친해지고, 우연한 기회로 킥복싱을 접하게 되면서 자신이 하고 싶은 일이 무엇인지 알게 된다. 동주 선생님은 킥복싱을 하는 것을 반대하는 완득 아버지를 설득하며 완득이 자신의 꿈을 위해 노력하는 모습을 응원한다. 동주 선생님은 그간 이주 노동자를 돕는 일을 해 왔는데, 그것을 더 확장하여 많은 사람과 함께하고자 한다. 동주 선생님을 비롯하여 가족과 이웃들이 힘을 합하여 이주 노동자 센터를 세우며 영화는 막을 내린다.

S# 22 길거리(밤)

여기저기 길거리를 헤매고 다니는 완득의 모습.

완득(NAR.) 가출을 위한 완벽한 조건이다. 가난, 장애인 아버지 그리고 고2. 게다가 필리핀 어머니까지.

S# 23 완득의 집(밤)

완득(NAR.) 하지만 아버지와 민구 삼촌은 시골 장을 돌다 언제 올지 모른다.

책상 앞에 서 있는 완득, 불을 켠다.

완득(NAR.) 따라서 내가 남긴 이 쪽지는 내가 가장 먼저 읽을 가능성이 크다.

종이에는 "가출합니다."라고 씌어 있다. 종이를 구겨 버리더니 이불을 덮어쓰고 눕는다. [중략]

S# 37 완득의 집 옥상(밤)

터벅터벅 계단을 올라가는 완득. 어딘가를 보더니 문득 시선을 멈춘다. 완득의 시선을 따라가면 또 다른 동남아 여인이 서 있다. 완득 모(母)이다.

완득 모 잘 지냈어요? 잘 커 줘서 고마워요.

완득 라면, 드실래요?

문을 열고 들어가는 완득.

S# 38 완득의 집(밤)

완득 모를 외면한 채, 냄비에 물을 올리는 완득.

완득 모 나는, 그냥 한 번만 보…….

완득 끓여서 갈 테니까 방에 들어가 계세요.

가만히 방으로 들어가는 완득 모.

조그만 밥상을 마주한 채 앉아 있는 완득과 완득 모. 라면을 먹는 완득.

완득 모 김치는 없어요? 매일 이렇게 먹어요?

완득 저 라면 좋아해요.

완득 모 라면 많이 먹으면 안 좋다던데.

완득 한국말 잘하시네요.

완득 모 한국에 온 지 오래됐으니까.

완득 라면 불어요.

가만히 있다가 라면을 뜨는 완득 모.

설거지하는 완득 모. 그 모습을 쳐다보는 완득.

홀로 앉아 있는 완득. 밥상 위에 놓인 편지 봉투가 보인다. 잠시 망설이더니 편지를 꺼낸다.

완득 모(NAR.) 미안해요. 잊고 살지 않았어요.

인서트

골목을 걸어 내려가는 완득 모. 한 번씩 뒤돌아서 완득의 옥탑방을 쳐다본다.

완득 모(NAR.) 많이 보고 싶었어요. 나는 나쁜 사람이에요. 정말 미안해요. 함께 있어 주지 못해서 미안해요.

편지를 내려놓고 한숨을 쉬는 완득.

S# 39 완득의 집 전경(낮)

동네의 아침 전경이 환하게 내려다보인다.

완득(소리) 누구 왔었어요.

완득 부(소리) 어?

S# 40 완득의 집(낮)

행상 물건을 정리하고 있는 완득 부와 민구를 쳐다보고 있는 완득.

완득 필리핀 사람이던데요. 전화번호 주고 갔어요.

완득 부가 하던 동작을 멈추더니 이내 반짝이 의상을 완득에게 건넨다.

완득 부 이거 세탁소에 좀 갖다 맡겨라.

완득 시장에 춤출 데가 있어요?

완득 부 가판대 앞에서. 민구 춤이 제법 좋아서 사람들이 꽤 모인다.

민구 각설이도 춤 잘 춘다.

완득 이혼도 아니던데요.

완득 부 보내 줬다.

완득 왜요?

완득 부 카바레에서 춤추는 걸 이해 못 했어.

완득 그게 다예요? 그런다고 보내 줘요?

완득 부 업소 사람들이 그 사람을 무슨 팔려 온 하녀 취급하는 게 싫었다. 자기들 뒷일이나 해 주러 온 사람 취급하는 게.

완득 다녀올게요.

완득 부 그 사람 나라가 가난해서 그렇지 거기서 배울 만큼 배운 사람이다.

옷을 들고 집을 나가는 완득. [중략]

S# 42 교실(낮)

세계사 수업 시간. 정면에 밀레의 「이삭줍기」가 보인다.

여 선생님 1800년대 프랑스 사회상을 잘 보여 주고 있는 밀레의 「이삭줍기」예요. 잠시 그림을 감상하시죠. [중략]

여 선생님 거기 창가 맨 뒤의 학생.

학생들이 돌아보면 완득이 그림을 쳐다보고 있다.

완득 네, 네?

여 선생님 열심히 보고 있는 것 같은데요. 이 그림 보니까 어떤 느낌이 들어요?

유심히 그림을 쳐다보는 완득.

완득 '뭘 봐?' 그러는 거 같은데요.

웃음을 터뜨리는 학생들.

여 선생님 뭐?

완득 저기 맨 오른쪽 저 아줌마요, 곁눈질로 '뭘 봐?' 이러는데.

여 선생님 네. 당시 농민들은 고된 노동에 시달렸죠. 열심히 일하는 사람으로서는 한가하게 그림이나 그리고 있는 밀레를 보면 '뭘 봐?' 하는 느낌이 들 수도 있겠네요. 뭐 다른 느낌은 없어요?

완득 느낀 대로요?

여 선생님 네. 느낀 대로.

완득 일단 저들은 가난한 나라에서 시집온 이방인들로 보입니다. 그러니까 그들은 스스로를 지키기 위해 강해질 필요가 있었어요. 맨 오른쪽 저 아줌마요. 지금 농장 주인이랑 한판 붙으려고 주먹 쥐기 일보 직전이고요. 맨 왼쪽 저 아줌마는 지금 일을 하는 척을 하고 있긴 한데 사실 왼손에 쥔 지푸라기를 던져서 상대의 시야를 가리고 한 방에 치고 들어가려고 준비하고 있습니다. 그리고 가운데 아줌마는 주먹 크기가 보통이 아닌 게 안에 돌을 쥐고 있는 게 분명합니다. 치사해도 어쩔 수 없어요. 싸움은 이기고 봐야 하니까. 그리고 저 아줌마들 자기들 나라에선 다 배울 만큼 배운 사람들입니다.

환호성을 지르는 학생들. 여 선생님은 멍하게 완득을 쳐다보고 있다.

– 『완득이』(유비유필름, 2011)

활동 순서 주인공의 관심사 파악하기 ➔ 어머니와의 만남이 주인공에게 미친 영향 이해하기 ➔ 주인공이 어머니를 이해하면서 갖게 된 사회에 대한 시선과 인식 이해하기 ➔ 주인공의 정신적 성장과 내면 심리를 편지 형식으로 표현하기

활동 길잡이
시나리오의 주인공인 완득을 중심으로 시나리오의 내용을 이해하는 활동이다. 시나리오의 중심 내용이 잘 드러나도록 중요도가 높은 단어들을 제시한다.

1 완득이 겪고 있는 고민을 중심으로 완득의 뇌 구조에 들어갈 단어를 써 봅시다.

예시 답 장애인 아버지, 가난, 가출, 킥복싱, 윤하, 동주 선생님, 이주 노동자/이방인, 엄마, 필리핀

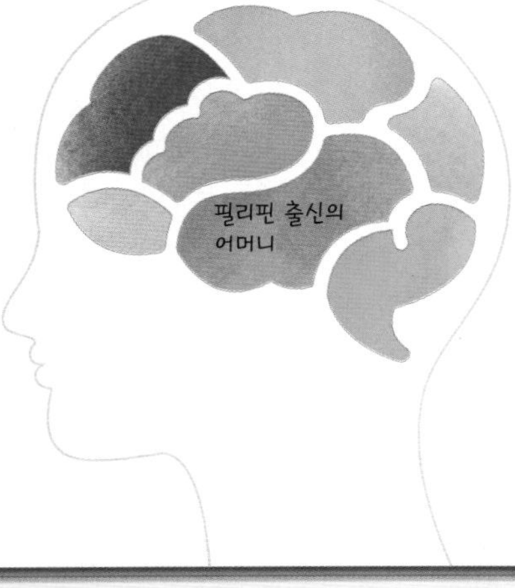

활동 길잡이
시나리오에 제시된 내용을 바탕으로 직접 드러나지 않은 인물의 속마음을 추측해 보는 활동이다. S# 38에 제시된 완득 모와 완득의 대화, S# 40 완득 부와 완득의 대화를 바탕으로 완득의 마음을 짐작하여 볼 수 있다.

2 어머니의 편지를 읽고 난 후, 완득의 마음이 어땠을지 추측해 봅시다.

예시 답
- 어머니에 대한 원망과 미움이 사라지고 어머니를 이해하는 마음이 생겼을 것이다.
- 어머니의 존재를 부인하며 만나고 싶어 하지 않던 상태에서 어머니라는 존재에 대해 더 알고 싶은 마음이 생겼을 것이다.

활동 길잡이
시나리오의 전체 내용을 바탕으로 인물의 생각을 이해하는 활동이다. 엄마의 존재를 부인하며 만나기를 거부하던 완득이 엄마의 상황을 이해하고 이를 통해 이주 노동자가 처한 현실에 대해 인식하게 되는 모습이 「이삭줍기」에 대한 완득의 해석을 통해 잘 드러난다.

3 완득이 밀레의 그림을 해석한 내용을 살펴보고, 완득이 왜 그렇게 해석했을지 생각해 봅시다.

예시 답 완득은 밀레의 그림 「이삭줍기」를 보고 그림 속 이삭을 줍는 여인들을 가난한 나라에서 시집온 이방인들로 해석한다. 이는 이삭을 줍는 여인들의 모습에서 필리핀 출신의 이주 노동자인 자신의 어머니의 모습을 덧씌워 보았기 때문이다. S# 40의 완득 부의 말을 통해 자기 나라에서 배울 만큼 배운 완득의 어머니가 이주 노동자라는 이유로 사람들에게 무시당했다는 것을 알 수 있다. 완득은 「이삭줍기」 그림 속 여인들의 모습을 스스로를 지키기 위해 부당한 현실과 싸울 준비가 된 것으로 해석하며, 자신의 어머니가 이주 노동자로서 겪었을 부당한 대접에 대한 비판적 태도를 드러낸다.

활동 길잡이
활동 2, 3을 바탕으로 어머니의 상황을 이해한 완득의 마음이 잘 드러나도록 편지로 표현해 보는 활동이다. 어머니에 대한 이해를 통해 한층 성장한 완득의 마음이 편지 형식을 통해 잘 드러나도록 표현하여 본다.

4 S# 42의 '세계사 수업' 이후 완득이 어머니에게 답장을 썼다면 어떤 내용이었을지 완득의 입장이 되어 써 봅시다.

어머니께

예시 답 고국을 등지고 한국으로 시집온 어머니의 삶을 생각해 보았어요. 필리핀에선 공부도 많이 하셨을 텐데 한국에서 그것을 알아주는 사람이 없었을 테죠. 어렵고 힘들고 하기 싫은 일들도 하셨어야 했겠지요. 어머니의 삶이 얼마나 고달프고 힘들었을까 생각하니 마음이 아팠어요.

이제 어머니를 이해해요. 미워하지 않아요.

그리고 그날 말씀드리지는 못했지만, 저도 어머니가 많이 보고 싶었어요. 다음에는 더 맛있는 라면 끓여 드릴게요. 또 뵙고 싶습니다. 그때까지 몸 건강하게 지내세요.

완득 올림

• 정답과 해설 p.12

대단원 확인 문제

[01~04] 다음 시를 읽고 물음에 답하시오.

죽는 날까지 하늘을 우러러
한 점 부끄럼이 없기를,
잎새에 이는 바람에도
나는 괴로워했다.
별을 노래하는 마음으로
모든 죽어 가는 것을 사랑해야지.
그리고 나한테 주어진 길을
걸어가야겠다.

오늘 밤에도 별이 바람에 스치운다.

01 이와 같은 갈래에 대한 설명으로 적절한 것은?

① 무대에서 상연하는 것을 목적으로 한다.
② 인물 간의 갈등을 통해 사건이 전개된다.
③ 주관적인 생각이나 느낌을 함축적으로 표현한다.
④ 논리적 근거를 통해 글쓴이의 주장을 드러낸다.
⑤ 독자에게 자신의 경험에서 얻은 깨달음이나 교훈을 전달하기 위해 쓴다.

02 이 시에 대한 설명으로 적절한 것은?

① 의성어의 반복을 통해 운율이 형성된다.
② '과거 – 미래 – 현재'의 순서로 시상이 전개된다.
③ 경어체를 사용하여 '나'의 경건한 마음을 보여 준다.
④ 묻고 답하는 형식을 통해 깨달음을 얻는 과정이 드러난다.
⑤ 향토적 소재와 시어로 고향을 그리워하는 마음을 드러낸다.

03 이 시의 시어에 대한 해석으로 적절하지 않은 것은?

① 하늘: 말하는 이가 생각하는 절대적인 기준
② 바람: 시련이나 고난, 양심의 가책
③ 별: 말하는 이가 만나고 싶은 사람
④ 길: 말하는 이의 삶, 운명
⑤ 밤: 어두운 현실의 상황

04 다음을 고려하여 이 시를 해석할 때 적절한 것은?

1941년 9월, 우리의 알차고 즐거운 생활에 난데없는 불행이 닥쳐왔다. 당시에 김송 씨가 감시 대상이었던 데다가 집에 묵고 있는 학생들이 연희전문학교 학생들이었기 때문에, 우리를 향한 일제의 눈초리는 날이 갈수록 날카로워졌다. 일본 고등계 형사가 아무 때나 찾아와 우리 방 서가에 꽂혀 있는 책 이름을 적어 가기도 하고, 고리짝을 뒤져서 편지를 빼앗아 가기도 하면서 우리를 괴롭혔다. 우리는 다시 하숙을 옮기지 않을 수 없었다. 그때 마침 졸업반이었던 동주는 생활이 무척 바쁘게 돌아가고 있는 형편이었다. 진학에 대한 고민, 시국에 대한 불안, 가정에 대한 걱정, 이런 가운데 하숙집을 또 옮겨야 하는 일이 겹치면서 동주는 무척 괴로워하는 눈치였다. 「서시」는 이 무렵에 쓴 시이다.

① 이 시에는 연희전문학교 학생들과 보냈던 알차고 즐거운 생활의 모습이 잘 드러나 있어.
② 당시 졸업반이었던 시인의 정신없이 바쁜 생활의 모습이 1연의 시적 상황을 통해 잘 표현되어 있어.
③ 이 시를 통해 시국에 대한 고민보다는 진학에 대한 고민이 시인의 더 큰 걱정거리였음을 알 수 있어.
④ 일제 고등계 형사에게 감시를 받는 시인의 생활에 대한 고민과 두려움이 이 시의 2연을 통해 잘 드러나는군.
⑤ 이 시의 시대적 상황을 고려하면 부끄럼 없는 삶을 살고자 하는 말하는 이의 태도가 더욱 대단하게 느껴지는군.

[05~08] 다음 글을 읽고 물음에 답하시오.

(가) 문기는 지전을 내밀었다. 뚱뚱보 고깃간 주인은 그 돈을 받아 둥구미에 넣고 천천히 고기를 베어 저울에 단 후 종이에 말아 내밀었다. 그리고 그 거스름돈으로 지전 아홉 장과 그 위에 은전 몇 닢을 얹어 내주는 것이 아닌가.

문기는 어리둥절하였다. 처음 그 돈을 숙모에게 받을 때와 고깃간 주인에게 내밀 때까지도 일 원짜리로만 알았던 것이다. 문기는 돈과 주인을 의심스레 쳐다보았다. 허나 그는 다음 사람의 고기를 베느라 분주하다. ㉠문기는 주멋주멋하는 사이 사람에게 밀려 뒷줄로 나오고 말았다.

대단원 확인 문제

(나) 문기 역시 돈으로 바꾸고 싶은 것이 없지 않은 터, 그리고 ㉡수만이가 시키는 대로 끌려 하기만 하면 남이 하래서 하는 것이니까 어떻게 자기 책임은 없는 듯싶었다. 그리고 수만이는 수만이대로 돈은 문기가 만든 돈, 나중에 무슨 일이 난다 하여도 자기 책임은 없으니까 또 안심이었다. 이래서 두 소년은 마침내 손이 맞고 말았다.

그래도 으슥한 골목을 걸을 때는 알 수 없는 두려움에 가슴이 두근거리었으나, 밝은 큰 한길로 나오자 차차 다른 기쁨으로 변했다. 길 좌우편 환한 상점 유리창 안의 온갖 것이 모두 제 것인 양, 손짓해 부르는 듯했다.

(다) 삼촌은 상 밑에 그 [공]을 굴려 내며, / "이거 웬 공이냐?"

"수만이가 준 공이에요." / "이것두?"

하고 삼촌은 무릎 밑에서 쌍안경을 꺼내 들었다.

"네." / "수만이가 얼마나 돈을 잘 쓰는 아인지 몰라도 이 공은 오십 전은 줬겠구나. 이건 못 줘도 일 원은 넘겨 줬겠구."

(라) ㉢문기는 벌겋게 얼굴이 달아 수그리고 앉았다. 삼촌은 잠시 묵묵히 건너다만 보고 있더니 음성을 고쳐 엄한 어조로,

"㉣어머님은 어려서 돌아가시구 아버지는 저 모양이시구, 앞으로 집안을 일으킬 사람은 너 하나야. 성실치 못한 아이들하고 어울려 다니다 혹 나쁜 데 빠지거나 하면 첫째 네 꼴은 뭐구 내 모양은 뭐냐? [중략]"

그리고 삼촌은 이렇게 뒤뚝 맘 한번 잘못 가졌다가 영 신세를 망치고 마는 예를 이것저것 들어 말씀하고는 이후론 절대 이런 것들을 받아들이지 말라는 단단한 다짐을 받은 후 문기를 내보냈다.

(마) 문기는 아랫방에 내려와 혼자 되자 삼촌 앞에서보다 갑절 얼굴이 달아올랐다. 지금까지 될 수 있는 대로 생각지 않으려고 힘을 써 오던 그편에 정면으로 제 몸을 세워 놓고 보지 않을 수 없었다. 그러자 자기라는 몸은 벌써 삼촌의 이른바 나쁜 데 빠지고 만 것이었다. ㉤그야 자기는 수만이가 시켜서 한 일이니까 잘못이 없다는 것이지만, 당초에 그것은 제 허물을 남에게 미루려는 얄미운 구실이 아니고 뭐냐. 그리고 문기는 이미 삼촌을 속이었다.

05 (가)~(마)에 대한 설명으로 적절한 것은?

① (가): 배경을 통해 당대의 사회적 문제를 드러내고 있다.
② (나): 서술자가 인물의 심리를 직접 설명하고 있다.
③ (다): 새로운 인물을 등장시켜 주인공이 내적 갈등에서 벗어나도록 도와주고 있다.
④ (라): 서술자의 서술을 통해 인물의 말과 내면 심리가 일치하지 않음이 드러난다.
⑤ (마): 인물의 생각이 직접 제시되지 않고 행동을 통해 간접적으로 제시된다.

06 다음 중 [공]에 대한 설명으로 적절한 것은?

① 문기에게 꼭 필요한 물건이다.
② 수만이 문기에게 선물해 주었다.
③ 문기가 삼촌과 멀어지는 계기를 제공한다.
④ 문기에게 양심의 가책을 불러일으키는 대상이다.
⑤ 삼촌이 수만과 문기의 깊은 우정을 알게 되는 원인이 된다.

07 ㉠~㉤에 대한 이해로 적절하지 않은 것은?

① ㉠: 문기가 고깃간 주인을 의도적으로 속이고자 한 것이다.
② ㉡: 자신의 잘못을 수만의 탓으로 돌리고 싶어 하는 문기의 심리가 드러난다.
③ ㉢: 삼촌의 꾸지람에 부끄러움을 느끼는 문기의 마음이 간접적으로 드러난다.
④ ㉣: 문기에 대한 삼촌의 기대가 드러난다.
⑤ ㉤: 자신의 잘못을 인정하는 문기의 태도가 드러난다.

서술형

08 ⓐ, ⓑ에서 나타나는 문기의 심리를 서술하시오.

조건
문기의 심리를 유발하는 이유를 함께 제시할 것

고깃간	ⓐ
골목	잘못을 저지른다는 생각으로 인해 두려움을 느낌.
한길	갖고 싶던 물건을 산다는 기대감에 기쁨.
아랫방	ⓑ

[09~12] 다음 글을 읽고 물음에 답하시오.

(가) 문기 역시 돈으로 바꾸고 싶은 것이 없지 않은 터, 그리고 수만이가 시키는 대로 끌려 하기만 하면 남이 하래서 하는 것이니까 어떻게 자기 책임은 없는 듯싶었다. 그리고 수만이는 수만이대로 돈은 문기가 만든 돈, 나중에 무슨 일이 난다 하여도 자기 책임은 없으니까 또 안심이었다. 이래서 두 소년은 마침내 손이 맞고 말았다.

[중략] 드디어 그들은 공을 샀다. 만년필을 샀다. 쌍안경을 샀다. 만화책을 샀다. 그리고 활동사진 구경도 갔다. 다니며 이것저것 군것질도 했다. / 그리고 그 나머지 돈으로 또 한 가지 즐거운 계획이 있었다. 조그만 환등 기계 한 틀을 사자는 것이다. 이것을 놀려 아이들에게 일 전씩 받고 구경을 시킨다. 그리고 여기서 나오는 것으로 두고 두고 용돈에 주리지 않도록 하자는 계획이다.

(나) 문기는 이미 삼촌을 속이었다.

또 써서는 아니 될 돈을 쓰고 말았다. 아아, 일찍이 어머니를 여의고 아버지란 사람은 일상 천 냥 만 냥 하고 허한 소리만 하면서 남루한 주제에 거처가 없이 시골, 서울로 돌아다니는 사람이고, 어려서부터 문기를 길러 낸 사람이 삼촌이었다. 그리고 조카의 장래를 자기의 그것보다 더 중히 알고 염려하며 잘되어 주기를 바라는 삼촌이었다.

(다) 자전거가 가고 노인이 오고 동이 뜬 그 중간을 타서 문기는 허옇게 흐르는 물 위로 공을 던져 버렸다. 이어 양복 안주머니에 간직해 두었던 나머지 돈을 꺼내 들었다. 그것도 마저 던져 버리려다가 문득 들었던 손을 멈춘다. [중략]

문기는 삼거리 고깃간을 향해 갔다. 그리고 뒷골목으로 돌아가 나머지 돈을 종이에 싸서 담 너머로 그 집 안마당을 향해 던졌다.

(라) 아까 물 위로 둥실둥실 떠 가던 그 공, 지금은 벌써 십 리고 이십 리고 멀리 떠갔을 듯싶은 그 공과 함께 문기는 자기의 허물도 멀리 사라져 깨끗이 벗어난 듯 속이 후련했다. 그리고,

'다시는, 다시는…….' / 하고 문기는 두 번 다시 그런 허물을 범하지 않겠다고 백번 다지며 집을 향해 돌아간다.

[㉠] 문기는 그것만으로는 도저히 자기 허물을 완전히 벗을 수 없었다. 그가 자기 집 어귀에 이르렀을 때 뜻하지 않은 것이 기다리고 있다 나타났다.

"너 어디 갔다 오니?"

하고 컴컴한 처마 밑에서 수만이가 튀어나오며 반긴다.

09 (가)의 문기의 행동에 대한 설명으로 적절한 것은?

① 자신의 잘못을 합리화하고 있다.
② 친구와의 우정을 중요하게 생각하고 있다.
③ 개인의 이익보다 사회의 이익을 중요시하고 있다.
④ 자신의 행동이 가져올 결과를 진지하게 고민하고 있다.
⑤ 형편이 어려운 사람을 돕고 싶은 마음이 반영되어 있다.

10 (나)의 내용으로 알 수 없는 것은?

① 문기의 아버지는 생활력이 없는 사람이다.
② 문기의 어머니는 문기가 어릴 때 돌아가셨다.
③ 문기는 삼촌이 묻는 말에 거짓으로 대답했다.
④ 삼촌은 문기를 염려하며 문기가 잘되기를 바라고 있다.
⑤ 삼촌은 문기가 아버지와의 관계를 회복하기를 바라고 있다.

11 이 글을 바탕으로 다음 질문에 대한 문기의 대답을 추측했을 때 적절하지 않은 것은?

무슨 일이 있었나요?	① 써서는 안 될 돈을 쓰고 말았어요. ② 저에 대한 삼촌의 기대를 저버린 행동을 했지요.
문제 상황을 어떻게 해결했나요?	③ 잘못 얻은 돈으로 산 공을 개천에 흘려 보냈어요. ④ 삼거리 고깃간 안마당으로 나머지 돈을 던져 넣었어요.
그 경험을 통해 무엇을 깨달았나요?	⑤ 잘못을 고백하는 것은 어렵지만 하고 나면 마음이 편해진다는 것을 깨달았어요.

12 ㉠에 들어갈 접속어를 쓰시오.

대단원 확인 문제

[13~15] 다음 글을 읽고 물음에 답하시오.

㉮ 오후 해 저물녘이다. 문기는 책보를 흔들흔들 고개를 숙이고 담임 선생님 집 앞을 왔다가는 무춤하고 섰다가 그대로 지나가고 그대로 지나가고 한다. 세 번째는 드디어 그 집 문 안을 들어서서 선생님을 찾았다. 선생님은 문기를 안방으로 맞아들였다. 학교에서 볼 때 엄하고 딱딱하던 선생님은 의외로 부드러이 웃는 낯으로 문기를 대한다. 문기는 선생님 앞에 엎드려 모든 것을 자백할 결심이었다. 그런데 선생님의 부드러운 태도에 도리어 문기는 말문이 열리지 않았다. 다음은 건넌방에서 어린애가 울어 못 했다. 다음은 사모님이 들락날락하고 그리고 다음엔 손님이 왔다. 기어이 문기는 입을 열지 못한 채 물러 나오고 말았다. / 먼저보다 갑절 무겁고 컴컴한 마음이었다. 도저히 문기의 약한 어깨로는 지탱하지 못할 무거운 눌림이다. 걸음은 집을 향해 가는 것이지만 반대로 마음은 멀어진다. 장차 집엘 가서 대할 숙모가 두려웠고 삼촌이 두려웠고 더욱이 점순이가 두려웠다.

㉯ 어느덧 걸음은 삼거리를 지나고 있었다. 문기 등 뒤에서 아주 멀리 뿡뿡하고 자동차 소리와 비켜라, 비켜라 하는 사람의 소리가 나는 듯하더니 갑자기 귀밑에서 크게 울린다. 언뜻 돌아다보니 바로 눈앞에 자동차 머리가 달려든다. 그리고 문기는 으쓱하고 높은 데서 아래로 떨어지는 듯싶은 감과 함께 정신을 잃고 말았다.

㉰ 얼마 동안을 지났는지 모른다. 문기가 어렴풋이 눈을 떴을 때 무섭게 전등불이 밝아 눈이 부시었다. 문기는 다시 눈을 감았다. 두 번째 문기는 눈을 뜨자 희미하게 삼촌의 얼굴이 나타나며 그것이 차차 똑똑해지더니 삼촌은,

"너 내가 누군지 알겠니?"

하고 웃지도 않고 내려다본다. 문기는 이것도 꿈인가 하고 한번 웃어 주려면서 그대로 맑은 정신이 났다. 문기는 병원 침대 위에 누워 있었다. 어디 아픈 데는 없으면서도 몸을 움직일 수는 없다. 삼촌은 근심스러운 얼굴로 내려다본다.

13 이 글의 인물들에 대한 이해로 적절한 것은?

① 문기는 자신의 잘못을 해결하기 위해 노력하고 있다.
② 선생님의 사모님은 문기를 좋지 않은 학생으로 여기고 불편해한다.
③ 숙모는 평상시에 문기에게 매우 엄격하며 문기는 숙모를 어려워한다.
④ 삼촌은 문기의 잘못을 알지만 문기가 스스로 잘못을 고백하기를 기다리고 있다.
⑤ 담임 선생님은 평소 문기와 아주 가까운 사이였으나 문기의 잘못으로 사이가 멀어졌다.

14 ㈏에 대한 설명으로 가장 적절한 것은?

① 비극적 결말을 암시한다.
② 갈등을 해결할 실마리를 제시한다.
③ 새로운 사건이 시작되는 부분이다.
④ 소설의 주제가 강하게 드러나고 있다.
⑤ 인물의 고민이 극도로 심각해진 것을 보여 준다.

서술형

15 이 글에서 문기가 겪고 있는 문제를 해결하기 위해 문기에게 필요한 미덕 카드 두 장을 고르고, 그 이유를 서술하시오.

용기	정직	겸손
인내	근면	자율

[16~19] 다음 글을 읽고 물음에 답하시오.

㉮ 죽는 날까지 하늘을 우러러
한 점 부끄럼이 없기를,
잎새에 이는 바람에도 / 나는 괴로워했다.
별을 노래하는 마음으로
모든 죽어 가는 것을 사랑해야지.
그리고 나한테 주어진 길을 / 걸어가야겠다.

오늘 밤에도 별이 바람에 스치운다.

(나) 문기는 밥을 두어 술 뜨다가는 고만둔다. 그 돈을 갚기 위한 그것이 아니다. ㉠도무지 입맛이 나지 않았다. 학교엘 갔다. 첫 시간은 수신 시간, 그리고 공교로이 제목이 '정직'이다. 선생님은 뒷짐을 지고 교단 위를 왔다 갔다 하며 거짓이라는 것이 얼마나 악한 것이고 정직이 얼마나 귀하고 중한 것인가를 누누이 말씀한다. 그리고 안경 쓴 선생님의 그 눈이 번쩍하고 문기 얼굴에 머물렀다 가고 가고 한다. 그럴 때마다 ㉡문기는 가슴이 뜨끔뜨끔해진다. 문기는 자기 한 사람에게만 들리기 위한 정직이요, 수신 시간인 듯싶었다.

(다) 언제나 다름없이 하늘은 맑고 푸르건만 문기는 어쩐지 그 하늘조차 쳐다보기가 두려워졌다. 자기는 감히 떳떳한 얼굴로 그 하늘을 쳐다볼 만한 사람이 못 된다 싶었다.

언제나 다름없이 여러 아이는 넓은 운동장에서 마음대로 뛰고 마음대로 지껄이고 마음대로 즐기건만 ㉢문기 한 사람만은 어둠과 같이 컴컴하고 무거운 마음에 잠겨 고개를 들지 못한다.

(라) 먼저보다 갑절 무겁고 컴컴한 마음이었다. 도저히 문기의 약한 어깨로는 지탱하지 못할 무거운 눌림이다. ㉣걸음은 집을 향해 가는 것이지만 반대로 마음은 멀어진다. 장차 집엘 가서 대할 숙모가 두려웠고 삼촌이 두려웠고 더욱이 점순이가 두려웠다.

(마) "작은아버지." / 하고 문기는 입을 열었다. 그리고,

"저는 마땅히 받아야 할 [벌]을 받은 거예요."

하고 문기는 눈을 감으며 한 마디 한 마디 그러나 똑똑하게 처음부터 끝까지 먼저 고깃간 주인이 일 원을 십 원으로 알고 거슬러 준 것, 그 돈을 써 버린 것, 그리고 또 붓장 안의 돈을 자기가 훔쳐낸 것, 이렇게 하나하나 숨김없이 자백을 하자, 이때까지 겹겹으로 싸고 있던 허물이 한 꺼풀 한 꺼풀 벗어지면서 따라 마음속의 어둠도 차차 사라지며 맑아지는 것을 문기는 확실히 깨달을 수 있었다. ㉤마음이 맑아지며 따라 몸도 가뜬해진다. 내일도 해는 뜨고 하늘은 맑아지리라. 그리고 문기는 그 하늘을 떳떳이 마음껏 쳐다볼 수 있을 것이다.

16 (가), (나)~(마) 두 작품을 감상하는 태도로 가장 적절한 것은?

① 작품에 나타난 따뜻하고 낭만적인 분위기를 감상하며 읽는다.
② 글쓴이의 실제 경험이 어디에 반영되어 있는지 찾아보며 읽는다.
③ 인물 간의 갈등이 어떻게 심화되고 해소되는지에 주목하며 읽는다.
④ 당대의 시대적 문제가 작품에 어떻게 반영되었는지 고려하며 읽는다.
⑤ 삶에 대한 성찰과 반성의 태도가 지니는 중요성에 관해 이해하며 읽는다.

17 (마)의 [벌]이 의미하는 바로 적절하지 않은 것은?

① 하늘을 똑바로 쳐다볼 수 없는 것
② 선생님으로부터 꾸지람을 듣는 것
③ 마음이 무겁고 컴컴하게 느껴지는 것
④ 숙모, 삼촌, 점순을 대할 일이 두려워지는 것
⑤ 넓은 운동장에서 마음대로 뛰고 마음대로 지껄이고 마음대로 즐길 수 없는 것

18 이 글에서 다음 설명의 빈칸에 공통적으로 들어갈 말을 찾아 쓰시오.

- (가)와 (다)에서 (　　　)은 말하는 이나 주인공이 자신의 행동이나 양심을 되돌아보고 성찰할 때의 비교 대상이 되는 기준으로 제시되고 있다.
- (가)의 말하는 이와 (다)의 주인공은 (　　　)에 비추어 양심의 가책이나 부끄러움을 느끼지 않는 마음의 상태를 추구한다.

19 ㉠~㉤ 중, (가)의 말하는 이가 추구하는 삶의 상태로 가장 적절한 것은?

① ㉠　② ㉡　③ ㉢　④ ㉣　⑤ ㉤

대단원 확인 문제

[20~23] 다음 글을 읽고 물음에 답하시오.

어머니는 내가 집에서 책만 읽는 것을 싫어하셨다. 그래서 방과 후 골목길에 아이들이 모일 때쯤이면 어머니는 대문 앞 계단에 작은 방석을 깔고 나를 거기에 앉히셨다. 아이들이 노는 것을 구경이라도 하라는 뜻이었다.

딱히 놀이 기구가 없던 그때, 친구들은 대부분 술래잡기, 사방치기, 공기놀이, 고무줄놀이 등을 하고 놀았지만, 나는 공기놀이 외에는 어떤 놀이에도 참여할 수 없었다. 하지만 골목 안 친구들은 나를 위해 꼭 무언가 역할을 만들어 주었다. 고무줄놀이나 달리기를 하면 내게 심판을 시키거나 신발주머니와 책가방을 맡겼다. 그뿐인가. 술래잡기를 할 때는 한곳에 앉아 있는 내가 답답해할까 봐, 미리 내게 어디에 숨을지를 말해 주고 숨는 친구도 있었다.

우리 집은 골목 안에서 중앙이 아니라 구석 쪽이었지만 내가 앉아 있는 계단 앞이 친구들의 놀이 무대였다. 놀이에 참여하지 못해도 난 전혀 소외감이나 박탈감을 느끼지 않았다. 아니, 지금 생각하면 내가 소외감을 느낄까 봐 친구들이 배려해 준 것이었다.

그 골목길에서의 일이다. 초등학교 1학년 때였던 것 같다. 하루는 우리 반이 좀 일찍 끝나서 나 혼자 집 앞에 앉아 있었다. 그런데 그때 마침 깨엿 장수가 골목을 지나고 있었다. 그 아저씨는 가위만 쩔렁이며 내 앞을 지나더니 다시 돌아와 내게 깨엿 두 개를 내밀었다. 순간 그 아저씨와 내 눈이 마주쳤다. 아저씨는 아무 말도 하지 않고 아주 잠깐 미소를 지어 보이며 말했다.

"괜찮아."

무엇이 괜찮다는 것인지는 몰랐다. 돈 없이 깨엿을 공짜로 받아도 괜찮다는 것인지, 아니면 목발을 짚고 살아도 괜찮다는 것인지……. 하지만 그건 중요하지 않다. 중요한 건 내가 그날 마음을 정했다는 것이다. 이 세상은 그런대로 살 만한 곳이라고, 좋은 친구들이 있고, 선의와 사랑이 있고, '괜찮아'라는 말처럼 용서와 너그러움이 있는 곳이라고 믿기 시작했다는 것이다.

20 이 글에 대한 설명으로 적절하지 <u>않은</u> 것은?

① 글쓴이의 실제 경험이 반영되어 있다.
② 일상에서 얻은 삶에 대한 깨달음이 드러난다.
③ 글에서 이야기를 전달하는 사람은 글쓴이와 일치한다.
④ 타인을 위해 우리가 할 수 있는 행동이 무엇인지 제시한다.
⑤ 자신이 처한 문제 상황을 극복하려는 글쓴이의 노력이 돋보인다.

21 이 글과 같이 감동과 즐거움을 주는 글을 쓰고자 할 때의 태도로 가장 적절한 것은?

① 보통 사람들이 접하기 힘든 대단한 경험을 다뤄야 해.
② 사회에 관한 진지한 고민이나 문제의식을 포함시켜야 해.
③ 감동과 즐거움을 위해서는 허구를 가미해 재미있게 써도 될 거야.
④ 자신의 삶과 경험을 되돌아보고 이를 진솔하게 표현하는 게 좋겠어.
⑤ 인생을 잘 모르는 사람들에게 세상 이치를 잘 깨우쳐 줄 수 있도록 써야지.

22 이 글을 읽은 후의 감상으로 적절하지 <u>않은</u> 것은?

① 깨엿 장수 아저씨의 행동은 글쓴이에게 긍정적인 영향을 미쳤군.
② 글쓴이는 친구들과 함께 할 수 있는 놀이가 많이 없어서 정말 속상했겠어.
③ 글쓴이의 친구들은 다리가 불편한 글쓴이를 위해 여러 가지 배려를 해 주었구나.
④ 글쓴이의 어머니는 글쓴이가 친구들과 어울리는 즐거움을 알았으면 한 것이로군.
⑤ 글쓴이는 다리가 불편한 몸이었지만, 친구들 덕분에 소외감이나 박탈감을 느끼지 않았어.

서술형 논술 대비

23 글쓴이가 세상을 바라보는 관점은 어떠한지 서술하시오.

조건
30자±10자로 서술할 것(띄어쓰기 포함)

[24~26] 다음 글을 읽고 물음에 답하시오.

(가) 딱히 놀이 기구가 없던 그때, 친구들은 대부분 술래잡기, 사방치기, 공기놀이, 고무줄놀이 등을 하고 놀았지만, 나는 공기놀이 외에는 어떤 놀이에도 참여할 수 없었다. 하지만 골목 안 친구들은 나를 위해 꼭 무언가 역할을 만들어 주었다. 고무줄놀이나 달리기를 하면 내게 심판을 시키거나 신발주머니와 책가방을 맡겼다. 그뿐인가. 술래잡기를 할 때는 한곳에 앉아 있는 내가 답답해할까 봐, 미리 내게 어디에 숨을지를 말해 주고 숨는 친구도 있었다.

(나) 우리 집은 골목 안에서 중앙이 아니라 구석 쪽이었지만 내가 앉아 있는 계단 앞이 친구들의 놀이 무대였다. 놀이에 참여하지 못해도 난 전혀 소외감이나 박탈감을 느끼지 않았다. 아니, 지금 생각하면 내가 소외감을 느낄까 봐 친구들이 배려해 준 것이었다.

(다) 초등학교 1학년 때였던 것 같다. 하루는 우리 반이 좀 일찍 끝나서 나 혼자 집 앞에 앉아 있었다. 그런데 그때 마침 깨엿 장수가 골목을 지나고 있었다. 그 아저씨는 가위만 쩔렁이며 내 앞을 지나더니 다시 돌아와 내게 깨엿 두 개를 내밀었다. 순간 그 아저씨와 내 눈이 마주쳤다. 아저씨는 아무 말도 하지 않고 아주 잠깐 미소를 지어 보이며 말했다. / ㉠"괜찮아."

무엇이 괜찮다는 것인지는 몰랐다. 돈 없이 깨엿을 공짜로 받아도 괜찮다는 것인지, 아니면 목발을 짚고 살아도 괜찮다는 것인지…….

(라) 중요한 건 내가 그날 마음을 정했다는 것이다. 이 세상은 그런대로 살 만한 곳이라고, 좋은 친구들이 있고, 선의와 사랑이 있고, '괜찮아'라는 말처럼 용서와 너그러움이 있는 곳이라고 믿기 시작했다는 것이다.

(마) "괜찮아! 괜찮아!"

'그만하면 참 잘했다'고 용기를 북돋워 주는 말, '너라면 뭐든지 다 눈감아 주겠다'는 용서의 말, '무슨 일이 있어도 나는 네 편이니 넌 절대 외롭지 않다'는 격려의 말, '지금은 아파도 슬퍼하지 말라'는 나눔의 말, 그리고 마음으로 일으켜 주는 부축의 말, 괜찮아.

참으로 신기하게도 힘들어서 주저앉고 싶을 때마다 난 내 마음속에서 작은 속삭임을 듣는다. 오래전 따뜻한 추억 속 골목길 안에서 들은 말,

"괜찮아! 조금만 참아. 이제 다 괜찮아질 거야."

아, 그래서 '괜찮아'는 이제 다시 시작할 수 있다는 희망의 말이다.

24 (가)~(마)에 대한 설명으로 적절한 것은?

① '현재 – 과거 – 현재'의 순서로 이야기를 전개하고 있다.
② (가)~(라)에는 삶에 관한 글쓴이의 반성이 드러나 있다.
③ (가)~(다)의 경험으로부터 (라), (마)의 생각이 비롯되었다.
④ (가), (나)는 글쓴이에게 즐거움을, (다), (라)는 글쓴이에게 슬픔을 준 경험이다.
⑤ (가), (라)에는 글쓴이가 경험한 사실이, (나), (다)에는 그 경험을 통해 글쓴이가 얻은 깨달음이 제시되어 있다.

25 이 글을 읽고 ㉮의 행동을 해석할 때 가장 적절한 것은?

> 어느 방송 채널에 오래전의 학교 친구를 찾는 프로그램이 있다. 한번은 ㉮ 어느 가수가 나와서 초등학교 때 친구들을 찾았는데, 함께 축구 시합을 하던 이야기가 나왔다. 당시 허리가 36인치일 정도로 뚱뚱한 친구가 있었는데, 뚱뚱해서 잘 뛰지 못한다고 다른 친구들이 축구팀에 끼워 주려고 하지 않았다. 그때 그 가수가 나서서 말했다.
> "그럼 앤 골키퍼를 하면 함께 놀 수 있잖아!"

① ㉮는 '깨엿 장수'처럼 친구의 사정을 동정했구나.
② ㉮는 '나'처럼 세상을 살 만한 곳이라고 여기고 있었구나.
③ ㉮는 '나'의 친구들처럼 친구가 할 수 있는 역할을 만들어 주었구나.
④ ㉮는 '나'처럼 힘들 때마다 자기 마음속의 속삭임을 듣고 힘을 냈구나.
⑤ ㉮는 '나'의 친구들처럼 친구가 자기 가방이나 신발주머니를 맡아 주기를 바랐구나.

서술형

26 (마)의 내용을 고려하여 ㉠에 담긴 의미를 두 가지로 서술하시오.

대단원 확인 문제

[27~30] 다음 글을 읽고 물음에 답하시오.

(가) 문기는 이미 삼촌을 속이었다.

또 써서는 아니 될 돈을 쓰고 말았다. 아아, 일찍이 어머니를 여의고 아버지란 사람은 일상 천 냥 만 냥 하고 허한 소리만 하면서 남루한 주제에 거처가 없이 시골, 서울로 돌아다니는 사람이고, 어려서부터 문기를 길러 낸 사람이 삼촌이었다. 그리고 조카의 장래를 자기의 그것보다 더 중히 알고 염려하며 잘되어 주기를 바라는 삼촌이었다. ㉠그 삼촌의 기대에 어그러지지 않는 인물이 되어 보이겠다고 엊그제도 주먹을 쥐고 결심하던 문기가 아니냐. 생각할수록 낯이 뜨거워지는 일이다. [중략]

ⓐ 언제나 다름없이 하늘은 맑고 푸르건만 문기는 어쩐지 그 하늘조차 쳐다보기가 두려워졌다. 자기는 감히 떳떳한 얼굴로 그 하늘을 쳐다볼 만한 사람이 못 된다 싶었다. / 언제나 다름없이 여러 아이는 넓은 운동장에서 마음대로 뛰고 마음대로 지껄이고 마음대로 즐기건만 문기 한 사람만은 어둠과 같이 컴컴하고 무거운 마음에 잠겨 고개를 들지 못한다.

무엇보다도 문기는 전일처럼 맑은 하늘 아래서 아무 거리낌 없이 즐길 수 있는 마음이 갖고 싶다. ㉡떳떳이 하늘을 쳐다볼 수 있는, 떳떳이 남을 대할 수 있는 마음이 갖고 싶었다.

(나) 초등학교 1학년 때였던 것 같다. 하루는 우리 반이 좀 일찍 끝나서 나 혼자 집 앞에 앉아 있었다. 그런데 그때 마침 깨엿 장수가 골목을 지나고 있었다. 그 아저씨는 가위만 쩔렁이며 내 앞을 지나더니 다시 돌아와 내게 깨엿 두 개를 내밀었다. 순간 그 아저씨와 내 눈이 마주쳤다. ㉢아저씨는 아무 말도 하지 않고 아주 잠깐 미소를 지어 보이며 말했다. / "괜찮아."

무엇이 괜찮다는 것인지는 몰랐다. 돈 없이 깨엿을 공짜로 받아도 괜찮다는 것인지, 아니면 목발을 짚고 살아도 괜찮다는 것인지……. 하지만 그건 중요하지 않다. 중요한 건 내가 그날 마음을 정했다는 것이다. ㉣이 세상은 그런대로 살 만한 곳이라고, 좋은 친구들이 있고, 선의와 사랑이 있고, '괜찮아'라는 말처럼 용서와 너그러움이 있는 곳이라고 믿기 시작했다는 것이다. [중략]

㉤참으로 신기하게도 힘들어서 주저앉고 싶을 때마다 난 내 마음속에서 작은 속삭임을 듣는다. 오래전 따뜻한 추억 속 골목길 안에서 들은 말,

"괜찮아! 조금만 참아. 이제 다 괜찮아질 거야."

27 (가)와 (나)에 대한 설명으로 적절하지 않은 것은?

① (가)는 소설이고, (나)는 수필이다.
② (가)는 작가가 꾸며 낸 허구적 사건을, (나)는 글쓴이가 경험한 사실을 담고 있다.
③ (가)에는 인물의 갈등이 두드러지지만, (나)에는 인물의 갈등이 나타나지 않는다.
④ (가)에는 인물의 심리가 직접 드러나지 않지만, (나)에는 인물의 심리가 직접 드러난다.
⑤ (가)에는 작가의 의도나 주제가 직접 드러나지 않지만, (나)에는 작가의 의도나 주제가 비교적 직접 드러난다.

28 (나)의 '나'가 (가)의 '문기'에게 했음 직한 말로 적절한 것은?

① 고민만 하지 말고 행동으로 움직여야 합니다.
② 가족을 믿어야 해요. 부모님께 조언을 구해 보세요.
③ 자신의 잘못을 인정하고 해결하려는 태도가 멋지군요.
④ 말로 하기 힘들다면 편지로 잘못을 고백해 보면 어떨까요?
⑤ 세상은 생각보다 너그러운 곳이에요. 용기를 내어 고백하면 용서받을 수 있을 거예요.

29 ㉠~㉤에 대한 설명으로 적절하지 않은 것은?

① ㉠: 문기는 삼촌을 무서운 사람으로 여기고 있다.
② ㉡: 문기는 자신이 처한 문제 상황에서 괴로워하고 있다.
③ ㉢: '아저씨'는 '나'에게 호의적인 태도를 보이고 있다.
④ ㉣: '나'는 세상을 긍정적으로 바라보게 되었다.
⑤ ㉤: '아저씨'가 했던 말이 현재에도 '나'에게 힘이 되고 있다.

서술형

30 ⓐ를 참고하여 다음 빈칸에 들어갈 내용을 서술하시오.

하늘은 맑건만 문기의 마음은 ________________

조건
직유법을 사용할 것

[31~33] 다음 글을 읽고 물음에 답하시오.

㉮ 죽는 날까지 하늘을 우러러 / 한 점 부끄럼이 없기를,
잎새에 이는 바람에도 / 나는 괴로워했다.
별을 노래하는 마음으로
모든 죽어 가는 것을 사랑해야지.
그리고 ㉠ 나한테 주어진 길을 / 걸어가야겠다. //
오늘 밤에도 별이 바람에 스치운다.

㉯ 초등학교 1학년 때였던 것 같다. 하루는 우리 반이 좀 일찍 끝나서 나 혼자 집 앞에 앉아 있었다. 그런데 그때 마침 깨엿 장수가 골목을 지나고 있었다. 그 아저씨는 가위만 쩔렁이며 내 앞을 지나더니 다시 돌아와 내게 깨엿 두 개를 내밀었다. 순간 그 아저씨와 내 눈이 마주쳤다. 아저씨는 아무 말도 하지 않고 아주 잠깐 미소를 지어 보이며 말했다. / "괜찮아."

무엇이 괜찮다는 것인지는 몰랐다. [중략] 하지만 그건 중요하지 않다. 중요한 건 내가 그날 마음을 정했다는 것이다. 이 세상은 그런대로 살 만한 곳이라고, 좋은 친구들이 있고, 선의와 사랑이 있고, '괜찮아'라는 말처럼 용서와 너그러움이 있는 곳이라고 믿기 시작했다는 것이다.

㉰ 언제나 다름없이 하늘은 맑고 푸르건만 문기는 어쩐지 그 하늘조차 쳐다보기가 두려워졌다. 자기는 감히 떳떳한 얼굴로 그 하늘을 쳐다볼 만한 사람이 못 된다 싶었다.

언제나 다름없이 여러 아이는 넓은 운동장에서 마음대로 뛰고 마음대로 지껄이고 마음대로 즐기건만 문기 한 사람만은 어둠과 같이 컴컴하고 무거운 마음에 잠겨 고개를 들지 못한다. 무엇보다도 문기는 전일처럼 맑은 하늘 아래서 아무 거리낌 없이 즐길 수 있는 마음이 갖고 싶다.

㉱ "작은아버지." / 하고 문기는 입을 열었다. 그리고,
"저는 마땅히 받아야 할 벌을 받은 거예요."
하고 문기는 눈을 감으며 한 마디 한 마디 그러나 똑똑하게 처음부터 끝까지 먼저 고깃간 주인이 일 원을 십 원으로 알고 거슬러 준 것, 그 돈을 써 버린 것, 그리고 또 붓장 안의 돈을 자기가 훔쳐낸 것, 이렇게 하나하나 숨김없이 자백을 하자, 이때까지 겹겹으로 싸고 있던 허물이 한 꺼풀 한 꺼풀 벗어지면서 따라 마음속의 어둠도 차차 사라지며 맑아지는 것을 문기는 확실히 깨달을 수 있었다. 마음이 맑아지며 따라 몸도 가뜬해진다. 내일도 해는 뜨고 하늘은 맑아지리라. 그리고 문기는 그 하늘을 떳떳이 마음껏 쳐다볼 수 있을 것이다.

31 (가)의 '나'에게 (나)의 '나'[A]와 (다), (라)의 '문기'[B]가 한 말로 가장 적절한 것은?

① [A]: 당신이 우러르는 '하늘'도 내가 만난 '깨엿 장수'처럼 당신에게 '괜찮다'는 말을 해 주겠군요.
② [A]: 저는 이 세상이 그런대로 살 만한, 선의와 사랑이 있는 곳이라 생각하는데 당신은 '밤'이라 여기는군요.
③ [B]: 저도 당신이 살고 있는 '밤'과 똑같은 시대를 살아가고 있어요.
④ [B]: 작은아버지께 모든 것을 털어놓아도 '잎새에 이는 바람'이 절 괴롭게 만드네요.
⑤ [B]: 저도 당신처럼 제게 주어진 길을 가고 싶었지만 겹겹이 쌓인 허물 때문에 끝내 그러지 못하네요.

32 ㉠에 대한 설명으로 가장 적절한 것은?

① 자신이 처한 현실에 순응하려는 말하는 이의 태도가 드러나 있다.
② 자신이 추구하는 삶을 살고자 하는 말하는 이의 의지가 드러나 있다.
③ 자신에게 주어진 삶에 감사하는 말하는 이의 마음이 표현되어 있다.
④ 자신의 삶을 통해 추구해야 할 것이 무엇인지 고민하는 말하는 이의 생각이 나타나 있다.
⑤ 자신의 노력만으로 극복할 수 없는 현실의 문제점을 인식한 말하는 이의 체념이 나타나 있다.

서술형

33 (나)~(라)의 내용을 바탕으로 ㉮, ㉯에 들어갈 내용을 쓰시오.

(나) '나'의 문제 상황	(다), (라) '문기'의 문제 상황
평생 목발을 짚고 살아야 함.	㉮
(나) '나'의 극복 방법	**(다), (라) '문기'의 극복 방법**
타인의 배려와 격려의 소중함을 깨닫고 세상을 긍정적으로 인식함.	㉯

세상을 담은 말, 마음을 닮은 말

(1) 우리말의 어휘 (2) 배려하는 말하기

대단원 미리 보기

대단원 학습 목표

문법 어휘의 체계와 양상을 탐구하고 활용할 수 있다.
듣기 · 말하기 언어폭력의 문제점을 인식하고 상대를 배려하며 말하는 태도를 지닌다.

(1) 우리말의 어휘

어휘의 체계와 양상을 탐구하고 활용할 수 있다.

- 우리말 어휘의 체계와 양상 이해하기
- 담화 상황에 맞는 적절한 어휘를 선택하여 사용하기

> 우리말 어휘의 체계
> - 어종에 따라 고유어, 한자어, 외래어로 나눌 수 있음.
> - 고유어는 우리나라에 본디부터 있던 말로, 일상 어휘가 많으며, 같은 의미를 지닌 한자어에 비해 다의어적 성격을 지님.
> - 외래어는 우리말 어휘에 포함되지만 남용하지 말아야 하며 대체할 수 있는 고유어가 있다면 다듬어서 사용하는 것이 바람직함.
>
> 우리말 어휘의 양상
> - 표준어, 지역 방언, 사회 방언으로 나눌 수 있음.
> - 공식적인 상황인가 비공식적인 상황인가 등을 고려하여 담화 상황에 맞게 어휘의 특성을 고려하여 적절한 어휘를 사용하는 것이 바람직함.

우리말 어휘의 유형을 탐구하고, 어휘의 체계와 양상을 이해한다. 더 나아가 학습한 내용을 토대로 담화 상황에 맞는 적절한 어휘를 선택하여 올바르게 사용할 수 있는 능력을 기르도록 한다.

(2) 배려하는 말하기

언어폭력의 문제점을 인식하고 상대를 배려하며 말하는 태도를 지닌다.

- 일상생활에서 사용하는 부정적인 언어 표현의 문제점 알기
- 상대를 배려하며 말하는 방법을 이해하기

> 언어폭력의 의미와 문제점
> - 의미: 비속어나 욕설, 무시하는 말, 비아냥대는 말, 비난하는 말 등으로 타인에게 정신적으로 위협하고 해를 가하는 행위
> - 문제점: 언어폭력은 듣는 사람에게 상처를 줄 뿐만 아니라 말하는 사람과 사회 전반에도 좋지 않은 영향을 끼치므로 상대를 배려하는 말하기를 하는 것이 필요함.

부정적인 언어 표현을 자주 사용하는 요즘 학생들의 언어생활이 갖는 문제점을 파악한다. 또한, 부정적인 표현을 순화시켜 사용하기 위해서 어떤 노력이 필요한지 알아보고 상대를 배려하며 말하는 방법에 대해서도 알아본다.

상황에 적절한 어휘를 사용하고 상대방을 배려하여 말을 한다면, 나의 생각과 느낌을 훨씬 잘 전달할 수 있을 거야.

• 정답과 해설 p.16

어휘란 일정한 기준에 따라 공통성이 있는 것끼리 묶은 단어들의 집합이다.

확인 문제

01 **다음은 어휘의 개념에 대한 설명이다. ㉠, ㉡에 들어갈 알맞은 말을 쓰시오.**

> 어휘란, 일정한 (㉠)에 따라 (㉡)이 있는 것끼리 묶은 단어들의 집합을 말한다.

국어 어휘의 체계

고유어	다른 나라에서 들여온 것이 아니라 본디부터 있었던 순우리말 단어
한자어	중국의 한자를 기반으로 하여 만들어진 단어
외래어	다른 나라에서 들어와 우리말의 일부로 쓰이는 단어

확인 문제

02 **다음은 어휘의 체계에 대한 설명이다. 맞으면 ○, 틀리면 ×표 하시오.**

(1) 고유어는 본디부터 우리나라에 있었던 순우리말 단어를 말한다. ( )

(2) 다른 나라에서 들어와 우리말의 일부로 쓰이는 단어를 외래어라고 하는데, 한자어도 외래어의 한 종류라고 할 수 있다. ( )

대화 시 언어폭력을 삼가고 말이나 표정, 몸짓, 태도에서 상대를 배려하도록 해야 한다.

확인 문제

03 **다음 빈칸에 알맞은 말을 쓰시오.**

> 언어( )은 다른 사람과의 관계 형성에 부정적인 영향을 준다. 그러므로 긍정적인 대인 관계 형성을 위해서는 상대를 ( )하며 말해야 한다.

1 우리말의 어휘

• 생각 열기 일상생활에서 자주 사용하는 단어들을 다양한 기준으로 나누어 봅시다.

티셔츠	냉면	아파트
데치다	살구	머물다
입다	짭짜름하다	잠

이 단어들을 자신만의 기준으로 분류해 봅시다.

예시 답 의생활 관련 단어: 티셔츠, 입다 / 식생활 관련 단어: 냉면, 데치다, 살구, 짭짜름하다 / 주생활 관련 단어: 아파트, 머물다, 잠

친구들이 분류한 것과 비교해 보고, 어떤 차이가 있는지 살펴봅시다.

예시 답 • 외국에서 온 말: 티셔츠, 아파트 / 외국에서 오지 않은 말: 냉면, 데치다, 살구, 머물다, 입다, 짭짜름하다, 잠
• 명사: 티셔츠, 냉면, 아파트, 살구, 잠 / 동사: 데치다, 머물다, 입다 / 형용사: 짭짜름하다
• 체언: 티셔츠, 냉면, 아파트, 살구, 잠 / 용언: 데치다, 머물다, 입다, 짭짜름하다

• 학습 목표로 내용 엿보기

"비슷한 성격을 지닌 단어들끼리 묶는 활동을 해 보니, 단어를 나누는 기준이 참 다양한 것 같아. 평소에 사용하는 어휘의 다양한 모습을 살펴보고, 우리말 어휘의 체계와 양상을 이해하여 상황에 맞게 적절한 어휘를 선택해서 사용해야겠어."

핵심 1 어휘의 체계 이해하기
핵심 2 상황에 맞는 적절한 어휘 선택하여 사용하기

핵심 원리 이해하기 우리말 어휘의 체계와 양상

1. 어휘 일정한 기준에 따라 공통성이 있는 것끼리 묶은 단어들의 집합

2. 어휘의 체계와 양상

- 국어 어휘의 체계
  - 고유어
  - 한자어
  - 외래어
- 어휘의 양상
  - 표준어
  - 방언
    - 지역 방언
    - 사회 방언

개념 확인 콕콕 • 정답과 해설 p.16

01 단어들을 분류하기 위한 기준을 설정한 것으로 적절하지 않은 것은?

① 체언과 용언
② 동작을 나타내는 말과 상태를 나타내는 말
③ 사물의 이름을 가리키는 말과 의생활을 나타내는 말
④ 한 가지 의미만 가진 말과 두 가지 이상의 의미를 가진 말
⑤ 본디부터 우리나라에 있었던 말과 한자를 기반으로 만들어진 말

[02~03] 〈보기〉에 제시된 단어들을 보고, 물음에 답하시오.

보기
냉면, 티셔츠, 잠, 살구, 아파트, 입다

02 〈보기〉에 제시된 단어들을 아래와 같은 기준으로 분류하려고 한다. 해당하는 곳에 적절한 단어를 쓰시오.

의생활 관련 단어	
식생활 관련 단어	
주생활 관련 단어	

03 〈보기〉에 제시된 단어들에 관한 설명이다. 맞으면 ○, 틀리면 ×표 하시오.

(1) '티셔츠', '아파트'는 외국에서 온 말이다. ( )
(2) '잠', '살구'는 우리나라에 본디부터 있었던 말이다. ( )
(3) '냉면'과 '입다'는 외국에서 온 말이면서 동사라는 공통점이 있다. ( )

활동 미리보기

활동 안내

이 소단원은 우리말 어휘의 체계를 이해하고 우리말 어휘의 특성과 양상을 탐구하는 과정을 통해, 우리말을 깊이 있게 이해하고 의사소통 능력을 키우기 위한 단원이다. 평소 우리가 자주 사용하는 말들을 바탕으로 하여 고유어, 한자어, 외래어의 개념과 특성을 이해하고, 표준어와 방언을 사용하는 실제 담화 상황을 통해 다양한 어휘에 관해 탐구해 볼 수 있도록 한다. 또한, 어휘의 체계와 양상을 기본적으로 이해하고 고유어를 활용한 쓰기 활동을 해 봄으로써 문법적 지식이 다른 영역으로 확장될 수 있도록 한다.

활동 1
- 우리말 어휘의 체계 파악하기
- 우리말 다듬기 활동하기

➜

활동 2

표준어와 지역 방언의 관계 및 기능을 이해하고, 어휘의 양상에 따른 특성과 적절한 쓰임 파악하기

활동 개관

★ **활동 1** 어휘의 체계 – 고유어, 한자어, 외래어

우리가 일상생활에서 자주 사용하는 말들을 토대로 고유어, 한자어, 외래어의 개념을 파악해 본다. 다양한 기준에 따라 단어들을 분류할 수 있지만, 우리말의 어휘 체계에 따라 단어를 나누어 보고, 이를 통해 고유어, 한자어, 외래어의 특성을 이해한다. 나아가 우리가 외래어와 한자어를 얼마나 무분별하게 사용하고 있는지 알아보고, 우리말을 순화해서 사용하려는 노력이 필요한 이유를 생각해 보도록 한다. 아울러 친구들과 함께 우리말 다듬기 활동을 해 보며 아름다운 우리말의 가치에 대해서도 생각해 본다.

우리말 ⬅ 고유어 + 한자어 + 외래어

★ **활동 2** 어휘의 양상 – 지역 방언, 사회 방언

표준어와 지역 방언이 사용되는 다양한 상황을 살펴보고, 이를 통해 표준어와 지역 방언의 특징에 대해 알아본다. 또한 지도와 함께 제시된 짧은 문장을 바탕으로 지역 방언의 분화 모습을 살펴보고 방언이 활용된 시를 통해 문학 작품에서 방언이 지니는 가치에 대해서도 이해해 보도록 한다. 나아가 세대 및 직업에 따라 달리 사용하는 언어의 특성에 대해 살펴보고, 각각의 어휘가 갖는 장단점을 정리해 본다. 이를 통해 올바른 언어생활을 하기 위해 우리가 생활 속에서 어떤 노력을 기울여야 하는지도 알아본다.

표준어	한 나라에서 공용어로 쓰는 규범으로서의 언어	
방언	지역 방언	산이나 강 등으로 구분된 지역에 따라 다른 형태로 나타나는 말
	사회 방언	나이, 성별, 직업, 계층 등의 요인에 따라 다른 형태로 나타나는 말

우리말의 어휘

활동 1 어휘의 체계 – 고유어, 한자어, 외래어

1. 그림 속 단어들을 제시된 기준에 따라 분류해 봅시다.

고유어	한자어	외래어
아버지, 어머니, 딸, 아들, 구름, 수풀, 나무	운동화, 수건, 안경, 공원	라켓, 벤치, 샌드위치, 주스

어휘의 개념과 체계

일정한 기준에 따라 공통성이 있는 것끼리 묶은 단어들의 집합을 **어휘**라고 합니다. 국어 어휘를 어종에 따라 나누면 다음과 같습니다.

고유어	다른 나라에서 들여온 것이 아니라 본디부터 있었던 순우리말 단어
한자어	중국의 한자를 기반으로 하여 만들어진 단어
외래어	다른 나라에서 들어와 우리말의 일부로 쓰이는 단어

확인 문제

• 정답과 해설 p.16

01 다음 중 고유어가 아닌 것은?

① 아들 ② 수풀
③ 어머니 ④ 운동화
⑤ 아버지

02 다음의 ㉠과 ㉡에 대한 설명으로 적절하지 않은 것은?

㉠ 나무, 하늘, 구름
㉡ 라켓, 주스, 샌드위치

① ㉠은 순우리말이다.
② '살구'도 ㉠의 예에 속한다.
③ ㉡은 다른 나라에서 들여온 말이다.
④ ㉡도 우리말의 일부로 쓰인다.
⑤ ㉡의 예로는 '안경', '수건' 등도 있다.

03 다음 중 〈보기〉의 설명에 해당하는 말을 포함하고 있는 것은?

보기
중국의 한자를 기반으로 하여 만들어진 단어를 '한자어'라고 한다.

① 봄이 되면 나들이 가자.
② 올겨울 패션 컬러가 핑크래.
③ 공원에서 자전거 타면 재밌겠다.
④ 너랑 벤치에 앉아서 얘기하고 싶어.
⑤ 수풀 사이에 뭐가 보이는 것 같은데.

04 우리말 어휘에 대한 설명으로 적절하지 않은 것은?

① 고유어, 한자어, 외래어로 나눌 수 있다.
② 외래어는 다른 나라에서 들여온 말이다.
③ 고유어는 본디부터 우리나라에 있었던 단어이다.
④ 한자어는 중국 한자를 기반으로 하여 만들어진 단어이다.
⑤ 외래어와 달리 한자어는 아직 우리말의 일부로 쓰이지는 못하고 있다.

2. 다음 활동을 통해 고유어의 특성을 알아봅시다.

1 우리가 일상생활에서 자주 사용하는 고유어를 찾아봅시다.

신체를 나타내는 고유어	계절을 나타내는 고유어
눈, 코, 손, 입, 볼, 뺨, 눈썹, 이마, 입술, 콧구멍, 눈두덩이, 눈꺼풀, 목, 팔, 다리, 팔꿈치, 종아리 등	**봄, 새싹, 여름,** 높새바람, 진달래, 개나리, 장마, 가을, 한가위, 겨울, 함박눈, 싸락눈 등

2 다음 단어들을 바탕으로 고유어의 특성을 정리해 봅시다.

그네

씨름

길쌈

달맞이

강강술래

부럼

> 고유어는 본디부터 있었던 말로 우리 민족의 ( )와/과 ( ) 을/를 나타내 주는 말이 많다.

예시 답 삶 / 문화 / 정서 / 전통 / 역사 등

핵심 정리 고유어의 특성

1. 일상생활과 관련된 말이 많음.
고유어는 한자가 우리나라에 들어오기 이전부터 사용되었던 말이기 때문에 기본적이고도 꼭 필요한, 일상생활과 관련된 말들이 많다.
예 신체를 나타내는 말, 계절을 나타내는 말, 동물이나 식물 등 주변의 자연물을 나타내는 말 등

2. 우리 민족의 삶과 문화, 정서, 전통, 역사 등을 나타내 주는 말이 많음.
고유어는 우리 조상들이 먼 옛날부터 사용해 온 말이기 때문에 우리 민족의 삶, 문화, 전통을 담고 있다.
예 절기나 세시풍속 등 전통문화와 관련된 말

05 〈보기〉의 단어들에 관한 설명으로 적절한 것을 모두 골라 바르게 짝지은 것은?

보기
> 입, 다리, 팔꿈치, 눈두덩이

㉠ 모두 고유어이다.
㉡ 신체를 나타내는 단어들이다.
㉢ 다른 나라에서 들여온 단어이다.
㉣ '눈썹', '이마'와 같은 단어들도 함께 묶을 수 있다.

① ㉠, ㉡, ㉢　② ㉠, ㉡, ㉣
③ ㉠, ㉢, ㉣　④ ㉡, ㉢, ㉣
⑤ ㉠, ㉡, ㉢, ㉣

06 다음 빈칸에 들어갈 적절한 말을 순서대로 쓰시오.

> '장마', '가을', '한가위' 등은 모두 ( )을 나타내는 단어이다. 이 단어들은 옛날부터 우리나라에 존재했던 순우리말로, 우리말 어휘의 체계상 ( )에 해당한다.

07 다음 설명에 해당하는 어휘의 예로 적절하지 <u>않은</u> 것은?

> 본디부터 있었던 순우리말로 우리 민족의 삶과 문화, 역사와 전통을 나타내 준다.

① 그네, 씨름　② 세배, 화로
③ 길쌈, 달맞이　④ 부럼, 강강술래
⑤ 제기차기, 쥐불놀이

08 ㉠, ㉡에 들어갈 말이 바르게 짝지어진 것은?

> 고유어는 (㉠)가 들어오기 전부터 사용되었던 말이기 때문에 기본적이고도 꼭 필요한 (㉡)과 관련된 말들이 많다.

	㉠	㉡
①	외래어	일상생활
②	외래어	경제생활
③	외래어	문화생활
④	한자어	일상생활
⑤	한자어	경제생활

3. 다음 대화에서 밑줄 친 단어를 한자어로 바꾸어 보고, 이를 바탕으로 한자어의 특성을 알아봅시다.

1 대화의 흐름을 고려할 때, 〈보기〉에서 ㉠~㉣과 바꾸어 쓸 수 있는 한자어를 찾아봅시다.

보기			
설명	대화	표현	해명

㉠: 대화 ㉡: 설명 ㉢: 해명 ㉣: 표현

2 고유어를 사용한 문장과 한자어로 바꾼 문장을 비교해 보고, 한자어의 특성을 정리해 봅시다.

고유어는 일상생활에서 자주 쓰이다 보니 하나의 단어가 여러 가지 뜻을 표현하는 경우가 많은 데 비해, 한자어는 좀 더 구체적이고 정확한 뜻을 나타낸다.

핵심 정리 한자어의 특성

1. 고유어와 대비되는 한자어의 특성

고유어	한자어
하나의 단어가 여러 가지 뜻을 표현하는 경우가 많음.	고유어에 비해 좀 더 구체적이고 정확한 뜻을 나타냄.

2. 고유어에 대응되는 한자어의 예

고유어	한자어
말	대화, 설명, 해명, 표현, 언어, 단어, 어휘, 어조, 음성, 발언, 소문 등
생각	사고, 사색, 사유, 명상, 고려, 고찰, 연구, 착안, 결심, 추측 등

09 다음 대화의 ㉠, ㉡에 대한 설명으로 적절하지 않은 것은?

여학생: 지금은 너와 ㉠말할 기분이 아니야.
남학생: 뭐가 문제인지 ㉡말해 봐.

① ㉠은 고유어이다.
② ㉠에는 '대화'라는 의미가 있다.
③ ㉠을 다른 어휘로 바꾸어 쓰기는 어렵다.
④ ㉡에는 '설명'이라는 뜻이 있다.
⑤ ㉡은 옛날부터 있었던 우리나라의 말이다.

10 밑줄 친 단어를 다음과 같이 바꾸었을 때의 효과에 대한 설명으로 적절한 것은?

"친구에게 아까 상황을 말하면 되지 않을까?"
→ "친구에게 아까 상황을 해명하면 되지 않을까?"

① 표현이 더 쉽고 간결해졌다.
② 다정하고 친절한 느낌이 더해졌다.
③ 의미하는 내용이 좀 더 정확해졌다.
④ 말하는 이의 감정이 더 잘 드러난다.
⑤ 듣는 이의 감정을 파악하기가 쉬워졌다.

11 다음 빈칸에 들어갈 말로 적절한 것은?

고유어는 일상생활에서 자주 쓰이다 보니 (   ) 경우가 많다. 예를 들어 '말하다'라는 단어는 상황에 따라 '설명하다', '알리다', '부탁하다' 등 다양한 의미로 해석될 수 있다. 그에 비해 한자어는 좀 더 구체적이고 정확한 뜻을 나타내는 경향이 있다.

① 무분별하게 쓰는
② 정확한 뜻을 모르고 쓰는
③ 하나의 단어가 여러 가지 뜻을 표현하는
④ 발음이 쉽고 뜻이 간단한 단어를 사용하는
⑤ 적절하지 않은 상황에서 부정확하게 사용되는

4. 다음 단어들을 바탕으로 외래어의 특성을 정리해 봅시다.

컴퓨터

초콜릿

피아노

'컴퓨터', '초콜릿', '피아노'는 고유어로 바꾸기 (쉽다 / (어렵다)). 왜냐하면 이 단어들은 본디 우리에게 없던 사물이나 개념을 표현하기 위해 외국에서 들여온 말인 외래어이기 때문이다.

5. 다음 상황을 보고, 외래어를 사용할 때 유의해야 할 점을 알아봅시다.

1 상품 판매자가 사용한 단어들 중에서 외래어를 모두 찾아봅시다.

컬러, 디자인, 크리스털, 액세서리, 포인트

2 외래어를 지나치게 많이 사용했을 때 생길 수 있는 문제점을 말해 봅시다.

예시 답 • 우리말의 정체성을 흔들 수 있으며, 우리 문화에 대한 자긍심을 손상할 수도 있다.
• 고유어가 사라지면서 고유어에 담긴 우리 민족의 정서도 사라질 수 있다.
• 의사소통이 원활하게 이루어지지 않을 수도 있고, 상대를 불쾌하게 할 수도 있다.

핵심 정리 외래어의 특성과 외래어 사용 시의 유의점

1. 외래어의 특성

우리나라에 없던 사물이나 개념을 표현하기 위해 외국에서 들여온 말임. → 새로운 사물이나 개념을 가리키는 말이기 때문에 고유어로 바꾸기 어려운 경우가 많음.

2. 외래어 사용 시의 유의점

지나친 외래어 사용 시의 문제점
• 우리말의 정체성을 흔들 수 있음.
• 우리 문화에 대한 자긍심을 손상할 수 있음.
• 우리 민족 고유의 정서가 사라질 수 있음.
• 의사소통이 원활하게 이루어지지 않을 수 있음.
• 외래어를 모르는 상대방을 불쾌하게 할 수 있음.

→ 고유어로 바꿀 수 있는 경우 순화하여 사용하도록 노력해야 함.

12 다음 중 어휘의 종류가 다른 하나는?

① 컴퓨터 ② 피아노
③ 동아리 ④ 초콜릿
⑤ 바이올린

13 다음은 외래어에 대한 설명이다. 빈칸에 들어갈 말로 적절한 것은?

외래어는 (   ) 위해 외국에서 들여온 말이기 때문에 고유어로 바꾸어 쓰기 어렵다.

① 서양의 문화를 제대로 이해하기
② 어휘 체계 내에서 한자어와 균형을 맞추기
③ 고유어로 표현할 수 없는 다양한 감정을 나타내기
④ 우리나라에 원래 없던 사물이나 개념을 표현하기
⑤ 다른 나라에 대한 우리나라 사람들의 호기심을 채워 주기

14 다음 ㉠~㉤ 중 외래어가 아닌 것은?

㉠ 컬러가 화사하고, 디자인이 깔끔하죠? 특히 여기 달린 ㉡ 고급스러운 ㉢ 크리스털 ㉣ 액세서리가 확실한 ㉤ 포인트가 되어 준답니다.

① ㉠ ② ㉡ ③ ㉢
④ ㉣ ⑤ ㉤

15 외래어를 지나치게 많이 사용했을 때 생길 수 있는 문제점으로 적절하지 않은 것은?

① 의사소통에 문제가 생길 수 있다.
② 우리말의 정체성을 흔들 수 있다.
③ 대화 상대를 불쾌하게 할 수 있다.
④ 한자어가 사라지는 원인이 될 수 있다.
⑤ 우리 문화에 대한 자긍심을 손상할 수 있다.

6. 다양한 우리말 다듬기 사례를 살펴보고, 우리말을 지키고 가꾸기 위한 활동을 해 봅시다.

1 우리가 일상생활에서 자주 사용하는 외래어나 한자어로 이루어진 말을 다듬은 말과 연결하여 봅시다.

힌트(hint)	누리꾼
네티즌(netizen)	도움말
소감(所感)	남은 밥
잔반(殘飯)	느낀 바

핵심 정리 우리말 다듬기 과정

국립국어원에서 순화 대상어를 정함.

↓

누리꾼이 순화어를 제안함.

↓

말다듬기 위원회에서 회의를 통해 순화어를 선정함.

↓

선정한 순화어를 공지함.

16 만화에 나타난 우리말 다듬기 활동에 대해 평가한 내용으로 적절한 것은?

① 우리말을 지키고 가꾸기 위한 노력이 드러나 있다.
② 우리말을 사용하며 겪는 어려움이 잘 나타나 있다.
③ 뜻이 정확하지 않은 외래어의 종류를 나열해 보여 주고 있다.
④ 단어의 의미가 바뀌는 과정을 시간 순서에 따라 보여 주고 있다.
⑤ 외래어와 한자어의 사용으로 인해 생길 수 있는 문제점을 제시하고 있다.

17 다음 중 다듬을 말과 다듬은 말의 연결이 적절하지 않은 것은?

	다듬을 말	다듬은 말
①	힌트	도움말
②	네티즌	누리꾼
③	소감	느낀 바
④	잔반	적은 밥
⑤	노하우	비결

[18~19] 다음을 읽고 물음에 답하시오.

법제처에서는 '맹도견', '망실되다'와 같은 (　　　　　　)을/를 각각 '맹인 안내견', '없어지다'로 바꾸는 등 법률 용어나 표현을 쉬운 우리말로 다듬고 있다.

18 윗글의 빈칸에 들어갈 말로 적절한 것은?

① 일본식 표현
② 어려운 한자어
③ 무분별한 외래어
④ 길고 복잡한 표현
⑤ 어법에 맞지 않는 표현

서술형

19 윗글의 사례와 같이 법제처에서 법률 용어를 쉬운 우리말로 다듬는 까닭은 무엇일지 쓰시오.

2 반 친구들과 함께 우리말 다듬기 활동을 하려고 합니다. 다음 과정에 따라 우리말 다듬기 활동을 해 봅시다.

다듬을 말 정하기

예 서비스 센터(service center), 치킨(chicken), 노후(老朽)된 건물, 데이터, 라이벌, 게스트 등

• 다듬을 말: 게스트

말 다듬기

• 다듬은 말: 손님, 특별 출연자

• 그렇게 다듬은 까닭: 라디오나 텔레비전의 프로그램에서 특별히 초대한 사람이라는 뜻이기 때문이다.

최고의 다듬은 말 정하기

예시 답 생략

① 모둠별로 다듬은 말과 그렇게 다듬은 까닭을 발표해 봅시다.

② 모둠별로 다듬은 말을 대상으로 투표해 봅시다.

모둠 명	다듬은 말	투표 결과
		____표
		____표
		____표

③ 투표 결과를 바탕으로 토의를 거쳐 우리 반 최고의 다듬은 말을 정해 봅시다.

→

핵심 정리 우리말 어휘의 종류 및 특성

고유어	• 다른 나라에서 들어온 것이 아니라 본디부터 있었던 순우리말 단어 • 우리 민족의 삶과 문화, 전통을 나타내는 말이 많음. 예 딸, 아들, 아버지, 나무, 씨름, 부럼 등
한자어	• 중국의 한자를 기반으로 하여 만들어진 단어 • 고유어에 비해 좀 더 구체적이고 정확한 뜻을 나타냄. 예 수건, 안경, 공원, 설명, 대화 등
외래어	• 다른 나라에서 들어와 우리말의 일부로 쓰이는 단어 • 새로운 사물이나 개념을 표현하기 위해 외국에서 들여온 말이기 때문에 고유어로 바꾸어 쓰기 어려움. 예 벤치, 주스, 샌드위치, 액세서리, 크리스털 등

20 다음 빈칸에 들어갈 말로 적절한 것은?

> 외래어나 한자어를 무분별하게 사용하면 우리말이 오염될 수 있다. (　　　　) 을/를 통해 우리말을 지키고 가꾸도록 노력해야 한다.

① 한자어 학습
② 우리말 다듬기
③ 외래어 사전 편찬
④ 외래어나 한자어 사용 전면 금지
⑤ 국어를 연구하는 사람들에 대한 지원

21 다음 단어들의 공통점으로 적절한 것은?

> 데이터, 서비스 센터, 노후된 건물

① 외래어이다.
② 여러 가지 뜻을 가진다.
③ 우리말 다듬기의 대상이 된다.
④ 우리나라에 본디부터 있었던 말이다.
⑤ 사람들이 사용하지 않아 사라져 가는 말이다.

22 다음 빈칸에 들어갈 말로 적절한 것은?

> '게스트'는 외래어이므로, '특별 출연자', '손님' 등으로 바꾸어 쓰는 것이 외래어를 모르는 사람들이 (　　　　　　) 효과적이다.

① 우리의 역사를 이해하는 데
② 다양한 문화를 경험하는 데
③ 원활한 의사소통을 하는 데
④ 다른 지역 사람들과 교류하는 데
⑤ 다른 나라 사람들을 이해하는 데

23 모둠별 말 다듬기 활동을 통해 얻을 수 있는 효과로 적절하지 <u>않은</u> 것은?

① 각자의 언어생활을 반성할 수 있다.
② 우리말의 아름다움을 느낄 수 있다.
③ 우리말의 다양한 의미를 확인할 수 있다.
④ 무분별한 외래어 사용의 문제점을 알 수 있다.
⑤ 한글과 비교할 때 한자가 갖는 장점을 알 수 있다.

활동 ② 어휘의 양상 – 지역 방언, 사회 방언

1. 다양한 상황을 통해 우리말의 모습을 살펴봅시다.

가

나

1 ㉮와 ㉯는 각각 어떤 담화 상황인지 말해 봅시다.

㉮	㉯
• 말하는 이: 아나운서 • 듣는 이: 시청자 • 상황: 다수의 시청자를 대상으로 뉴스 정보를 전달하고 있다.	• 말하는 이: 손자, 할머니 • 듣는 이: 할머니, 손자 • 상황: 손자가 할머니 댁을 방문하여 할머니와 대화를 주고받고 있다.

2 같은 인물이 ㉮에서는 표준어를, ㉯에서는 지역 방언을 사용한 까닭을 말해 봅시다.

㉮는 공식적인 말하기 상황으로 화자가 사용하는 말을 누구든 이해할 수 있어야 한다. 원활한 의사소통을 위해 남자는 표준어를 사용한 것이다. 반면 ㉯는 사적인 말하기 상황으로 화자가 청자와의 친분 관계에 따라 적절한 말을 사용하게 된다. 할머니를 찾아뵌 남자는 할머니와 정감 있게 대화를 나누기 위해 지역 방언을 사용한 것이다.

3 표준어나 지역 방언을 사용하기에 적절한 상황을 각각 찾아 발표해 봅시다.

예시 답 라디오에서 교통 정보를 보도할 때나 신문 기사를 쓸 때, 혹은 많은 사람 앞에서 연설할 때와 같이 공식적인 상황일 경우 표준어를 사용한다. 한편, 고향 친구들을 만났을 때와 같은 비공식적인 상황이나, 드라마에서 특정 지역의 분위기를 표현하고자 할 때는 지역 방언을 사용하기도 한다.

핵심 정리 담화 상황에 따른 표준어와 지역 방언의 사용

표준어를 사용하는 경우	• 공식적인 상황인 경우 • 비공식적인 상황이지만 화자가 표준어만 구사할 수 있는 경우 • 비공식적인 상황이지만 화자가 청자와의 거리감을 유지하고 싶을 경우
지역 방언을 사용하는 경우	• 비공식적인 상황인 경우 • 공식적인 상황이지만 화자가 지역 방언만 구사할 수 있는 경우 • 공식적인 상황이지만 화자가 지역적 유대감이나 친근감을 표현하고자 할 경우

24 ㉮에서 아나운서가 표준어를 사용하여 뉴스를 진행하는 이유로 적절한 것은?

① 시청자들의 상상력을 자극하기 위해
② 시청자들에게 친근감을 표현하기 위해
③ 뉴스 내용을 더 재미있게 전달하기 위해
④ 시청자들 중에는 표준어를 사용하는 사람이 가장 많으므로
⑤ 지역과 관계없이 뉴스 내용을 누구나 이해할 수 있어야 하므로

서술형

25 ㉯의 상황으로 보아, 지역 방언을 사용하면 좋은 점은 무엇인지 쓰시오.

26 다음에서 표준어를 사용해야 하는 상황을 골라 바르게 묶은 것은?

> ㉠ 신문 기사를 쓸 때
> ㉡ 시골에서 고향 친구들과 만났을 때
> ㉢ 라디오에서 교통 정보를 보도할 때
> ㉣ 특정 지역을 배경으로 하는 드라마에서

① ㉠, ㉡　② ㉠, ㉢
③ ㉠, ㉣　④ ㉡, ㉣
⑤ ㉢, ㉣

27 ㉠, ㉡에 들어갈 말을 바르게 나열한 것은?

> 평소 표준어를 사용하는 화자라 할지라도, (㉠) 말하기 상황에서는 청자가 자신과 같은 지역 출신이라면 친분 관계에 따라 (㉡)을/를 사용할 수도 있다.

	㉠	㉡
①	사적인	외래어
②	사적인	지역 방언
③	공식적인	고유어
④	공식적인	외래어
⑤	공식적인	지역 방언

2. 다음 방언 지도를 보고, 우리가 사용하는 지역 방언의 모습을 살펴봅시다.

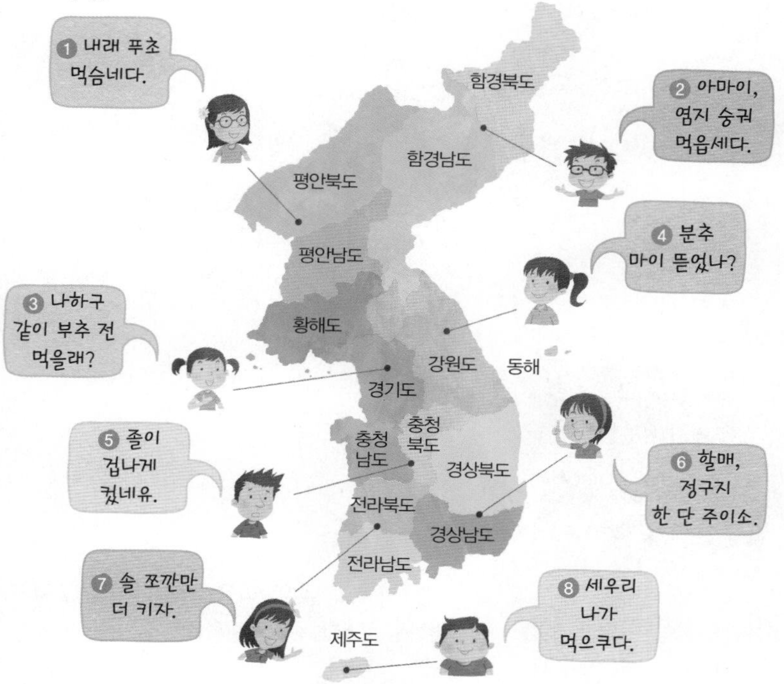

1 각 지역의 방언을 표준어로 바꾸어 써 봅시다.

① 나는 부추를 먹습니다.	② 할머니, 부추를 심어 먹읍시다.
③ 나하고 같이 부추 전 먹을래?	④ 부추 많이 뜯었어?
⑤ 부추가 많이 컸네요.	⑥ 할머니, 부추 한 단 주세요.
⑦ 부추 조금만 더 키우자.	⑧ 부추 내가 먹을 겁니다.

2 자신이 사용하는 지역 방언을 다른 지역에 가서 듣는다면 어떤 느낌이 들지 말해 봅시다.

예시 답 자신과 같은 지역 방언을 사용하는 사람을 다른 지역에서 만난다면 문화적 유대감과 친근감이 느껴질 것이다.

핵심 정리 지역 방언의 모습과 기능

1. 지역 방언의 모습

'부추'의 지역 방언

- 강원도: 분추
- 충청도: 졸
- 전라도: 솔
- 함경도: 염지
- 경상도: 정구지
- 제주도: 세우리

→ 지리적 요인에 의해 분화된 언어의 모습을 보여 줌.

2. 지역 방언의 기능

- 같은 지역 방언을 사용하는 사람들끼리 친근감과 유대감을 느낄 수 있다.
- 지역 방언 속에 남아 있는 옛말의 모습은 국어의 역사 연구에 도움을 줄 수 있다.
- 지역 방언 속에 우리 민족의 정서와 사상이 담겨 있어 우리의 전통과 풍습을 지키고 이해하는 데 도움을 준다.

28 다음은 이 방언 지도에 대한 설명이다. 빈칸에 들어갈 말로 알맞은 것은?

> 이 지도는 짧은 문장을 바탕으로 '부추'라는 단어가 (   )에 의해 어떻게 달리 불리는지 알아볼 수 있는 방언 지도이다.

① 지리적 요인
② 대화의 상황
③ 각 지역의 역사
④ 언어 사용자의 지적 수준
⑤ 사람들이 선호하는 음식의 종류

29 이 방언 지도의 내용으로 보아, 가리키는 대상이 다른 하나는?

① 푸초　② 숭궈
③ 분추　④ 정구지
⑤ 세우리

30 지역 방언의 기능으로 적절하지 않은 것은?

① 국민들이 일체감을 느끼게 한다.
② 국어의 역사 연구에 도움을 준다.
③ 해당 방언 사용 지역의 특성을 드러낸다.
④ 해당 지역 방언 사용자가 애향심을 느끼게 한다.
⑤ 우리의 전통과 풍습을 이해하는 데 도움이 된다.

서술형

31 다음 빈칸에 들어갈 알맞은 말을 쓰시오.

> 지역 방언은 지역의 고유한 정서와 문화를 간직하고 있어서 같은 방언을 사용하는 사람들끼리는 문화적 (   )과 (   )을 느낄 수 있다.

3. 다음 시를 실감 나게 낭독해 보고, 지역 방언의 가치를 생각해 봅시다.

수박끼리

이응인

수박이 왔어요 달고 맛있는 수박이 왔어요.
김 씨 아저씨 1톤 트럭 짐칸에 실린 수박
저들끼리 얼굴을 부비며 하는 말.

행님아, 밑에 있으이 무겁제, 미안하다. 괘안타,
그나저나 제값에 팔리야 될 낀데. 내사 똥값에 팔리는
거 싫타. 내 벌건 속 알아주는 사람 있을 끼다 그자.
그래도 행님아, 헤어지마 보고 싶을 끼다. 간지럽다
코 좀 고만 문대라. 그래, 우리는 사람들 속에
들어가서 다시 태어나는 기라.

–『솔직히 나는 흔들리고 있다』(나라말, 2015)

1 이 시의 2연을 표준어로 바꾸어 써 보고, 시의 느낌이 어떻게 달라지는지 말해 봅시다.

형, 밑에 있으니 무겁지, 미안하다.
괜찮아, 그나저나 제값에 팔려야 될 텐데. 나는 똥값에 팔리는 거 싫어. 내 빨간 속 알아주는 사람이 있을 거야, 그렇지? 그래도 형, 헤어지면 보고 싶을 거야. 간지러워 코 좀 그만 문질러라. 그래, 우리는 사람들 속에 들어가서 다시 태어나는 거야.

표준어로 바꾸어 보니
시골의 어느 밭에서 자란 수박끼리 나누는 대화임을 추측할 수 없어 실제적이며 향토적인 느낌이 사라지는 것 같아.

2 이 시의 2연에서 수박들이 지역 방언으로 대화하는 상황을 설정함으로써 얻을 수 있는 효과가 무엇일지 생각해 봅시다.

예시 답 시골의 어느 밭에서 나고 자란 수박의 이미지를 구체적으로 드러낸다. 또한 향토적이며 토속적인 시의 분위기를 만들어 주기도 한다.

핵심 정리 표준어와 지역 방언

	표준어	지역 방언
사용되는 상황	• 공식적인 말하기 상황 • 불특정한 다수를 대상으로 말할 때 • 신문이나 방송 등의 매체에서 뉴스를 보도할 때	• 비공식적인 말하기 상황 • 고향 친구들을 만났을 때 • 드라마나 영화에서 특정 지역의 분위기를 표현하고자 할 때
특징	모든 사람이 이해하기 쉬우므로 지식이나 정보를 정확하게 전달할 수 있음.	같은 지역 방언을 사용하는 사람들끼리 사용하면 친근감과 유대감을 느낄 수 있음.

32 이 시의 특징에 관한 설명으로 적절한 것을 〈보기〉에서 모두 골라 바르게 묶은 것은?

보기
㉠ 1연은 표준어로, 2연은 지역 방언으로 표현되어 있다.
㉡ 표준어가 사용된 부분에 시의 주제가 제시되어 있다.
㉢ 수박과 김 씨 아저씨의 대화 속에서 표준어의 의의가 드러나 있다.
㉣ 2연은 1연에 비해 향토적인 느낌이 잘 나타나 있다.

① ㉠, ㉡ ② ㉠, ㉢ ③ ㉠, ㉣
④ ㉡, ㉢ ⑤ ㉢, ㉣

33 이 시의 일부를 다음과 같이 바꾸었을 때의 변화를 설명한 내용으로 적절한 것은?

행님아, 밑에 있으이 무겁제, 미안하다. 괘안타, 그나저나 제값에 팔리야 될 낀데. 내사 똥값에 팔리는 거 싫타.
→ 형, 밑에 있으니 무겁지, 미안하다. 괜찮아, 그나저나 제값에 팔려야 될 텐데. 나는 똥값에 팔리는 거 싫어.

① 실제적인 느낌이 덜해졌다.
② 수박들의 속마음을 알기 어렵다.
③ 수박이 팔려 나가는 이유가 더 정확히 드러난다.
④ 형을 걱정하는 동생의 마음이 더 깊이 있게 표현되었다.
⑤ 수박의 이미지가 구체적으로 드러나 시의 주제를 파악하기가 더 쉬워졌다.

34 문학 작품에서 지역 방언을 사용하여 얻을 수 있는 효과로 적절하지 않은 것은?

① 향토색을 효과적으로 드러낸다.
② 사건 진행에 생동감을 더해 준다.
③ 작품에 사실감과 현장감을 부여한다.
④ 작품의 내용을 이해하기 쉽게 해 준다.
⑤ 독자에게 재미를 주어 흥미를 갖게 한다.

4. 다음 두 장면을 보고, 전문적인 어휘의 특성을 알아봅시다.

1 ㉮, ㉯에 사용된 말의 특성을 각각 정리해 봅시다.

㉮	㉯
'비티(BT)', '경막 외 출혈'과 같이 의학 분야의 전문 용어를 사용하였다.	일반인도 알기 쉬운 말을 사용하였다.

2 ㉮, ㉯에서 의사가 사용하는 말이 다른 까닭을 생각해 봅시다.

예시 답 대화 상대가 누구냐에 따라 의사가 사용하는 말이 달라지고 있다. 즉 ㉮에서는 상대가 같은 의료 전문 분야에서 일하는 사람이기 때문에 전문적인 말을 사용하여 간결하고 정확하게 의사소통을 하고 있지만, ㉯에서는 대화 상대가 일반인이기 때문에 전문적인 말을 알기 쉬운 말로 바꾸어 설명하고 있다.

3 전문적인 어휘를 사용할 때의 장단점을 말해 봅시다.

예시 답 • 장점: 전문적인 어휘는 뜻을 정확하게 표현하기 때문에 해당 분야의 복잡하고 어려운 내용을 비교적 간결하고 정확하게 전달할 수 있다.
• 단점: 해당 분야의 전문적인 어휘를 사용하지 않는 사람들과는 의사소통이 원활히 이루어지지 않을 수도 있다.

핵심 정리 전문어의 개념과 특징

개념	특정 전문 집단에서 사용되는 언어(의료 용어, 법률 용어, 건축 용어 등)
특징	• 일상생활을 하는 데 꼭 필요한 말은 아님. • 해당 분야의 복잡하고 어려운 내용을 간결하고 정확하게 전달하는 데 용이함. • 의미가 정밀해서 다양하게 해석될 여지가 적음. • 전문적인 지식이 없는 사람들과는 의사소통이 원활히 이루어지지 않을 수도 있음.

35 ㉮와 ㉯에 드러난 의사의 말하기 특징에 관한 설명으로 가장 적절한 것은?

① 지역 방언을 사용해 친근감을 더하고 있다.
② 대화 상대에 따라 다른 어휘를 사용하고 있다.
③ 한자어보다 외래어를 더 많이 사용하고 있다.
④ 준말을 사용해 빠르고 간편하게 의미를 전달하고 있다.
⑤ 고유어를 적절하게 사용해 대화 상대의 이해를 돕고 있다.

36 ㉮를 통해 알 수 있는 전문어의 특징으로 적절한 것은?

① 다양하게 해석될 여지가 있다.
② 다양한 사람들의 요구를 잘 반영할 수 있다.
③ 말하는 이의 감정을 깊이 있게 전달할 수 있다.
④ 전문어를 사용하지 않는 사람들은 이해하기 어렵다.
⑤ 고유어가 많아 아름다운 우리말을 이해하는 데 도움이 된다.

37 〈보기〉에서 설명하고 있는 어휘에 해당하지 않는 것은?

보기
일상생활을 하는 데 꼭 필요한 말은 아니지만, 해당 분야의 복잡한 내용을 간결하게 전달하는 데 용이하며, 외래어나 한자어로 이루어진 말들이 많고 의미가 정밀하다는 특징을 갖고 있다.

① 법원에서 사용되는 말
② 건축 현장에서 사용되는 말
③ 부동산 업자들이 사용하는 말
④ 방송 제작자들이 사용하는 말
⑤ 산삼을 캐는 심마니들이 사용하는 말

5. 다음 대화를 읽고, 세대에 따른 어휘 사용의 차이를 알아봅시다.

손자: 할아버지, 저 오늘 영희랑 피방 안 가고 열공했어요. 완전 쩔죠?
할아버지: 뭐라고? 어디서 뭘 했다고?
손자: 아, 오늘 피시방 안 가고 열심히 공부했다고요.
할아버지: 기특하구나. 영희 자당께서는 별고 없으시냐?
손자: 네? 영희가 뭐가 없냐고요?

1 할아버지와 손자가 사용한 어휘에는 어떤 차이가 있는지 정리해 봅시다.

	할아버지가 사용한 어휘	손자가 사용한 어휘
예	자당, 별고	피방, 열공, 완전, 쩔다
특성	젊은 세대에서는 사용하지 않는 어려운 한자어를 사용하고 있다.	준말과 비속어를 사용하고 있다.

2 할아버지와 손자 사이에 발생한 의사소통의 문제점을 해결할 방법을 이야기해 봅시다.

할아버지는 손자가 어려워하는 단어의 뜻을 다시 한번 풀어서 설명해 줄 필요가 있어.

손자는 할아버지가 이해하기 힘든 준말이나 비속어는 사용하지 않는 것이 좋겠어.

핵심 정리 세대에 따른 어휘 사용의 차이

세대에 따른 어휘 사용의 차이가 생기는 이유
각자의 경험과 처한 삶의 상황이 다르기 때문에

세대에 따른 어휘 사용의 특징

어른들의 어휘	• 한자어를 많이 사용함. • 어려운 단어를 많이 사용함.
청소년들의 어휘	• 준말과 비속어를 자주 사용함. • 지속적으로 신어를 만들어 사용함.

세대에 따른 의사소통의 어려움을 극복하기 위한 방법
• 어른들은 청소년들이 이해하기 쉽게 단어의 뜻을 풀어서 설명하도록 함.
• 청소년들은 어른들이 이해하기 힘든 준말이나 비속어, 신어 등을 사용하지 않도록 함.

[38~39] 다음 대화를 읽고 물음에 답하시오.

손자: 할아버지, 저 오늘 영희랑 피방 안 가고 열공했어요. 완전 쩔죠?
할아버지: 뭐라고? 어디서 뭘 했다고?
손자: 아, 오늘 피시방 안 가고 열심히 공부했다고요.
할아버지: 기특하구나. 영희 자당께서는 별고 없으시냐?
손자: ㉠ 네? 영희가 뭐가 없냐고요?

38 이 대화에 드러난 손자의 말하기 특징에 대한 설명으로 적절한 것은?
① 중요한 내용을 반복해서 말하고 있다.
② 준말과 비속어를 사용해 말하고 있다.
③ 대화 상대의 감정에 공감하며 말하고 있다.
④ 원인과 결과의 순서에 따라 내용을 제시하고 있다.
⑤ 자신에게 일어난 일을 시간 순서에 따라 이야기하고 있다.

39 손자가 ㉠과 같이 반응한 이유로 적절한 것은?
① 대화에 집중하지 못해서
② 할아버지와 공감대가 없어서
③ 할아버지의 태도가 권위적이어서
④ 할아버지가 사용한 단어의 의미를 이해하지 못해서
⑤ 자신의 말을 이해하지 못하는 할아버지가 답답해서

40 다음 중 세대 차이가 나는 화자들이 원활한 의사소통을 위해 할 수 있는 노력이라고 볼 수 없는 것은?
① 준말의 사용을 줄인다.
② 비속어를 사용하지 않는다.
③ 전문어를 활용해 대화의 정확성을 높인다.
④ 대화할 때 상대가 이해하기 쉽도록 배려한다.
⑤ 상대가 의미를 알기 어려운 한자어의 사용을 줄인다.

6. 다음 두 장면에서 밑줄 친 어휘들의 특성을 알아봅시다.

가

〈도매상인들의 대화〉

나

〈일제 강점기 독립운동가들의 대화〉

1 내가 ㉮, ㉯의 대화를 들었다면, 어떤 느낌이 들지 생각해 봅시다.

예시 답 무슨 암호 같다. / 무슨 말인지 알아듣지 못해서 너무 답답할 것 같다.

2 ㉮, ㉯에서 밑줄 친 어휘를 사용한 까닭이 무엇인지 각각 정리해 봅시다.

가	나
일반 손님들이 가격에 관한 정보를 알아듣지 못하게 하려고.	독립운동과 관련한 작전을 비밀리에 진행하려고.

핵심 정리 **은어의 개념과 특징**

개념	특정 계층이나 특정 집단에 속한 사람들이 남이 모르게 자기네끼리만 사용하는 말
특징	• 집단 내 비밀을 유지할 수 있음. • 같은 집단에 속한 사람들에게 소속감과 친밀감을 느끼게 할 수 있음. • 같은 집단에 속하지 않은 사람들에게는 소외감을 줄 수 있음.

41 다음은 은어에 대한 설명이다. 빈칸에 들어갈 말로 적절한 것은?

> 은어는 (   ) 위한 목적으로 만들어진 말이다.

① 한국어를 세계화하기
② 사람들의 흥미를 끌기
③ 언어의 다양성을 알리기
④ 언어 사용 능력을 높이기
⑤ 소속 집단의 비밀을 유지하기

42 〈보기〉에 대한 설명으로 적절하지 않은 것은?

보기

> A: 이건 야리면 되겠는데?
> B: 안 되죠. 최소 후리는 되는 거예요.

① 도매상인들이 대화하는 상황이다.
② '야리'는 '만 원'을 의미한다.
③ '후리'는 은어에 해당한다.
④ 단어의 뜻을 모르면 이 대화의 내용을 이해할 수 없다.
⑤ '최소'는 외래어이므로 순화해서 사용하는 것이 좋다.

43 다음 빈칸에 들어갈 내용으로 가장 적절한 것은?

> 일제 강점기에 독립운동가들은 '친일파'를 '꿩', '밀정'을 '여우'라고 표현했다. 이는 (   ) 사용한 은어의 예이다.

① 일제 강점기에 우리말을 지키기 위해 조상들이
② 우리나라의 아름다운 자연에 대한 기억을 잃지 않기 위해
③ 독립운동에 대해 무관심한 사람들의 관심을 끌어내기 위해
④ 독립운동과 관련된 작전들을 일제가 모르게 진행하기 위해
⑤ 외국과의 외교 관계를 확대하겠다는 의지를 갖고 독립운동가들이

3 ㉮, ㉯에서 밑줄 친 어휘를 사용해 얻을 수 있는 긍정적인 면과 부정적인 면을 이야기해 봅시다.

어휘의 양상

표준어는 한 나라에서 공용어로 쓰는 규범으로서의 언어입니다. 우리나라에서는 표준어를 교양 있는 사람들이 두루 쓰는 현대 서울말로 정하고 있습니다.

방언은 한 언어에서 지리 요인이나 사회 요인에 따라 분화된 말의 체계입니다. 방언의 종류는 다음과 같습니다.

지역 방언	산이나 강 등으로 구분된 지역에 따라 다른 형태로 나타나는 말
사회 방언	나이, 성별, 직업, 계층 등의 요인에 따라 다른 형태로 나타나는 말

핵심 정리 표준어와 방언

표준어	• 한 나라에서 공용어로 쓰는 규범으로서의 언어 • 우리나라에서는 교양 있는 사람들이 두루 쓰는 현대 서울말을 '표준어'로 정함.
방언	• 지리적 요인, 사회적 요인(나이, 성별, 직업, 계층 등)에 따라 분화된 말의 체계 • 종류 – 지역 방언: 경상도 방언, 강원도 방언, 경기도 방언 등 – 사회 방언: 전문어, 노인어, 청소년어, 은어 등

44 다음은 한 학생이 은어 사용에 대한 생각을 정리한 내용이다. 빈칸에 들어갈 말을 바르게 나열한 것은?

> 은어를 사용하면 집단 내 비밀을 유지할 수 있다. 또한, 같은 집단에 속한 사람들끼리는 (　　　)을 느낄 수 있으며, 자신들만 아는 말을 사용하는 행위를 통해 (　　　)을 느낄 수도 있다.

① 소속감, 두려움
② 소속감, 친밀감
③ 소속감, 고립감
④ 고립감, 친밀감
⑤ 고립감, 두려움

45 다음에서 은어 사용의 문제점을 골라 바르게 짝지은 것은?

> ㉠ 사용 집단에 속하는 사람들이 불쾌감을 느낄 수 있다.
> ㉡ 사용 집단에 속하지 않은 사람들과는 의사소통이 어렵다.
> ㉢ 고유어를 사용하는 경우가 많아 대부분 의미 이해가 어렵다.
> ㉣ 단어의 의미를 알지 못하는 사람들에게 소외감을 줄 수 있다.

① ㉠, ㉡　② ㉠, ㉢
③ ㉡, ㉢　④ ㉡, ㉣
⑤ ㉢, ㉣

46 다음 중 표준어와 방언에 대한 설명으로 적절하지 않은 것은?

① 교양 있는 사람들이 두루 쓰는 현대 서울말을 표준어라고 한다.
② 지역 방언은 지리적 요인에 따라 방언을 분류한 것이다.
③ 사회 방언은 사회적 요인에 따라 방언을 분류한 것이다.
④ 지역 방언의 예로는 준말, 속어 등이 있다.
⑤ 전문어, 은어는 사회 방언에 속한다.

창의 • 융합 활동

다음 글을 읽고, 우리 고유의 문화가 담겨 있는 어휘에 관해 생각해 봅시다.

(가) 사전을 찾아보면 다섯 가지 감각 중에서 특히 미각에 관련된 표현이 다양함을 알 수 있다. 아마도 미각은 우리의 가장 기본적인 생활인 식생활과 관련되어 있기 때문일 것이다.

(나) '미각(味覺)'이라는 말에 해당하는 고유어는 '맛'이라고 할 수 있다. 그런데 미각과 맛이라는 낱말의 의미 영역이 똑같다고 보기는 어렵다. 미각이 반드시 혀라는 감각 기관을 통해 느껴지는 것만을 뜻한다면, 맛이라는 고유어 속에는 때로는 혀를 통한 감각뿐만 아니라 후각과 촉각에 의한 감각까지도 포함된다. 구수한 맛이라든지 매콤한 맛이라는 말은 코나 살갗으로 느껴지는 어떤 맛까지도 나타내고 있다고 하겠다.

(다) 대개 맛의 정의는, 자극 물질이 혀의 어느 부분을 자극하느냐에 따라서 그 유형을 구분 짓는다. 누구나 느낄 수 있는 기본 맛에는 단맛, 쓴맛, 신맛, 짠맛의 네 가지가 있다. 이 말들은 각각 그 기본형이 '달다', '쓰다', '시다', '짜다'의 형용사로 이루어져 있다. 우리가 느끼는 다양한 맛은 이 네 가지의 기본형에서 파생된 수많은 낱말 무리 속에 잘 표현되어 있다.

(라) 먼저 단맛이 그 정도에 따라서 어떻게 표현되고 있는지 알아보자. '달콤하다, 달곰하다, 달큼하다, 달짝지근하다, 달차근하다, 달보드레하다, 들큼하다, 들쩍지근하다, 들부드레하다' 등을 들 수 있다. 어간의 자음과 모음을 교체하여 이루어진 이러한 낱말들은, 모음의 차이에 따라 그 말이 주는 느낌에 약간의 차이가 있다. 대체로 양성 모음으로 이루어진 '달콤하다, 달곰하다, 달짝지근하다' 등이 입맛에 맞는 정도의 단맛이라는 긍정의 뜻을 담고 있다면, '들큼하다, 들쩍지근하다'와 같이 음성 모음으로 쓰인 말들은 달지 않아야 할 음식이 달아서 비위에 상하는 맛이라는 부정의 뜻을 함축한다.

(마) 그런데 단맛을 나타내는 말에는 한자어 '감미(甘味)'가 있으니, 이는 우리말의 '-롭다'와 결합하여 '감미롭다'가 된다. 그런데 이 낱말은 맛을 표현하는 데는 그렇게 잘 어울리는 것 같지 않다. 오히려 '감미로운 음악', '감미로운 선율'과 같이 맛 이외의 표현에 더 잘 어울린다. 어느 학자가 지적했듯이, 한자어가 우리의 말 속에 깊이 들어와 있다고는 하지만 우리의 가장 기본적인 삶의 모습을 담아내는 데는 역시 우리말이 제격이기 때문일 것이다.

– 『생각하는 국어』(도솔, 1994)

• 정답과 해설 p.19

01 (가), (나)의 내용과 일치하지 않는 것은?

① '미각'은 한자어이다.
② '맛'은 '미각'과 의미가 유사한 고유어이다.
③ 식생활은 인간의 가장 기본적인 생활의 영역이다.
④ 사전에는 미각과 관련된 표현이 다양하게 실려 있다.
⑤ '미각'은 '맛'에 비해 여러 기관을 통해 느껴지는 감각을 뜻한다.

02 (라)의 내용을 바탕으로 할 때, 다음 설명에 해당하는 낱말이 아닌 것은?

> 양성 모음으로 이루어져 있으며, 입맛에 맞는 정도로 달다는 긍정의 뜻을 지닌다.

① 달콤하다　② 들큼하다
③ 달차근하다　④ 달짝지근하다
⑤ 달보드레하다

03 (마)를 바탕으로 추론할 수 있는 내용으로 적절한 것은?

① 한자어는 고유어보다 의미 영역이 넓다.
② 고유어 속에는 우리 민족의 삶이 담겨 있다.
③ 외래어와 한자어는 고유어를 풍요롭게 한다.
④ 한자어 연구를 통해 고유어를 더 잘 알 수 있다.
⑤ 고유어보다 한자어가 맛을 다양하게 표현한다.

04 〈보기〉에 대한 설명으로 적절한 것은?

> 보기
> 오미자는 다섯 가지 맛이 나서 오미자라고 하는데, 전 두 가지 맛만 느껴지더라고요. 오미자차를 마시면 새콤한 첫맛에 상쾌한 느낌이 들었다가, 뒤이어 느껴지는 달콤함에 행복해진답니다.

① 오미자의 역사를 소개했다.
② 사람의 미각이 갖는 특성을 밝혔다.
③ 우리나라 전통 차의 종류를 나열했다.
④ 고유어를 활용해 음식의 맛을 표현했다.
⑤ 말로 표현하기 힘든 맛을 한자어로 소개했다.

혼자 하기

1. 생각 그물을 활용하여 '맛'을 표현하는 고유어를 더 찾아 써 봅시다.

예시 답

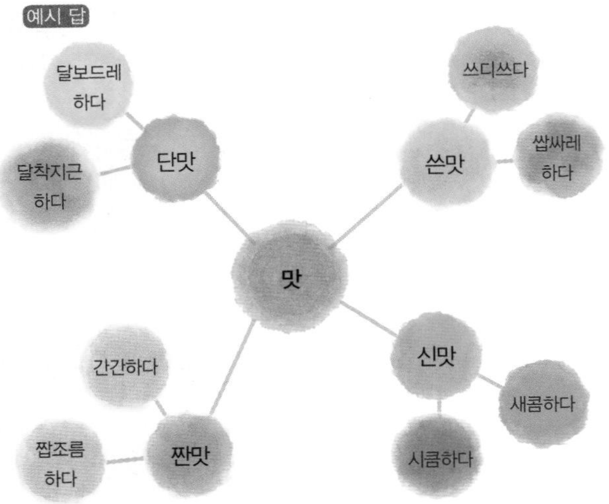

함께하기

2. 모둠별로 음식을 하나 골라, 그 음식의 맛을 고유어를 사용하여 표현해 봅시다.

예시 답 오미자는 다섯 가지 맛이 나서 오미자라고 하는데, 전 두 가지 맛만 느껴지더라고요. 오미자차를 마시면 새콤한 첫맛에 상쾌한 느낌이 들었다가, 뒤이어 느껴지는 달콤함에 행복해진답니다. 새콤달콤한 오미자차 한번 마셔 보세요.

수행 평가 대비 활동

| 수행 평가 TIP | 이 수행 평가 활동을 위해서는 먼저 소단원에서 배운 어휘의 체계 및 양상에 대해 이해해야 합니다. 이를 바탕으로 직접 어휘를 활용하여 표현해 보도록 합니다.
고유어, 외래어, 한자어의 개념과 각각의 특성에 대해 이해하고, 더 나아가 지역 방언과 사회 방언에 관한 내용을 추가해 활동을 구성해 보면 더 깊이 있는 이해가 가능할 것입니다.

1 평가 내용 확인하기

- 생각 그물을 활용하여 '맛'을 표현하는 고유어 찾아보기
- 음식을 한 가지 골라, 고유어로 음식의 맛 표현해 보기

2 평가 기준 확인하기

- 맛을 나타내는 고유어를 많이 떠올렸는가?

우리가 흔히 사용하는 맛에 대한 표현 중 고유어는 어떤 것인지, 한자어나 외래어는 아닌지 생각해야 합니다. '감미롭다', '담백하다'와 같이 자주 사용하고 익숙한 단어에도 한자어가 들어 있는 경우가 있으므로, 어휘를 잘 구별하려면 사전을 찾아보는 것도 좋은 방법입니다.

- 음식의 맛을 설명하는 어휘를 적절하게 사용하였는가?

자기만 혼자 말하려 하지 말고 친구와 번갈아 가며 말해 봅니다. 떠오르는 대로 말한 것을 모두 적어 보고 그 음식의 맛을 나타내는 데 적절한 것을 친구들과 의논하여 골라 봐요.

- 모둠원이 모두 협력하여 활동하였는가?

친구들과 역할을 나누어 맛을 표현하는 적절한 고유어를 찾아보고, 짧은 글을 완성해 봐요.

수행 평가 +

1. 지역별로 대표적인 음식을 찾아보고, 그 지역의 방언으로 그 음식을 소개해 봅시다.

도와줄게 우리나라는 각 지역에 따라 다양한 대표 음식들이 존재합니다. 지역에 따라 말이 달라지듯이 음식도, 문화도 조금씩 달라집니다. 지역별 대표 음식을 하나씩 찾아보고, 그 음식을 해당 지역의 방언으로 소개해 봅시다.

2. 사회 방언이 사용되는 상황을 찾아보고, 사회 방언의 예가 잘 드러나도록 짧은 대화를 구성해 봅시다.

도와줄게 사회 방언은 세대, 계층, 직업 등에 따라 다양하게 나타납니다. 사회 방언의 종류와 특징이 무엇인지 확인해 보고, 사회 방언이 사용되는 상황을 찾아, 말의 특징이 잘 드러나도록 짧은 대화를 구성해 봅시다.

핵심 콕 마무리

핵심 원리

어휘의 개념

일정한 기준에 따라 (❶)이 있는 것끼리 묶은 단어들의 집합

우리말 어휘의 체계

고유어	다른 나라에서 들여온 것이 아니라 본디부터 있었던 순우리말 단어
한자어	중국의 (❷)를 기반으로 하여 만들어진 단어
(❸)	다른 나라에서 들여와 우리말의 일부로 쓰이는 단어

어휘의 양상

(❹)	• 한 나라에서 공용어로 쓰는 규범으로서의 언어 • 우리나라에서는 교양 있는 사람들이 두루 쓰는 현대 서울말로 정함.
방언	• 지리적 요인이나 사회적 요인(직업, 계층, 나이, 성별 등)에 따라 분화된 언어 체계 • 종류 지역 방언: 경상도 방언, 제주도 방언, 경기도 방언 등 사회 방언: 은어, 전문어, 청소년어 등

핵심 내용

(1) 고유어, 한자어, 외래어의 특징

고유어	• 우리나라에 본디부터 있었던 순우리말 단어 • 우리 민족의 삶과 문화, 전통을 나타내는 말이 많음. 예 길쌈, 달맞이, 강강술래 등
한자어	• 중국의 한자를 기반으로 함. • 고유어보다 구체적이고 정확한 뜻을 나타내는 데 적합한 경우가 많음. 예 수건, 안경, 운동화, 설명, 대화 등
외래어	• 새로 생긴 사물이나 개념을 표현하기 위해 외국에서 들여온 말 • 고유어로 바꿔 쓰기 (❺) 경우가 많음. 예 택시, 주스, 액세서리, 샌드위치 등

(2) 표준어와 지역 방언의 특징

표준어	• (❻)인 말하기, 쓰기 상황에서 사용됨. • (❼)의 효과를 높이기 위해 불특정한 다수를 대상으로 하는 말하기 상황에서 사용됨. 예 방송 뉴스, 신문이나 잡지 등
지역 방언	• (❽)인 말하기 상황에서는 자유롭게 사용할 수 있음. • 공식적인 상황이더라도 특정 지역의 분위기를 표현하고자 할 때나, 특별한 이유가 있는 경우 사용할 수 있음. • 같은 지역 방언을 사용하는 사람들끼리 만나서 사용하면 친근감과 유대감을 느낄 수 있음. 예 고향 친구를 만났을 때, 시골 친척 집에 방문했을 때 등

(3) 전문어와 은어의 특징

	(❾)	은어
개념	특정 전문 집단에서 사용되는 언어	특정 계층이나 특정 집단에 속한 사람들이 남이 모르게 자기네끼리만 의미가 통할 수 있게 사용하는 말
예	의료 용어, 법률 용어, 건축 용어 등	심마니들의 언어, 도매 상인들의 언어 등
특징	해당 분야의 복잡하고 어려운 내용을 간결하고 정확하게 전달하는 데 적절함.	집단 내 (❿)을 유지하는 데 유용함.
공통점	• 같은 집단에 속하지 않은 사람들은 이해하기 (⓫). • 같은 집단에 속한 사람들끼리는 친근감을 느낄 수 있음.	

(4) 세대에 따른 어휘 사용의 차이

❶ 세대에 따른 어휘 사용의 특징

어른들의 어휘	한자어를 많이 사용함.
청소년들의 어휘	준말과 비속어, 신어를 자주 사용함.

❷ 세대에 따른 의사소통의 어려움을 극복하는 방법

어른들은 청소년들이 이해하기 쉽게 단어의 뜻을 풀어서 설명하고, 청소년들은 어른들이 이해하기 어려운 준말이나 비속어, 신어 등을 사용하지 않도록 함.

정답 ❶ 공통성 ❷ 한자 ❸ 외래어 ❹ 표준어 ❺ 어려운 ❻ 공식적 ❼ 의사소통 ❽ 비공식적 ❾ 전문어 ❿ 비밀 ⓫ 어려움

소단원 핵심 문제

• 정답과 해설 p.19

출제 예감 75%

01 다음에서 어휘에 대한 설명으로 적절한 것을 모두 골라 바르게 묶은 것은?

㉠ 일정한 기준에 따라 공통성이 있는 것끼리 묶은 단어들의 집합이다.
㉡ 우리말 어휘는 고유어, 한자어, 외래어로 나눌 수 있다.
㉢ 외래어는 외국에서 들여온 말이다.
㉣ 고유어는 본디부터 우리나라에 존재했던 말이다.
㉤ 어휘 체계 내에서 외래어가 차지하는 비중이 가장 크다.

① ㉠
② ㉠, ㉡
③ ㉠, ㉡, ㉢
④ ㉠, ㉡, ㉢, ㉣
⑤ ㉠, ㉡, ㉢, ㉣, ㉤

출제 예감 95%

02 다음은 고유어의 특성에 대한 설명이다. 이에 해당하는 예를 포함하고 있지 않은 것은?

고유어는 우리 조상들이 오래전부터 사용해 온 말이다 보니, 우리 민족의 삶과 문화, 전통과 역사를 보여 주는 단어들이 많다.

① 우리 할머니는 길쌈을 아주 잘하셨대.
② 대보름날 아침에는 부럼도 깨물고 오곡밥도 먹었어.
③ 아이들은 횃불을 들고 달맞이를 하며 소원을 빌었어.
④ 오늘 아침 옆집 아주머니께서 아들을 낳았다고 들었어.
⑤ 우리 동네에서는 아직도 추석이 되면 사람들이 모여서 강강술래를 하곤 해.

출제 예감 95%

03 다음 문장에 대한 설명으로 적절하지 않은 것은?

우리 학급 계주 대표로 출전하게 되어서 기뻐.

① '학급'은 한자어이다.
② '계주'는 '이어달리기'라는 고유어로 바꾸어 쓸 수 있다.
③ '대표'는 고유어이다.
④ '출전하게'는 '나가게'라는 고유어로 바꾸어 쓸 수 있다.
⑤ '기쁘다'는 고유어이다.

출제 예감 85%

04 〈보기〉의 문장에 대한 설명으로 적절하지 않은 것은?

보기

달걀은 주방에 있어.

① '달걀'은 고유어이다.
② '달걀'과 같은 뜻을 가진 한자어는 '계란'이다.
③ '주방'은 외래어이다.
④ '주방'은 '부엌'으로 바꾸어 쓸 수 있다.
⑤ '달걀'과 '주방'은 모두 우리말이다.

출제 예감 70%

05 다음 중 고유어만으로 짝지어진 것은?

① 딸, 아들, 어머니
② 수건, 안경, 운동화
③ 주스, 구름, 아버지
④ 라켓, 공원, 샌드위치
⑤ 수풀, 벤치, 텔레비전

출제 예감 85%

06 다음 대화에서 밑줄 친 단어를 바꾸어 쓸 말로 적절한 것은?

A: 신입생 모집을 위한 동아리 홍보를 어떻게 할지 생각 중이야.
B: 동아리 홍보지를 교문에서 나누어 주는 것은 어떨까?

① 사고
② 고찰
③ 각오
④ 구상
⑤ 추측

[07~08] 다음 대화를 읽고 물음에 답하시오.

성우: 왜 그래, 무슨 일 있니?
지은: 미안. 지금은 너와 ㉠말할 기분이 아니야.
성우: 내가 도와줄게. 뭐가 문제인지 ㉡말해 봐.
지은: 친구한테 내가 ㉢말을 좀 심하게 한 것 같아.
성우: 친구와 오해가 있었구나. 친구에게 아까 상황을 ㉣말하면 되지 않을까?

출제 예감 85%

07 ㉠~㉣에 대한 설명으로 적절하지 않은 것은?

① ㉠~㉣은 모두 고유어이다.
② ㉠은 '대화'라는 의미를 포함하고 있다.
③ ㉡은 '설명'이라는 말로 바꾸어 쓸 수 있다.
④ ㉢은 대화의 내용을 고려할 때 '토론'으로 바꾸어 쓸 수 있다.
⑤ ㉣은 오해가 있는 상황에 대해 밝히는 내용이어야 하므로 '해명'이라는 말로 바꾸어 쓸 수 있다.

출제 예감 95% 서술형 논술 대비

08 7번 문제를 통해 알 수 있는 고유어와 한자어의 특징을 〈조건〉에 맞게 서술하시오.

조건
- 고유어와 한자어의 특징을 의미의 차원에서 비교하여 서술할 것
- 50자 내외로 쓸 것(띄어쓰기 제외)

출제 예감 85%

09 다음 대화의 빈칸에 들어갈 말로 가장 적절한 것은?

재인: '컴퓨터', '초콜릿' 같은 말은 원래부터 우리나라에 있던 말은 아니지?
호준: 응. 외국에서 들여온 말이지. 그러니까 외래어라고 할 수 있고.
재인: 그런데, 이런 말들을 순우리말로 바꾸어서 쓸 수는 없을까?
호준: ______________________ 고유어로 바꾸기는 어려워.

① 사람들이 이미 익숙하게 사용하고 있기 때문에
② 우리나라 사람들은 외래어 사용을 즐기기 때문에
③ 외래어는 정확한 뜻을 가진 단어들이 많지 않아서
④ 우리나라에 없던 사물을 표현하기 위해 들여온 말이라서
⑤ 외래어는 외국에서 들어와 각 단어의 기원을 알 수 없기 때문에

출제 예감 95%

10 다음 상황에 드러난 문제점을 지적한 내용으로 적절한 것은?

① 확인되지 않은 사실을 나열하고 있다.
② 외래어를 지나치게 많이 사용하고 있다.
③ 제품의 장점과 단점을 섞어서 말하고 있다.
④ 시청자들의 관심을 고려하지 않고 말하고 있다.
⑤ 일반인이 이해하기 힘든 학문적인 내용을 제시하고 있다.

출제 예감 75%

11 다음 중 연결된 말들의 관계가 나머지와 다른 하나는?

① 놀이 – 노름　② 힌트 – 도움말
③ 소감 – 느낀 바　④ 잔반 – 남은 밥
⑤ 네티즌 – 누리꾼

출제 예감 80%

12 다음은 한 학생이 작성한 메모이다. 내용을 고려할 때 빈칸에 들어갈 내용으로 가장 적절한 것은?

문제 상황	무분별한 외래어 사용으로 (　　　　　　　　)
활동 내용	외래어를 우리말로 다듬어 보기
다듬을 말	에어캡, 게스트
다듬은 말	에어캡 → 뽁뽁이, 게스트 → 손님

① 한글이 어려워졌다.
② 우리말의 정체성이 약해지고 있다.
③ 한글에 대한 관심이 줄어들고 있다.
④ 고유어를 사용할 기회가 줄어들고 있다.
⑤ 외래어를 알아야 할 필요성이 커지고 있다.

소단원 핵심 문제

출제 예감 85%

13 다음을 읽고 알 수 있는 내용으로 적절한 것은?

> 외국에서 유입된 새로운 사물이나 개념을 간단하게 표현할 수 있고, 우리말 어휘를 다양하게 하는 데 기여할 수 있다.

① 외래어의 역사
② 외래어의 긍정적 기능
③ 외래어가 만들어지는 과정
④ 외래어를 사용할 때의 유의점
⑤ 고유어와 외래어를 구분하는 방법

[14~15] 다음 두 장면을 보고 물음에 답하시오.

출제 예감 95%

14 (가)와 (나)의 담화 상황에 대한 설명으로 적절하지 <u>않은</u> 것은?

① (가)에서 말하는 이는 아나운서이다.
② (가)에서 듣는 이는 다수의 시청자이다.
③ (가)는 듣는 이에게 친근감을 주는 말하기이다.
④ (나)는 손자가 할머니 댁을 방문한 상황이다.
⑤ (나)에서는 손자와 할머니가 대화를 나누고 있다.

출제 예감 95% 서술형 논술 대비

15 같은 인물이 (가)에서는 표준어를, (나)에서는 지역 방언을 사용한 까닭을 〈조건〉에 맞게 서술하시오.

> 조건
> • (가)와 (나)의 말하기 상황이 드러나도록 쓸 것
> • 50자 내외로 쓸 것(띄어쓰기 제외)

출제 예감 85%

16 표준어와 지역 방언에 대한 설명으로 적절하지 <u>않은</u> 것은?

① 연설에서는 표준어를 사용하는 것이 좋다.
② 예능 방송이나 드라마 등에서는 되도록 표준어만 사용한다.
③ 원활한 의사소통을 위해서는 표준어를 사용하는 게 좋다.
④ 표준어는 누구든 내용을 이해할 수 있어야 하는 상황에서 사용된다.
⑤ 같은 지역 사람과 만났을 때 지역 방언을 사용하면 의사소통의 효과를 더 높일 수도 있다.

[17~18] 다음 두 장면을 보고 물음에 답하시오.

출제 예감 90%

17 (가), (나)에 대한 설명으로 적절하지 <u>않은</u> 것은?

① (가)는 의사들끼리 대화하는 상황을 보여 주고 있다.
② (가)에서는 전문적인 말을 사용해 의사소통하고 있다.
③ (나)는 의사와 환자가 대화를 나누고 있는 상황이다.
④ (나)에서 의사는 환자가 알아듣기 쉽게 설명하고 있다.
⑤ (가)와 (나)에서 의사가 표현을 다르게 한 것은 환자의 흥미를 고려했기 때문이다.

출제 예감 80%

18 다음은 (가), (나)를 통해 알게 된 전문어의 특성을 정리한 것이다. 적절한 것을 골라 바르게 묶은 것은?

> ㉠ 해당 분야의 복잡한 내용을 간결하게 전달할 수 있다.
> ㉡ 외래어나 한자어보다는 고유어로 이루어진 것들이 많다.
> ㉢ 일반인들이 이해하기 위해서는 의미를 풀어서 설명하는 과정이 필요하다.
> ㉣ 상대에게 친근감을 나타내기 위한 목적으로 사용하면 효과적이다.

① ㉠, ㉡ ② ㉠, ㉢ ③ ㉠, ㉣
④ ㉡, ㉢ ⑤ ㉡, ㉣

출제 예감 85% 서술형 논술 대비

19 다음 대화에 드러난 손자의 말하기의 문제점과 해결 방안을 〈조건〉에 맞게 서술하시오.

> 손자: 할아버지, 저 오늘 영희랑 피방 안 가고 열공했어요.
> 할아버지: 뭐라고? 어디서 뭘 했다고? 도통 무슨 말인지 모르겠구나.

조건

- 손자의 말에서 구체적인 단어를 예로 들어 문제점을 서술할 것
- 손자의 말하기의 문제점을 해결하기 위한 방법을 할아버지의 상황을 고려하여 서술할 것
- 50자 내외로 쓸 것(띄어쓰기 제외)

출제 예감 85%

20 〈보기〉의 설명에 해당하는 어휘를 포함한 문장이 아닌 것은?

보기

> 요즘 청소년들은 줄여 쓰지 않아도 되는 말들을 불필요하게 줄여서 쓰기 때문에 세대 간 대화를 어렵게 하기도 한다.

① 요즘은 먹방이 대세지.
② 이 샌드위치 정말 짱이다.
③ 이건 정말 나의 완소템이야.
④ 생파 때 원하는 생선 받았어?
⑤ 어제 쓴 글에 달린 베플 봤어?

출제 예감 80%

21 다음은 한 학생이 표준어와 방언에 대해 배운 내용을 정리한 것이다. ㉠~㉤ 중 적절하지 않은 것은?

> • 표준어의 개념
> 한 나라에서 공용어로 쓰는 규범으로서의 언어를 말함. ······ ㉠
> • 방언의 종류
> – 지역 방언: 역사적 요인에 따라 다른 형태로 나타남. ······ ㉡
> 예 경기도 방언, 제주도 방언 등 ······ ㉢
> – 사회 방언: 나이, 성별, 직업 등에 따라 다른 형태로 나타남. ······ ㉣
> 예 노인어, 청소년어 등 ······ ㉤

① ㉠ ② ㉡
③ ㉢ ④ ㉣
⑤ ㉤

사고력 확장 문제

출제 예감 75% 서술형 논술 대비

22 다음 대화를 통해 알 수 있는 은어 사용의 목적을 〈조건〉에 맞게 서술하시오.

> 손님: 가게 앞 진열장에 걸려 있는 검정 바지 얼마죠?
> 점원: 잠시만요. (안쪽에 있는 사장을 보며) 사장님, 이거 야리면 될까요?
> 사장: 원단 때문에 후리는 될 거야.
> 점원: 네. 알겠습니다. (다시 손님 쪽을 보며) 기다리시게 해서 죄송해요. 그 바지는 2만 원입니다.

조건

- 대화에서 은어의 예를 찾아서 근거로 쓸 것
- 2~3문장으로 쓸 것

2 배려하는 말하기

• 생각 열기 황희 정승의 일화를 통해 배려의 마음이 무엇인지 생각해 봅시다.

농부가 황희 정승에게 귓속말하는 까닭을 생각해 봅시다.

예시 답 소를 배려하는 마음에서 아무리 말 못 하는 짐승일지라도 함부로 대해서는 안 된다는 생각을 갖고 있었기 때문이다.

황희 정승의 일화에서 우리가 얻을 수 있는 교훈은 무엇인가요?

예시 답 상대를 배려하는 마음, 상대의 처지와 마음에 공감할 줄 아는 태도가 필요하다.

• 학습 목표로 내용 엿보기

"나는 평소에 상대를 배려하며 말하였을까? 내가 기분이 나쁘다고 친구들이나 가족들에게 심한 말을 했던 일이 생각나. 그 말을 들은 사람들은 기분이 나빴겠지? 나의 평소 말하기 습관을 돌아보고, 주변 사람들을 배려하며 말하도록 노력해야겠어."

핵심 1 언어 폭력의 문제점 인식하기

핵심 2 상대를 배려하며 말하는 태도 익히기

핵심 원리 이해하기 배려하는 말하기

1. 우리의 언어생활 돌아보기

습관적으로 비속어를 사용하고, 상대방을 비난하는 말을 하는 등 잘못된 언어생활을 한 적이 있었는지 돌아보고 인식하는 태도가 필요하다.

2. 상대를 배려하는 말하기

폭력적인 언어 표현의 문제점	• 상대방에게 회복하기 어려운 상처를 입힐 수 있다. • 폭력적이고 강압적인 성격을 갖게 될 수 있다. • 공동체 전반의 언어생활을 혼탁하게 만들 수 있다.
배려하며 말하는 방법	• 상대방이 처한 상황에 공감하며 말한다. • 상대의 감정을 배려하고 존중하는 태도를 보인다.

개념 확인 콕콕 • 정답과 해설 p.21

01 다음은 황희 정승의 일화에 대한 설명이다. 맞으면 ○, 틀리면 ×표 하시오.

(1) 황희 정승은 농부에게 어떤 소가 더 일을 잘하는지 물었다. ( )

(2) 농부는 자신의 말이 소를 서운하게 할 수 있다고 생각했다. ( )

02 다음은 황희 정승의 일화에서 우리가 얻을 수 있는 교훈이다. 빈칸에 들어갈 알맞은 말을 〈보기〉에서 골라 기호를 쓰시오.

보기
㉠ 배려 ㉡ 태도 ㉢ 공감 ㉣ 상황

어느 소가 일을 더 잘하냐는 황희 정승의 물음에 농부가 귓속말로 답하였다는 이 일화를 통해, 학생들은 말을 할 때 상대방을 ( )하고, 상대방이 처한 ( )에 ( )할 줄 아는 ( )을/를 가져야 한다는 것을 깨달을 수 있을 것이다.

03 다음 중 배려하는 말하기에 대한 설명으로 적절하지 않은 것은?

① 상대의 상황과 마음에 공감할 수 있도록 노력한다.
② 대화를 할 때 상대방의 처지를 고려하며 말을 해야 한다.
③ 배려하는 말하기를 통해 자신의 언어생활을 돌아볼 수도 있다.
④ 대화의 상대가 누군지에 따라 배려의 여부와 정도가 달라져야 한다.
⑤ 자신이 하는 말이 상대의 마음을 상하게 하는 것은 아닌지 생각해 보고 말을 해야 한다.

활동 미리보기

활동 안내

이 소단원은 상대를 존중하고 배려하는 언어생활의 중요성을 이해하고, 바람직한 의사소통 능력을 기르기 위한 단원이다. 이에 따라 청소년 언어 사용의 문제점을 스스로 인식하고 각자의 언어생활을 점검하고 반성할 수 있는 활동으로 구성되어 있다. 단순히 문제 상황을 인식하는 데 그치지 않고 상대를 배려하며 말을 하는 방법과 태도가 어떤 것인지 알고 연습해 보는 활동이 이루어지도록 한다. 이러한 활동을 통해 언어생활을 개선하기 위해 실제로 노력해 볼 수 있도록 한다.

활동 1

- 언어폭력의 문제점을 이해하고, 자신의 언어생활 돌아보기
- 바람직한 언어생활을 위한 방안 찾기

→

활동 2

준언어적 · 비언어적 표현 및 다양한 담화 요소를 고려하여 상대를 배려하며 말하기

활동 개관

★ **활동 1** 우리의 언어생활 돌아보기

비속어, 은어 사용이 일상화된 청소년들의 언어 사용 양상과 관련된 다큐멘터리를 통해 청소년들이 각자의 언어생활을 돌아보고, 일상생활 속에서 얼마나 많은 언어폭력을 행하고 있었는지 반성하며 바람직한 언어생활을 위한 방법을 모색해 보는 활동이다. 자음 두 개가 나열된 것을 보고 가장 먼저 비속어를 떠올리게 된 이유가 무엇인지 함께 생각해 보고, 폭력적인 언어를 습관적으로 사용하는 이유에 대해 생각해 본 후, 바람직한 언어생활을 실천하는 방법을 구체적으로 찾아보도록 한다.

'방송 영상'에 나타난 청소년들의 언어생활		
'ㅂㅅ'을 보고 대부분의 학생들이 '병×'을 떠올림.	→	비속어를 습관적으로 사용함.

★ **활동 2** 상대를 배려하는 말하기

청소년의 일상생활을 다룬 연극 대본을 바탕으로 청소년들의 폭력적인 언어 사용의 실태와 문제점을 알아본다. 상대를 비난하고 차별하는 말들이 어떤 부정적인 결과를 낳는지 생각해 보고, 더 나아가 문제가 있는 표현들을 상대를 배려하는 말로 바꾸어 변화의 효과에 대해서도 알아본다. 이러한 활동을 통해 올바른 언어생활을 해야 하는 이유와 목적에 대해 스스로 깨달을 수 있다.

'연극 대본'에 나타난 청소년 언어폭력의 유형		
비속어, 비아냥대는 말, 비난하는 말, 차별하는 말, 상대가 싫어하는 별명 등	→	상대를 배려하며 말하도록 노력해야 함.

배려하는 말하기

활동 1 우리의 언어생활 돌아보기

‖ 다음 방송을 보고, 우리의 언어생활을 돌아봅시다.

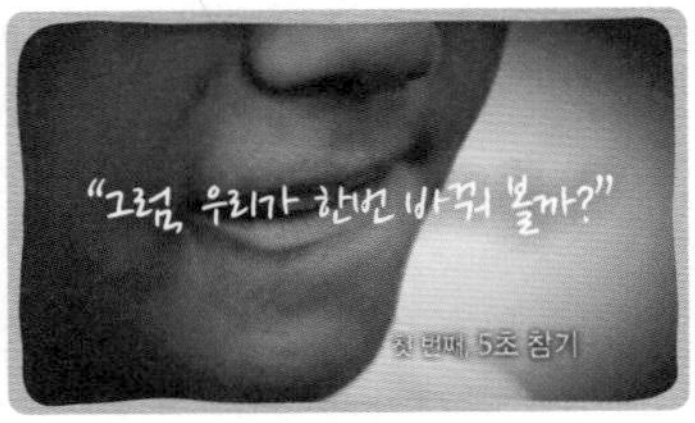

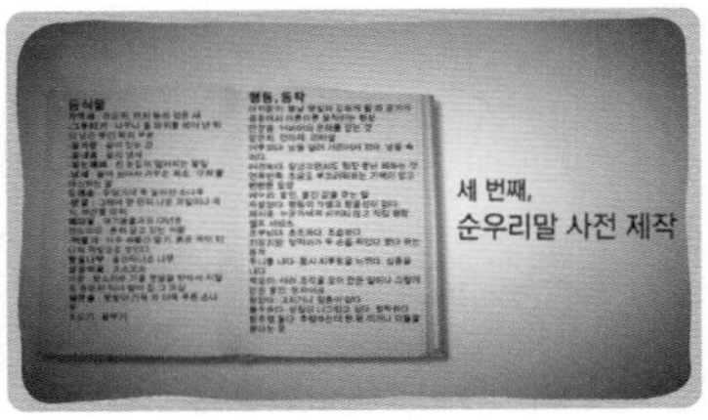

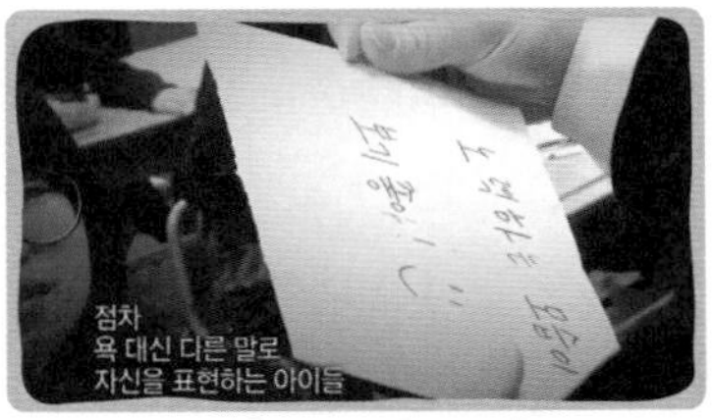

– 『인성채널e』(한국교육방송공사(EBS), 2014. 11. 20. 방송)

1. 영상 자료에서 학생들이 자신의 언어생활을 되돌아보게 된 계기가 무엇인지 찾아봅시다.

예시 답 'ㅂㅅ'을 초성으로 하는 두 음절의 단어가 매우 많은데도 어느 중학교 운동장에 'ㅂㅅ'이라는 글자가 적힌 팻말을 보고 학생들 대부분이 해당 자음을 초성으로 사용한 비속어를 제일 먼저 떠올린 것이 문제임을 인식하였기 때문이다.

• 확인 문제 •

• 정답과 해설 p.21

01 이 영상이 다루고 있는 문제 상황에 대한 설명으로 적절한 것은?

① 청소년 언어생활의 문제점
② 청소년의 습관적인 모호한 언어 표현
③ 유행만을 좇아 변화하는 청소년 언어의 문제점
④ 국어의 진정한 가치를 알지 못하는 청소년들의 증가
⑤ 고유어보다 외래어를 더 많이 사용하는 청소년 언어 실태

02 다음은 이 영상을 보고 한 학생이 쓴 글의 일부이다. 영상의 내용을 고려할 때 빈칸에 들어갈 말로 가장 적절한 것은?

> 우리는 왜 'ㅂㅅ'을 보고 비속어 '병×'을 떠올렸을까? 좀 더 생각해 보면 '버스'나 '보석' 같은 다른 단어들도 많은데……. 그것은 우리가 (   ) 때문이다.

① 깊이 생각하는 것을 싫어하기
② 상대방의 감정에 공감하지 못하기
③ 그러한 비속어를 너무 자주 사용하기
④ 말이 갖는 중요성에 대해 알지 못하기
⑤ 비속어의 정확한 의미를 이해하지 못하기

03 이 영상의 마지막 두 장면을 통해 알 수 있는 내용으로 적절한 것은?

① 함께 노력하면 바람직한 언어생활을 할 수 있다.
② 올바른 언어생활을 하기 위해서는 사전 제작이 필수적이다.
③ 청소년들의 노력만으로 순우리말 사전을 제작하는 일은 어렵다.
④ 비속어의 종류를 아는 것이 올바른 언어생활을 위한 시작이다.
⑤ 청소년들의 적극적인 참여가 순우리말 사전 제작 성공의 열쇠이다.

2. 영상 자료의 내용에 비추어 자신의 언어생활을 점검해 봅시다.

1 최근 일주일간 폭력적인 언어를 사용한 정도를 그래프에 표시해 봅시다.

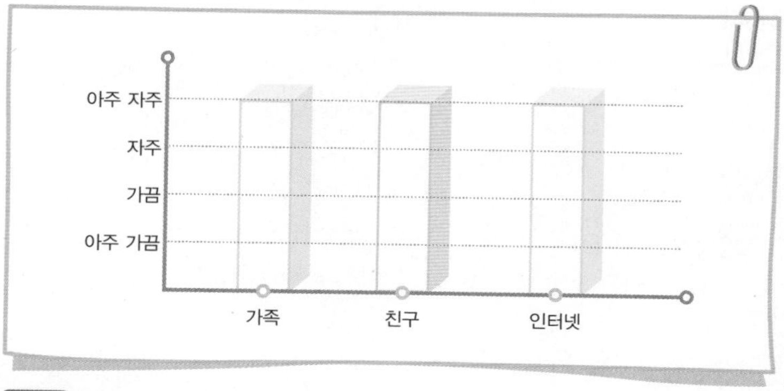

예시 답 생략

2 폭력적인 언어를 사용했다면 그 까닭이 무엇인지 말해 봅시다.

예시 답 • 습관이 되어서
• 다른 친구들도 많이 써서
• 다른 사람들보다 강해 보이고 싶어서
• 짜증, 분노 등의 감정을 표현하기 위해서

3. 바람직한 언어생활을 위한 자신만의 방법을 생각해 봅시다. 예시 답

나는 화가 나거나 짜증이 날 때 속으로 열을 세고 말해. 또 폭력적인 언어를 사용할 때 상처를 받을 상대의 마음도 먼저 생각해 보려고 노력해

.

핵심 정리 우리의 언어생활 돌아보기

1. 영상을 통해 알 수 있는 청소년 언어생활의 문제점

영상 속 학생들이 운동장에 설치된 'ㅂㅅ'이 적힌 팻말을 보고 제일 먼저 '병×'이라는 비속어를 떠올림.	→	많은 청소년이 습관적으로 비속어를 사용함.

2. 바람직한 언어생활을 하기 위한 방법
   - 화가 난 상황에서 말을 해야 한다면 잠시 참았다가 이야기한다.
   - 비속어를 순화된 말로 바꾸어 사용해 본다.
   - 폭력적인 언어 사용 시 상대방이 받게 될 마음의 상처를 생각해 본다.

04 **다음은 이 영상을 보고 난 후 학생들이 나눈 대화이다. 영상의 내용을 고려할 때 적절하지 <u>않은</u> 말을 한 학생은?**

> 정윤: 영상을 보고 나니, 나의 언어생활을 돌아보게 되네.
> 혜정: 맞아. 나도 'ㅂㅅ'을 보고 비속어가 가장 먼저 떠올랐는데, 많은 아이들이 그랬다는 게 정말 놀라웠어.
> 수연: 응. 좀 부끄럽기도 했고 말이야.
> 희경: 그런데 비속어를 자주 사용하는 청소년들이 보면 새로운 비속어를 알고 싶은 마음이 생길 수 있다는 점에서 문제가 좀 있어.
> 준우: 우리 같은 청소년들에게는 각자의 언어생활을 돌아보는 계기가 될 것 같아.

① 정윤 ② 혜정 ③ 수연
④ 희경 ⑤ 준우

05 **다음은 한 학생의 고민과 그것을 해결하는 방법을 제시한 댓글이다. 댓글의 내용을 고려할 때 빈칸에 들어갈 내용으로 적절한 것은?**

> 저는 (   ).
> 저의 이런 나쁜 습관을 꼭 고치고 싶어요. 어떻게 하면 좋을까요?
>
> ↳ 속으로 열을 세고 말해 보세요. 또 폭력적인 언어를 사용할 때 상처를 받을 상대의 마음도 먼저 생각해 보려고 노력하면 훨씬 좋아질 거예요.

① 눈치가 없어서 상황에 맞지 않는 말을 자꾸 하게 됩니다.
② 화가 나거나 속이 상하면 심한 말을 함부로 하게 됩니다.
③ 상대방의 말을 경청하기보다는 제 말을 더 많이 합니다.
④ 친구에게 상처 주는 말을 하고 나서 사과하는 것이 너무나 어렵습니다.
⑤ 말을 할 때나 글을 쓸 때, 지나치게 많은 한자어와 외래어를 사용합니다.

활동 ② 상대를 배려하는 말하기

다음은 청소년의 일상생활을 다룬 연극 대본 「그래 우린 친구야」의 일부입니다. 글을 읽고, 언어폭력의 문제점을 생각해 봅시다.

새 학년 새 학기를 맞이하는 교실이다.
같은 반이 된 아이들이 서로 반가워하며 교실로 들어선다.

지연 아, 개학 첫날인데, 어째 벌써 여름 방학이 그리워지는 것 같냐?

지혜 방학 얘기 꺼내지 마라, 난 방학이 더 지옥 같다.

지연 그것이 뭔 소리야?

영지 지혜는 방학 때면 늘 피아노 배우느라 바쁘잖아.

지혜 피아노 하나면 괜찮게……. 세계화 시대 준비하라고 영어 회화 학원 가라지, 방학 때면 어김없이 날 찾아오시는 우리 사촌 오라버니 수학 과외 받아야지, 그리고 몸매도 경쟁인지라 요가 학원도 다녀야지, 거기에 학교 보충 수업까지 하면, 어휴 하루 꼬박 14시간의 내 청춘이 죽어 간다 이 말씀이야…….

지연 ㉠ 저것이 뚫린 주둥이라고 아주 행복에 겨운 소리 하고 있네. 누구는 하고 싶어도 못 하고 배우고 싶어도 못 배우는데…….

민진 우리 그러지 말고 지혜 피아노 실력 한번 감상하는 거 어때?

지연 좋지.

지혜 너희……, 몇 년 후면 돈 내고 감상해야 하는 거 알지? 하지만 너희가 원한다면 뭐 이것쯤이야. (피아노 옆으로 이동, 음악에 맞추어 피아노 연주하는 연기.)

영지 와, 제법인데!

민진 지연이는 무용가가 되는 게 꿈이잖아. 지연아, 춤 솜씨 좀 보여 줘. (바로 음악이 나오고 지연의 현란한 몸짓이 시작된다. 몸짓이 끝나면 민진의 바이올린 연주가 시작되고, 이때 예림과 미혜가 등장하여 아이들의 장기 자랑을 지켜보다가 자리로 가서 앉는다.) 와, 진짜 대단하다. (이때 예림을 발견하고) ㉡ 야, 나가수! 너 요즘 노래 배운다는 소문이 있던데 사실이냐?

미혜 (벌떡 일어나며) 그렇게 부르지 마라니까!

06 이 대본에 대한 설명으로 가장 적절한 것은?

① 다양한 비유적 표현이 드러나 있다.
② 선생님과 학생들 사이의 갈등이 자세히 드러나 있다.
③ 남학생과 여학생의 말이 어떤 차이를 보이는지 나타나 있다.
④ 청소년들의 일상생활 속 대화를 구체적으로 보여 주고 있다.
⑤ 청소년들이 꿈을 이루어 가는 과정이 감동적으로 제시되어 있다.

07 ㉠의 문제점으로 적절한 것은?

① 비속어를 사용하였다.
② 앞뒤가 맞지 않는 말을 하고 있다.
③ 확인되지 않은 사실을 이야기하고 있다.
④ 친구가 이해할 수 없는 말을 사용하였다.
⑤ 듣는 사람이 누구인지 정확히 밝히지 않고 말을 하고 있다.

서술형

08 다음은 ㉡의 문제점을 지적한 내용이다. 빈칸에 공통적으로 들어갈 적절한 말을 쓰시오.

> 민진은 예림을 이름으로 부르지 않고 (　　　)(으)로 부르고 있는데, 상대가 싫어하는 (　　　)(으)로 부르는 것도 언어폭력이라 할 수 있다.

09 미혜의 반응으로 보아 알 수 있는 사실로 적절한 것은?

① 미혜는 민진을 어려워한다.
② 미혜는 민진의 진심이 무엇인지 잘 알고 있다.
③ 미혜는 예림이 '나가수'로 불리는 것을 싫어함을 알고 있다.
④ 미혜와 예림은 민진과의 관계 회복을 위해 노력하고 있다.
⑤ 미혜는 예림이 노래를 잘 부른다는 것을 알리고 싶어 하지 않는다.

예림 (약간 어색하면서도 겁먹은 표정으로) 어…….

영지 (비아냥거리며) 꿀 먹은 벙어리라도 되었니? 한번 보여 줘 봐.

예림 배운 지 얼마 안 됐어…….

영지 ㉠(비아냥거리며) 야, 노래는 아무나 하는 건 줄 알아?

예림 (벌떡 일어서며) 난 나중에 가수가 되는 게 꿈이야. 무시하지 마.

영지 그러니까 보여 달라고……. 넌 노래를 말로 하냐? (모두 비웃음.)

예림 하면 되잖아. (음악 나온다. 자신 없이 웅얼거린다.)

비웃음과 야유. 그리고 무시하는 말소리. 하하, 깔깔거린다.

미혜 (자리에서 일어나 예림에게 다가가며) 너희 정말!

예림 (화가 나는데 어찌할 방법이 없고, 창피해하며 뛰어나간다. 미혜도 친구들을 못마땅하게 바라보다 예림을 부르며 뒤따라 나간다.)

이때 홍찬이 등장한다.

모두 (반갑게 맞으며) 홍찬아.

홍찬 ㉡야, 너희 너무하는 거 아냐?

모두 움찔한다.

지연 우리가 뭘…….

민진 (큰 소리로) 야, 온다, 온다.

모두 자기 소지품을 챙겨서 자기 자리로 가서 앉는다.
이때, 담임 선생님이 들어온다. 뒤따라 미혜가 힘없이 들어온다.

담임 선생님 자자, 조용히 하고. 근데 저기 빈자리는 누구 자리지? 아직 안 온 사람 있나?

모두 빈자리를 바라보며 아무 대답 없이 별로 관심이 없다는 표정이다.

지연 글쎄요.

홍찬 (잠시 생각하다가 뛰어나간다.)

－『우리 '연극' 해요 ②』(작은숲, 2016)

10 ㉠이 갖는 문제점을 지적한 내용으로 가장 적절한 것은?

① 진심과 다른 말을 하고 있다.
② 상대방의 실력을 무시하며 말하고 있다.
③ 대화의 목적에 맞지 않는 말을 하고 있다.
④ 소문만 듣고 친구에게 함부로 말하고 있다.
⑤ 같은 말을 여러 번 반복해서 상대방을 힘들게 하고 있다.

11 ㉡에 담긴 의미로 적절한 것은?

① "너희, 예림에게 너무 심하게 말하는 거 아니니?"
② "너희 중에 예림보다 더 노래 잘하는 사람 있어?"
③ "예림이 우리와 생각이 다른 게 크게 잘못이니?"
④ "너희도 예림의 말을 좀 들어 주어야 하지 않을까?"
⑤ "친구의 실력을 너희가 어떻게 평가할 수 있겠니?"

12 다음 대화 상황에 대한 설명으로 적절하지 <u>않은</u> 것은?

> 기우: 오, '춤신춤왕' 오셨어?
> 정혁: 그렇게 부르지 말라고 몇 번 얘기했어?
> 기우: 김정혁, 우리 사이에 뭘 그래. 춤을 잘 추니까 '춤신춤왕' 맞잖아.
> 정혁: 진짜 짜증 나. 그만해!

① 기우는 친구를 별명으로 부르고 있다.
② 정혁은 기우의 말에 기분 나빠 하고 있다.
③ 정혁은 별명으로 불리는 것을 좋아하지 않는다.
④ 기우도 정혁이 왜 그런 반응을 보이는지 이해하고 있다.
⑤ 아무리 친한 사이라도 상대가 싫어하는 별명은 부르지 않는 것이 좋다.

1. 다음 언어폭력의 유형을 참고하여 예림에게 상처가 되었을 말을 대본에서 찾아봅시다.

비속어 / 비아냥대는 말 / 비난하는 말 / 차별하는 말 / 상대가 싫어하는 별명

예시 답 • 비속어: '주둥이'
• 비아냥대는 말: "꿀 먹은 벙어리라도 되었니?", "야, 노래는 아무나 하는 건 줄 알아?"
• 비난하는 말: "넌 노래를 말로 하냐?"
• 차별하는 말: '벙어리'
• 상대가 싫어하는 별명: '나가수'

2. 1에서 찾은 말들이 아래 대상에 미치는 부정적 영향을 생각해 봅시다.

대상	부정적 영향
(언어폭력을 당한) 예림	• 자존감이 무너진다. • 회복하기 어려운 정신적 상처를 입는다. • 인간관계 형성에 두려움을 갖게 된다.
(언어폭력을 가한) 학급 친구들	• 인간관계를 해치는 사람이 된다. • 폭력적이며 강압적인 성격을 갖게 된다. • 사회적으로 좋지 않은 평가를 받게 된다.
학급 전체 혹은 사회 전반	• 언어폭력의 확산으로 사회 전반의 언어생활이 혼탁해진다. • 공동체의 결속력이 약해진다. • 원활한 의사소통이 어려워진다.

3. 상대를 배려하는 말하기 방법을 구체적으로 생각해 봅시다.

1 다음 지연의 대사를 상대의 처지를 이해하고 공감하는 말로 바꾸어 봅시다.

지연: 저것이 뚫린 주둥이라고 아주 행복에 겨운 소리 하고 있네. 누구는 하고 싶어도 못 하고 배우고 싶어도 못 배우는데…….

↓

지연: 예시 답 그러게, 정말 힘들겠다.

13 다음은 대본 속 영지가 자신의 말을 반성하며 쓴 글이다. 빈칸에 들어갈 말로 적절하지 않은 것은?

> 아까 교실에서 친구들과 대화할 때, 내가 예림에게 "넌 노래를 말로 하냐?"라고 말했는데, 이 말은 예림을 비난하는 말이었던 것 같다.
> 이 말로 (   ), 내가 너무 경솔하게 표현한 것 같아서 정말 부끄럽다.

① 예림의 기분이 상할 수도 있었는데
② 친구들과의 약속을 어기게 되는 건데
③ 예림의 자존감이 무너질 수도 있었는데
④ 나 스스로 인간관계를 해치는 사람이 되는 건데
⑤ 예림이 나에 대해 안 좋게 생각할 수도 있는 건데

[14~15] 다음을 읽고 물음에 답하시오.

(가) 지연: 저것이 뚫린 주둥이라고 아주 행복에 겨운 소리 하고 있네. 누구는 하고 싶어도 못 하고 배우고 싶어도 못 배우는데…….

↓

(나) 지연: 그러게, 정말 힘들겠다.

14 다음은 (가)의 지연에게 해 줄 수 있는 충고의 말이다. 빈칸에 들어갈 말로 적절한 것은?

> 지연아, 비속어를 사용하는 습관은 고치는 게 좋을 것 같아. (   ) 말하려고 연습해 보면 나쁜 말하기 습관을 고치는 데 도움이 될 거야.

① 고유어를 많이 사용해서
② 대화의 주제를 명확히 전달하며
③ 상대의 처지를 이해하고 공감하며
④ 상대방이 무슨 말을 할지 생각하며
⑤ 상대가 듣고 싶은 말이 무엇인지 먼저 물어보고

2 영지의 대사를 상대를 존중하고 배려하는 말로 바꾸었을 때, 표정과 몸짓, 말투가 어떻게 달라질지 써 봅시다.

	가	나
표정과 몸짓	못마땅한 표정과 무시하는 몸짓	온화한 표정과 기대하는 몸짓
말투	비아냥거리는 말투	다정한 말투

4. 다음 사항을 고려하여 바람직한 언어생활이 되도록 연극 대본을 바꾸어 봅시다.

- 부정적인 언어 표현을 사용하지 않습니다.
- 상대의 처지를 이해하고 공감하는 태도로 듣고 말합니다.
- 상대를 존중하고 배려하는 태도를 보입니다.
- 말투와 표정, 몸짓의 중요성을 고려하며 말합니다.

예시 답 생략

5. 모둠별로 실제 연극을 해 보려고 합니다. 〈조건〉에 맞추어 연극을 해 봅시다.

조건
- 모둠별로 각자 배역을 맡습니다.
- 원래 연극의 대본으로 연극을 해 봅니다.
- 배역을 그대로 유지한 채 **4**에서 바꾼 연극 대본으로 연극을 해 봅니다.

1 각 인물의 처지에서 원래 연극 대본과 바꾼 연극 대본으로 각각 연기하였을 때의 기분을 말해 봅시다.

예시 답 예림의 역할을 맡아 연극을 직접 해 보니 언어폭력이 얼마나 무서운 것인지 알 수 있었다. 바꾸기 전 대본으로 연극을 할 때는 마치 내가 언어폭력을 당하고 있는 것처럼 내내 가슴이 두근거렸다. 바꾼 대본으로 연극을 할 때는 친구들에게 이해 받는 느낌이 들었다.

2 이를 통해 알 수 있는 배려하며 말하기의 중요성을 말해 봅시다.

예시 답 배려하는 말하기는 상대를 존중하고 이해하는 것을 바탕에 두고 있기에 화합과 통합의 사회를 만들기 위해서는 배려하는 말하기가 필수적이다.

15 나는 가에 드러난 문제점을 해소하여 다시 쓴 것이다. 나의 의도를 고려하여 빈칸의 내용을 다음과 같이 완성했다고 할 때, 적절하지 않은 것은?

① 방학인데도 제대로 놀 수가 없다고 생각하니 너무 안쓰러워. ② 하지만 배운다는 건 좋은 일이야. 그래서 난 네가 좀 부럽기도 한걸. ③ 조금 힘들더라도 미래를 생각하면 최선을 다하는 게 맞는 것 같아. ④ 방학은 학기 중에 할 수 없는 다양한 공부를 할 수 있는 시간이긴 하잖아. ⑤ 그리고 덕분에 피아노를 나보다 못 치던 네가 그렇게 개구리 올챙이 적 생각 못 하고 잘난 체도 할 수 있는 거고 말이야.

16 다음의 말들이 갖는 문제점에 대한 설명으로 적절하지 않은 것은?

- 너 같은 애가 뭘 할 수 있겠어?
- 넌 그냥 가만히 있는 게 도와주는 거야.
- 생긴 것처럼 바보같이 행동하는 거니?

① 부정적인 언어 표현이다.
② 참신하지 못한 언어 표현이다.
③ 상대방의 기분을 상하게 하는 말이다.
④ 상대방을 배려하여 고쳐 써야 할 말이다.
⑤ 존중하는 마음이 담겨 있지 않은 말이다.

17 다음은 바람직한 언어생활을 위한 실천 방안이다. 제시된 항목 중 적절하지 않은 것은?

바람직한 언어생활을 위한
우리의 약속

① 비속어를 사용하지 않는다.
② 상대방을 존중하고 배려하는 태도를 보인다.
③ 말하기 전에 상대방의 감정을 먼저 생각해 본다.
④ 재미있는 별명을 시시때때로 사용해 친근한 분위기를 만든다.
⑤ 내가 생각 없이 하는 말이 공동체의 수준을 결정한다는 것을 기억한다.

창의·융합 활동

다음 그림을 보고, 상대를 배려하는 말을 생각해 봅시다.

혼자 하기

1. 자신이 듣고 싶은 배려의 말에는 어떤 것들이 있는지 써 봅시다. 예시 답

친구에게 듣고 싶은 배려의 말	가족에게 듣고 싶은 배려의 말	(동생)에게 듣고 싶은 배려의 말
"괜찮아.", "잘했어", "애썼어.", "넌 예뻐."	"사랑하는 우리 딸.", "사랑하는 우리 아들."	"고마워.", "미안해."

혼자 하기

2. 1에서 정리한 내용을 바탕으로 아래의 활동을 해 봅시다.

1 자신이 가장 듣고 싶은 배려의 말을 하나 고르고, 그 까닭을 설명해 봅시다.

예시 답 "괜찮아." – 내가 열심히 노력했다는 것을 알아주는 말 같기도 하고, 앞으로 좋은 일만 일어날 것이라는 주문이 되는 것 같기도 해서.

2 1에서 고른 배려의 말이 들어간 그림을 그려 봅시다.

예시 답 생략

수행 평가 대비 활동

| 수행 평가 TIP | 이 수행 평가 활동을 위해서는 이 단원에서 한 활동을 통해 배운, 상대를 배려하는 말하기를 위한 바람직한 태도를 파악해야 합니다. 이를 바탕으로 실제 언어생활에서 사용되는 말들 중 배려의 말을 골라 보도록 합니다. 나아가 내가 듣고 싶은 배려의 말이 곧 친구들이 듣고 싶어 하는 말이기도 하다는 것을 알고 배려하는 말하기를 일상생활에서 실천하도록 합니다.

1 평가 내용 확인하기

- 자신이 듣고 싶은 배려의 말 생각하기
- 배려의 말이 들어간 그림 그리기

2 평가 기준 확인하기

- 다양한 상황에서 하는 배려의 말을 잘 이해하고 있는가?
  좋은 말이라고 모두 배려의 말은 아닙니다. 담화의 상황을 이해하고, 그 상황에 알맞은 배려의 말을 하는 것이 중요합니다.
- 언어폭력의 문제점을 알고 자신의 언어생활을 되돌아보았는가?
  습관적으로 내뱉는 폭력적인 언어에 어떤 문제가 있는지 알아보고, 각자의 언어생활을 반성해 봅시다.
- 배려의 의도가 잘 드러나게 한 컷 그림으로 표현하였는가?
  상대방에 대한 배려와 존중의 의도가 잘 드러나도록 그림을 구성해 봅시다.

수행 평가 +

- 학급 친구들이 자주 사용하는 배려의 말과 자주 쓰는 이유를 조사해 봅시다.

도와줄게 간단한 물음 2~3개로 친구들이 자주 사용하는 배려의 말과 자주 쓰는 이유를 조사해 봅시다.

자주 사용하는 배려의 말	이유
네가 최고야.	나도 들으면 기분 좋은 말이라서
네가 먼저 해.	상대에게 먼저 우선권을 주면 갈등이 덜 생기는 것 같아서

핵심 콕 마무리

핵심 원리

우리의 언어생활 돌아보기

• (❶), 은어 등의 사용이 일상화됨.
• 상대방의 기분을 상하게 하는 폭력적인 언어를 사용함.

상대를 배려하는 말하기

• (❷)의 문제점: 대화 상대방뿐 아니라 자기 자신이나 사회 전체에도 부정적인 영향을 끼치게 됨.
• 바람직한 언어생활: 긍정적이고 예의바른 말을 사용하고, 표정이나 몸짓, 태도 등에 상대방에 대한 (❸)와 존중을 담도록 해야 함.

핵심 내용

(1) 우리의 언어생활 돌아보기

• 영상 자료에 나타난 청소년들의 언어생활

문제점: 'ㅂㅅ'을 보고 대부분의 학생들이 '병×'을 떠올릴 정도로 비속어와 욕설을 자주 사용함.

해결 방안	
5초 참기	말하기 전 5초 정도 생각해 보고 습관적으로 내뱉는 폭력적인 말 대신 상대를 배려하는 말을 할 수 있도록 한다.
(❹) 만들기	평소에 사용하는 폭력적인 말을 아름다운 말로 바꾸어 본다.
순우리말 사전 제작하기	잘 사용하지 않고 묻혀 있는 우리말에 대한 관심을 환기하기 위하여 순우리말 사전을 제작한다.

(2) 상대를 배려하는 말하기

❶ 「그래 우리 친구야」에 나타난 언어폭력의 유형

비속어	주둥이
비아냥대는 말	• "꿀 먹은 벙어리라도 되었니?" • "야, 노래는 아무나 하는 건 줄 알아?"
비난하는 말	"넌 노래를 말로 하냐?"
차별하는 말	'벙어리'
상대가 싫어하는 (❺)	'나가수'

❷ 언어폭력의 문제점

언어폭력을 당하는 사람	• 자존감이 무너진다. • 회복하기 어려운 (❻) 상처를 입는다. • 인간관계를 맺는 데 두려움을 갖게 된다.
언어폭력을 가하는 사람	• 인간관계를 해치는 사람이 된다. • 폭력적이고 강압적인 성격을 갖게 된다. • 사회적으로 좋지 않은 평가를 받게 된다.
사회 전반	• 언어폭력의 확산으로 사회 전반의 언어생활이 혼탁해진다. • 공동체의 결속력이 약해진다. • 원활한 (❼)이 어려워진다.

❸ 상대방을 배려하며 말하는 방법

• 부정적인 언어 표현을 사용하지 않는다.
• 상대방의 처지를 이해하고 공감하는 태도로 말한다.
• 상대를 (❽)하고 배려하는 태도를 보인다.
• 말투와 표정, 몸짓의 중요성을 고려하여 말한다.

❹ 「그래 우리 친구야」에 나타난 대사를 배려하는 말로 바꾸기

원래 대사		배려하는 말
저것이 뚫린 주둥이라고 아주 행복에 겨운 소리하고 있네.	→	그러게, 정말 힘들겠다.
야, 나가수! 너 요즘 노래 배운다는 소문이 있던데 사실이냐?	→	예림아, 너 요즘 노래 배운다는 소문이 있던데 사실이니?
(비아냥거리며) 꿀 먹은 벙어리라도 되었니? 한번 보여 줘 봐.	→	(감탄하며) 와, 멋지다! 한번 보여 줘. 궁금해.
(비아냥거리며) 야, 노래는 아무나 하는 건 줄 알아?	→	(다정한 말투로) 그래? 얼마 안 됐으면 보여 주긴 민망할 수도 있겠다.
그러니까 보여 달라고……. 넌 노래를 말로 하냐?	→	한번 보고 싶어. 노래 한번 불러 줄 수 있겠어?

정답 ❶ 비속어 ❷ 언어폭력 ❸ 배려 ❹ 순화어 ❺ 별명 ❻ 정신적 ❼ 의사소통 ❽ 존중

소단원 핵심 문제

• 정답과 해설 p.23

[01~03] 다음 영상을 보고 물음에 답하시오.

출제 예감 85%

01 이 영상에 드러난 청소년 언어 사용의 문제점으로 적절한 것은?

① 준말을 많이 사용한다.
② 비속어를 일상적으로 사용한다.
③ 단어의 의미를 궁금해하지 않는다.
④ 뜻을 알 수 없는 외래어를 자주 사용한다.
⑤ 어른들이 모르는 은어를 습관적으로 쓴다.

출제 예감 80%

02 ㉠의 학생들의 말에 담긴 의도를 설명한 내용으로 적절한 것은?

① 우리의 언어생활을 반성하며 돌아보자.
② 상황에 어울리는 다양한 말을 찾아서 쓰자.
③ 비속어도 뜻을 바로 알고 쓰는 것이 좋겠다.
④ 다른 나라 말로 오염된 우리말을 바르게 고쳐 보자.
⑤ 일상생활에서 자주 사용하는 말의 의미를 우리는 얼마나 알고 있을까?

출제 예감 90%

03 다음은 이 영상을 보고 난 후 한 학생이 쓴 글이다. 글의 내용을 고려할 때 빈칸에 들어갈 제목으로 적절한 것은?

> 제목: (   )
> 하나. 나는 화가 나거나 짜증이 날 때 열을 세고 말하겠다.
> 둘. 말을 하기 전에 상대의 마음을 먼저 생각해 보겠다.

① 선생님의 인정을 받기 위한 나의 계획
② 바람직한 언어생활을 하자는 나와의 약속
③ 말 대신 행동으로 진심을 전하기 위한 약속
④ 자신감 있는 태도를 기르기 위한 나의 계획
⑤ 나를 미워하는 사람을 사랑할 수 있는 방법

사고력 확장 문제

출제 예감 75% 서술형 논술 대비

04 다음은 지수가 학급 친구들 30명을 대상으로 실시한 설문 조사 결과이다. 이를 토대로 하여 아래의 글을 썼다고 할 때 빈칸에 들어갈 적절한 말을 순서대로 쓰시오.

(1) 최근 일주일간 폭력적인 언어를 얼마나 사용했나요?

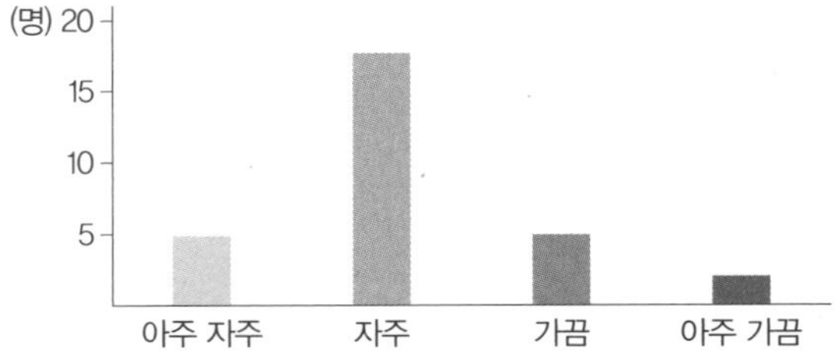

(2) 폭력적인 언어를 사용했다면 그 까닭은 무엇입니까?

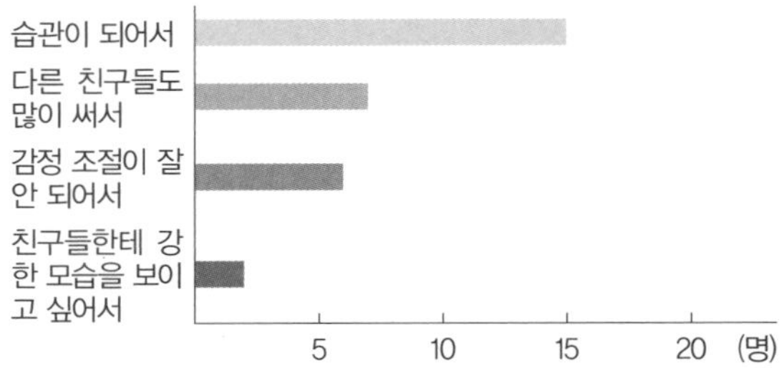

> 설문 조사 결과 지수네 반 학생들 중 절반이 넘는 학생들이 폭력적인 언어를 자주 사용하는 것으로 드러났다. 폭력적인 언어를 사용하는 가장 큰 이유로는 (   ) 라고 답했는데, 이러한 결과로 보아 지수네 반 학생들의 폭력적인 언어 사용을 줄이기 위해서는 (   ) 을/를 고쳐야 한다.

[05~07] 다음 글을 읽고 물음에 답하시오.

가 지혜 피아노 하나면 괜찮게……. 세계화 시대 준비하라고 영어 회화 학원 가라지, 방학 때면 어김없이 날 찾아오시는 우리 사촌 오라버니 수학 과외 받아야지, 그리고 몸매도 경쟁인지라 요가 학원도 다녀야지, 거기에 학교 보충 수업까지 하면, 어휴 하루 꼬박 14시간의 내 청춘이 죽어 간다 이 말씀이야…….

지연 ㉠ 저것이 뚫린 주둥이라고 아주 행복에 겨운 소리 하고 있네. 누구는 하고 싶어도 못 하고 배우고 싶어도 못 배우는데…….

민진 우리 그러지 말고 지혜 피아노 실력 한번 감상하는 거 어때?

나 민진 지연이는 무용가가 되는 게 꿈이잖아. 지연아, 춤 솜씨 좀 보여 줘. (바로 음악이 나오고 지연의 현란한 몸짓이 시작된다. 몸짓이 끝나면 민진의 바이올린 연주가 시작되고, 이때 예림과 미혜가 등장하여 아이들의 장기 자랑을 지켜보다가 자리로 가서 앉는다.) 와, 진짜 대단하다. (이때 예림을 발견하고) ㉡ 야, 나가수! 너 요즘 노래 배운다는 소문이 있던데 사실이냐?

미혜 (벌떡 일어나며) ㉢ 그렇게 부르지 마라니까!

예림 (약간 어색하면서도 겁먹은 표정으로) 어…….

영지 (비아냥거리며) ㉣ 꿀 먹은 벙어리라도 되었니? 한번 보여 줘 봐.

예림 배운 지 얼마 안 됐어…….

영지 (비아냥거리며) ㉤ 야, 노래는 아무나 하는 건 줄 알아?

예림 (벌떡 일어서며) 난 나중에 가수가 되는 게 꿈이야. 무시하지 마.

영지 ㉮ 그러니까 보여 달라고……. 넌 노래를 말로 하냐? (모두 비웃음.)

예림 하면 되잖아. (음악 나온다. 자신 없이 웅얼거린다.)

비웃음과 야유. 그리고 무시하는 말소리. 하하, 깔깔거린다.

출제 예감 90%

05 ㉠~㉤에 대한 설명으로 적절하지 않은 것은?

① ㉠처럼 비속어를 사용하는 것은 언어폭력에 해당한다.
② ㉡처럼 별명으로 부르는 것은 친근감의 표현이 될 수는 있으나 상대방이 싫어하면 사용하지 말아야 한다.
③ ㉢은 상대방의 기분을 무시한 말이므로 언어폭력에 해당한다.
④ ㉣은 차별하는 말을 포함하여 비아냥거리는 말이므로 적절한 말로 바꾸는 것이 좋다.
⑤ ㉤은 상대방의 실력을 무시하고 비아냥거리는 의미를 담고 있다.

출제 예감 85%

06 다음은 이 글에 등장하는 친구들에게 해 줄 수 있는 충고의 말이다. 빈칸에 들어갈 말로 가장 적절한 것은?

"언어폭력은 듣는 상대방에게 지우기 힘든 상처를 줄 뿐만 아니라 말을 하는 자신도 해치게 돼. 폭력적인 말을 함으로써 성격이 폭력적으로 변할 수도 있고, 좋지 않은 사람이라는 인상을 남기게 되어 긍정적으로 인간관계를 맺기 어려워져. 그러니까 (   ) 것은, 너와 나 그리고 모두를 위해 반드시 필요해."

① 인간관계 회복을 위해 애쓰는
② 좋은 성격을 형성하는 방법을 익히는
③ 상대방이 하는 말의 의도를 파악하는
④ 친구의 마음속 상처를 어루만져 주는
⑤ 상대방을 배려하며 말을 하려고 노력하는

출제 예감 70% 서술형

07 다음은 ㉮를 예림의 심정과 상황을 고려한 말로 바꾸기 위해 작성한 메모이다. 빈칸에 들어갈 알맞은 말을 쓰시오.

예림의 심정과 상황을 고려한 말로 바꾸려면 대사뿐 아니라 표정이나 말투도 바꾸어야 함.

표정	( ) 표정
말투	( ) 말투
대사	예림아, ( )

단원+단원

활동 순서 모둠별로 우리말 사랑 홍보 활동을 위한 계획 세우기 ➔ 역할을 나누어 우리말 사랑 홍보 활동 하기 ➔ 모둠원들끼리 활동 평가하기

다음은 우리말 사랑 홍보 활동의 예시입니다. 다음 내용을 참고하여 홍보 활동을 해 봅시다.

• 우리말 사랑 홍보 활동

홍보 주제	바르고 고운 말을 쓰자.
홍보 내용	바람직한 사회 문화 형성을 위해 바르고 고운 말을 쓰자.
홍보 방법	뮤직비디오 영상을 제작해서 학교 안에서는 방송으로, 학교 밖에서는 누리소통망을 활용해 홍보한다.
준비물	악보, 동영상 제작 프로그램, 음악 파일

바른 말 고운 말

바른 말 고운 말 모두가 함께해요.
바른 말 고운 말 우리의 얼굴이죠.

바른 말 고운 말 모두가 함께하면
바른 말 고운 말 행복의 시작이죠.

우울했었던 기억들도
아름다운 말과 함께라면

행복했었던 기억들로
바꿔 나갈 수 있어요.

활동 길잡이
우리말 사랑 홍보 활동을 하기 위해 홍보의 주제와 내용, 방법 등을 정해 보고, 홍보의 효과를 높이는 데 필요한 준비물도 모둠원들끼리 토의하여 마련해 본다.

1 모둠별로 우리말 사랑 홍보 활동을 하기 위한 계획을 세워 봅시다.

우리말 사랑 홍보 활동

홍보 주제	☑고유어를 살려 쓰자. □외래어의 사용을 줄이자. □비속어를 사용하지 말자. □언어폭력의 문제점을 알자. □상대를 배려하는 말을 하자. □바르고 고운 말을 쓰자.		
홍보 내용	사라져 가는 고유어, 얼마나 알고 있나요?		
홍보 방법	대상	☑우리 학교 학생 □불특정 다수	□우리 동네
	장소	☑학교 안	□학교 밖
	자료	☑포스터 □노래 □동영상	□표어 □만화 □기타( )
	매체	☑인쇄물 □인터넷 게시판	□문자 메시지 □기타( )
준비물	고유어 목록, 두꺼운 도화지, 사인펜 등		

활동 길잡이
홍보 활동 계획표에 따라 모둠원들끼리 역할을 나누어 보고, 실제 홍보 활동을 해 보며 언어 개선의 필요성을 인식해 보도록 한다.

2 역할을 분담하여 우리말 사랑 홍보 활동을 해 봅시다.

예시 답 생략

활동 길잡이
제시된 평가 항목에 따라 모둠원들이 효과적으로 홍보 활동을 수행했는지 평가해 본다.

3 모둠원들끼리 우리말 사랑 홍보 활동을 평가해 봅시다.

예시 답 생략

평가 항목	평가
❶ 홍보 활동 내용을 잘 선정하였는가?	☆☆☆☆☆
❷ 홍보 활동 내용을 짜임새 있게 구성하였는가?	☆☆☆☆☆
❸ 홍보 활동 내용을 인상 깊게 표현하였는가?	☆☆☆☆☆
❹ 홍보 목적에 맞는 매체를 적절히 사용하였는가?	☆☆☆☆☆

대단원 확인 문제

• 정답과 해설 p.23

01 다음 중 어휘에 대한 설명으로 적절하지 않은 것은?

① 공통성이 있는 것끼리 묶은 단어들의 집합이다.
② 우리말 어휘는 고유어, 한자어, 외래어로 분류된다.
③ 본디부터 우리나라에 존재했던 어휘를 고유어라고 한다.
④ 외래어는 한자어보다 오래전부터 우리말 어휘의 일부였다.
⑤ 한자어는 중국의 한자를 기반으로 하여 만들어진 단어로 우리말 어휘에 속한다.

02 다음 표와 같이 어휘를 나누어 정리한다고 할 때, ㉠에 들어갈 단어로 적절하지 않은 것은?

고유어	한자어
나무, 아들, 아버지	㉠

① 수풀　② 안경　③ 공원
④ 수건　⑤ 운동화

서술형

03 〈보기〉를 보고 고유어의 특성을 아래와 같이 정리할 때, 빈칸에 들어갈 알맞은 말을 쓰시오.

보기

길쌈이란?

삼실 등으로 베, 모시 같은 직물을 짜내기까지 손으로 하는 모든 과정의 일을 통틀어 이르는 말입니다. 기록에 따르면 길쌈은 단군 시대부터 존재해 왔다고 전해집니다.

강강술래란?

전라남도 서남해안 지방에 전승되는 민속놀이입니다. 추석날 밤이나 정월 대보름날 밤에 행해지는 이 놀이는 아주 오랜 옛날부터 백성들의 삶 속에 존재한 우리의 소중한 유산입니다.

'길쌈'이나 '강강술래'에 담긴 의미를 살펴보면, 옛날 우리 조상들의 삶의 모습이 어떠했는지 알 수 있다. 이렇듯 고유어에는 (　　　　　　　　　　) 말이 많다.

04 〈보기〉의 상황에 대한 설명으로 적절하지 않은 것은?

보기

진우: 무슨 일 있어?
윤하: 미안해. 지금은 ㉠ 말할 기분이 아니야.
진우: 이유를 설명해 달라는 ㉡ 말은 아니었어.
윤하: 아니, 내 ㉢ 말은 지금 내가 누구와 대화할 기분이 아니란 뜻이었어.

① 진우는 ㉠의 '말'을 '설명'으로 해석했다.
② 윤하는 진우가 이해한 내용과 다른 의미로 ㉠을 말했다.
③ ㉢은 '얘기'로 바꿔 써도 전달하려는 의미에 변동이 없다.
④ '말하다'라는 고유어는 상황에 따라 다양한 뜻으로 해석될 수 있다.
⑤ 윤하가 ㉠ 대신 '대화할'이라고 말했다면 진우에게 친근감이 생기지 않았을 것이다.

05 다음 단어들의 공통점으로 적절한 것은?

눈, 코, 이마, 콧구멍, 눈두덩이

① 신체를 나타내는 고유어이다.
② 우리나라의 문화적 특성을 알 수 있다.
③ 경험이나 연령에 따라 다양한 의미로 이해될 수 있다.
④ 사용하는 사람들이 줄어들어 사라져 가는 단어들이다.
⑤ 새로운 개념을 표현하기 위해 외국에서 들여온 말들이다.

06 다음 중 외래어가 포함된 문장이 아닌 것은?

① 피아노 좀 쳐 보렴.
② 주스 한잔 할래요?
③ 소문이 사실인지 확인해 보자.
④ 아버지께서 컴퓨터를 새로 사 주셨어.
⑤ 엘리베이터가 고장 나서 걸어서 올라왔지 뭐야.

07 우리말을 지키고 가꾸기 위한 노력으로 적절하지 <u>않은</u> 것은?

① '에어캡'이라는 말은 '뽁뽁이'로 바꾸어 사용해야겠어.
② '네티즌'은 외래어이므로 고유어로 바꾸면 좋을 것 같아.
③ '힌트'라는 말은 '도움말'이라는 순우리말로 바꾸어 사용하는 게 좋겠어.
④ '잔반'은 '남은 밥'이라는 의미의 한자어인데, 한자어도 불필요하게 사용하지는 않는 게 좋겠어.
⑤ 외래어도 우리말의 일부이니 이미 익숙하게 사용하고 있는 외래어는 더 자주 사용하는 게 좋겠어.

08 〈보기〉의 ㉠~㉢을 묶어 제목을 달 때, 제목으로 가장 적절한 것은?

보기
㉠ 우리말의 정체성을 흔들 수 있다.
㉡ 우리 문화의 자긍심을 손상시킬 수도 있다.
㉢ 의사소통이 원활하게 이루어지지 않을 수도 있다.

① 무분별한 외래어 사용의 문제점
② 어휘 체계를 이해하지 못할 때의 문제점
③ 우리나라의 문화를 배우면서 생기는 어려움
④ 상대방의 호감을 얻지 못한 말하기의 문제점
⑤ 의사소통이 제대로 이뤄지지 않을 때의 문제점

서술형 논술 대비
09 다음에 드러난 언어 사용의 문제가 무엇인지 〈조건〉에 맞게 서술하시오.

조건
• 상황에 제시된 단어 중 두 개를 예로 들어 설명할 것
• 30자 이내로 쓸 것(띄어쓰기 제외)

10 다음 장면을 통해 알 수 있는 내용을 〈보기〉에서 <u>모두</u> 골라 바르게 짝지은 것은?

보기
㉠ 공식적인 상황에서는 표준어를 사용한다.
㉡ 표준어를 사용하는 사람이 지역 방언을 쓰기는 쉽지 않다.
㉢ 지역 방언을 사용함으로써 대화 상대와 유대감을 형성할 수 있다.
㉣ 사적인 상황이라도 의사소통의 효과를 높이기 위해서는 표준어를 사용하는 것이 좋다.

① ㉠, ㉡　② ㉠, ㉢　③ ㉡, ㉢
④ ㉡, ㉣　⑤ ㉢, ㉣

11 다음 대화를 통해 알 수 있는 내용으로 적절하지 <u>않은</u> 것은?

우진: 오늘 급식 반찬으로 정구지전 나왔더라.
슬기: 정구지전? 부추전 말하는 거구나.
우진: 너 '정구지'가 '부추'인 줄 어떻게 알았어?
슬기: 나 어렸을 때 경상도에서 살았었거든.
우진: 너도? 나도 그런데. 정말 반갑다, 슬기야.

① '부추'를 표현하는 다른 말이 있다.
② '정구지'와 '부추'가 가리키는 대상은 같다.
③ 지역에 따라 같은 대상을 달리 표현하기도 한다.
④ 슬기는 우진을 통해 새로운 지역 방언을 배우게 되었다.
⑤ 우진은 자신이 사용한 방언의 뜻을 아는 슬기에게 친근감을 느끼고 있다.

[12~13] 다음 시를 읽고 물음에 답하시오.

수박끼리

이응인

수박이 왔어요 달고 맛있는 수박이 왔어요.
김 씨 아저씨 1톤 트럭 짐칸에 실린 수박
저들끼리 얼굴을 부비며 하는 말.

행님아, 밑에 있으이 무겁제, 미안하다. 괘안타, 그나저나 제값에 팔리야 될 낀데. 내사 똥값에 팔리는 거 싫타. 내 벌건 속 알아주는 사람 있을 끼다 그자. 그래도 행님아, 헤어지마 보고 싶을 끼다. 간지럽다 코 좀 고만 문대라. 그래, 우리는 사람들 속에 들어가서 다시 태어나는 기라.

12 이 시의 1연과 2연을 비교한 내용으로 적절한 것은?

	1연	2연
①	표준어가 사용되었다.	지역 방언이 사용되었다.
②	김 씨 아저씨가 주인공이다.	수박이 주인공이다.
③	현재형으로 서술되어 있다.	과거형으로 서술되어 있다.
④	수박의 소망이 드러나 있다.	수박의 생애가 드러나 있다.
⑤	수박들 간의 대화로 이루어져 있다.	동생 수박의 독백으로 이루어져 있다.

서술형

13 다음은 이 시를 쓴 시인과의 가상 인터뷰이다. 빈칸에 들어갈 적절한 말을 〈조건〉에 맞게 쓰시오.

기자: 이 시를 쓸 때 가장 신경 쓰신 부분이 있나요?
시인: 여름철에 아파트 앞에 수박을 잔뜩 싣고 있는 트럭을 보고 나서 이 시를 쓰게 되었어요. 시골에서부터 먼 길을 왔을 수박들이 말을 할 수 있다면 이런 말을 하지 않았을까 하는 내용을 먼저 생각해 놓고, 어떻게 표현해야 (   ) 고민을 많이 했어요. 그래서 지역 방언을 사용해 시를 표현해 보았습니다.

조건
지역 방언 사용 시의 효과를 담은 내용을 쓸 것

14 다음 중 지역 방언을 사용하기에 적절한 경우가 아닌 것은?

① 특정 지역을 배경으로 한 영화에서
② 오랜만에 고향 친구를 만난 자리에서
③ 지방에 사는 친척을 만나 대화를 나눌 때
④ 신문 기자가 사건의 전말을 기사로 작성할 때
⑤ 개그 프로그램에서 관객들의 웃음을 유발해야 할 때

15 다음의 상황에 대해 학생들이 나눈 대화로 적절하지 않은 것은?

의사: 현재의 비티(BT)로 보아 경막 외 출혈이 의심됩니다.
환자: 네?
의사: 쉽게 말씀드려서 뇌를 싸고 있는 막에서 피가 나는 것 같습니다. 자세한 건 검사를 더 해 봐야 알 것 같고요. 너무 걱정하지는 마세요.
환자: 네. 무슨 말씀이신지 알겠습니다.

① 선주: 의사는 처음엔 환자의 상황을 고려하지 않고 말하였어.
② 영지: 맞아. 경막 외 출혈이라는 말을 의료계에 종사하지 않는 사람들이 이해하기는 너무 어렵지.
③ 규민: 의사가 병명을 쉽게 풀어서 설명하고 나서야 환자가 이해할 수 있게 되었잖아.
④ 재오: 전문어는 일상적인 대화 상황에서는 사용하지 않는 것이 의사소통의 효과를 높이기에 더 좋을 것 같아.
⑤ 호산: 그리고 전문어는 뜻이 정확하지 않고 다양한 의미를 포함하는 경우가 많아서 사용할 때 유의해야 할 것 같아.

16 다음 설명에 해당하는 말을 포함하고 있는 문장이 아닌 것은?

나이나 성별, 직업, 계층 등의 요인에 따라 다른 형태로 나타나는 말을 사회 방언이라고 한다.

① 이따 피방에서 만나자.
② 세우리 나가 먹으쿠다.
③ 어제 본 영화 쩔지 않았어?
④ 열공했으니 게임 한판 어때?
⑤ 요즘엔 먹방이 완전 대세인 듯.

대단원 확인 문제

17 다음 대화를 통해 알 수 있는, 전문어와 은어의 공통점으로 적절한 것은?

> 은희: 저 발레리나는 '그랑 바뜨망'을 정말 제대로 한다.
> 경수: 뭐라고?
> 은희: 아, '그랑 바뜨망'은 '발을 힘차게 뻗었다가 원래의 자리로 돌아가는 움직임'을 뜻하는 발레 용어야.
> 경수: 뭔가 간지 터지는데.
> 은희: 간지? 그게 뭐야?

① 외래어로 표현되는 경우가 많다.
② 사람들에게 친근감을 표현하는 데 효과적이다.
③ 고유어로 바꾸어 사용하면 의미를 더 정확하게 전달할 수 있다.
② 사용하는 사람들이 많아질수록 언어 사용의 효과를 높일 수 있다.
⑤ 같은 언어 사용 집단에 속하지 않는 사람들은 의미를 이해하기 어렵다.

서술형 논술 대비

18 다음은 일제 강점기 독립운동가들의 대화이다. 이들이 사용한 어휘의 종류가 무엇인지 밝히고, 그러한 어휘가 갖는 특징을 〈조건〉에 맞게 서술하시오.

> 조건
> ① 인물들의 대화 속에 제시된 단어를 예로 들어 사용한 어휘의 종류를 밝힐 것
> ② ①의 어휘가 대화 속에서 사용된 이유와, 어휘의 특징을 서술할 것

[19~24] 다음 글을 읽고 물음에 답하시오.

(가) 지혜　피아노 하나면 괜찮게……. 세계화 시대 준비하라고 영어 회화 학원 가라지, 방학 때면 어김없이 날 찾아오시는 우리 사촌 오라버니 수학 과외 받아야지, 그리고 몸매도 경쟁인지라 요가 학원도 다녀야지, 거기에 학교 보충 수업까지 하면, 어휴 하루 꼬박 14시간의 내 청춘이 죽어 간다 이 말씀이야…….

지연　저것이 뚫린 주둥이라고 아주 행복에 겨운 소리 하고 있네. 누구는 하고 싶어도 못 하고 배우고 싶어도 못 배우는데…….

민진　우리 그러지 말고 지혜 피아노 실력 한번 감상하는 거 어때?

(나) 민진　지연이는 무용가가 되는 게 꿈이잖아. 지연아, 춤 솜씨 좀 보여 줘. (바로 음악이 나오고 지연의 현란한 몸짓이 시작된다. 몸짓이 끝나면 민진의 바이올린 연주가 시작되고, 이때 예림과 미혜가 등장하여 아이들의 장기 자랑을 지켜보다가 자리로 가서 앉는다.) 와, 진짜 대단하다. (이때 예림을 발견하고) 야, 나가수! 너 요즘 노래 배운다는 소문이 있던데 사실이냐?

㉠ <u>미혜　(벌떡 일어나며) 그렇게 부르지 마라니까!</u>

예림　(약간 어색하면서도 겁먹은 표정으로) 어…….

영지　(비아냥거리며) 꿀 먹은 벙어리라도 되었니? 한번 보여 줘 봐.

예림　배운 지 얼마 안 됐어…….

[A]
영지　(비아냥거리며) 야, 노래는 아무나 하는 건 줄 알아?
예림　(벌떡 일어서며) 난 나중에 가수가 되는 게 꿈이야. 무시하지 마.

㉡ <u>영지　그러니까 보여 달라고……. 넌 노래를 말로 하냐?</u> (모두 비웃음.)

예림　하면 되잖아. (음악 나온다. 자신 없이 웅얼거린다.)

비웃음과 야유. 그리고 무시하는 말소리. 하하, 깔깔거린다.

다 미혜 (자리에서 일어나 예림에게 다가가며) 너희 정말!

예림 (㉢화가 나는데 어찌할 방법이 없고, 창피해하며 뛰어나간다. 미혜도 친구들을 못마땅하게 바라보다 예림을 부르며 뒤따라 나간다.)

이때 홍찬이 등장한다.

모두 (반갑게 맞으며) 홍찬아.

홍찬 야, 너희 너무하는 거 아냐?

모두 움찔한다.

지연 우리가 뭘…….

19 다음 설명에 해당하는 학생은?

> 이 학생은 비속어를 써서 말을 하고 있는데, 이러한 표현을 자주 사용하면 부정적인 성격을 갖게 될 우려가 있고, 자신에 대한 사회적 평가가 좋지 않게 될 수도 있다.

① 지혜 ② 지연 ③ 민진
④ 미혜 ⑤ 영지

20 ㉠과 같은 미혜의 반응을 통해 알 수 있는 내용으로 적절하지 않은 것은?

① 민진은 상대가 싫어하는 별명으로 부르고 있다.
② 민진의 말은 폭력적인 언어 표현을 포함하고 있다.
③ 미혜는 자신을 차별하는 민진에게 마음이 상했다.
④ 예림은 '나가수'라고 불리는 것을 좋아하지 않는다.
⑤ 미혜는 예림의 감정을 고려해 민진에게 화를 내고 있다.

서술형

21 다음은 [A]에 나타난 언어폭력의 문제점에 대한 설명이다. 문맥을 고려할 때 빈칸에 들어갈 적절한 말을 쓰시오.

> 이러한 언어폭력은 영지의 말에 대한 예림의 반응을 통해 알 수 있듯이 ( ).
> 또한, 개인이 속한 공동체 전체로 퍼져 사회 전반의 언어생활이 혼탁해질 수 있다는 문제점도 있다.

22 ㉡을 다음과 같이 바꾸었을 때의 효과에 대한 설명으로 적절한 것은?

> 영지: 네가 노래 부르는 모습을 꼭 한번 보고 싶어. 힘들겠지만 노래 한번 불러 줄 수 있겠니?

① 말하는 이의 경험이 더욱 구체적으로 드러나게 된다.
② 한 사람에게 다양한 성격이 있음이 잘 드러나게 된다.
③ 상대방을 존중하고 배려하는 태도가 잘 드러나게 된다.
④ 대화 상대의 흥미와 관심이 무엇인지 더 잘 드러나게 된다.
⑤ 영지가 부정적인 언어 표현을 사용하게 된 이유가 강조된다.

23 예림이 ㉢과 같이 행동한 이유로 적절한 것은?

① 친구들의 말에 상처를 입어서
② 친구들과 친해지는 방법을 몰라서
③ 자신의 진심을 몰라주는 친구들이 서운해서
④ 자신의 편을 들어 준 친구들을 볼 면목이 없어서
⑤ 친구들에게 준비된 자신의 모습을 보여 주기 위해서

서술형 논술 대비

24 다음은 이 글을 읽은 후 한 학생이 쓴 글이다. 글의 내용을 고려할 때 빈칸에 들어갈 내용을 〈조건〉에 맞게 서술하시오.

> 이 글을 읽고 나서 나의 언어생활에 대해 돌아보게 되었어. 나 또한 비속어를 자주 사용하고, 비난하는 말로 친구에게 상처를 준 적이 많거든.
> 친구들도 자주 쓰니 따라 쓰면서, 다른 사람들에게 강해 보이고 싶다는 유치한 생각 때문에 폭력적인 언어를 습관적으로 사용했던 것 같아. 이런 습관을 고치기 위해서 나는 앞으로, ______________________

조건
• 바람직한 언어생활을 하는 방법 두 가지를 제시할 것
• 바람직한 언어 표현의 예를 들어서 설명할 것

한 학기 한 권 읽기

책 속에서 꿈 찾기

대단원 미리 보기

대단원 학습 목표

읽기 도서관이나 인터넷에서 관련 자료를 찾아 참고하면서 한 편의 글을 읽는다.
읽기 읽기 목적이나 글의 특성을 고려하여 글 내용을 요약할 수 있다.
쓰기 영상이나 인터넷 등의 매체 특성을 고려하여 생각이나 느낌, 경험을 표현할 수 있다.

❶ 책 앞에서

- 나의 꿈 찾기
- 이번 학기 독서 활동 알아보기

독서를 시작하기 전 수행하는 활동이다. 자신의 특성을 바탕으로 '나의 꿈'을 생각해 보고 제시문을 읽으며 이번 학기 독서 활동을 알아본다.

사전 활동

'나의 꿈'을 찾아 그와 관련하여 읽어 보고 싶은 책을 골라 보는 활동이다. 한 권 책 읽기를 성공적으로 마치기 위해서는 무엇보다 흥미와 관심을 바탕으로 책을 선정하는 것이 중요하다. '나의 꿈'과 관련된 책을 찾아 읽는 과정을 통해 자신의 관심사와 수준에 맞는 책을 선정하도록 한다.

❷ 책 두드리기

- 꿈과 관련된 분야의 책 소개하기
- 인터넷이나 도서관을 활용하여 읽을 책 고르기

자신의 독서 경험을 돌아보는 활동을 통해 '나의 꿈'과 관련하여 인상 깊게 읽은 책을 소개해 보고, 수업 중 읽을 책을 직접 골라 본다.

❸ 책 누리기

- 메모하며 책 읽기
- 독서 일지 작성하기

자신이 고른 책을 직접 읽어 보는 활동이다. 책을 읽으며 메모한 내용을 바탕으로 독서 일지를 작성해 본다.

읽기 활동

자신이 고른 책을 메모하면서 읽고 독서 일지를 기록해 보는 활동이다. 궁금한 점이나 인상적인 구절, 중심 내용을 메모하며 책 읽는 방법을 익히고, 메모한 내용을 바탕으로 중심 내용을 요약해 본다. 또한 자신의 꿈과 관련하여 떠올린 생각들을 기록하는 과정에서 더욱 능동적인 책 읽기를 할 수 있다.

❹ 책 나누기

- 누리소통망에 감상문 작성하고 공유하기
- 나의 미래 명함을 만들고 친구와 꿈 나누기

책을 읽고 난 후 이어지는 독후 활동이다. 독서 일지를 바탕으로 감상한 내용을 정리하고 이를 누리소통망에 올려 친구와 공유해 본다. 또한 '미래 명함'을 만드는 과정을 통해 자신의 꿈을 구체적으로 표현해 본다.

쓰기 활동

책을 읽고 감상한 내용을 누리소통망에 올려 친구와 공유하며 자신의 꿈을 나누는 활동이다. 인터넷 매체를 통해 감상 내용을 표현하는 읽기와 매체의 통합 활동으로, 다양한 시청각 자료를 활용하여 책을 읽으며 든 생각이나 느낌을 효과적으로 표현할 수 있다.

이 단원에서는 관심 있는 분야의 책을 한 권 골라서 글 내용을 메모하며 끝까지 읽는 활동을 할 거야. 이러한 경험을 통해 책 읽는 즐거움도 느끼고 나의 꿈도 찾아볼 거야.

책 속에서 꿈 찾기

1 책 앞에서

1. 나는 어떤 사람인지 자신의 특성을 아래 풍선에 적어 봅시다.

예시 답

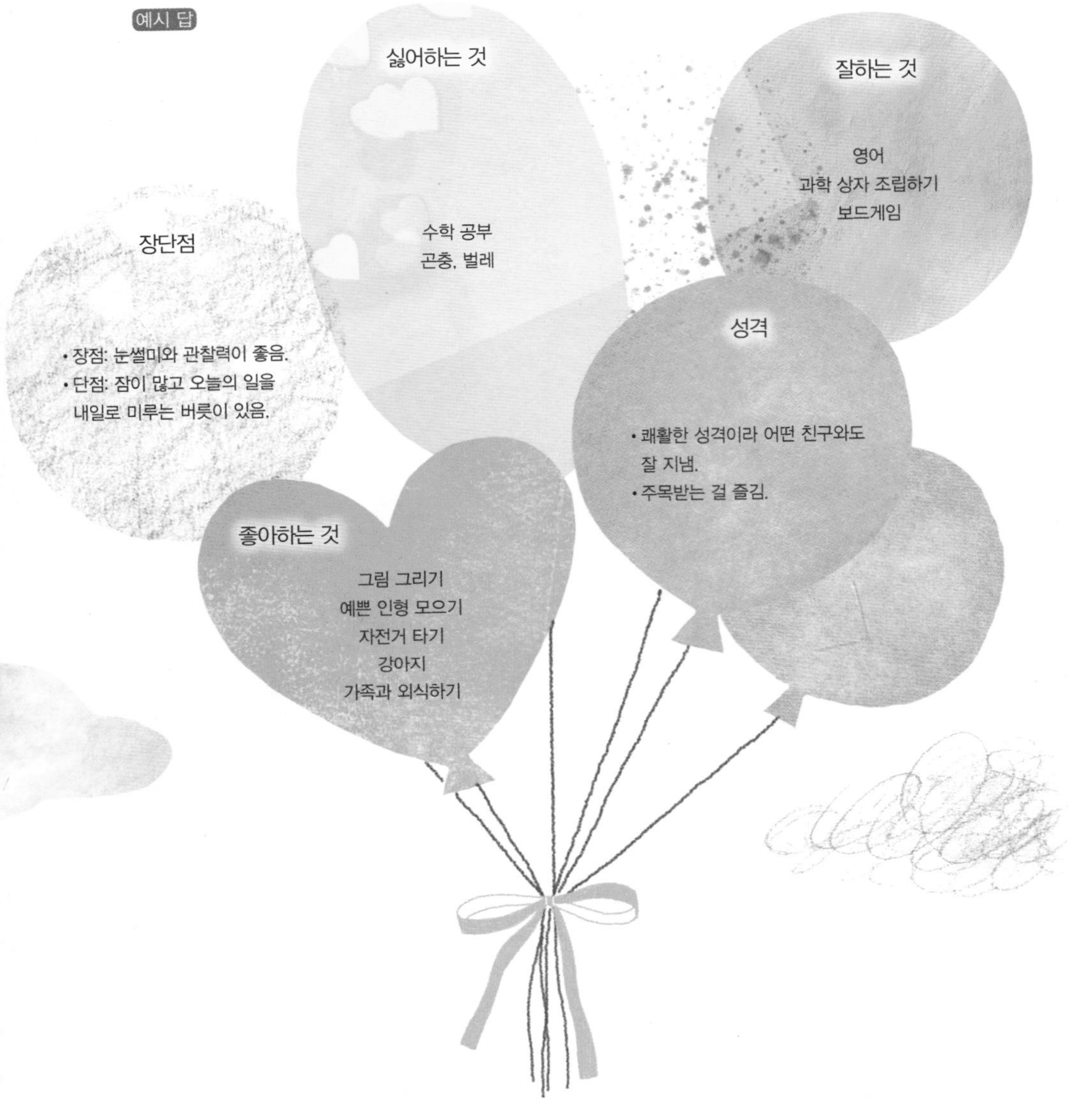

2. 1에서 파악한 자신의 특성을 바탕으로 '나의 꿈'을 한 문장으로 표현해 봅시다.

● '나의 꿈'은 예시 답 사람들의 눈과 마음을 기쁘게 해 주는 디자이너가 되는 것입니다 .

사전 활동 1 자신의 특성 파악하기

➜ 내가 진짜 원하는 꿈을 찾기 위해서는 먼저 자신의 특성을 명확하게 아는 것이 필요하다. 자신이 어떤 사람인지 탐색하고 이해하는 과정을 거치다 보면 앞으로 '무엇'이 되고 싶은지 자신의 꿈을 보다 분명하게 설계할 수 있다. 자신의 장단점, 성격, 좋아하는 것, 싫어하는 것, 잘하는 것 등 풍선 안 항목 외에 어떤 활동을 할 때 행복한지, 좋아하는 영화는 무엇인지 등 자신을 잘 드러낼 수 있는 요소들을 정리해 보도록 한다.

사전 활동 2 '나의 꿈' 표현하기

➜ 자신의 특성을 정리하며 자신을 이해하고, 이를 바탕으로 '나의 꿈'이 무엇인지 한 문장으로 구체화해 본다.

3. 선생님과 학생들의 대화를 살펴보고, 이번 학기 독서 활동을 알아봅시다.

민아 선생님, 저는 생태계 문제에 관심이 많아요. 그래서 지구 환경을 지키는 일을 하고 싶은데 구체적으로 무엇을 준비해야 할지 모르겠어요.

선생님 민아가 미래의 꿈 때문에 고민하고 있구나. 그럼 민아의 꿈과 관련된 책들을 찾아 읽어 보는 것은 어떨까?

민아 좋아요, 선생님. 그런데 관련 분야의 책이 너무 많아서 어떤 책을 먼저 읽어야 할지 고르기가 어려워요.

선생님 인터넷이나 도서관에서 읽을 책을 찾아보면 어떨까? 민아와 비슷한 꿈을 가지고 있는 친구들에게 인상 깊게 읽은 책을 추천받는 것도 좋고.

민아 그럼 먼저 집에 가는 길에 도서관에 들러 봐야겠어요.

선생님 지수는 책을 읽을 때 어려운 점은 없니?

지수 저는 책을 읽다 보면 지난 시간에 읽었던 책 내용이 기억나지 않는 경우가 많아서 힘들어요.

선생님 그렇구나. 내용을 메모하고 정리하면서 책을 읽으면 좀 더 효과적일 텐데. 그럼 이번 학기에는 자신의 꿈과 관련된 책을 메모하면서 읽고 독서 일지를 만들어 적어 볼까?

지수 네, 선생님. 그럼 독서 일지에 요약한 내용을 적고 혹시 더 알고 싶거나 모르는 게 있으면 인터넷에서 찾아보면 좋을 것 같아요.

선생님 그렇지. 지수 말처럼 궁금한 것들을 찾아보면 좋겠구나. 책을 다 읽고 난 뒤에는 감상을 누리소통망에 올리는 활동도 해 보자.

민아 이번 독서 시간은 정말 재미있을 것 같아요. 다른 친구들은 감상문을 어떻게 올릴지 벌써 궁금해요.

• 이번 학기 독서 활동은 예시 답 도서관이나 인터넷에서 나의 꿈과 관련된 책을 찾아 메모하며 읽고 독서 일지를 만들어 보는 거야. 책을 다 읽고 난 뒤에는 누리소통망에 감상을 올리는 활동을 할 거야 .

사전 활동 3 수업 대화

➜ 선생님과 학생들의 대화에서 미래의 꿈과 관련된 책을 찾아 메모하며 읽고, 독서 일지를 만들고, 누리소통망에 감상문을 올리는 독서 활동의 과정이 드러나 있다.

수업 대화의 내용

① 책 선정의 기준 제시

관심과 흥미
• "민아의 꿈과 관련된 책들을 찾아 읽어 보는 것은 어떨까?" • "인터넷이나 도서관에서 ~ 읽은 책을 추천받는 것도 좋고."

② 책 읽기의 방법 안내

메모하기
"내용을 메모하고 정리하면서 책을 읽으면 ~"
요약하기
"독서 일지에 요약한 내용을 적고 ~"
매체 활용하기
"더 알고 싶거나 모르는 게 있으면 인터넷에서 찾아보면 좋을 것 같아요."

③ 책 나누기 활동 소개

매체 활용하기
"책을 다 읽고 난 뒤에는 감상을 누리소통망에 올리는 활동도 해 보자."

누리소통망
'소셜 네트워크 서비스(SNS)'를 다듬은 우리말 순화어

② 책 두드리기

1. '나의 꿈'과 관련된 독서 경험을 되돌아보는 활동을 해 봅시다.

❶ 읽은 책 중 기억에 남는 책들을 '독서 나무'에 적어 봅시다.

예시 답

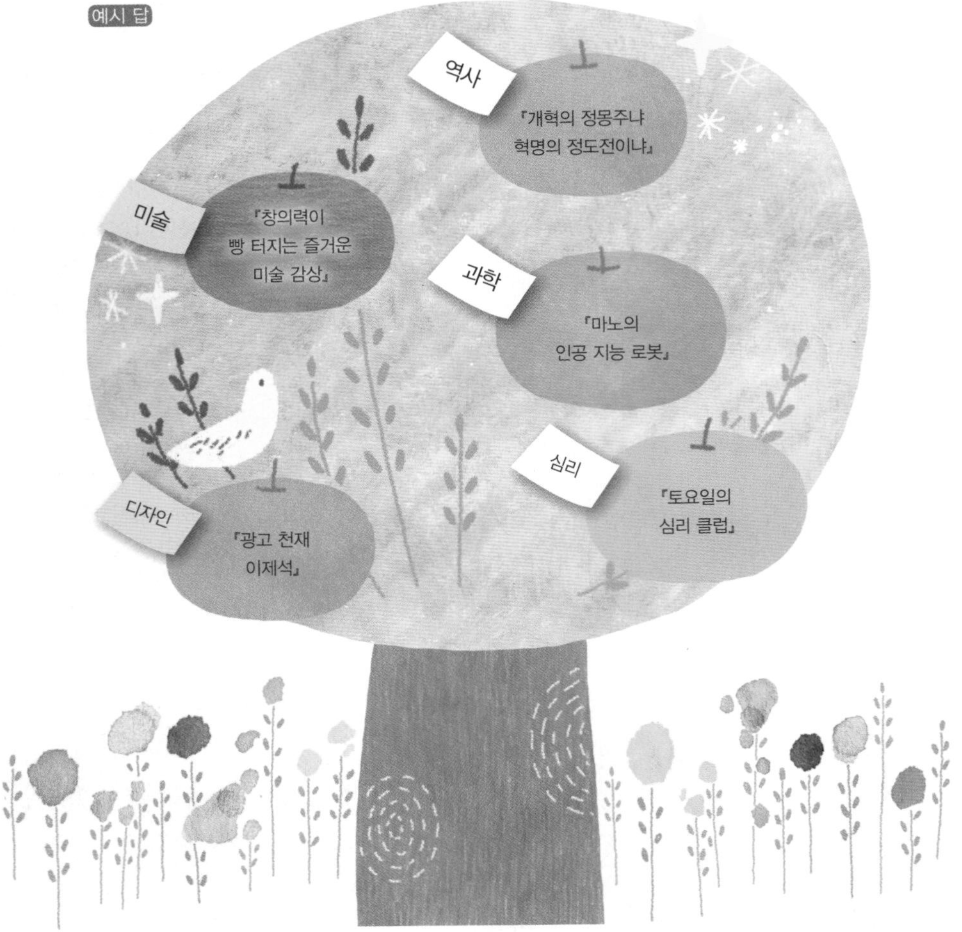

❷ ❶에 적은 책 중 '나의 꿈'과 관련해 가장 인상 깊게 읽은 책을 친구들에게 소개해 봅시다. 예시 답

'나의 꿈'은 디자이너 인데 『광고 천재 이제석』 책이 가장 기억에 남았어. 그 이유는 주위에서 흔히 보는 사물을 다르게 보고 거꾸로 보면서 사람들의 일반적인 생각을 뒤집는 저자의 독특한 광고 디자인이 신선하고 흥미로웠기 때문이야.

사전 활동 4 책 소개하기

➜ 그림으로 제시된 '독서 나무'에 자신이 읽은 책들을 적고 그중 가장 인상 깊게 읽은 책을 골라 친구들에게 소개해 본다.
그동안 읽은 책들을 정리하는 활동을 통해 자신의 관심 분야가 무엇인지 찾아볼 수 있는 기회가 될 수 있다.

진로 독서

- 진로를 돕기 위한 독서
- 긍정적 자아 정체감을 형성해 줌.
- 책 속 다양한 삶의 경험들을 통해 관련 분야의 지식을 넓혀 줌.
- 적극적인 진로 탐색이 가능하도록 도와줌.

2. '나의 꿈'과 관련하여 읽고 싶은 책을 찾아본 후 도서 목록에 작성해 봅시다. 예시 답

'나의 꿈'과 관련하여 읽고 싶은 책의 목록

번호	제목	지은이	출판사	책 소개
1	『옷장에서 나온 인문학』	이민정	들녘	옷과 패션에 얽힌 경제학, 철학, 역사 등을 폭넓게 서술한 책
2	『궁금해요! 디자이너가 사는 세상』	이나미	창비	유명한 디자이너인 저자가 디자이너가 되기를 희망하는 학생들이 궁금해 하는 것에 답하고, 다양한 디자인 영역에 관해 구체적으로 소개하고 있는 책
3	『에코 크리에이터 디자인』	김대호	아이엠북스	우리 삶에서 친환경적이고 인간적인 아이디어로 변화를 일으키고 있는 에코 디자인 사례를 소개하여 환경과 인간을 위해 디자인이 어떤 역할을 할 수 있는지를 알려 주는 책
4	『노라 노, 열정을 디자인하다』	노라 노	황금나침반	한국 최초의 패션 디자이너인 노라 노가 디자이너로서의 자신의 삶과 패션의 역사를 바탕으로 연극, 영화, 정치, 산업 전반의 흐름을 서술한 책
5	『유쾌한 이노베이션』	톰 캘리, 조너선 리트먼	세종 서적	세계적인 디자인 회사 아이디오가 디자인을 의뢰받아 제품을 만드는 과정을 보여 주면서 이 회사가 최고의 명성을 얻게 된 과정을 서술한 책

3. 도서 목록에 작성한 책 중 이번 수업 시간에 읽어 보고 싶은 책을 골라 봅시다.

예시 답

인터넷에서 고른 책	• 『옷장에서 나온 인문학』 • 『노라 노, 열정을 디자인하다』 • 『유쾌한 이노베이션』
도서관에서 고른 책	• 『궁금해요! 디자이너가 사는 세상』 • 『에코 크리에이터 디자인』 •

→ 읽을 책: 『궁금해요! 디자이너가 사는 세상』

사전 활동 5 도서 목록 작성하기

➜ 자신의 관심 분야와 관련하여 도서관에서 도서 분류표를 참고하여 관련 도서를 찾아보거나 스마트 기기의 애플리케이션 또는 인터넷 사이트에서 관심 분야의 책을 검색하여 찾아본 뒤 목록을 작성한다.

스마트 기기로 책 찾기

인터넷 서점 애플리케이션 실행하기
↓
자신의 꿈이나 관심사를 검색어로 입력하기
↓
검색어(주제어)에 맞게 책 정보 살펴보기

사전 활동 6 책 선정하기

➜ 책을 고를 때에는 책의 표지나 차례, 책과 관련된 서평이나 감상 등을 살펴보고 독서의 목적 및 자신의 관심사와 수준에 맞는 책을 선정해야 한다.

책 선정 점검 기준 예시

- 책의 쪽수나 두께가 읽기에 적당한가?
- 책의 크기, 글자의 크기나 낱말의 분량 등이 읽기에 편하게 책정되어 있는가?
- 책에 대한 사람들의 평가는 긍정적인가?
- 책과 연결할 수 있는 경험이 있는가?
- 책의 내용과 나의 꿈을 연관 지을 수 있는가?

③ 책 누리기

책을 읽고 매시간 독서 일지를 작성해 봅시다.

1. 다음 예시를 참고하여 메모하면서 책을 읽어 봅시다.

예시

사라져 가는 북극곰

남종영

바다 얼음이 줄어들면 북극곰은 사냥 중에도 어려움을 겪는다. 바다 얼음이 줄어들면 바다 얼음과 바다 얼음 사이의 간격은 점점 더 멀어지고, 그만큼 북극곰이 한 번에 헤엄쳐야 할 거리는 늘어나게 된다. *결국, 잇단 장거리 수영으로 지치고 피로해진 북극곰은 사냥에 실패할 확률이 높아지고, 영양 상태가 부실해지면서 번식 능력이 쇠퇴하게 된다. 심지어 최근에는 북극곰이 익사하는 사례도 보고되고 있다.

> 비쩍 말라 있는 모습의 북극곰 사진을 인터넷 기사에서 본 적이 있어.

과학자들은 지구 온난화가 지속되면 가장 먼저 생존에 위협을 받을 종으로 북극곰을 꼽고 있다. 2008년 미국은 알래스카에 사는 북극곰을 멸종 위기종으로 등록했다. 지구 온난화가 북극의 바다 얼음을 축소해 북극곰의 서식지가 파괴되고 있는 현상을 목격하고, 이 같은 조치를 한 것이다. ✓기후 변화 때문에 멸종 위기종으로 등록된 것은 세계적으로 북극곰이 처음이었다. 북극곰이 지구 온난화의 첫 번째 공식 피해자로 인정을 받은 것이다. ?미국의 멸종 위기종 보호법에 따르면, 한 동식물이 멸종 위기종으로 등록되면 정부는 이들의 서식 현황을 파악하고 멸종을 방지하기 위해 구체적인 계획을 세워야 한다.

> 북극곰이 지구 온난화로 멸종 위기종에 등록되었다니 놀라워.

> 미국의 멸종 위기종 보호법은 구체적으로 어떤 내용일까? 미국 말고 다른 나라에도 이런 법이 있는지 한번 알아볼까?

독서 활동 1 메모하며 읽기

➜ 자신의 꿈과 관련된 책을 읽으며 꿈을 키우는 것을 목적으로 하는 읽기이므로 예시를 참고하여 메모하면서 책을 읽는다. 이 외에도 자료를 찾아 참고하며 읽거나 배경지식 등을 활용하여 예측하며 읽는 방법을 통해 글을 더욱 능동적으로 읽을 수 있다.

다양한 읽기 방법

메모하며 읽기	자신만의 표시를 사용하여 궁금한 점이나 인상적인 부분, 중요 내용 등에 메모하며 읽기
자료 참고하며 읽기	인터넷이나 관련 서적 등을 활용하여 어렵거나 궁금한 자료를 찾아 참고하며 읽기
예측하며 읽기	책의 제목, 차례, 사진 등 글 자체에 나타난 정보나 독자의 배경지식, 읽기 상황 등을 활용하여 글의 구조나 이어질 내용 등을 예측하며 읽기

메모하기의 중요성

기호를 책에 표시하며 책을 읽어 보고 나의 관심사와 관련된 내용을 요약하면 책의 내용을 더 오래 기억할 수 있고 나의 꿈을 기르는 데에도 도움이 된다.

지구 온난화 문제를 해결하기 위해서는 국제적 차원에서 대책을 마련해야 한다는 것에 공감해.

북극곰이 멸종 위기종이 된 이상, 미국 정부는 온실가스를 감축하기 위한 계획도 함께 세워야 하는 처지가 됐다.

✩[하지만 북극곰이 멸종 위기에서 탈출할 수 있을지는 누구도 장담할 수 없다. 지구 온난화를 막기 위해서는 세계 각국의 진정한 협력이 필요하지만, 다들 자국의 경제적 피해와 지구를 구하자는 대의 사이에서 주판알만 튕기고 있기 때문이다. 이러한 상황을 타개하기 위해, 2009년 덴마크 코펜하겐에서 열린 '2009년 유엔 기후변화회의(United Nations climate change conference)'를 시작으로 세계 각국에 온실가스 감축량을 할당하는 논의가 진행되고 있다. 그러나 강제적이고 실효성 있는 대책을 마련하는 데는 여전히 어려움을 겪고 있다.]

북극곰이 멸종 위기에서 탈출하려면 세계 각국의 협력이 필요하다는 것이 중심 내용이구나.

메모하며 읽기 방법

예시에서는 밑줄 친 부분과 관련된 자신의 경험, 인상적인 내용에 대한 느낌, 더 알아보고 싶은 궁금한 내용, 공감하는 내용 등에 메모를 하거나 중심 내용을 요약하며 책을 읽고 있다.

제시된 방법은 하나의 예시일 뿐이므로 이러한 메모의 방식을 반드시 따를 필요는 없다. 독서 상황이나 개인의 성향에 따라 다양한 방법으로 메모하며 읽을 수 있다.

기호	메모하는 방법
? 궁금증	• 궁금하거나 이해되지 않는 점 적기 • 친구들과 함께 이야기하고 싶은 질문 적기
✓ 인상적인 구절이나 부분	• 왜 인상적인지 이유 적기 • 떠오른 생각이나 느낌 자유롭게 적기
✩ 중심 내용	짧게 요약하기
* 배경 지식	연관 지을 수 있는 이야기, 경험 적기
! 공감	공감하는 내용, 그 이유 적기
× 비공감	공감하지 않는 이유, 반박 근거 적기

2. 책을 읽으면서 메모한 내용을 토대로 매시간 독서 일지를 작성해 봅시다.

예시

독서 일지

읽은 날짜	책 제목	지은이	읽은 쪽수
20○○. ○○. ○○	지구가 뿔났다	남종영	30~42쪽

책을 읽으며 메모한 내용	
궁금한 내용	미국 멸종 위기종 보호법이 무엇인지 궁금했어.
인상적인 구절	기후 변화 때문에 북극곰이 멸종 위기종으로 처음 등록되었다는 부분이 인상적이야.
배경지식이나 더 알고 싶은 내용	나도 비쩍 마른 북극곰의 사진을 인터넷에서 본 적이 있어. 지구 온난화 문제를 더 알아봐야겠어.
읽은 내용 요약	지구 온난화로 서식지가 파괴되어 북극곰이 멸종 위기종으로 등록되었어. 북극곰이 멸종 위기에서 탈출하려면 세계 각국의 진정한 협력이 필요해. 그러나 자국의 경제적 피해와 지구를 구하자는 큰 뜻 사이에서 협력이 잘 안 이루어지고 있어.

선생님의 의견

책을 끝까지 잘 읽었구나. 정리한 내용 중 더 알고 싶은 것이 있다면 인터넷 등을 통해 찾아서 정리해 두렴.

독서 활동 2 독서 일지 쓰기 ①

➜ 책을 읽고 메모한 내용을 바탕으로 책에 관한 간단한 기록을 독서 일지에 작성하는 활동이다. 매시간 책을 읽은 다음 바로 독서 일지를 작성하여 읽고 쓰는 습관을 지닐 수 있도록 한다.

독서 일지 작성 방법

- 궁금한 내용: 글을 읽으며 갖게 된 물음들을 간략하게 적는다.
- 인상적인 구절: 책에서 인상적인 부분을 원문 그대로 옮겨 적거나 간략하게 요약하여 그 이유와 함께 적는다.
- 배경지식이나 더 알고 싶은 내용: 자신의 꿈과 관련하여 더 알고 싶은 내용을 적는다.
- 읽은 내용 요약: 주요 내용을 메모해 둔 것을 정리하여 자신에게 필요한 정보가 무엇인지 나중에 파악하는 데 도움이 되게 한다.
- 제시된 항목을 바탕으로 기록하되 자신의 관심 분야를 더 잘 알 수 있도록 독서 일지의 형식을 자유롭게 설정할 수 있다.

독서 일지 (예시 답)

읽은 날짜	모둠이 고른 책 제목	작가	읽은 쪽수
20○○. ○. ○.	궁금해요! 디자이너가 사는 세상	이나미	122~132쪽

책을 읽으며 메모한 내용

궁금한 내용	지속 가능한 디자인이 무엇인지 궁금했어.
인상적인 구절	이미 사용하던 물건이지만 그 물건을 필요로 하는 사람들에게 재분배하여 나눔과 순환의 원리를 실천한다는 점에서 '아름다운 가게'가 훌륭한 디자인 행위라고 한 부분이 인상적이야.
배경지식이나 더 알고 싶은 내용	동네 입구에서 '아름다운 가게' 수거함을 본 적이 있어. '아름다운 가게'처럼 버려진 물건으로 새로운 상품을 디자인해서 만들어 파는 기업이 있는지와 그 기업에서 어떤 제품을 만들었는지 알아봐야겠어.
읽은 내용 요약	2000년대를 전후해 급격하게 나빠진 지구 환경을 살려야 한다는 절박함이 사람들 사이에 퍼지면서 지속 가능한 미래를 위한 디자인들이 등장하였다. 그리고 좋은 디자인에 대한 기준과 디자이너가 갖추어야 할 덕목도 바뀌었다. 이제는 디자이너가 인류를 살리고자 하는 마음, 세상을 살피고자 하는 마음을 지니고 우리 사회에 보탬이 되는 방향으로 디자인을 해야 한다는 인식이 강조되고 있다.

선생님의 의견

생략

독서 활동 2 독서 일지 쓰기 ②

➜ 책을 읽고 난 뒤 독서 일지를 직접 작성해 봄으로써 발전한 자신의 사고를 정리해 두도록 한다. 이에 그치지 않고 자신의 꿈과 관련하여 궁금한 내용들을 인터넷 등을 통해 더 찾아보는 활동을 하여 꿈을 키우는 데 한 발 더 나아가도록 한다.

독서 일지 작성의 효과

- 읽은 내용을 오랫동안 기억할 수 있다.
- 책을 좀 더 꼼꼼히 읽고 읽기 과정 중 사고의 작은 부분도 놓치지 않게 해 준다.
- 읽을 내용을 요약하여 정리해 둠으로써 자신에게 필요한 정보가 무엇인지 파악하는 데 도움이 된다.
- 메모 내용과 제시된 항목을 바탕으로 작성하므로 막연하게 독후감을 쓰는 것보다 부담이 적어 꾸준히 책을 읽도록 하고 독서에 흥미를 느끼게 한다.
- 독서 공책을 한 권 마련하여 내용을 기록하면 누적된 독서 기록을 남길 수 있고 나중에 자신의 사고 과정을 돌아보게 하는 계기가 될 수 있다.

④ 책 나누기

책을 읽고 난 후 다음 활동을 해 봅시다.

1. 다음 예시처럼 누리소통망에 감상문을 올리기 위한 준비를 해 봅시다.

예시

「지구가 뿔났다」

- **책을 읽은 감상**
  - 이 책을 공유하고 싶은 이유
    - 환경 문제에 관심이 많은 친구와 이 책을 함께 읽고 싶어. 이 책이 위기에 처한 지구 생태계의 모습을 자연과 동물의 시선에서 담담하게 그려 내고 있기 때문이지.
  - 이 책을 통해 새롭게 알게 된 점
    - 멸종 위기의 북극곰이 지구 온난화와 관련이 있으며 이런 상황을 내버려 두면 커다란 재앙이 올 수도 있다는 사실을 알게 되었어.
  - '나의 꿈'과 관련하여 느낀 점
    - 나의 꿈은 지구 환경을 지키는 거야. 이 책을 읽고 위기에 처한 지구를 구하기 위해서는 각 나라 사이의 협력을 끌어내고 실제적인 대책을 마련하는 국제기구의 역할이 무엇보다 중요하다는 것을 느꼈어.
- **누리소통망에 올리기 위한 계획**
  - 문구 구상하기
    - 지구 환경을 지키기 위해 모두의 노력이 필요하다는 감상을 짧은 문구로 표현해야지.
  - 자료 활용하기
    - 시각 자료: 지구 온난화의 문제점을 효과적으로 표현하기 위해 얼음 위에 떠 있는 북극곰 사진을 활용해야지.
    - 청각 자료: 지구 온난화로 멸종 위기에 놓인 북극곰의 모습을 표현한 「북극곰」이라는 노래를 가사와 함께 소개해야지.

독서 후 활동 1 감상문 준비하기 ①

➜ 누리소통망에 감상을 올려 친구와 공유하고 자신의 꿈을 나누는 활동이다.
예시에서는 누리소통망에 감상문을 올리기 전 읽은 책에 관한 감상 내용을 정리하고 관련 자료를 찾아 어떻게 활용할 것인가를 계획하고 있다.

누리소통망으로 감상 나누기

친구들과 나누고 싶은 내용 정리하기
책을 읽으며 메모한 내용을 바탕으로 감상 내용 정리하기

↓

담을 문구 구상하기
누리소통망에 올릴 감상을 짧은 문구로 구상하기

↓

누리소통망에 활용할 자료 찾아 정리하기
감상 내용과 관련된 시청각 자료를 스마트폰을 활용해 찾기

↓

누리소통망에 게시하기
작성한 내용을 누리소통망에 게시하기

↓

감상 나누기
- 반 친구들의 감상문 읽기
- 댓글을 활용하여 상호 평가하기

예시 답

「궁금해요! 디자이너가 사는 세상」

책을 읽은 감상

이 책을 공유하고 싶은 이유

디자인 분야에 관심이 있는 친구에게 이 책을 권하고 싶어. 이 책은 디자인 영역 전반에 관해 구체적이고 현실적인 정보를 담고 있기 때문이야.

이 책을 통해 새롭게 알게 된 점

디자인이 책이나 컵처럼 눈에 보이는 것뿐만 아니라 어떤 문제가 발생했을 때 그 해결 방법을 찾아내는 것과 같이 눈에 보이지 않는 영역까지 포함하고 있는 분야라는 것을 알게 되었어.

'나의 꿈'과 관련하여 느낀 점

나의 꿈은 디자이너야. 그동안은 예쁜 집이나 옷, 우아한 가구처럼 겉으로 보기에 멋진 건축물이나 물건을 디자인하는 사람이 되고 싶었어. 하지만 이 책을 읽으며 디자인을 만드는 과정에서 지나치게 많은 자원과 에너지를 소모하지 않게 하고 지구상에 쓰레기를 발생시키지 않는 디자인이라면 조금 덜 예뻐도 좋은 디자인이며 멋진 디자인이라는 것을 느꼈어.

누리소통망에 올리기 위한 계획

문구 구상하기

이 책을 읽고 난 뒤 다시 생각하게 된 디자인의 의미를 표현해 볼 거야.

자료 활용하기

• 시각 자료
폐기된 물건을 재활용해 만든 조명 기구 사진을 첨부해서 내가 꿈꾸는 디자이너의 모습을 구체적으로 보여 줘야지.

독서 후 활동 1 감상문 준비하기 ②

➜ 예시를 참고하여 각자 작성한 독서 일지를 바탕으로 책을 읽은 감상을 표에 정리한다. 또한 나와 꿈이 유사한 친구들이 감상문을 읽고 공감할 만한 문구를 구상해 보고 감상 내용을 효과적으로 드러낼 수 있는 다양한 시청각 자료를 스마트폰을 활용해 찾아본다.
누리소통망을 통해 책 이야기를 나누는 것이 이 활동의 목적이므로 형식에 제한을 두지 않고 사진이나 노랫말, 시 구절 등 감상 내용에 어울리는 자료를 자유롭게 넣어 친구들과 공유할 수 있도록 한다.

누리소통망으로 감상 나누기의 의의

- 책을 매개로 인터넷 공간에서 소통하며 독서 동기를 높임.
- 글, 사진, 영상, 음악 등 다양한 시청각 자료를 활용해 메시지를 표현하고 중심 생각이 드러난 검색어 등을 제시하여 내용을 인상적으로 나타낼 수 있음.
- 많은 사람들과 책에 관한 감상 내용을 쉽고 빠르게 공유할 수 있음.
- 댓글을 통해 다른 사람들의 의견을 듣고 자유롭게 의사소통함으로써 개인의 독서 능력을 확장시킴.

2. 1의 활동을 바탕으로 누리소통망에 감상문을 올려 봅시다.

누리소통망 감상문 예시

북극곰과 펭귄, 명태가 어우러진 지구 생태계를 위해
지구 가족 모두의 노력이 필요해요.

북극곰 - **슈퍼 키드** 

하루 종일 돌아다녀 봐도 차가운 바람만
굶주린 배만큼
더 허탈해지는 내 마음.
한 걸음 내디딜 때마다
찾아오는 이 불길함.
점점 더 깊이 파이는 내 발자국
아무래도 조금 이상해.
뭔가 잘못된 것 같아.
여긴 내 집인데 여긴 내 집인데
우리 집이 사라져 버렸네.

– 남종영의 『지구가 뿔났다』를 읽고

공감하기 댓글 달기 퍼가기

#○○_중학교 #1학년_1반 #○○○ #북극곰은_걷고_싶다

독서 후 활동 2 누리소통망에 감상문 올리기 ①

➜ 누리소통망의 특성에 맞게 앞에서 정리한 내용을 바탕으로 감상문을 올려 보는 활동이다.
예시에서는 감상 문구와 사진, 노래를 통해 지구 온난화의 심각성을 알리고 지구 환경을 지키기 위한 우리 모두의 노력이 필요함을 일깨우고 있다. 또한 해시 태그를 달아 친구들과 상호 간 검색을 통한 소통이 가능하도록 하고 있다.

누리소통망으로 감상 나누기할 때 유의할 점

- 상대방을 배려하고 존중하는 언어 표현을 사용한다.
- 시청각 자료를 활용할 때에는 저작권을 침해하지 않도록 한다.
- 나의 글을 검색할 수 있는 핵심 단어들에 해시 태그(#)를 붙여 다른 사람들과 공유할 수 있도록 한다.

해시 태그(#)

누리소통망에서 사용되는 해시 태그는 해시 기호 뒤에 특정 단어를 쓰면 그 단어와 연관된 글을 모아서 볼 수 있는 기능으로, 관심 분야의 주제와 관련된 게시물을 검색하는 데 유용하게 사용되고 있다. 예를 들어 '#북극곰은_걷고_싶다'를 클릭하면 똑같은 해시 태그를 단 글들이 검색되어 이용자들이 여러 가지 정보를 공유하며 소통할 수 있다.

나의 감상문

예시 답

디자인은 자연과 사람,
모두가 행복한 공간을 만드는 일이에요.

▲ 페트병으로 만든 조명 기구(출처: 서울새활용플라자)

글쓴이는 2000년 이후, 디자인 영역에서 부상한 '살림의 디자인', '살핌의 디자인'이라는 두 가지 쟁점을 예를 들어 설명하고 있다. 옛사람들이 아궁이를 지피고 남은 재를 분뇨 위에 뿌려 뒷거름을 만들어 농작물을 기름지게 하였다든지, 쓸모없는 조각 천을 이어 멋진 조각보를 만든 것은 생활의 효율과 멋을 발휘하는 살림의 디자인을 일찍이 실천한 예에 해당한다. 그리고 일본의 한 은행이 주차장에서부터 은행 내부의 모든 곳을 휠체어를 타고도 불편 없이 오갈 수 있도록 만든 것은 살핌의 디자인을 실천한 사례에 해당한다.

그동안 디자인은 눈에 보이는 것을 예쁘고 알아보기 쉽게 만드는 것이라고 생각했다. 하지만 이 책을 읽고 난 뒤 지속 가능한 미래를 만드는 데 이바지할 수 있는 디자인, 지구 환경에 대한 책임 의식을 가지고 사람들을 행복하게 만드는 디자인이 진정한 디자인임을 알게 되었다. 나는 오늘 지구 환경을 생각하고 대중으로부터 소외된 사람들의 마음도 챙기는 미래 디자이너로서의 나를 꿈꿔 본다.

공감하기 댓글 달기 퍼가기

#○○_중학교 #1학년_1반 #○○○ #____________ #____________

독서 후 활동 2 누리소통망에 감상문 올리기 ②

➜ 책을 읽고 난 감상을 그에 어울리는 자료를 활용하여 누리소통망에 직접 올려 본다. 감상을 올린 후에는 나의 감상문에 어떤 댓글이 달렸는지 확인해 본다.

각자 즐겨 사용하는 누리소통망을 활용하여 감상문을 공유하는 것도 좋지만, 반 친구들 간의 원활한 상호 작용을 위해 학급 누리집이나 블로그를 사용하는 것도 효과적이다.

누리소통망 감상문 평가 기준

- 친구들과 나누고 싶은 책의 내용이 잘 담겼는가?
- 누리소통망에 올릴 감상을 보조하기 위한 자료를 다양하게 찾아 정리하였는가?
- 감상 내용이 다양한 자료를 통해 효과적으로 표현되었는가?
- 책 정보, 감상 내용, 활용 자료, 해시 태그를 모두 포함하고 있는가?

3. 누리소통망에 올린 감상문을 짝꿍과 공유하며 서로의 꿈에 관한 이야기를 나누어 봅시다.

짝꿍의 감상문을 본 느낌	짝꿍의 꿈에 대한 내 생각
예시 답 전달하려는 말을 한 문장의 표제로 드러내고, 시각 자료까지 넣으니 네가 어떤 것에 관심이 있는지 잘 알 수 있었어.	예시 답 꿈을 구체적으로 그렸더라. 넌 해낼 수 있을 거야. 네 꿈을 응원할게!

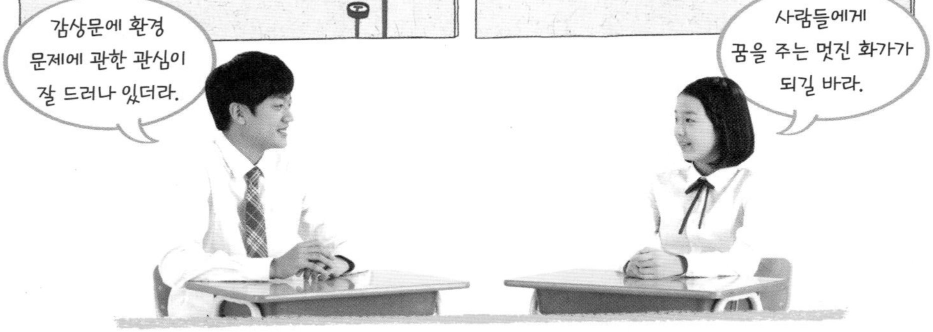

독서 후 활동 3 서로의 꿈 이야기 나누기

➜ 누리소통망에 올린 감상문을 보고 떠오르는 생각이나 느낀 점을 말하고 친구의 꿈을 격려해 주는 활동이다.
감상문과 관련하여 어떤 점이 좋았는지 구체적으로 표현하고, 또한 친구의 꿈과 관련하여 어떤 책을 더 읽으면 좋을지 서로 이야기해 본다.

4. 꿈이 실현된 미래 자신의 모습이 담긴 명함을 만들어 짝꿍에게 선물해 봅시다.

활동 방법

1. 미래에 하고 싶은 일과 그 까닭을 적는다.
2. 명함에 적을 문구를 만든다.
   예 아름다운 그림으로 사람들에게 감동을 주는 화가 ○○○
3. 다양한 형태의 미래 명함을 만든다.

미래에 하고 싶은 일	그 까닭
예시 답 제품 디자이너	환경과 사람의 조화로운 공존을 돕는 제품을 디자인하고 싶기 때문이다.

독서 후 활동 4 미래 명함 만들기

➜ 각자 꿈꾸는 미래의 모습이 담긴 명함을 만들어 보는 활동이다.
자신의 꿈을 잘 표현할 수 있는 문구를 만들고 이를 다양한 형태로 자유롭게 표현해 본다.

자신의 꿈을 시각화하여 구체적으로 표현하기
↓
꿈을 이루기 위한 구체적인 경로와 계획 등을 생각해 보기
↓
명함을 매개로 서로의 꿈과 관련된 깊이 있는 대화 나누기

5. '나의 꿈'과 관련된 책 읽기 활동을 하면서 느낀 점을 말해 봅시다.

예시 답 처음에는 방송에서 소개하는 디자이너들의 모습이 멋있어서 디자이너가 되어야지 생각했는데, 관련 도서를 읽다 보니 디자이너가 되기 위해서는 많은 준비와 과정이 필요하다는 것을 알았다. 또한, 디자이너가 되기 위해서는 관련 학과를 가기 위해 공부를 열심히 하거나 디자인 능력을 키우는 것도 필요하지만, 그것보다 더 중요한 것은 세상에 대한 호기심과 사람이나 자연에 대한 애정이라는 것을 느꼈다.

독서 후 활동 5 활동 후 느낀 점 말하기

➜ 꿈을 찾아 책 읽기 활동을 하면서 느끼거나 깨달은 점 등을 정리해 본다. 꿈과 관련된 책을 읽고 이를 매개로 인터넷 매체에서 소통하는 활동을 통해 긍정적인 부분은 발전시키고 부족한 점은 대안을 고민해 보며 자신의 꿈을 찾아 키워 나갈 수 있도록 한다.

이 외의 독서 후 활동

책 안내지(팸플릿)를 통한 책 소개하기

독서 일지를 중심으로 읽은 책 내용 정리하기

↓

책 내용 관련 삽화, 책 제목, 작가, 주제, 내용, 인상 깊은 구절, 관련된 나의 경험 또는 사회적 사건 등을 담은 안내지 만들기

↓

책 안내지 공유하기

4

간추리고, 따져 보고

대단원 미리 보기

대단원 학습 목표

읽기 읽기 목적이나 글의 특성을 고려하여 글 내용을 요약할 수 있다.
듣기 · 말하기 내용의 타당성을 판단하며 듣는다.

(1) 열두 살에 나라를 세우다

읽기 목적이나 이야기 글의 특성을 고려하여 글 내용을 요약할 수 있다.

- 「열두 살에 나라를 세우다」를 읽고, 이야기 글의 특성 파악하기
- 글을 읽는 목적이나 이야기 글의 특성을 고려하여 요약하기

이야기 글을 읽고 이야기 글의 전개 방식, 이야기 글의 구성 요소 등을 중심으로 내용을 요약한다. 또한, 글 중심의 요약인지 독자 중심의 요약인지 그 목적에 따라 요약의 방법이 달라질 수 있음을 이해하고 읽기 목적에 맞게 요약하도록 한다.

(2) 동양의 그림과 서양의 그림

읽기 목적이나 설명하는 글의 특성을 고려하여 글 내용을 요약할 수 있다.

- 「동양의 그림과 서양의 그림」을 읽고, 설명하는 글의 특성 파악하기
- 글을 읽는 목적이나 설명하는 글의 특성을 고려하여 요약하기

정보를 전달하는 글의 특성이 무엇인지 파악하고 글의 특성을 고려하여 중심 정보를 바탕으로 요약하도록 한다. 또한, 읽기 목적이나 상황 및 독자를 고려하여 요약문을 만들고 발표할 수 있도록 구체적인 맥락에 따라 글을 요약하도록 한다.

(3) 로봇, 친구가 될 수 있을까

강연 내용을 들으며 내용의 타당성을 판단하며 들을 수 있다.

- 「로봇, 친구가 될 수 있을까」를 듣고, 주장과 근거 파악하기
- 「로봇, 친구가 될 수 있을까」를 듣고, 주장과 근거의 타당성 판단하기

주장이 담긴 강연을 메모하며 듣고 주장과 근거를 파악하여 주장과 근거 사이의 연관성이나 주장을 끌어내는 과정의 타당성을 판단해야 한다. 또한, 주장을 뒷받침하는 정보나 자료가 믿을 만한지, 주장이 공평하고 정의로운지 판단한다. 아울러 주장을 끌어내는 과정에 영향을 미치는 다른 정보가 없는지 따져 본다. 그리고 강연 내용에 관한 판단을 바탕으로 자신의 의견을 근거를 들어 발표한다.

• 정답과 해설 p.26

요약이란 글을 읽고 주요 내용을 간추리는 것으로, 사실적 이해의 가장 기본이 되는 활동이다.

확인 문제

01 빈칸에 알맞은 말을 쓰시오.

(　　　)(이)란 글의 주요 내용을 간추려 정리하는 것으로, 내용을 바르게 이해하고 오래 기억하는 데 도움이 된다.

02 글의 특성에 알맞은 요약하기 방법을 찾아 줄로 연결하시오.

① 설명하는 글 •	• ㉠ 글의 전개 방식
② 이야기 글 •	• ㉡ 중요 정보 중심

내용의 타당성을 판단하며 듣는다는 것은 주장과 근거가 이치에 맞고 합리적인지를 판단하며 듣는 것을 말한다.

확인 문제

03 주장하는 말하기를 들을 때 유의할 점으로 가장 적절한 것은?

① 다양한 자료를 활용한 말하기인지 살펴보아야 한다.
② 실제로 있는 사실만을 말하고 있는지 판단해야 한다.
③ 중요한 정보를 쉽게 요약할 수 있는지 따져 보아야 한다.
④ 자신이 관심을 가진 분야에 관한 말하기인지 판단해야 한다.
⑤ 근거를 통하여 결론에 도달하는 과정이 적절한지 판단해야 한다.

1 열두 살에 나라를 세우다

• 생각 열기 '나의 영웅'을 짝에게 소개해 봅시다.

내가 영웅으로 생각하는 인물은 누구인지, 그리고 왜 그렇게 생각하는지 짝에게 설명해 봅시다.

예시 답 내가 생각하는 최고의 영웅은 아버지께 전해 들은 나의 증조할아버지이시다. 나의 증조할아버지는 일본의 갖은 회유와 압박에도 불구하고 자신의 신념을 굽히지 않으셨으며, 정의를 실현하기 위해 자신의 삶을 바치신 분이기 때문이다.

위 인물에 대한 소개를 한 문장으로 줄여 봅시다.

예시 답 나의 증조할아버지는 정의를 이루기 위해 평생을 사신 분이다.

• 학습 목표로 내용 엿보기

"내가 존경하는 사람을 간단히 소개하기가 그리 쉽지 않네. 한 사람의 인생 이야기를 단 몇 줄로 줄이는 게 이렇게 힘들 줄은 몰랐어. 이야기 글이 지닌 특성을 고려해 요약하는 방법을 알아봐야겠어. 읽기 목적에 따라 요약하는 방법도 안다면 더 제대로 요약할 수 있겠지?"

핵심 1 이야기 글의 특성을 고려하여 요약하기

핵심 2 글을 읽는 목적을 고려하여 요약하기

핵심 원리 이해하기 이야기 글 요약하기

1. 이야기 글의 주요 구성 요소

- 인물: 이야기 속에서 주체의 역할을 하는 존재
- 사건: 인물이 벌이는 일과 상황
- 배경: 사건이 일어나는 시간과 공간

2. 이야기 글 요약하기

- 사건이 일어난 순서에 따라 요약을 한다.
- 중심인물과 관련된 사건을 중심으로 요약한다.
- 등장인물들의 관계 변화에 따라 요약한다.
- 이야기의 구성 단계별 주요 사건을 중심으로 요약한다.
- 시간이나 공간의 변화에 따라 달라지는 전개 과정을 정리하여 요약한다.

개념 확인 콕콕

• 정답과 해설 p.26

01 이야기 글의 특성에 관한 설명으로 잘못된 것은?

① 인물, 사건, 배경이 드러난다.
② 인물의 갈등의 원인과 결과가 드러난다.
③ 중심인물의 행동을 중심으로 사건이 전개된다.
④ 배경의 변화에 따라 이야기의 흐름이 달라지기도 한다.
⑤ 전달하는 사람의 시각에 따라 중심 사건이 달라지는 특성을 지닌다.

02 이야기 글을 요약할 때의 효과에 해당하는 것만 묶으면?

> ㉠ 사건의 흐름을 정확히 이해할 수 있다.
> ㉡ 각 부분의 사건을 정리하기 쉽다.
> ㉢ 글의 내용을 오래도록 기억할 수 있다.

① ㉠ ② ㉠, ㉡
③ ㉠, ㉢ ④ ㉡, ㉢
⑤ ㉠, ㉡, ㉢

03 이야기 글을 요약할 때의 유의점을 다음과 같이 정리할 때, 빈칸에 공통으로 들어갈 말을 쓰시오.

> 이야기 글은 인물, ( ), 배경을 파악하여 ( )의 흐름에 따라 내용을 요약할 수 있다.

본문 미리보기

본문 안내

이 소단원은 이야기 글의 원형이라고 할 수 있는 신화를 제재로 하여 줄거리 간추리기 활동에 적합한 단원이다. 「열두 살에 나라를 세우다」에는 고구려의 시조 동명왕의 탄생과 고구려 건국 과정에 관한 이야기가 담겨 있는데, 이 작품을 읽으면서 비교적 뚜렷하게 드러나 있는 사건들을 중심으로 이야기 글의 구성 요소와 단계를 고려하여 글을 요약하도록 한다.

발단		전개		위기		절정		결말
동부여의 왕 금와가 유화를 동부여 궁궐로 데리고 옴.	→	궁에 온 유화가 열 달 만에 낳은 알에서 나온 주몽은 뛰어난 재주를 보이며 자라남.	→	대소를 비롯한 금와의 다른 아들들이 주몽을 없애려고 함.	→	주몽은 물고기와 자라의 도움을 받아 대소 일행으로부터 무사히 도망침.	→	주몽은 졸본에 이르러 고구려를 세우고 왕이 됨.

본문 개관

★ **글쓴이 소개** 일연

고려 시대의 승려(1206~1289). 주요 저서인 『삼국유사』에는 한국 고대 설화 및 향가 등이 집대성되어 있다.

★ **갈래** 신화

이 글은 고구려의 건국 시조를 주인공으로 내세워 인물을 신격화하여 그려 내고 있는 신화이다. 신화는 설화의 하나로, 우주의 시작, 초자연적 존재의 계보, 민족의 시작 등과 관련된 신 또는 신격화한 인물에 관한 서사적 이야기며 서사 문학의 원형에 해당한다.

★ **성격** 서사적, 영웅담적, 신화적, 비현실적

이 이야기는 인물의 탄생과 성장, 영웅적 면모의 완성 과정을 시간 순서에 따라 서술하고 있어 서사적 구조를 띠고 있다. 또한 중심인물을 비범한 영웅으로 묘사하면서 초월적 존재로서의 특성을 두드러지게 표현하고 있다. 특히 한 나라의 시조를 초월적인 존재로 표현하여 신화적 성격이 강하다.

★ **제재** 주몽의 일대기

이 글에서는 주인공 주몽의 탄생과 성장 과정, 그리고 나라를 세운 과정을 시간 순서에 따라 서술하고 있다. 인물의 출생에서부터 중요한 업적을 이룬 시기까지의 생애를 다루고 있다는 점에서 인물의 일대기를 제재로 하고 있다고 할 수 있다.

★ **주제** 주몽의 탄생과 고구려의 건국 과정

이 글은 고구려의 시조 주몽이 고구려를 건국하기까지의 과정을 다루면서 고구려 시조의 혈통과 나라의 위치, 건국 시기 등을 구체적으로 밝히고 있다. 특히 건국 시조인 주몽이 고귀한 혈통을 지닌, 비범한 존재라는 점을 강조하여 고구려라는 나라의 위상을 높이고 있다.

열두 살에 나라를 세우다

일연 지음 / 김원중 옮김

이것이 핵심! ✔ 이야기의 구성 요소에 따른 내용 요약

발단 1 북부여의 왕이었던 해부루는 천제의 명령으로 동부여로 피해 가서 살았다. 해부루는 아들이 없어 이 자리를 금와가 이어받았다.

어느 날 금와가 지금의 백두산인 태백산 남쪽의 우발수(배경(공간))라는 강을 지나고 있을 때였다. 그는 매우 아리따운 여인이 강변에서 울고 있는 것을 보았다.(사건 ①) / "웬 여인인데 이곳에서 그리 슬피 울고 있는가?"

왕의 물음에 그 여인은 울음을 그치고 이렇게 대답했다.

"저는 북부여의 물의 신 하백의 딸로 이름은 유화(중심인물)라고 합니다. 어느 화창한 날, 동생들과 함께 놀러 나왔는데, 그때 웬 남자가 나타나 자신이 하늘나라 임금의 아들 해모수라고 하면서 웅신산 아래 압록강가에 있는 집으로 저를 데려가 저와 사랑을 나누었습니다.(사건 ②) 그러고 나서 저를 버리고 떠나가서 돌아오지 않았습니다. 부모님은 제가 혼인도 하지 않은 채 낯선 남자를 따라가 사랑을 나눈 것을 알고(당대의 가치관 – 여성의 정절 중시) 노발대발하여 이곳으로 귀양을 보냈습니다.(사건 ③)"

아무래도 평범한 여인이 아니다 싶었던 금와왕은 그녀를 궁궐로 데려왔다.(사건 ④) 그리고 사람들의 눈에 띄지 않는 궁궐의 외딴곳에 유화의 거처를 마련해 주고, 시중드는 사람들에게 그녀를 잘 지켜보도록 했다.

발단 | 금와가 우발수에서 울고 있는 유화를 데리고 궁궐로 옴.

핵심 확인 이야기의 구성 요소에 따른 요약

시간적 배경	공간적 배경	사건 1	사건 2
구체적으로 드러나 있지 않음.	우발수, 동부여의 궁궐	금와가 우발수에서 울고 있는 유화를 발견함.	유화가 해모수와 사랑을 나눔.

인물 1	인물 2	사건 3	사건 4
금와	유화	유화가 귀양을 가게 됨.	금와가 유화를 궁궐로 데려옴.

➡ 유화는 혼인도 하지 않은 채 해모수와 사랑을 나누고 부모님에게 쫓겨나 우발수에서 울고 있었는데, 이때 동부여의 왕 금와가 유화를 발견하고 궁궐로 데려왔다.

확인 문제

• 정답과 해설 p.26

01 이 글에 관한 설명으로 알맞지 않은 것은?

① 사건이 우연적으로 전개되고 있다.
② 사건의 중심 공간이 구체적으로 드러나 있다.
③ 시간적 배경이 구체적으로 드러나 있지 않다.
④ 신성한 혈통을 지닌 존재를 중심인물로 내세우고 있다.
⑤ 남녀의 자유로운 사랑을 중시하는 당대의 사회상이 드러나 있다.

핵심

02 이 글을 요약할 때 가장 중요하게 보아야 할 점은?

① 공간의 이동
② 갈등 해결의 방법
③ 새로운 인물의 등장
④ 시간에 따른 사건의 변화
⑤ 작가의 서술 태도의 다양성

날개 확인 문제

03 1을 요약할 때 들어가기에 가장 어색한 내용은?

① 금와가 우발수에서 울고 있는 유화를 발견하였다.
② 유화가 혼인도 하지 않고 해모수와 사랑을 나누었다.
③ 유화는 부모님의 명령에 의해 우발수로 귀양을 왔다.
④ 금와는 아들이 없던 해부루의 뒤를 이어 부여의 왕이 되었다.
⑤ 금와는 유화를 자신의 궁궐로 데리고 와서 거처를 마련해 주었다.

서술형

04 이 글에서 비현실적인 요소를 모두 찾아 쓰시오.

이것이 핵심! ✓ 중심 인물 관련 사건에 따른 내용 요약 ✓ 인물의 기이한 탄생

전개 1 **2** 그러던 어느 날, 유화(중심인물)에게 신기한 일이 생기기 시작했다. 따사로운 햇볕이 유화가 머무는 어두운 방 안을 환하게 비추었다. 그런데 유화가 햇빛을 피하는데도 햇빛이 자꾸 따라다니며 비추는 것이었다.(사건 ①) 더욱 신기한 일은 그 뒤로 유화의 배가 점점 불러 오더니 열 달이 되자 알을 하나 낳은 것이었다.(사건 ②) 알의 크기는 무려 다섯 되쯤 되었다.

사람의 몸으로 알을 낳은 유화를 보자 금와왕은 그녀를 궁궐로 데리고 온 것을 후회했다. 그렇다고 인제 와서 다시 내쫓아 버릴 수도 없는 노릇이었다. 금와왕은 왠지 꺼림칙하여 ㉠ 알을 개와 돼지에게 던져 주라고 명령했다.(사건 ③) 그런데 어느 동물도 이 알을 먹지 않았다. 이번에는 ㉡ 알을 다시 길가에 내다 버렸다.(사건 ③) 하지만 이번에도 길을 지나는 소나 말들이 하나같이 그 알을 피해 다니는 것이었다. 금와왕은 더욱 이상한 생각이 들어 ㉢ 알을 새와 짐승들이 먹도록 거친 들판에다 버렸다.(사건 ③) 그러자 새들이 알에 다가와 오히려 깃털로 덮어 주기까지 하는 것이었다. 왕은 이 알을 그냥 두어서는 안 된다고 생각하고는 ㉣ 깨뜨려 버리려고 했지만,(사건 ③) 너무 단단해 도저히 깨지지 않았다. 이러지도 저러지도 못한 금와왕은 결국 알을 유화에게 되돌려 주었다.(사건 ④)

전개 1	유화가 알을 낳자 금와는 그 알을 없애려 했으나 실패하고 다시 알을 유화에게 돌려줌.

핵심 확인

중심인물(유화) 관련 사건에 따른 요약

사건 1	사건 2	사건 3	사건 4
햇빛이 유화를 따라다니며 비춤.	유화가 알을 낳음.	금와가 알을 없애려고 하지만 실패함.	금와가 유화에게 알을 돌려줌.

→ 유화가 알을 낳자 금와가 이를 없애려고 노력했으나 실패하고 결국 유화에게 돌려주었다.

인물의 기이한 탄생

• 햇빛이 유화를 따라다니며 비춤. • 유화가 다섯 되쯤 되는 알을 낳음. • 동물들이 알을 먹지도 않고 피해 감. • 알을 깨뜨리려고 하지만 깨지지 않음.	→	인물의 탄생을 신비화하고 인물에게 초인적인 권위를 부여하고자 하는 의도가 반영됨.

05 **2**에 대한 독자의 반응으로 가장 적절한 것은?

① 유화는 신비하고 초월적인 인물을 낳은 거로군.
② 금와는 유화에 대하여 큰 두려움을 가지고 있군.
③ 유화는 결국 금와에게 해를 끼치는 일을 벌이겠군.
④ 당시 사람들은 아이를 하찮은 존재로 여기고 있었군.
⑤ 당시 사회는 동물들을 존중하고 보살펴 주는 분위기였군.

핵심

06 **2**에 드러난 비현실적 요소로 가장 거리가 먼 것은?

① 알을 개와 돼지에게 던져 주었다.
② 알이 너무 단단해서 깨지지 않았다.
③ 햇빛이 사람을 따라다니며 비추었다.
④ 동물들이 버려진 알을 피해서 다녔다.
⑤ 새들이 들판에서 알을 깃털로 덮어 주었다.

서술형 날개 확인 문제

07 ㉠~㉣을 요약하여 한 문장으로 쓰시오.

08 다음은 영웅 설화의 일반적인 구조를 보여 준다. **2**와 가장 관계 깊은 것은?

㉮ 고귀한 혈통과 비범한 출생
㉯ 어려서 시련을 겪음.
㉰ 시련을 이겨 냄.
㉱ 더 큰 어려움을 겪지만, 조력자의 도움으로 이겨 냄.
㉲ 영웅적 면모를 완성함.

① ㉮ ② ㉯ ③ ㉰
④ ㉱ ⑤ ㉲

이것이 핵심! ✓ 중심인물 관련 사건에 따른 내용 요약 ✓ 비범한 인물상

전개 2 **3** 유화는 알을 돌려받자, 천으로 부드럽게 감싸 따뜻한 곳에 두었다. 그러자 얼마 되지 않아 한 어린아이가 스스로 껍데기를 깨고 나왔는데, 아이의 모습이 남달랐다.

4 무척 영리한 그 아이는 일곱 살이 되었을 때부터 빼어난 용모와 함께 뛰어난 재주를 보이기 시작했다. 아이는 저 스스로 활과 화살을 만들어 쏘곤 했는데, 백 번 쏘면 백 번을 다 맞히었다. 이 당시 동부여에서는 활을 잘 쏘는 사람을 주몽이라 부르는 풍속이 있어서 금와왕을 비롯한 주변 사람들이 모두 그를 주몽이라고 불렀다.

전개 2 알에서 뛰어난 실력을 지닌 주몽이 태어남.

핵심 확인

중심인물(주몽) 관련 사건에 따른 요약

영웅적 면모 1	영웅적 면모 2	영웅적 면모 3
한 아이가 스스로 알을 깨고 나옴.	빼어난 용모와 재주를 갖춤.	뛰어난 활쏘기 능력 때문에 사람들이 주몽이라고 부름.

→ 알을 깨고 나온 아이는 빼어난 용모에 활쏘기 능력을 갖추어 사람들이 주몽이라고 불렀다.

인물의 비범함 ①

• 스스로 알을 깨고 나와 남다른 모습을 가짐. • 빼어난 용모와 뛰어난 재주를 가짐. • 백발백중의 활쏘기 실력을 갖춤.	→	주몽이 영웅적 인물임을 암시하기 위하여 어려서부터 뛰어난 재능을 지니고 있다는 점을 강조함.

이것이 핵심! ✓ 중심인물 관련 사건에 따른 내용 요약 ✓ 비범한 인물상

전개 3 **5** 당시 금와왕에게는 일곱 명의 아들이 있었다. 그들은 언제나 주몽과 함께 어울려 놀았는데 자신들의 재능이 도저히 주몽을 따라가지 못하자, 하루는 맏아들 대소가 아버지인 금와왕에게 아뢰었다.

"주몽은 사람의 몸에서 태어난 자가 아닙니다. 없애 버리지 않으면 훗날 뒤탈이 있을 것입니다."

그러나 금와왕은 섬뜩한 주장을 하는 맏아들 대소의 말을 귀담아듣지 않았다. 오히려 왕은 주몽이 태어나기 전에 있었던 일들을 곰곰이 되새겨 보았고, 고민 끝에 주몽에게 말을 기르도록 했다.

핵심 | 날개 확인 문제

09 3~4의 내용을 요약할 때 반드시 들어가야 할 내용으로 가장 거리가 먼 것은?

① 알에서 태어났다.
② 주몽이라고 불렸다.
③ 빼어난 용모를 지녔다.
④ 활쏘기 실력이 뛰어났다.
⑤ 동부여에서 활쏘기를 중시했다.

서술형

10 3~4에서 인물의 비범함을 드러내는 내용을 찾아 쓰시오.(2개 이상)

11 5에서 알 수 있는 내용으로 적절한 것은?

① 주몽은 금와왕에게 훌륭한 아들로 인정받기를 원했다.
② 금와왕은 자기 아들들보다 주몽을 더 아끼고 사랑했다.
③ 주몽은 금와왕의 아들들이 자신에게 친근감을 느낀다고 생각했다.
④ 금와왕은 주몽이 신비한 힘을 가진 아이라고 생각하여 해치지 않았다.
⑤ 금와왕의 아들들은 어린 시절부터 주몽에 대한 적대감을 가지고 있었다.

서술형

12 5의 중심 내용과 관련하여 다음과 같이 정리할 때 (   )에 알맞은 말을 각각 서술하시오.

> 이 부분에는 주몽에 대한 대소의 생각이 드러나 있다. 대소는 외적으로는 (   )을/를 이유로 들며 주몽을 없애자고 하였으나 내면적으로는 (   ) 있다.

6 주몽은 말을 알아보고 기르는 재주도 가지고 있었는데 자신이 기르는 말 가운데 힘이 좋고 날쌘 말은 먹이를 조금씩 주어 비쩍 마르게 하였고, 반대로 늙고 굼뜬 말은 잘 먹여 살을 찌워 겉으로는 힘차고 좋은 말로 보이게 만들었다. 그러자 금와왕은 보기 좋게 살찐 말을 자기가 타고, 겉으로는 비쩍 말랐지만 사실은 날쌘 말을 주몽에게 주었다. 사실 주몽은 자신에게 닥쳐올 앞날을 내다보고 이렇게 행동한 것이었다.

전개 3	말을 기르는 일을 하게 된 주몽은 날쌘 말을 일부러 마르게 키워 금와왕으로부터 얻어 냄.

핵심 확인

중심인물(주몽) 관련 사건에 따른 요약

사건 1	사건 2
대소는 주몽을 없애자고 하지만 금와왕은 주몽에게 말을 키우게 함.	주몽이 앞날을 내다보고 날쌘 말을 마르게 키워 왕에게서 그 말을 얻어 냄.

→ 대소가 주몽을 없애자고 하지만 금와왕은 말을 기르게 하였고, 주몽은 좋은 말을 일부러 마르게 하여 그 말을 얻어 내었다.

인물의 비범함 ②

좋은 말을 알아보고 비쩍 마르게 키워 왕을 속임. → 앞날을 내다보는 인물의 비범한 면모를 드러냄.

이것이 핵심! ✔ 중심인물 관련 사건에 따른 내용 요약 ✔ 인물 간의 대립

위기 7 그 무렵 대소는 다른 동생들과 신하들을 꾀어 어떻게든 자신에게 위협이 될 수 있는 주몽을 해치려고 이런저런 음모를 꾸몄다. 이런 사실을 알게 된 주몽의 어머니 유화는 어느 날 아들에게 몰래 말했다.

㉠"태자 대소를 비롯해 많은 사람이 너를 해치려고 하는데, 네가 영특하니 어디를 간들 살지 못하겠느냐? 빨리 이곳을 떠나 목숨을 보전하도록 하여라."

위기	주몽이 대소의 음모를 피해 도망해야 하는 상황에 처함.

핵심 확인

중심인물(주몽) 관련 사건에 따른 요약

대소가 주몽을 없애려 하자 유화가 주몽에게 도망갈 것을 충고했다.

인물간의 갈등 관계

주몽: 뛰어난 재능을 지님. ⟷ 대립 ⟷ 대소와 왕자들: 주몽에 대한 열등감으로 주몽을 없애려는 음모를 꾸밈.

핵심

13 6을 다음과 같이 요약할 때 보완해야 할 점을 가장 적절하게 지적한 것은?

> 금와왕은 주몽에게 말을 기르게 하였는데, 주몽은 날쌘 말을 비쩍 마르게 하였다.

① 주몽이 날쌘 말을 비쩍 마르게 했다는 내용은 삭제해야 한다.
② 주몽이 여러 마리의 말을 길러냈다는 내용을 추가해야 한다.
③ 주몽이 말을 마르게 한 의도가 드러나도록 내용을 추가해야 한다.
④ 주몽이 앞날을 내다보는 능력이 있음을 더 자세하게 표현해야 한다.
⑤ '날쌘 말'과 금와왕이 탄 말에는 어떤 차이가 있는지 드러나도록 내용을 추가해야 한다.

14 6을 통해 강조하는 바로 적절한 것은?

① 금와왕의 어리석음
② 주몽의 영웅적 인물됨
③ 주몽과 대소의 재능의 차이
④ 주몽과 금와왕 사이의 갈등
⑤ 주몽에 대한 금와왕의 신뢰

핵심

15 7에서 알 수 있는 '대소'의 의도를 바르게 표현한 것은?

① 주몽으로부터 금와왕을 보호해야겠다.
② 주몽보다 더 뛰어난 재능을 길러야겠다.
③ 유화와 주몽이 서로 대립하도록 해야겠다.
④ 동생들이 주몽을 따르지 못하도록 해야겠다.
⑤ 이 나라를 주몽에게 물려주도록 하지 않겠다.

16 이 글을 연극 대본으로 각색할 때 ㉠ 앞에 들어가기에 적절한 지시문은?

① 자비로운 미소를 띠며
② 다급하고 초조한 목소리로
③ 아들을 향해 눈웃음을 지으며
④ 얼굴을 찌푸리며 미안해하면서
⑤ 자신만만하고 거만한 표정으로

이것이 핵심! ✓ 중심인물 관련 사건에 따른 내용 요약 ✓ 인물의 시련 극복

절정 **8** 어머니의 말을 들은 주몽은 평소에 자신을 따르던 오이를 비롯한 세 명의 부하들을 데리고 몰래 부여를 떠나기로 했다. 하지만 대소 또한 주몽의 행동을 눈여겨보고 있던 터라, 주몽이 떠났다는 사실을 알고 부하들과 함께 뒤를 쫓기 시작했다. 주몽과 그 일행은 대소와 그 부하들의 추격을 피해 말을 달려 엄수라는 강가에 이르렀다. 그런데 엄수는 넓은 강이었고 더구나 물살도 거칠어 더는 달아날 수가 없었다. 그때 주몽은 강물을 향해 큰 소리로 외쳤다.

"나는 해모수의 아들이자 물의 신 하백의 외손자다. 지금 나를 죽이려는 자들을 피해 달아나는데 뒤쫓는 자들이 코앞까지 따라오고 있으니 내가 어떻게 하면 좋겠는가?" / 주몽의 말이 끝나자마자 신기한 일이 벌어졌다. 갑자기 강물 위로 수많은 물고기와 자라가 떠올라 다리를 만들어 주는 것이었다. 그리고 주몽 일행이 무사히 강을 건너자마자 남김없이 물속으로 사라져 버렸다. 주몽을 뒤쫓던 대소의 군사들은 발만 동동 구르면서 그 광경을 바라만 볼 뿐이었다.

절정 | 주몽은 물고기와 자라의 도움을 받아 대소에게서 무사히 도망침.

핵심 확인 중심인물(주몽) 관련 사건에 따른 요약

사건 1, 2	사건 3, 4
주몽이 부여를 떠나지만 대소 일행이 뒤쫓아 옴.	주몽이 물고기와 자라로부터 도움을 받아 강을 건넘.

→ 주몽은 물고기와 자라의 도움을 받아 대소를 피해 무사히 강을 건넜다.

이것이 핵심! ✓ 중심인물의 위업

결말 **9** 이렇게 하여 어렵게 목숨을 건진 주몽은 졸본에 도착해 자신이 장차 다스릴 나라의 도읍으로 정했다. 그리고 일단 비류수 강가에 초가를 짓고 임시로 궁궐로 삼았으며, 나라 이름을 고구려라 짓고 고(高)를 자신의 성씨로 삼았다. / 이때, 주몽의 나이 겨우 열두 살이었다.

결말 | 주몽이 졸본에 나라를 세우고 고구려라 함.

핵심 확인 중심인물의 위업

중심인물	사건
주몽	졸본에 나라를 세우고 '고구려'라 함.

17 이 글로 보아 알 수 있는 건국 신화의 특성으로 적절하지 <u>않은</u> 것은?

① 신격화된 인물이 주인공으로 등장하는 경우가 많다.
② 대체로 주인공의 탄생부터 건국의 과정에 이르는 일대기를 다룬다.
③ 구체적인 사물이나 장소를 증거물로 제시하여 이야기의 신빙성을 높인다.
④ 역사적인 내용을 바탕으로 비현실적인 사건을 가미하여 내용을 전개한다.
⑤ 한 나라가 신성한 힘으로 세워졌음을 통해 국민의 자긍심을 높이고자 한다.

서술형 핵심

18 **8**의 중심 내용을 〈조건〉에 맞게 요약하여 쓰시오.

조건
1. '주몽'과 '대소'를 언급할 것
2. 공간적 배경이 드러나도록 할 것
3. 한 문장으로 요약할 것

핵심

19 **8**에서 인물이 시련을 극복하는 방법을 가장 바르게 설명한 것은?

① 조력자의 도움을 받는다.
② 상대와의 화해를 시도한다.
③ 상대에게 더 큰 시련을 겪게 한다.
④ 자신이 지닌 초능력을 직접 발휘한다.
⑤ 지지자들과 함께 자신이 있는 공간에서 위험을 제거한다.

20 이 글에 드러난 고구려의 건국에 관한 정보로 적절하지 <u>않은</u> 것은?

① 졸본을 도읍으로 하여 건국하였다.
② 고주몽이 열두 살의 나이에 건국하였다.
③ 신성한 혈통을 통해 건국의 당위성을 강조하였다.
④ 풍족하게 살고자 하는 백성들의 소망이 담겨 있다.
⑤ 북부여 → 동부여 → 고구려로 나라의 정통성이 이어졌다.

다지기 학습 활동

• 정답과 해설 p.28

이해 활동

1. 이 글의 내용을 바탕으로 〈보기〉에서 해당 인물을 골라 아래의 관계도를 완성해 봅시다.

보기

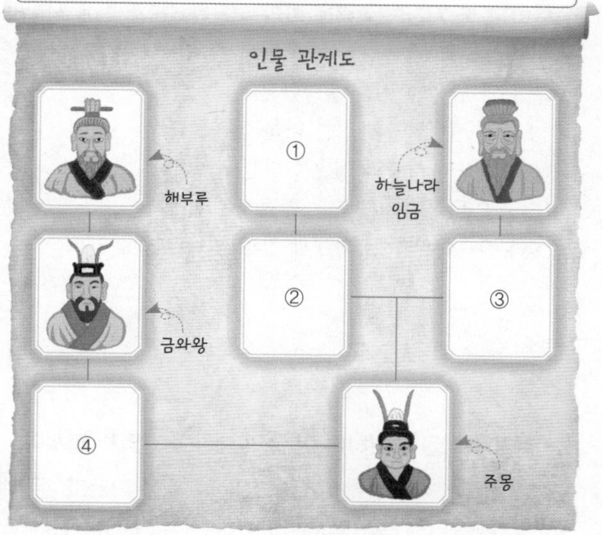

① → 　　　② →

③ → 　　　④ →

이해 다지기 문제

1 이 글의 등장인물에 관한 설명으로 잘못된 것은?

① 주몽은 고귀한 혈통을 타고난 인물이다.
② 유화는 신의 딸로 신격화된 인간에 해당한다.
③ 금와왕은 해부루의 왕위를 이어받은 인물이다.
④ 주몽은 신적인 인간으로 영웅적 면모를 갖추고 있다.
⑤ 대소는 주몽과 이복형제로 주몽에 비해 능력이 부족하다.

2 이 글에서 주몽과 외적 갈등을 겪는 인물은?

① 유화 ② 대소 ③ 금와왕
④ 해모수 ⑤ 하백

목표 활동

1. 이야기 글의 특성을 고려하여 이 글의 내용을 요약해 봅시다.

1 중심인물과 관련된 사건을 바탕으로 이 글의 내용을 요약해 봅시다.

예시 답 유화는 혼인도 하지 않은 채 해모수와 사랑을 나누고 부모님에게 쫓겨나 우발수에서 울고 있었는데, 이때 동부여의 왕 금와가 유화를 발견하고 궁궐로 데려왔다. 궁궐에 온 유화에게 햇빛이 계속 쫓아와 비추더니 유화는 알을 낳았다. 금와왕은 유화가 낳은 알을 없애 버리려고 하였으나 실패하고, 알을 유화에게 되돌려 주었다. 그리고 그 알에서 아이가 태어났다. 알에서 태어난 아이는 빼어난 용모에 뛰어난 재주를 지니고 있었으며, 백발백중의 활쏘기 능력을 갖추고 있어 주몽이라 불렸다. 주몽의 재능에 위기를 느낀 금와왕의 아들 대소는 금와왕에게 주몽을 없애라 요청하였지만, 금와왕은 주몽에게 말 기르는 일을 맡긴다. 주몽은 힘이 좋고 날쌘 말을 비쩍 마르게 하여 그 말을 금와왕으로부터 받아 앞날을 대비하였다. 이후 금와왕의 아들들 때문에 주몽이 위기에 처하게 될 것을 안 유화는 주몽에게 도망가라고 한다. 금와왕의 아들들로부터 도망치던 주몽은 큰 강을 만났으나 물고기와 자라의 도움으로 무사히 강을 건넌다. 졸본에 도착한 주몽은 그곳을 도읍으로 삼아 고구려를 세우고 왕이 되었다.

2 다음과 같은 영웅 이야기 구조를 활용하여 이 글의 내용을 요약해 봅시다.

고귀한 혈통 → 기이한 탄생 → 비범한 능력 → 위기와 시련 → 위기의 극복 → 위대한 업적

예시 답 주몽은 물의 신인 하백의 딸 유화와 하늘나라 임금의 아들인 해모수 사이에서 태어났다. 우발수에서 울고 있는 유화를 발견해 동부여의 궁궐로 데리고 온 금와왕은 유화가 열 달 만에 알을 낳자 이를 없애 버리려고 하였으나 실패하고, 결국 그 알에서 주몽이 태어난다. 주몽은 어려서부터 뛰어난 활 솜씨를 지니고 있었다. 그의 능력을 시기한 금와왕의 아들들은 주몽을 해치려 하였고, 주몽은 미리 준비한 말을 타고 그들로부터 도망을 친다. 도중에 주몽은 큰 강을 만나지만, 물고기와 자라의 도움으로 무사히 강을 건널 수 있었으며, 졸본에 도착해 그곳을 도읍으로 삼아 고구려를 세우고 왕이 되었다.

3 1과 2에서 요약한 내용을 비교해 보고, 이야기 글을 요약하는 방법을 더 알아봅시다.

예시 답

• 1과 2의 요약 비교
→ 1은 중심 사건을 바탕으로 한 요약하기이며, 2는 영웅의 일대기 구조에 따른 요약하기이다.
→ 이 글은 영웅의 일대기가 곧 중심 사건에 해당하므로 1, 2가 같은 내용으로 요약될 수 있다. 다만 영웅 이야기 구조에 해당하는 가장 기본적인 요소만으로 요약한다면 2의 요약이 1에 비해 더 압축적으로 축약될 수 있다.

• 이야기 글 요약하는 방법
– 시간의 흐름에 따라 요약하기: 역사적 사건이나 인물의 생애가 시간에 따라 전개될 때
– 공간의 변화에 따라 요약하기: 장소의 변화가 사건 전개에 중요하게 작용할 때
– 인물의 업적에 따라 요약하기: 전기나 자서전처럼 인물의 업적을 중심으로 다룰 때

목표 다지기 문제

1 〈보기〉의 사건을 시간 순서대로 바르게 나열한 것은?

보기
㉠ 주몽이 졸본으로 피신하여 고구려를 세움.
㉡ 금와왕과 유화가 우발수에서 만남.
㉢ 주몽이 알을 깨고 나옴.
㉣ 대소가 주몽을 해할 음모를 꾸밈.
㉤ 주몽이 말을 기르게 됨.

① ㉠ – ㉡ – ㉢ – ㉣ – ㉤
② ㉡ – ㉢ – ㉤ – ㉣ – ㉠
③ ㉡ – ㉣ – ㉢ – ㉤ – ㉠
④ ㉢ – ㉠ – ㉡ – ㉣ – ㉤
⑤ ㉢ – ㉣ – ㉠ – ㉡ – ㉤

2 이 글을 요약하는 과정에서 꼭 필요한 내용이 아닌 것은?

① 고구려의 건국
② 주몽의 비범한 능력
③ 물고기와 자라의 도움
④ 대소와 부하들의 추격
⑤ 평소 주몽을 따르던 인물의 이름

3 〈보기〉는 이와 같은 이야기가 가지는 일반적인 구조이다. ㉮~㉲에 각각 해당하는 이 글의 내용을 잘못 연결한 것은?

보기
㉮ 고귀한 혈통과 기이한 탄생
㉯ 비범한 능력을 갖춤.
㉰ 고난이나 시련을 겪음.
㉱ 조력자가 등장하여 시련을 이겨 냄.
㉲ 영웅적 면모를 완성함.

① ㉮ – 하늘과 물의 신의 혈통을 이어받은 주몽이 알에서 태어남.
② ㉯ – 주몽이 백발백중의 활쏘기 실력을 갖춤.
③ ㉰ – 주몽이 금와왕의 아들들에게 미움을 받음.
④ ㉱ – 주몽이 좋은 말을 비쩍 마르게 기름.
⑤ ㉲ – 주몽이 고구려를 건국함.

4 이와 같은 글을 요약하는 방법에 대한 설명으로 가장 적절한 것은?

① 독자 자신이 감동한 부분만 중점적으로 선정한다.
② 글 속에서 반복되는 내용은 여러 번 제시하며 요약한다.
③ 개별적이고 구체적인 사건은 일반적인 상위 내용으로 묶는다.
④ 글 속에 드러나 있지 않은 내용을 중심으로 내용을 간추린다.
⑤ 글의 내용을 그대로 제시하기 위해 글에 나와 있는 표현만으로 요약한다.

5 다음 중 시간의 흐름에 따라 내용을 요약하기에 적절하지 않은 것은?

① 논과 밭의 차이를 설명한 글
② 김구 선생의 일대기를 다룬 전기문
③ 주인공의 사랑과 이별을 다룬 소설
④ 궁중 떡볶이를 만드는 방법에 대한 글
⑤ 임진왜란의 발생 과정과 결과를 설명한 글

2. 읽기 목적을 고려하여 이 글의 내용을 요약해 봅시다.

1 ㉮와 ㉯ 중에서 이 글을 읽는 목적을 고르고, 글 내용을 요약해 봅시다.

㉮ 신화 속 인물의 혈통과 탄생 과정을 탐구해 보고자 함.

예시 답 물의 신인 하백의 딸 유화가 하늘나라 임금의 아들 해모수와 사랑을 나누면서 유화가 임신하였는데 열 달 만에 낳은 것은 다섯 되 크기의 알이었다. 동부여의 금와왕이 이를 이상하게 여겨 알을 없애려 하였으나 실패하고 결국 유화에게 알을 돌려주었다. 알을 따뜻한 곳에 두자 한 어린아이가 스스로 껍데기를 깨고 나왔는데 그 아이가 고구려를 세운 주몽이다. 이렇듯 주몽은 고귀한 혈통을 지닌 인물로 비범한 탄생 과정을 보여 준다.

㉯ 고구려가 어디서 시작되었는지 그 과정을 알고자 함.

예시 답 북부여의 왕 해부루가 동부여로 옮겨 왔고, 아들이 없었던 해부루가 금와를 아들로 삼아 동부여의 왕 자리를 물려주었다. 어느 날 금와왕은 지금의 백두산 우발수에서 유화를 발견해 동부여로 데리고 왔고, 유화에게서 주몽이 태어났다. 금와의 아들인 대소의 음모로 위협을 느낀 주몽은 동부여에서 탈출해 졸본에 이르러 고구려를 세웠다.

2 자신과 다른 목적을 고른 친구와 요약한 내용을 비교해 봅시다.

예시 답 ㉮에 따른 요약에서는 주몽의 혈통과 탄생 이야기가 상당히 자세히 언급되었는데, ㉯에 따른 요약에서는 고구려가 세워진 과정(연원)만을 담고 있다.

목표 다지기 문제

6 이 글을 다음과 같이 요약한 독자의 읽기 목적을 바르게 나타낸 것은?

북부여의 왕 해부루가 동부여로 옮겨 왔고, 아들이 없었던 해부루가 금와를 아들로 삼아 동부여의 왕 자리를 물려주었다. 이후 금와왕은 유화를 발견해 동부여로 데리고 왔고, 유화에게서 주몽이 태어났다. 금와의 아들인 대소의 음모로 위협을 느낀 주몽은 동부여에서 탈출해 졸본에 이르러 고구려를 세웠다.

① 고구려의 연원을 알아보고자 한다.
② 우리 민족의 역사적 기원을 이해하고자 한다.
③ 해부루라는 인물의 삶을 조명해 보고자 한다.
④ 고구려 건국 당시 사회상을 탐구해 보고자 한다.
⑤ 주몽의 생애와 업적을 구체적으로 파악하고자 한다.

7 이 글을 〈보기〉와 같은 목적으로 요약하고자 할 때 반드시 들어가야 할 내용은?

보기
신화 속 인물의 혈통과 탄생 과정의 탐구

① 금와왕의 아들들이 주몽을 시기함.
② 주몽이 활과 화살을 직접 만들어 쏨.
③ 주몽이 날쌘 말을 알아보는 눈을 가짐.
④ 하늘과 물의 기운을 받고 알에서 태어남.
⑤ 유화가 혼인하기 전에 남자와 사랑을 나눔.

8 글을 요약할 때 읽기 목적을 고려해야 하는 이유로 적절한 것은?

① 글의 특성에 따라 읽기 목적이 달라지기 때문이다.
② 글의 특성에 따라 읽기 방법이 달라지기 때문이다.
③ 읽기 목적에 따라 요약의 분량이 달라지기 때문이다.
④ 읽기 과정에서 읽기 목적이 달라질 수 있기 때문이다.
⑤ 읽기 목적에 따라 내용의 중요도가 달라지기 때문이다.

3. 다음 점검표를 활용하여 자신의 '요약하며 읽기 활동'을 평가해 봅시다.

평가 기준	평가
❶ 이야기 글의 특성을 고려하여 요약하였는가?	☆☆☆☆☆
❷ 글을 읽는 목적에 따라 적절하게 요약하였는가?	☆☆☆☆☆
❸ 이야기 글의 내용을 자신의 말로 재구성하여 요약하였는가?	☆☆☆☆☆

목표 다지기 문제

9 이 글을 읽고 다음과 같이 요약했을 때, 적절한 충고는?

주몽은 물의 신인 하백의 딸 유화와 하늘나라 임금의 아들인 해모수 사이에서 태어났다. 우발수에서 울고 있는 유화를 발견해 동부여의 궁궐로 데리고 온 금와왕은 유화가 열 달 만에 알을 낳자 이를 없애 버리려고 하였으나 실패하고, 결국 그 알에서 주몽이 태어난다. 주몽은 어려서부터 뛰어난 활 솜씨를 지니고 있었다. 그의 능력을 시기한 금와왕의 아들들은 주몽을 해치려 하였고, 주몽은 미리 준비한 말을 타고 그들로부터 도망을 친다.

① 중심인물의 혈통을 굳이 강조할 필요가 없으니 앞부분은 삭제해야 해.
② 이야기의 결말에 관한 내용이 없으니, 그 부분을 추가하는 것이 좋겠어.
③ 중심인물 외의 인물은 중요하지 않으니 줄거리에서 언급되지 않도록 삭제해야 해.
④ 역사적인 사건과 관련되어 있으므로 역사적 용어를 그대로 활용하는 것이 좋아.
⑤ 이야기의 줄거리를 요약하기보다 객관적 정보를 중심으로 요약하는 것이 바람직한 방법이지.

요약하며 읽기, 이야기 글

이야기 글은 어떤 시간이나 공간 속에서 인물들이 등장하고 사건이 벌어지며 전개되는 특성을 지니고 있습니다. 이러한 이야기 글의 특성을 고려하여 인물, 시간적 · 공간적 배경, 사건 등의 구성 요소를 중심으로 요약할 수 있습니다. 또한, 읽기 목적에 따라 요약하는 활동을 통해 글의 내용을 적극적으로 이해할 수도 있습니다.

창의•융합 활동

혼자 하기

1. 다음은 영화 「흐르는 강물처럼」 시나리오의 일부입니다. 시나리오 속 아버지의 말에 담겨 있는 의도를 파악해 봅시다.

목사관 내부

노먼이 자신이 쓴 글을 들고 2층에서 내려오고 있다. 아버지의 서재로 천천히 들어가서 책상 앞에 선다. 아버지는 책을 읽다 아들을 바라본다. 아들의 글을 받아서 붉은 펜으로 고쳐 준다. 노먼은 긴장해서 아랫입술을 깨물며 서 있다. 아버지가 아들에게 글을 돌려준다.

내레이터 나는 학교에 가는 대신 아버지께 수업을 받았다. 주중에 아버지께서 주일 설교를 준비하시는 동안 나는 아버지의 서재로 등교했다. 아버지는 읽기와 쓰기만을 가르쳐 주셨다. 스코틀랜드 사람인 아버지는 글쓰기의 예술은 간결함에 있다고 믿으셨다.

아버지 반으로 요약하거라.

노먼은 책상 앞에 앉아 다시 쓰기 시작한다.

내레이터 결국 친구들이 미줄라 초등학교에서 하루를 보내는 동안 나는 집에서 글 쓰는 법을 배웠다.

노먼이 다시 아버지 앞에 서 있고 아버지는 노먼의 글을 점검해 준다.

아버지 다시 반으로 요약하거라.

아버지는 노먼이 쓴 글을 돌려준다. 노먼은 다시 자기 책상으로 돌아와 앉는다. 좌절해서 머리를 손으로 감싸는 노먼. 다시 고쳐 쓴 글을 아버지에게 드리고 아버지는 읽는다. 그 사이 동생 폴은 층계에 앉아 기다리고 있다. 아버지가 글을 노먼에게 돌려준다.

아버지 잘했다. 이젠 버려라.

노먼은 종이를 구겨 휴지통에 던진다. 그리고 재빨리 방을 뛰어나간다. 복도에 놓인 낚시 바구니가 클로즈업된다. 노먼은 낚시 도구를 집어 들고 밖으로 뛰어나간다.

– 『흐르는 강물처럼』(스크린영어사, 2004)

1 아버지가 아들에게 글을 자꾸 반으로 요약해 오라고 한 까닭을 추측해 봅시다.

예시 답 글을 요약하는 방법을 가르치기 위해서,
글 내용을 완전히 노먼 본인의 것으로 만들어 주려고,
요약의 과정을 통해서 글의 핵심을 파악하게 하려고

2 마지막에 아버지가 요약된 글을 버리라고 한 까닭이 무엇일지 다음을 바탕으로 생각해 봅시다.

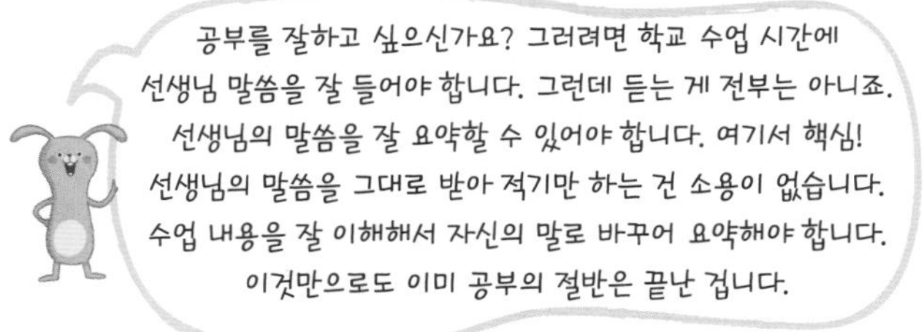

예시 답 올바른 요약을 통해 내용을 완벽하게 이해할 수 있고, 내용을 완벽하게 이해한다면 굳이 그 요약문을 따로 보관할 필요가 없다고 생각했기 때문이다.

함께하기

2. 자신만의 요약 비법을 만들어 친구들과 공유해 봅시다.

예시 답 중요한 단어에 형광펜으로 표시한다.
숫자나 기호를 활용한다.
그림이나 표, 마인드맵 등의 형식을 활용한다.

수행 평가 대비 활동

| 수행 평가 TIP | 이 수행 평가 활동은 요약의 중요성을 생각해 보도록 한 것입니다. 시나리오 속 아버지가 아들에게 작문 내용을 왜 자꾸 반으로 요약해 오라고 했는지, 그리고 완성된 것을 왜 버리라고 했는지 다양한 각도에서 생각해 보며, 이를 바탕으로 자신만의 요약 비법을 공유해 보도록 합니다.

1 평가 내용 확인하기

- 시나리오 속 인물의 의도 파악하기
- 자신만의 요약 방법을 만들어 공유하기

2 평가 기준 확인하기

- 적절한 요약 방법을 제시하였는가?

글의 특성에 맞는 요약 방법을 제시해 봅니다.

- 자신의 요약 방법을 친구들과 활발히 공유하였는가?

자신이 제시한 요약 방법이 적절한지 친구들의 평가를 들어 봅니다.

수행 평가 +

- 「단군 신화」를 찾아 읽고, 단군의 탄생 과정을 파악하여 그 이야기를 세 문장으로 요약해 봅시다.

도와줄게 읽기 목적을 고려하여 환웅과 웅녀를 중심으로 세 문장의 분량에 맞추어 요약해 봅시다.

예 천제의 아들인 환웅이 인간 세상으로 내려왔다. 이때 곰과 호랑이가 환웅을 찾아와 인간이 되고 싶다고 했지만 결국 100일 동안 동굴에서 쑥과 마늘만을 먹고 견딘 곰만 인간이 되었다. 환웅은 인간이 된 웅녀와 결혼하여 후에 조선을 세운 단군을 낳았다.

핵심 콕 마무리

소단원 제재 정리

갈래: 신화
배경: 동부여, 졸본
성격: 서사적, 영웅담적, 신화적, 비현실적
제재: 주몽의 일대기
주제: 주몽의 탄생과 고구려 건국의 과정
특징: ① 난생(卵生) 설화에 해당함.
② 영웅 설화의 구조에 따라 사건이 전개됨.
③ 고구려 건국의 과정을 밝힘.
④ 주몽을 신성한 존재로 묘사하여 민족의 자긍심을 높임.

제재 한눈에 보기

발단	금와왕이 유화를 동부여 궁궐로 데려옴.
전개	유화가 낳은 알에서 나온 주몽은 뛰어난 재능을 보임.
위기	금와왕의 아들들이 주몽을 없애려고 함.
절정	주몽은 물고기와 자라로부터 도움을 받아 위기를 넘김.
결말	졸본에 이르러 고구려를 건국함.

핵심 원리

이야기 글의 구성 요소

인물	이야기 속에서 주체적 의지를 지닌 개체
(❶)	인물의 행동이 이어져서 일어나는 어떤 일
배경	어떤 일이 일어나는 시간과 장소, 사회적 상황

이야기 글 요약하기
- 사건이 일어난 순서에 따라 요약한다.
- 이야기의 구성 단계별 주요 사건을 중심으로 요약한다.
- 중심인물과 관련된 사건을 중심으로 요약한다.
- 등장인물들의 관계 변화에 따라 요약한다.
- 시간이나 공간의 변화에 따라 달라지는 사건의 전개 과정을 정리하여 요약한다.

핵심 내용

(1) 이야기의 구성 요소

인물	주몽, 유화, 금와왕, 대소, 해모수, 하백 등	
사건	주몽의 탄생과 성장 과정 주몽의 시련과 시련 극복의 과정 주몽의 고구려 건국 ↓ 시간 순서에 따라 전개됨.	
배경	전반부: (❷)	후반부: 졸본

(2) 영웅의 일대기 구조에 따라 요약하기

고귀한 혈통	아버지는 하느님의 아들인 해모수, 어머니는 물의 신 하백의 딸인 유화임.
기이한 탄생	알에서 태어남.
비범한 능력	• 영리하고 활을 잘 쏨. • 미래를 예측하고 준비함.
위기와 시련	• 금와왕의 아들들의 질투와 음모로 위험에 처해 길을 떠남. • 추격자들에게 쫓기다가 큰 강에 가로막힘.
위기의 극복	물고기와 자라들의 도움으로 강을 건넘.
위대한 업적	졸본에 이르러 고구려를 세움.

(3) 비현실적 요소

- 사람이 알에서 태어남.
- 동물들이 알을 보호함.
- (❸)와 (❹)가 다리를 만들어 강을 건너게 해 줌.

↓

인물의 신성함과 비범함을 강조하여 민족의 자긍심을 높이고자 함.

(4) 인물 간의 갈등 관계

주몽	⟺ 갈등	대소와 왕자들
날쌘 말을 얻어 금와왕의 아들들이 자신을 해치는 상황에 대비함.		자신에게 위협이 될 수 있는 주몽을 해칠 음모를 꾸밈.

정답 ❶ 사건 ❷ 동부여 ❸ 물고기 ❹ 자라

소단원 핵심 문제

• 정답과 해설 p.28

[01~05] 다음 글을 읽고 물음에 답하시오.

㉮ "웬 여인인데 이곳에서 그리 슬피 울고 있는가?"

왕의 물음에 그 여인은 울음을 그치고 이렇게 대답했다. "저는 북부여의 물의 신 하백의 딸로 이름은 유화라고 합니다. 어느 화창한 날, 동생들과 함께 놀러 나왔는데, 그때 웬 남자가 나타나 자신이 하늘나라 임금의 아들 해모수라고 하면서 웅신산 아래 압록강 가에 있는 집으로 저를 데려가 저와 사랑을 나누었습니다. 그러고 나서 저를 버리고 떠나가서 돌아오지 않았습니다. 부모님은 제가 혼인도 하지 않은 채 낯선 남자를 따라가 사랑을 나눈 것을 알고 노발대발하여 이곳으로 귀양을 보냈습니다."

아무래도 평범한 여인이 아니다 싶었던 금와왕은 그녀를 궁궐로 데려왔다. 그리고 사람들의 눈에 띄지 않는 궁궐의 외딴곳에 유화의 거처를 마련해 주고, 시중드는 사람들에게 그녀를 잘 지켜보도록 했다.

㉯ 그러던 어느 날, 유화에게 신기한 일이 생기기 시작했다. 따사로운 햇볕이 유화가 머무는 어두운 방 안을 환하게 비추었다. 그런데 유화가 햇빛을 피하는데도 햇빛이 자꾸 따라다니며 비추는 것이었다. 더욱 신기한 일은 그 뒤로 유화의 배가 점점 불러 오더니 열 달이 되자 알을 하나 낳은 것이었다. 알의 크기는 무려 다섯 되쯤 되었다.

사람의 몸으로 알을 낳은 유화를 보자 금와왕은 그녀를 궁궐로 데리고 온 것을 후회했다. 그렇다고 인제 와서 다시 내쫓아 버릴 수도 없는 노릇이었다. 금와왕은 왠지 꺼림칙하여 알을 개와 돼지에게 던져 주라고 명령했다. 그런데 ㉠어느 동물도 이 알을 먹지 않았다. 이번에는 알을 다시 길가에 내다 버렸다. 하지만 이번에도 ㉡길을 지나는 소나 말들이 하나같이 그 알을 피해 다니는 것이었다. 금와왕은 더욱 이상한 생각이 들어 알을 새와 짐승들이 먹도록 거친 들판에다 버렸다. 그러자 ㉢새들이 알에 다가와 오히려 깃털로 덮어 주기까지 하는 것이었다. 왕은 이 알을 그냥 두어서는 안 된다고 생각하고는 깨뜨려 버리려고 했지만, 너무 단단해 도저히 깨지지 않았다. 이러지도 저러지도 못한 금와왕은 결국 알을 유화에게 되돌려 주었다.

㉰ 유화는 알을 돌려받자, 천으로 부드럽게 감싸 따뜻한 곳에 두었다. 그러자 얼마 되지 않아 한 어린아이가 스스로 껍데기를 깨고 나왔는데, 아이의 모습이 남달랐다.

㉱ 무척 영리한 그 아이는 일곱 살이 되었을 때부터 빼어난 용모와 함께 뛰어난 재주를 보이기 시작했다. 아이는 저 스스로 활과 화살을 만들어 쏘곤 했는데, 백 번 쏘면 백 번을 다 맞히었다. 이 당시 동부여에서는 활을 잘 쏘는 사람을 주몽이라 부르는 풍속이 있어서 금와왕을 비롯한 주변 사람들이 모두 그를 주몽이라고 불렀다.

출제 예감 80%

01 이와 같은 글의 특징에 대한 설명으로 적절한 것은?

① 흥미 위주로 사건이 전개된다.
② 일정한 구조에 따라 이야기가 전개된다.
③ 특정 지역이나 자연물의 유래를 소재로 한다.
④ 대체로 시간적 배경이 구체적으로 드러나 있다.
⑤ 사실적이고 평범한 인간을 주인공으로 내세운다.

출제 예감 90% 학습 활동 응용

02 다음은 (가)~(라)를 요약한 글의 일부이다. ㉮~㉰에 들어갈 말을 이 글에서 찾아 쓰시오.

금와왕이 우발수에서 울고 있는 유화를 궁궐로 데리고 왔다. 이후 유화는 (㉮)을/를 낳았는데 왕이 알을 없애려 했지만 결국 실패하고 다시 유화에게 돌려주었다. 알에서 태어난 아이는 용모가 빼어났고, 뛰어난 (㉯) 실력을 지니고 있어 (㉰)(이)라 불렸다.

출제 예감 80%

03 (가)~(라)를 통해 알 수 있는 당시의 사회상을 바르게 이해한 사람은?

① 지우: 왕이 여러 부인을 두는 사회였군.
② 정우: 남녀의 사랑과 결혼이 비교적 자유로웠군.
③ 민하: 자식을 독립적으로 기르는 부모가 많았군.
④ 규택: 활을 잘 쏘는 사람을 따로 부르는 명칭이 있었군.
⑤ 예은: 임금의 권력이 백성들에게 미치지 못했던 거로군.

출제 예감 95% 학습 활동 응용

04 이 글을 영웅 설화의 구조에 따라 이해하고자 할 때 (라) 부분에 해당하는 것은?

① 고귀한 혈통
② 기이한 탄생
③ 비범한 능력
④ 위기와 시련
⑤ 위기의 극복과 업적

출제 예감 70% 서술형

05 〈보기〉는 요약의 방법을 설명하는 글의 일부이다. 〈보기〉를 바탕으로 ㉠~㉢을 한 문장으로 요약하여 서술하시오.

보기

구체적이고 개별적인 세부 내용들을 그것을 포함하는 상위 개념으로 일반화하여 요약할 수 있다.

[06~10] 다음 글을 읽고 물음에 답하시오.

(가) 당시 금와왕에게는 일곱 명의 아들이 있었다. 그들은 언제나 주몽과 함께 어울려 놀았는데 자신들의 재능이 도저히 주몽을 따라가지 못하자, 하루는 맏아들 대소가 아버지인 금와왕에게 아뢰었다.

"주몽은 사람의 몸에서 태어난 자가 아닙니다. 없애 버리지 않으면 훗날 뒤탈이 있을 것입니다."

그러나 금와왕은 섬뜩한 주장을 하는 맏아들 대소의 말을 귀담아듣지 않았다.

(나) 주몽은 말을 알아보고 기르는 재주도 가지고 있었는데 자신이 기르는 말 가운데 힘이 좋고 날쌘 말은 먹이를 조금씩 주어 비쩍 마르게 하였고, 반대로 늙고 굼뜬 말은 잘 먹여 살을 찌워 겉으로는 힘차고 좋은 말로 보이게 만들었다. 그러자 금와왕은 보기 좋게 살찐 말을 자기가 타고, 겉으로는 비쩍 말랐지만 사실은 날쌘 말을 주몽에게 주었다. 사실 주몽은 ㉠자신에게 닥쳐올 앞날을 내다보고 이렇게 행동한 것이었다.

(다) 이런 사실을 알게 된 주몽의 어머니 유화는 어느 날 아들에게 몰래 말했다.

"태자 대소를 비롯해 많은 사람이 너를 해치려고 하는데, 네가 영특하니 어디를 간들 살지 못하겠느냐? 빨리 이곳을 떠나 목숨을 보전하도록 하여라."

(라) 어머니의 말을 들은 주몽은 평소에 자신을 따르던 오이를 비롯한 세 명의 부하들을 데리고 몰래 부여를 떠나기로 했다. 하지만 대소 또한 주몽의 행동을 눈여겨보고 있던 터라, 주몽이 떠났다는 사실을 알고 부하들과 함께 뒤를 좇기 시작했다. 주몽과 그 일행은 대소와 그 부하들의 추격을 피해 말을 달려 엄수라는 강가에 이르렀다. 그런데 엄수는 넓은 강이었고 더구나 물살도 거칠어 더는 달아날 수가 없었다. 그때 주몽은 강물을 향해 큰 소리로 외쳤다.

"나는 해모수의 아들이자 물의 신 하백의 외손자다. 지금 나를 죽이려는 자들을 피해 달아나는데 뒤쫓는 자들이 코앞까지 따라오고 있으니 내가 어떻게 하면 좋겠는가?"

주몽의 말이 끝나자마자 신기한 일이 벌어졌다. 갑자기 강물 위로 ㉡수많은 물고기와 자라가 떠올라 다리를 만들어 주는 것이었다. 그리고 주몽 일행이 무사히 강을 건너자마자 남김없이 물속으로 사라져 버렸다.

(마) 이렇게 하여 어렵게 목숨을 건진 주몽은 졸본에 도착해 자신이 장차 다스릴 나라의 도읍으로 정했다. 그리고 일단 비류수 강가에 초가를 짓고 임시로 궁궐로 삼았으며, 나라 이름을 고구려라 짓고 고(高)를 자신의 성씨로 삼았다.

이때, 주몽의 나이 겨우 열두 살이었다.

출제 예감 95% 학습 활동 응용

06 (가)~(마)의 중심 내용을 요약한 것으로 적절하지 않은 것은?

① (가): 주몽을 없애자는 대소의 말을 금와왕이 받아들이지 않았다.
② (나): 주몽은 말을 기르는 일에 재능을 보이지 않았다.
③ (다): 유화가 주몽에게 피신하도록 충고했다.
④ (라): 주몽은 물고기와 자라의 도움으로 무사히 강을 건넜다.
⑤ (마): 주몽은 졸본에 고구려를 건국했다.

소단원 핵심 문제

출제 예감 70%

07 (가)~(라)에서 주로 드러난 갈등 양상을 바르게 설명한 것은?

① 금와왕과 주몽 사이의 외적 갈등
② 주몽과 기르던 말과의 외적 갈등
③ 주몽과 어머니 유화 사이의 외적 갈등
④ 주몽과 금와왕의 아들들 사이의 외적 갈등
⑤ 금와왕과 일곱 명의 아들들 사이의 외적 갈등

출제 예감 85% 학습 활동 응용

08 (가)~(마)를 바탕으로 '주몽'을 이해한 내용 중 적절하지 않은 것은?

① 좋은 말을 얻기 위해 꾀를 발휘함.
② 앞일을 내다볼 줄 아는 능력을 지님.
③ 신비한 힘을 발휘하여 위기를 모면함.
④ 보통 사람들과 다른 출생 배경을 가짐.
⑤ 자신의 적들을 포용하는 관대함을 지님.

출제 예감 70% 서술형

09 글의 흐름으로 볼 때 ㉠의 구체적인 내용이 무엇인지 〈조건〉에 맞게 서술하시오.

조건
- (다), (라)의 내용이 드러나도록 쓸 것
- 한 문장으로 서술할 것

출제 예감 80%

10 이 글에서 ㉡의 역할을 바르게 설명한 것은?

① 주인공에게 새로운 갈등을 유발한다.
② 주인공이 위기를 극복하게 도와준다.
③ 사건의 주체를 다른 인물로 바꾸어 준다.
④ 사건이 일어나는 공간의 변화를 암시한다.
⑤ 사건이 점점 복잡하게 얽혀 감을 암시한다.

[11~15] 다음 글을 읽고 물음에 답하시오.

(가) 금와왕은 왠지 꺼림칙하여 알을 개와 돼지에게 던져 주라고 명령했다. 그런데 어느 동물도 이 알을 먹지 않았다. 이번에는 알을 다시 길가에 내다 버렸다. 하지만 이번에도 길을 지나는 소나 말들이 하나같이 그 알을 피해 다니는 것이었다. 금와왕은 더욱 이상한 생각이 들어 알을 새와 짐승들이 먹도록 거친 들판에다 버렸다. 그러자 새들이 알에 다가와 오히려 깃털로 덮어 주기까지 하는 것이었다. 왕은 이 알을 그냥 두어서는 안 된다고 생각하고는 깨뜨려 버리려고 했지만, 너무 단단해 도저히 깨지지 않았다. ㉠이러지도 저러지도 못한 금와왕은 결국 알을 유화에게 되돌려 주었다.

유화는 알을 돌려받자, 천으로 부드럽게 감싸 따뜻한 곳에 두었다. 그러자 얼마 되지 않아 한 어린아이가 스스로 껍데기를 깨고 나왔는데, 아이의 모습이 남달랐다.

(나) 무척 영리한 ㉡그 아이는 일곱 살이 되었을 때부터 빼어난 용모와 함께 뛰어난 재주를 보이기 시작했다. 아이는 저 스스로 활과 화살을 만들어 쏘곤 했는데, 백 번 쏘면 백 번을 다 맞히었다.

(다) 당시 금와왕에게는 일곱 명의 아들이 있었다. 그들은 언제나 주몽과 함께 어울려 놀았는데 자신들의 재능이 도저히 주몽을 따라가지 못하자, 하루는 맏아들 대소가 아버지인 금와왕에게 아뢰었다.

"㉢주몽은 사람의 몸에서 태어난 자가 아닙니다. 없애 버리지 않으면 훗날 뒤탈이 있을 것입니다."

(라) 주몽과 그 일행은 대소와 그 부하들의 추격을 피해 말을 달려 엄수라는 강가에 이르렀다. 그런데 ㉣엄수는 넓은 강이었고 더구나 물살도 거칠어 더는 달아날 수가 없었다. 그때 주몽은 강물을 향해 큰 소리로 외쳤다.

"나는 해모수의 아들이자 물의 신 하백의 외손자다. 지금 나를 죽이려는 자들을 피해 달아나는데 뒤쫓는 자들이 코앞까지 따라오고 있으니 내가 어떻게 하면 좋겠는가?"

주몽의 말이 끝나자마자 신기한 일이 벌어졌다. 갑자기 강물 위로 수많은 물고기와 자라가 떠올라 다리를 만들어 주는 것이었다. 그리고 주몽 일행이 무사히 강을 건너자마자 남김없이 물속으로 사라져 버렸다.

마 이렇게 하여 어렵게 목숨을 건진 ㉤주몽은 졸본에 도착해 자신이 장차 다스릴 나라의 도읍으로 정했다. 그리고 일단 비류수 강가에 초가를 짓고 임시로 궁궐로 삼았으며, 나라 이름을 고구려라 짓고 고(高)를 자신의 성씨로 삼았다. / 이때, 주몽의 나이 겨우 열두 살이었다.

출제 예감 90%

11 이와 같은 글의 특성에 관한 설명으로 적절하지 않은 것은?

① 개인의 야망을 극대화하여 표현한다.
② 민족적 이상을 상징적으로 표현한다.
③ 집단 특유의 문화적 전통이 담겨 있다.
④ 한 집단의 신앙적 특성을 기반으로 한다.
⑤ 고대의 원초적인 세계관을 바탕으로 한다.

출제 예감 95% 학습 활동 응용

12 다음은 '고구려의 연원'에 관한 정보를 파악하기 위해 이 글을 읽고 쓴 요약문이다. (가)~(마)를 바탕으로 할 때 ( ) 에 들어갈 내용으로 가장 적절한 것은?

> 북부여의 왕 해부루가 동부여로 옮겨 왔고, 해부루가 금와를 아들로 삼아 동부여의 왕 자리를 물려주었다. 어느 날 금와왕은 지금의 백두산 우발수에서 유화를 발견해 동부여로 데리고 왔고, 유화에게서 주몽이 태어났다. ( )

① 주몽은 대소와 왕자들을 물리치고 부여에 새로운 나라 고구려를 세웠다.
② 주몽은 금와왕의 아들들과 대립하면서 자신만의 나라를 세울 것을 다짐하였다.
③ 주몽은 활쏘기 실력이 뛰어나고 물고기와 자라를 능숙하게 다루는 인물이었다.
④ 대소로부터 위협을 느낀 주몽은 동부여에서 탈출해 졸본에 이르러 고구려를 세웠다.
⑤ 금와왕은 대소의 무능함을 알았기에 주몽에게 나라를 물려주었고 주몽은 그 나라를 고구려라 바꿔 불렀다.

출제 예감 95% 학습 활동 응용

13 이와 같은 이야기 글을 요약하는 방법으로 적절하지 않은 것은?

① 역사적인 사건을 보여 주고자 할 때는 시간의 흐름에 따르는 것이 좋다.
② 사건의 전개 과정을 드러내고자 할 때는 시간의 흐름에 따르는 것이 좋다.
③ 인물의 업적을 강조하고자 할 때는 중요 업적별로 정리하여 요약하는 것이 좋다.
④ 장소의 변화가 사건 전개에 중요한 의미가 있을 때는 공간의 변화에 따르는 것이 좋다.
⑤ 인물의 생애를 전반적으로 설명하고자 할 때는 주변 인물과의 관계에 따르는 것이 좋다.

출제 예감 75%

14 (가)에 관한 다음 설명의 근거로 적절한 것은?

> (가)에서는 알을 피하거나 보호해 주는 동물의 행동을 서술함으로써 주인공이 비범한 인물임을 보여 주고 있다. 이는 자연물 특히 하늘이나 태양에 대한 경외심을 가지고 있었던 고대인들의 가치관을 간접적으로 보여 준다.

① 유화가 금와왕의 극진한 보살핌을 받았다.
② 유화가 햇빛의 기운으로 임신해서 알을 낳았다.
③ 주몽이 어린 나이에 나라를 세우기 위해 노력했다.
④ 유화가 결혼도 하지 않은 채 남자와 사랑에 빠졌다.
⑤ 주몽이 성장하면서 주변 사람들로부터 시련을 겪었다.

출제 예감 80%

15 ㉠~㉤에 관한 설명으로 적절하지 않은 것은?

① ㉠: 기이한 현상에 대한 두려움을 가지고 있었음을 보여 준다.
② ㉡: 어린 시절부터 영웅적 면모를 가지고 있었음을 표현하고 있다.
③ ㉢: 신적인 존재에 대한 존경을 담고 있다.
④ ㉣: 인물이 겪는 시련과 고난을 상징한다.
⑤ ㉤: 역사적 사실과 일치하는 내용을 서술하고 있다.

2 동양의 그림과 서양의 그림

• 생각 열기 동양과 서양에서 사용하는 그림말을 비교해 봅시다.

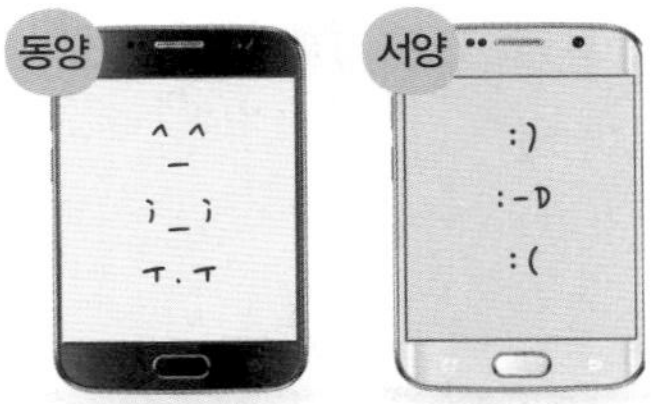

동양과 서양에서 사용하는 그림말의 공통점과 차이점을 찾아봅시다.

예시 답 공통점 – 사람의 감정이나 느낌을 간략하게 나타낸 그림이다.
차이점 – 동양의 그림말은 표정을 얼굴 방향대로 표현하였으며, 한글과 특수 기호 모양을 활용하여 표현하였다. 특히 눈 모양의 변화로 감정을 드러내었다. 반면 서양의 그림말은 가로로 누운 형태로 표현하였으며, 눈 모양의 변화 없이 입 모양으로 감정을 표현하고, 알파벳과 기호를 활용하여 표현하였다.

자신이 주로 사용하는 그림말을 떠올리고, 그것들이 어느 쪽에 더 가까운지 말해 봅시다. 예시 답 생략

• 학습 목표로 내용 엿보기

"사람들마다 대상을 바라보는 눈이 조금씩 다르구나. 이 점에 주목해서 동양화와 서양화를 비교한 글을 읽으며 요약하기 활동을 해 볼까? 읽기 목적과 글의 특성에 맞게 요약하면 내용을 더 분명히 이해하고 기억할 수 있을 거야."

핵심 1 설명하는 글을 읽고, 설명하는 글의 특성을 고려하여 요약하기

핵심 2 설명하는 글을 읽고, 읽기 목적을 고려하여 요약하기

핵심 원리 이해하기 설명하는 글 요약하기

1. 설명하는 글의 목적
- 정보 전달: 독자에게 새로운 사실이나 정보를 전달함.

2. 설명하는 글의 특성
- 내용의 사실성: 정확한 사실과 지식을 전달한다.
- 설명의 객관성: 주관적인 의견을 배제한다.
- 짜임의 체계성: '처음 – 중간 – 끝'의 짜임에 따라 서술한다.
- 문장의 명료성: 독자가 쉽게 이해할 수 있는 문장으로 표현한다.

3. 설명하는 글 요약하기
- 설명하고자 하는 대상이 무엇인지 파악한다.
- 글의 짜임이나 설명 방식, 글을 쓴 목적과 의도를 파악한다.
- 문단의 연결 관계에 유의하며 문단의 중심 내용을 간추린다.
- 각 문단의 중심 내용을 연결하여 전체 내용을 요약한다.

개념 확인 콕콕 • 정답과 해설 p.30

01 설명하는 글의 특성에 관한 설명으로 잘못된 것은?

① 용어의 명료성
② 정보의 객관성
③ 짜임의 체계성
④ 서술의 용이성
⑤ 표현의 참신성

02 설명하는 글을 요약하는 방법을 정리한 글이다. ( )에 들어갈 말을 순서대로 나열한 것은?

> 먼저 설명하고자 하는 대상을 파악하고 글의 짜임의 특성을 파악한다. 글을 읽으면서 문단별로 ( )을 찾아 정리한다. 그런 다음 유사한 내용을 가진 문단의 중심 내용을 연결하여 내용을 정리한다. 마지막으로 글쓴이의 ( )을/를 고려하여 전체 내용을 요약한다.

① 중심 문장, 의도
② 중심 문장, 표현
③ 중심 문장, 개성
④ 뒷받침 문장, 의도
⑤ 뒷받침 문장, 표현

03 설명하는 글을 요약할 때 고려해야 할 대상으로 가장 거리가 먼 것은?

① 설명 대상
② 글의 짜임
③ 설명 방식
④ 글의 세부 정보
⑤ 글을 읽는 목적

본문 미리보기

본문 안내

이 소단원은 설명하는 글을 읽고 글의 특성과 읽기 목적을 고려하여 요약해 보는 단원이다. 「동양의 그림과 서양의 그림」은 동양화와 서양화가 어떤 차이가 있는지, 그러한 차이가 왜 발생하였는지를 알기 쉽게 설명하고 있다. 글의 짜임과 설명 방식을 파악하며 설명하는 글의 특성과 자신의 읽기 목적을 고려하여 요약해 보도록 한다.

처음	중간 1	중간 2	중간 3	중간 4	끝
동양화와 서양화의 차이	동양화와 서양화의 차이: 그림에 관한 시각 차이	동양화와 서양화의 차이: 그림을 그리는 재료 측면	동양화와 서양화의 차이: 표현 방법 측면	동양화와 서양화의 차이: 화면을 구성하는 방식 측면	줄어드는 동양화와 서양화의 차이

본문 개관

★ **글쓴이 소개** 전성수

대학교수. 주요 저서로 『재미있는 미술 감상 수업』 등이 있다.

★ **갈래** 설명문

이 글은 동양화와 서양화가 가지는 차이점을 알기 쉽게 풀어서 설명하고 있다. '설명 대상의 제시 – 구체적인 사례를 통한 설명 – 설명 내용의 마무리'의 체계적인 구성을 통해 독자의 이해를 돕고 있다.

★ **성격** 객관적, 대조적

이 글에서는 설명하고자 하는 대상의 특징이 분명히 드러나는 사례를 시각적으로 제시하여 설명에 대한 신뢰성을 확보하면서 독자의 흥미를 끌고 있다. 또한, 설명하고자 하는 내용을 항목화하여 제시하면서 두 대상의 차이를 두드러지게 하여 내용을 전개하고 있다.

★ **제재** 동양의 그림과 서양의 그림

이 글에서는 동양의 그림과 서양의 그림을 설명 대상으로 삼고, 두 대상을 대등한 비중으로 다루고 있다. 두 대상의 차이를 네 가지 기준에 따라 나누어 설명하고 오늘날에는 그 차이가 점점 줄어들고 있음을 설명하고 있다.

★ **주제** 동양화와 서양화의 특징과 둘 사이의 차이점

글쓴이는 동양화와 서양화가 구체적으로 어떤 점에서 차이를 보이는지 설명하면서 그러한 차이가 발생한 원인까지 알기 쉽게 풀어서 설명하고 있다. 이 글을 통해 독자는 동양화와 서양화 각각의 특성을 바르게 이해하고 그림을 감상하는 안목을 키울 수 있을 것이다.

동양의 그림과 서양의 그림

전성수

이것이 핵심! ✓ 설명 대상 파악하기

처음

| 그림 1 | 김정희, 「세한도」(1844년)

| 그림 2 | 구스타브 쿠르베, 「오르낭의 큰 떡갈나무」(1864년)

1 〈그림 1〉과 〈그림 2〉는 우리가 흔히 '동양화'라고 하는 그림과 '서양화'라고 하는 그림입니다. 이들은 서로 비슷한 시기에 그려진 것이고 둘 다 나무를 그렸지만, 얼핏 보기에도 매우 다르다는 것을 알 수 있습니다. 먼저 〈그림 1〉은 먹을 이용해 채색 없이 선으로 간략하게 표현했고, 〈그림 2〉는 다양한 색깔의 유화 물감으로 입체감을 살려 사실적으로 그렸습니다. 또 〈그림 1〉은 (㉠)을/를 많이 살렸고, 〈그림 2〉는 배경을 가득 채워 색을 칠했습니다. 이런 차이는 무엇 때문에 생긴 것일까요?

처음 | 동양화와 서양화가 보이는 차이에 대한 문제 제기

핵심 확인

설명 대상 소개	동양화와 서양화의 차이

이것이 핵심! ✓ 문단 간 연결 관계 파악하기 ✓ 주요 정보 파악하기

중간1 2 첫째, 동양과 서양은 그림을 보는 시각이 다릅니다. 동양에서는 그림을 인격 수양의 한 방법으로 생각했습니다. 선비는 시(詩), 글씨[書], 그림[畵] 세 가지를 모두 잘하는 것을 이상으로 여겼지요. 그래서 그리는 이의 정신과 인격을 어떻게 표현하느냐가 중요한 관심사가 되

확인 문제

• 정답과 해설 p.30

01 1~2에 대한 설명으로 적절한 것은?

① 구체적 사례를 통해 내용의 이해를 돕는다.
② 잘 알려진 일화를 통해 독자의 흥미를 유발한다.
③ 전문적인 지식을 학술적인 용어를 통해 설명한다.
④ 글쓴이의 사실적 경험을 제시하여 주제를 강조한다.
⑤ 전문가의 설명을 근거로 글쓴이의 주장을 뒷받침한다.

핵심

02 1에서 대상을 설명하는 방법으로 적절한 것은?

① 대상의 변화 과정을 시간 순서에 따라 서술한다.
② 대상을 일정한 기준에 따라 나누거나 묶어서 항목화한다.
③ 대상의 모습을 그림 그리듯이 구체적, 사실적으로 제시한다.
④ 대상의 개념을 풀어서 설명함으로써 의미의 범위를 규정한다.
⑤ 두 대상의 차이점을 제시하여 말하고자 하는 바를 분명히 드러낸다.

서술형 | 날개 확인 문제

03 '처음' 부분에서 실제 그림을 제시한 글쓴이의 의도가 무엇인지 서술하시오.

조건
• 두 가지 내용으로 표현할 것
• 한 문장으로 서술할 것

핵심

04 글의 흐름으로 보아 ㉠에 들어갈 말로 적절한 것은?

① 구도 ② 여백 ③ 원근
④ 채도 ⑤ 평면

었습니다. 사물을 보이는 대로 그린다거나 대상의 색을 그대로 칠하는 것 등은 그림을 그리는 기초에 불과하다고 생각했지요. 중국의 어떤 화가는 제자들에게 "내가 그리는 형태를 따르는 자는 망하고, 내 정신을 보는 사람은 성공할 것이다."라고 말하며 그림에서의 정신을 강조하기도 했습니다.

3 그에 비해 서양에서는 주로 그림의 기록적인 측면이나 표현 방법을 중요하게 여겼습니다. 이는 그리스 · 로마 신화나 성경 내용 등을 그린 종교화, 귀족들의 초상화 등이 근대 이전 서양화의 많은 부분을 차지하고 있는 점을 보면 알 수 있습니다. 서양에서는 대상을 (㉠)가 중요했던 것입니다. 그리하여 서양 미술에서는 원근법이나 빛에 따른 대상의 변화와 형태를 파악하는 방법 등이 발달했습니다.

중간 1 | 동양에서는 그림을 그리는 이의 정신과 인격을, 서양에서는 그림의 기록적인 측면이나 표현 방법을 중시함.

핵심 확인 동양화와 서양화의 차이점 ① – 그림을 보는 시각 차이

2 동양화	⟷	3 서양화
그림을 그리는 이의 인격을 강조	두 문단이 대조적 관계로 연결됨.	그림의 기록적인 측면이나 표현 방법 중시

이것이 핵심! ✓ 글의 구조 파악하기 ✓ 주요 정보 파악하기

중간 2 4 둘째, 동양의 그림과 서양의 그림은 그리는 재료도 다릅니다. 동양에서는 주로 한지나 화선지 또는 비단에 먹으로 그림을 그렸습니다. 한지, 화선지 같은 종이나 비단같이 결이 고운 천은 먹의 진하고 연함이나 자세한 붓놀림을 잘 담아낼 수 있지요. (㉡) 서양에서는 주로 캔버스라고 불리는 천에 유화 물감으로 그림을 그렸습니다. 캔버스는 아마나 면으로 짠 천에 아교풀 같은 것을 입혀 만드는데, 거기에는 물을 쓰는 먹과 달리 기름을 쓰는 유화 물감으로 그림을 그립니다.

아교풀: 짐승의 가죽, 힘줄, 뼈 따위를 진하게 고아서 굳힌 끈끈한 것. 풀로도 쓰고 지혈제로도 쓴다.

5 한지나 화선지, 비단에 먹물로 그릴 때와 캔버스에 유화 물감으로 그릴 때의 차이점은 무엇일까요? 한지나 화선지, 비단에 먹물로 그리면 먹이 바탕에 바로 스며들기 때문에 한번 그린 그림을 덧칠하거나 다시 고치기 어렵습니다. 하지만 캔버스에 유화 물감으로 그리면 손쉽

05 2~3을 통해 알 수 있는 사실이 아닌 것은?

① 동양에서는 그림을 인격 수양의 한 방법으로 보았다.
② 동양에서는 그림을 그리는 기초를 중요하게 생각했다.
③ 서양에서는 그림의 기록적 측면이나 표현 방법을 중시했다.
④ 동양의 그림은 그리는 이의 정신과 인격을 표현하는 수단이었다.
⑤ 서양의 그림은 동양과 비교하면 원근법이나 빛에 따른 대상의 변화를 잘 표현하였다.

핵심 | 날개 확인 문제

06 2를 읽고 중요 내용을 요약하고자 할 때 꼭 있어야 할 것끼리 묶으면?

㉠ 동양에서는 그림을 인격 수양의 한 방법으로 생각했다.
㉡ 동양 선비의 이상은 시, 글, 그림 세 가지를 모두 잘하는 것이었다.
㉢ 동양의 그림은 그리는 이의 정신과 인격의 표현 방법에 관해 관심을 가졌다.
㉣ 중국의 어떤 화가는 제자들에게 그림에서의 정신의 중요성을 강조하였다.

① ㉠, ㉡　② ㉠, ㉢
③ ㉡, ㉢　④ ㉡, ㉣
⑤ ㉢, ㉣

서술형

07 3으로 보아 ㉠에 들어갈 말을 서술하시오.

조건
문맥에 맞게 표현할 것

핵심

08 ㉡에 들어가기에 어색한 말은?

① 그러나　② 반면에
③ 그에 비해　④ 이와 달리
⑤ 그럼에도 불구하고

게 덧칠하거나 고쳐 그릴 수가 있습니다. 심지어 완성된 그림 위에 완전히 새로운 그림을 덧그릴 수도 있지요.

중간 2 | 동양화는 수정이 어려운 종이와 묵을 사용하며, 서양화는 그리는 과정에서 수정이 가능한 캔버스와 유화 물감을 사용함.

핵심 확인 동양화와 서양화의 차이점 ② – 그림을 그리는 재료 차이

동양화		서양화
• 한지 등에 먹으로 그림. • 한번 그린 그림을 고치기 어려움.	⟷ 대조	• 캔버스에 유화 물감으로 그림. • 손쉽게 덧칠하거나 고칠 수 있음.

이것이 핵심! ✓ 주요 정보 파악하기

중간 3 **6** 셋째, ㉠이런 차이 때문에 동양과 서양에서 그림을 그리는 방법은 매우 다르게 발전했습니다. 먹으로 그릴 때에는 한 번의 붓질로 완성해야 하므로 순간적인 표현력이 중시됐습니다. 우리가 '일필휘지'(글씨를 단숨에 죽 내리씀.)라고 말하는 것이지요. 반면에 ㉡유화 물감으로 그리면 계속 덧칠하며 그림을 고칠 수 있으므로 꼼꼼한 과정이 중요했습니다. 대강의 형태를 스케치하고, 스케치 위에 차근차근 색을 칠해 가는 것입니다. ㉢나중에는 칠한 부분이 두꺼워지고 표면에 질감이 생기지요.

7 여기에 더해서, 먹으로 그릴 때에는 넓게 칠하는 작업보다 선으로 가늘게 그리는 작업이 수월합니다. 그러다 보니 ㉣선으로 표현하는 방법이 발달하였지요. 일단 선으로 대상을 그린 다음에 먹의 진하고 연함이나 채색으로 느낌을 더했던 것입니다. 동양의 미술을 '선의 예술'이라고 말하는 까닭입니다. 그에 비해 유화 물감으로 그릴 때에는 선보다 명암이나 색, 질감 등이 강조되었습니다. 그 결과 평면인 캔버스에 대상을 ㉤입체적으로 표현하는 기법이 중요한 과제가 되었지요.

중간 3 | 동양화는 순간적이고 선적인 표현을 중심으로, 서양화는 꼼꼼한 입체 표현을 중심으로 발달함.

핵심 확인 동양화와 서양화의 차이점 ③ – 그림을 그리는 방법 차이

동양화		서양화
• 순간적인 표현력 중시 • 선으로 표현하는 방법 발달	⟷ 대조	• 꼼꼼한 과정 중요 • 입체적으로 표현하는 기법 중시

핵심

09 **5**에서 동서양 그림의 차이를 설명한 기준으로 적절한 것은?

① 그림을 보는 시각
② 그림을 그리는 재료
③ 새로운 그림을 만드는 방법
④ 그림을 그릴 때 물의 사용 여부
⑤ 그림을 완성하는 데 필요한 사람의 수

핵심

10 **6**~**7**을 통해 설명하고 있는 내용으로 적절한 것은?

① 동양화와 서양화의 미술 재료의 차이
② 동양화와 서양화의 표현 방법의 차이
③ 동양화와 서양화의 여백 처리의 차이
④ 동양과 서양의 그림에 대한 인식의 차이
⑤ 동양화와 서양화의 차이가 발생한 역사

날개 확인 문제

11 ㉠~㉤ 중 문단을 요약할 때 필요한 주요 정보에 해당하지 않는 것은?

① ㉠ ② ㉡ ③ ㉢
④ ㉣ ⑤ ㉤

서술형 날개 확인 문제

12 **6**을 읽고 동양에서 '일필휘지'를 강조한 까닭이 무엇인지 서술하시오.

조건
• 동양화 재료의 특징이 드러나도록 쓸 것
• 한 문장으로 서술할 것

핵심

13 **7**에 드러난 주요 정보를 다음과 같이 정리할 때, 빈칸에 알맞은 말을 쓰시오.

동양화	서양화
(　　　)(으)로 표현	입체적으로 표현

이것이 핵심! ✔ 주요 정보 파악하기

중간4 **8** 넷째, 여백을 처리하는 방식이 다릅니다. 서양은 화면에 꽉 차게 그림을 그리지만, 동양은 여백을 충분히 살려서 그립니다. 서양의 그림은 캔버스 면을 그대로 드러내는 일이 거의 없지요. 하지만 동양의 그림은 하얀 여백까지 작품 공간 안에 포함해서 완성합니다.

9 우리나라의 어떤 화가가 미국에서 전시회를 열었을 때의 이야기입니다. 그림을 사들인 한 미국인이 며칠 있다가 작품을 들고 호텔로 화가를 찾아왔더래요. 그림이 아무래도 미완성인 것 같으니 마저 그려 달라고 한 것이지요. 여백이 많은 그림이다 보니 미국인의 눈에는 그리다 만 것처럼 보였던 것입니다. 화가는 그 사람에게 여백의 미에 관해 한참 동안을 설명했답니다.

중간4 | 동양에서는 여백을 중시하지만, 서양에서는 여백을 중시하지 않음.

핵심 확인 동양화와 서양화의 차이점 ④ – 여백을 처리하는 방식 차이

동양화	⟷ 대조	서양화
여백을 충분히 살려서 그림.		화면에 꽉 차게 그림을 그림.

이것이 핵심! ✔ 주요 정보 파악하기

끝

| 그림 3 | 김선형, 「푸른 정원(GARDEN BLUE)」(2010년)

10 옛날에는 동양과 서양이 그림을 보는 시각이 달랐고, 그림을 그리는 재료나 방법에도 차이가 있었습니다. 하지만 ㉠ <u>현대에 들어 동서양 간의 교류가 활발해지면서 동양과 서양의 그런 차이들이 많이 무너졌습니다.</u> 오늘날의 미술을 보면 동양화의 특징과 서양화의 특징이 섞여 나타나 있는 그림들이 자주 눈에 띕니다. 자신이 생각한 바를 자신만의 방법으로 그리는 것을 중요하게 생각하기 때문이겠지요. 여러분은 ㉡ <u>〈그림 3〉</u>이 동양화로 보이나요, 서양화로 보이나요?

끝 | 현대에 와서 동양화와 서양화의 차이가 줄어듦.

14 **8**과 **9**의 문단의 연결 관계를 바르게 나타낸 것은?

① 주장 – 근거
② 원인 – 결과
③ 중심 내용 – 부연
④ 예시 – 중심 내용
⑤ 문제 제기 – 문제 해결

15 **10** 문단의 역할을 바르게 설명한 것은?

① 설명 대상을 제시하고 있다.
② 설명 내용을 마무리하고 있다.
③ 글을 쓰는 이유를 밝히고 있다.
④ 다양한 설명 방법으로 대상을 설명하고 있다.
⑤ 제기된 문제에 대한 글쓴이의 의견을 관철시키고 있다.

서술형 핵심

16 **10**을 읽고 ㉠의 이유가 무엇인지 찾아 서술하시오.

17 ㉡에 대해 글쓴이가 전달하고자 한 바를 바르게 나타낸 것은?

① 화가의 개성적인 표현 방법이 드러나지 않는다.
② 동양과 서양의 그림 재료의 차이를 잘 보여 준다.
③ 동양화와 서양화의 표현 방법이 복합적으로 나타난다.
④ 옛날 서양화의 독특한 표현 방법을 두드러지게 활용하였다.
⑤ 현대의 동양화에서 그림을 보는 시각이 완전히 달라졌음을 보여 준다.

학습 활동 다지기

• 정답과 해설 p.31

이해 활동

1. 이 글의 내용을 바탕으로 아래 두 그림의 비슷한 점과 다른 점을 적어 봅시다.

| 그림 1 | 김정희, 「세한도」

| 그림 2 | 구스타브 쿠르베, 「오르낭의 큰 떡갈나무」

예시 답

비슷한 점	다른 점
비슷한 시기의 그림이고, 모두 나무를 중요한 제재로 삼고 있다.	「세한도」는 먹을 이용하여 선으로 표현하였고, 작품 중앙에 나무와 집을 배치한 후 넓은 여백을 통해 풍경과 분위기를 전하고 있다. 「오르낭의 큰 떡갈나무」는 유화 물감으로 색을 입혀 사실적으로 표현하였고, 나무가 화면 전체에 자리 잡고 있으며 배경을 가득 채워 채색하였다.

이해 다지기 문제

1 이 글을 바탕으로 「세한도」를 이해한 내용으로 적절한 것은?

① 먹을 이용하여 선으로 표현하였다.
② 여러 번 덧칠하여 그림을 완성하였다.
③ 원근감을 살려 입체적으로 표현하였다.
④ 다양한 색상의 채색 도구를 활용하였다.
⑤ 대상을 화면 전체에 가득 채워 그려 넣었다.

2. 글쓴이가 이 글을 쓴 의도가 무엇일지 추측해 봅시다.

예시 답 동양의 그림과 서양의 그림이 가진 특징과 표현 방법을 비교하여 설명함으로써 동양화와 서양화에 관한 독자의 이해를 돕기 위해서이다.

이해 다지기 문제

2 이 글을 통해 글쓴이가 기대하는 독자의 반응으로 적절한 것은?

① 동양화가 앞으로 점점 더 서양화와 비슷해지겠군.
② 동양화는 서양화에 비해 훨씬 수준 높은 그림이로군.
③ 그림의 역사가 긴 서양화가 동양화보다 더 다양하게 발전해 왔겠군.
④ 동양화와 서양화의 특징을 알았으니 그림을 좀더 풍성하게 감상할 수 있겠군.
⑤ 동양 사람들이 그림을 감상하는 수준이 서양 사람들에 비해 떨어질 수밖에 없겠군.

목표 활동

1. 설명하는 글의 특성을 고려하여 이 글의 내용을 요약해 봅시다.

1 2의 내용을 요약하는 과정을 살펴보고, 글을 요약할 때 고려해야 하는 것이 무엇인지 파악해 봅시다.

2 첫째, ① 동양과 서양은 그림을 보는 시각이 다릅니다. ② 동양에서는 그림을 인격 수양의 한 방법으로 생각했습니다. 선비는 시(詩), 글씨[書], 그림[畵] 세 가지를 모두 잘하는 것을 이상으로 여겼지요. ③ 그래서 그리는 이의 정신과 인격을 어떻게 표현하느냐가 중요한 관심사가 되었습니다. 사물을 보이는 대로 그린다거나 대상의 색을 그대로 칠하는 것 등은 그림을 그리는 기초에 불과하다고 생각했지요. 중국의 어떤 화가는 제자들에게 "내가 그리는 형태를 따르는 자는 망하고, 내 정신을 보는 사람은 성공할 것이다."라고 말하며 그림에서의 정신을 강조하기도 했습니다.

2에서는 '동양에서 그림을 보는 시각'을 이야기하고 있어.

그럼 ①~③이 이 문단의 중심 내용이겠군.

이 세 문장을 간추려 정리하면 2의 요약문이 되겠구나.

예시 답 글을 요약할 때는 구체적인 사례나 부연(보충) 설명보다는 다른 내용을 포괄할 수 있는 중심 문장이 무엇인지 찾아야 한다. 그리고 이를 바탕으로 중심 내용과 세부 내용을 선별하여 중심 내용을 간추린다.

2 **1**의 요약 방법을 활용하여 1~10의 내용을 각각 요약해 봅시다.

문단 번호	요약한 내용
1	동양화인 「세한도」와 서양화인 「오르낭의 큰 떡갈나무」는 둘 다 나무를 그렸지만 그 표현은 매우 다른데, 그 까닭은 무엇일까?
2	첫째, 동양과 서양은 그림을 보는 시각이 다르다. 동양에서는 그림을 인격 수양의 한 방법으로 생각하였기 때문에 그림에 정신과 인격을 표현하고자 하였다.
3	예시 답 서양에서는 그림의 기록적인 측면이나 표현 방법을 중요하게 여겼다.
4	예시 답 동양화와 서양화는 그림을 그리는 재료가 다르다. 동양화는 종이나 비단에 먹을 사용하고 서양화는 캔버스에 유화 물감을 사용한다.
5	예시 답 동양화는 한번 그린 후에 수정이 어렵지만, 서양화는 그리는 과정에서 지속해서 수정할 수 있다.
6	예시 답 재료의 특성 때문에 동양화와 서양화는 매우 다르게 발전하였는데 동양화에서는 순간적인 표현력이, 서양화에서는 꼼꼼한 표현 과정이 중요해졌다.
7	예시 답 동양에서는 선적인 표현 방법이, 서양에서는 명암이나 색, 질감이 강조되며 입체적인 표현 방법이 발전하였다.
8	예시 답 동양화는 여백을 중요시하는 반면 서양화는 여백을 두지 않는다.
9	예시 답 여백에 대한 동양의 인식을 서양에서는 이해하지 못하는 경우도 있다.
10	예시 답 현대에 와서는 동양화와 서양화의 차이가 감소하고 있으며, 자신만의 방법으로 그림을 그리는 것이 중요해졌다.

3 문단별로 요약한 내용을 바탕으로 1~10을 처음, 중간, 끝으로 나누고 각 부분의 내용을 간추려 봅시다.

처음 (1)		동양과 서양의 그림이 다른 까닭은 무엇일까?
중간 (2~9)	예시 답 중간 1 (2~3)	동양에서는 그림을 그리는 이의 정신과 인격을 표현하는 방법을 중시하였고, 서양에서는 그림의 기록적인 측면이나 표현 방법을 중시하였다.
	중간 2 (4~5)	동양화는 그림의 수정이 어려운 종이와 먹을 사용하며, 서양화는 그리는 과정에서 수정이 가능한 캔버스와 유화 물감을 사용한다.
	중간 3 (6~7)	동양화는 순간적이고 선적인 표현을 중심으로, 서양화는 꼼꼼한 입체적 표현을 중심으로 발달하였다.
	중간 4 (8~9)	동양에서는 여백을 중시하지만, 서양에서는 여백을 중시하지 않는다.
끝 (10)		동양화와 서양화의 차이가 줄어들고 있다.

4 **3**의 활동을 바탕으로 이 글 전체의 내용을 200자 이내로 요약해 봅시다.

예시 답 동양은 그림을 정신과 인격을 표현하는 방법으로 바라보았으며, 종이에 먹으로 그림을 그리는 재료의 특성상 순간적이고 선적인 표현과 여백의 미를 중시하였다. 반면에 서양은 그림의 기록적인 측면을 중시하였으며 캔버스 위에 유화 물감을 사용하여 화면을 꼼꼼하게 채우는 입체적인 표현이 발달하게 되었다. 그러나 현대에 이런 차이는 점차 줄어들고 있다.

목표 다지기 문제

1 이 글을 읽고 요약할 때의 유의점으로 적절하지 <u>않은</u> 것은?

① 중심 문장이 무엇인지 찾아야 한다.
② 설명의 대상이 무엇인지 파악해야 한다.
③ 중심 문장과 뒷받침 문장으로 구별해야 한다.
④ 대상에 대한 보충 설명을 중심으로 간추려야 한다.
⑤ 세부 내용을 포괄할 수 있는 내용으로 요약해야 한다.

2 2~3의 중심 내용을 다음과 같이 요약할 때 (　　)에 알맞은 말은?

> 동양에서는 그림을 인격 수양의 한 방법으로 생각하였기 때문에 그림에 정신과 인격을 표현하고자 하였다. 반면에 서양에서는 그림의 기록적인 측면이나 표현 방법을 중요하게 여겼다.

↓

> 동양과 서양에서는 (　　　　　　　)이 달랐다.

① 그림을 보는 시각
② 그림을 배우는 과정
③ 그림을 감상하는 방법
④ 그림을 완성하는 과정
⑤ 그림을 그리는 이의 신분

3 2~9에서 내용을 전개하는 방법을 바르게 설명한 것은?

① 대상을 일정한 기준에 따라 묶어서 제시하고 있다.
② 대상을 항목화하여 대등한 비중으로 설명하고 있다.
③ 대상의 외적인 특성을 그림 그리듯이 서술하고 있다.
④ 대상의 변화 과정을 원인과 결과의 순으로 전개하고 있다.
⑤ 대상에 대한 글쓴이의 구체적인 경험을 위주로 설명하고 있다.

4 10의 내용에 대한 독자의 반응으로 적절한 것은?

① 오늘날보다 과거의 그림에서 더 화가의 개성적인 표현 방법이 중시되었군.
② 오늘날의 화가들은 동양화와 서양화의 가치를 무시하고 그림을 그리고 있군.
③ 그림을 감상할 때 시대에 따라 표현의 특징이 달라질 수 있다는 점을 고려해야겠군.
④ 동양화와 서양화의 본래의 독특한 표현 방법을 그대로 유지할 방법을 찾아야겠군.
⑤ 동양화와 서양화의 차이를 바르게 이해하려면 현대의 그림을 많이 감상해 보아야겠군.

5 다음은 8~9 문단을 요약한 요약문이다. 이로 보아 알 수 있는 중심 내용 요약하기의 방법으로 가장 적절한 것은?

> 동양에서는 여백을 중시하지만, 서양에서는 여백을 중시하지 않는다.

① 설명 대상의 구체적인 사례는 요약에서 제외한다.
② 설명 대상에 대한 개별적 서술을 일반화하여 제시한다.
③ 설명 대상의 다양한 속성을 핵심 단어로 나열하여 요약한다.
④ 설명 대상에 대한 글쓴이의 개인적 의견이 드러난 문장을 찾는다.
⑤ 설명 대상에 대하여 구체적으로 드러나 있지 않은 내용을 문장으로 재구성한다.

2. 이 글의 내용을 다음 〈조건〉에 따라 요약하여 친구들 앞에서 발표해 봅시다.

> 조건
> • 학교 신문에 이 글의 내용을 소개하고자 한다.
> • 1의 4에서 요약한 내용을 더 간추린다.

예시 답 이 글은 동양화와 서양화의 차이를 예를 들어 설명해 주고 있어. 동양화와 서양화가 서로 다르게 발달해 온 것은 그림을 보는 시각과 재료, 여백 처리 방식 등이 다르기 때문이야. 이런 차이로 동양화는 선과 여백을 중시하는 그림으로, 서양화는 사실적이고 입체적인 그림으로 발달했다고 해. 동서양의 그림을 제대로 감상하고자 한다면 이 글을 읽는 것이 좋겠어.

3. 다음 점검표를 활용하여 자신의 요약하며 읽기 활동을 평가해 봅시다.

평가 기준	평가
❶ 정보가 담긴 글을 요약하는 방법을 알고 있는가?	☆☆☆☆☆
❷ 각 문단의 중심 내용을 찾아 적절하게 요약하였는가?	☆☆☆☆☆
❸ 글의 짜임을 고려하여 체계적으로 요약하였는가?	☆☆☆☆☆
❹ 글을 읽는 목적에 따라 적절하게 요약하였는가?	☆☆☆☆☆

목표 다지기 문제

6 이와 같은 글을 요약하며 읽을 때의 평가 기준으로 거리가 먼 것은?

① 글의 주제에 맞게 요약하였는가?
② 글의 구조에 맞게 요약하였는가?
③ 정보의 중요도를 고려하여 요약하였는가?
④ 문단의 중심 내용을 바르게 이해하였는가?
⑤ 글쓴이의 의도를 구체적으로 제시하였는가?

요약하며 읽기, 설명하는 글

설명하는 글과 같이 '처음, 중간, 끝'의 구조를 지닌 글은 그 구조에 따라 내용을 요약하는 것이 좋습니다. 글을 요약할 때는 각 문단에서 중심 내용을 찾고, 글의 구성 단계에 따라 전체 내용을 요약합니다.

창의·융합 활동

혼자 하기

다음 동영상을 보고 전자 기기의 사용 설명서를 만드는 활동을 해 봅시다.

할아버지가 직접 만든 '스마트폰 사용법'

스마트폰을 독학으로 배우려는 한 할아버지의 열정이 화제입니다. 한 인터넷 동아리에 할아버지가 직접 만든 '스마트폰 사용법'이 올라와 눈길을 끌고 있습니다. ……

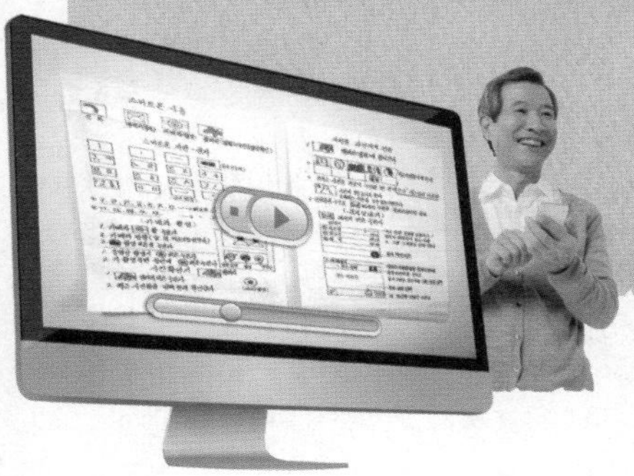

1 할아버지가 만든 '스마트폰 사용법'을 참고하여 설명서가 갖추어야 할 요건이 무엇일지 생각해 봅시다.

예시 답 간단하고 명료해야 한다.
단계적으로 설명해야 한다.
그림이나 구조도 등을 이용하여 이해하기 쉽게 만든다.
독자의 수준에 맞는 용어를 사용해야 한다.

2 우리 주변에서 볼 수 있는 전자 기기의 사용 설명서를 만들어 봅시다.

예시 답 내가 사는 아파트 현관 출입 기계 이용 방법
① 방문자: 방문하려는 세대 번호 누르기 → [🔔] 누르기
② 입주자: '[열쇠] → 비밀번호 네 자리 → [🔔]' 순서로 누르기
③ 문제 발생: [경비] 누르기 → [🔔] 누르기

수행 평가 대비 활동

| 수행 평가 TIP | 이 수행 평가 활동은 어느 할아버지가 복잡한 스마트폰을 사용하기 위해 직접 그리고 써서 만든 설명서 사례를 보고, 이를 바탕으로 설명서가 갖추어야 할 요건을 생각해 보고 직접 간단한 설명서를 만들어 보는 활동입니다. 소단원에서 배운 요약하기의 방법을 활용하여 활동을 수행하도록 합니다.

1 평가 내용 확인하기

- 설명서가 갖추어야 할 요건 파악하기
- 주변 전자 기기의 사용 설명서 만들기

2 평가 기준 확인하기

- 전자 기기를 이용하기 위한 절차 및 방법을 제시하였는가?

설명서가 갖추어야 할 요건을 잘 파악하고 그에 따라 기기 이용 절차 및 방법을 알맞게 제시하도록 합니다.

- 전자 기기를 처음 접하는 사용자를 위해 주요 기능을 잘 요약하였는가?

사용자를 고려하여 꼭 필요한 정보를 선별하고 간략하게 재구성하여 사용자가 알기 쉽게 제시하도록 합니다.

수행 평가 +

1. 자신이 즐겨 먹는 요리 중 하나를 선택하여 그 요리의 특성과 요리 과정을 설명하는 글을 써 봅시다.

도와줄게 요리의 맛이나 모양, 색깔의 특징을 구체적으로 떠올려 항목화하여 쓰고, 요리의 과정을 단계별로 정리하여 설명문으로 완성해 보세요.

예 떡볶이는 우리나라 청소년들이 좋아하는 음식으로 떡과 어묵, 그리고 채소, 고추장, 설탕 등을 재료로 사용한다. 떡은 대체로 길고 가느다란 가래떡을 사용하며 어묵은 기호에 따라 넣는 양을 조절한다. 채소로는 양배추, 양파, 파 등을 넣기도 한다. 적정한 양의 물에 고추장을 넣어 끓이다가 떡과 채소, 어묵 등을 넣고 거기다 설탕이나 다른 양념을 섞어서 먹으면 매콤달콤한 떡볶이가 된다. 떡볶이는 궁중에서 해 먹던 우리의 전통 음식 떡찜에서 기원을 찾을 수 있다. 떡찜은 떡에 고기와 채소 등을 넣고 간장으로 조리했다고 전해진다.

2. 1에서 쓴 설명문을 요약하여 봅시다.

도와줄게 1에서 완성된 설명문에서 핵심 정보를 추리고, 이를 중심으로 요약해 보세요.

핵심 콕 마무리

소단원 제재 정리

갈래: 설명문
성격: 객관적, 대조적
제재: 동양의 그림과 서양의 그림
주제: 동양의 그림과 서양의 그림의 특징과 차이
특징: ① 시각적인 사례를 들어 독자의 이해를 돕고 있음.
② (❶)의 방법을 통해 동양화와 서양화의 차이를 설명함.
③ 설명하고자 하는 항목을 병렬식 구조로 분명하게 제시함.

제재 한눈에 보기

처음	중간	끝
동양화와 서양화의 차이	• 그림에 관한 동서양 시각의 차이 • 그림을 그리는 재료 측면에서의 동양화와 서양화의 차이 • 동양화와 서양화에서 각각 발전한 표현의 방법 • 여백을 처리하는 방식에서의 동양화와 서양화의 차이	감소하는 동양화와 서양화의 차이

핵심 원리

설명하는 글의 목적
• 정보 전달: 독자에게 새로운 사실이나 정보를 전달

설명하는 글의 특성
• 내용의 사실성: 정확한 사실과 지식을 전달한다.
• 설명의 (❷): 주관적인 의견을 배제한다.
• 짜임의 체계성: '처음 – 중간 – 끝'의 짜임에 따라 서술한다.
• 문장의 명료성: 독자가 쉽게 이해할 수 있는 문장으로 표현한다.

설명하는 글을 요약하는 방법
• 설명하고자 하는 대상이 무엇인지 파악한다.
• 글의 짜임이나 설명 방식, 글을 쓴 목적과 의도를 파악한다.
• 문단의 연결 관계에 유의하며 문단의 중심 내용을 간추린다.
• 각 문단의 중심 내용을 연결하여 전체 내용을 요약한다.

핵심 내용

(1) **이 글에 사용된 설명 방법**

대조	동양화와 서양화를 서로 견주어 차이점을 중심으로 설명함.
예시	• 실제 그림 자료를 제시하여 이해를 도움. • 동양화와 서양화에서 여백을 처리하는 방식이 다르며, 서양인들은 여백에 대한 인식이 동양인과 다름을 이해하기 쉽도록 구체적인 일화를 예로 들어 설명함.

(2) **동양화와 서양화의 차이가 생긴 이유**

구분	동양화	서양화
그림을 보는 시각 차이	그림을 (❸)의 한 방법으로 생각하여 그림에 인격과 정신을 표현하고자 함.	그림의 기록적인 측면이나 표현 방법을 중요하게 여김.
그림을 그리는 (❹) 차이	• 종이나 비단에 먹을 사용함. • 한번 그린 후에 수정이 어려움.	• 캔버스에 유화 물감을 사용함. • 그리는 과정에서 지속적으로 수정할 수 있음.
그림을 그리는 방법 차이	• (❺)인 표현력을 중시함. • 선으로 표현하는 방법이 발달함.	• 꼼꼼한 과정이 중요함. • (❻)으로 표현하는 기법을 중시함.
여백을 처리하는 방식의 차이	여백을 충분히 살려서 그림.	여백 없이 화면이 꽉 차게 그림.

(3) **현대 미술의 경향과 그 이유**

현대 미술의 경향		이유
그림을 보는 시각, 그림을 그리는 재료나 방법으로 인한 동양과 서양의 그림 차이가 많이 감소됨.	←	• 동서양 간의 교류가 활발해짐. • 자신이 생각한 바를 자신만의 방법으로 그리는 것을 중요하게 생각함.

정답 ❶ 대조 ❷ 객관성 ❸ 인격 수양 ❹ 재료 ❺ 순간적 ❻ 입체적

소단원 핵심 문제

• 정답과 해설 p.32

[01~05] 다음을 읽고 물음에 답하시오.

(가) 동양과 서양은 그림을 보는 시각이 다릅니다. 동양에서는 그림을 인격 수양의 한 방법으로 생각했습니다. 선비는 시(詩), 글씨[書], 그림[畵] 세 가지를 모두 잘하는 것을 이상으로 여겼지요. 그래서 그리는 이의 정신과 인격을 어떻게 표현하느냐가 중요한 관심사가 되었습니다. 사물을 보이는 대로 그린다거나 대상의 색을 그대로 칠하는 것 등은 그림을 그리는 기초에 불과하다고 생각했지요.

(나) 한지나 화선지, 비단에 먹물로 그릴 때와 캔버스에 유화 물감으로 그릴 때의 차이점은 무엇일까요? 한지나 화선지, 비단에 먹물로 그리면 먹이 바탕에 바로 스며들기 때문에 한번 그린 그림을 덧칠하거나 다시 고치기 어렵습니다. 하지만 캔버스에 유화 물감으로 그리면 손쉽게 덧칠하거나 고쳐 그릴 수가 있습니다. 심지어 완성된 그림 위에 완전히 새로운 그림을 덧그릴 수도 있지요.

(다) 이런 차이 때문에 동양과 서양에서 그림을 그리는 방법은 매우 다르게 발전했습니다. 먹으로 그릴 때에는 한 번의 붓질로 완성해야 하므로 순간적인 표현력이 중시됐습니다. 우리가 ㉠'일필휘지'라고 말하는 것이지요. 반면에 유화 물감으로 그리면 계속 덧칠하며 그림을 고칠 수 있으므로 꼼꼼한 과정이 중요했습니다. 대강의 형태를 스케치하고, 스케치 위에 차근차근 색을 칠해 가는 것입니다.

(라) 옛날에는 동양과 서양이 그림을 보는 시각이 달랐고, 그림을 그리는 재료나 방법에도 차이가 있었습니다. 하지만 현대에 들어 동서양 간의 교류가 활발해지면서 동양과 서양의 그런 차이들이 많이 무너졌습니다. 오늘날의 미술을 보면 동양화의 특징과 서양화의 특징이 섞여 나타나 있는 그림들이 자주 눈에 띕니다. 자신이 생각한 바를 자신만의 방법으로 그리는 것을 중요하게 생각하기 때문이겠지요. 여러분은 ㉡〈그림 3〉이 동양화로 보이나요, 서양화로 보이나요?

출제 예감 80%

01 이와 같은 글에 대한 설명으로 적절한 것은?

① 중요 정보를 중심으로 요약해야 한다.
② 글쓴이의 주장을 중심으로 요약해야 한다.
③ 갈등의 전개 과정을 중심으로 요약해야 한다.
④ 글쓴이의 체험을 시간 순서대로 요약해야 한다.
⑤ 중요 인물과 관련된 사건을 중심으로 요약해야 한다.

출제 예감 95%

02 다음 중 〈보기〉의 글이 들어가기에 적절한 위치는?

보기

그에 비해 서양에서는 주로 그림의 기록적인 측면이나 표현 방법을 중요하게 여겼습니다. 이는 그리스·로마 신화나 성경 내용 등을 그린 종교화, 귀족들의 초상화 등이 근대 이전 서양화의 많은 부분을 차지하고 있는 점을 보면 알 수 있습니다.

① (가)의 앞 ② (가)의 뒤 ③ (나)의 뒤
④ (다)의 뒤 ⑤ (라)의 뒤

출제 예감 90% 학습 활동 응용

03 (가)의 중심 내용을 핵심 단어를 중심으로 요약하고자 할 때, 가장 거리가 먼 것은?

① 동양 ② 시각 ③ 인격 ④ 글씨 ⑤ 정신

출제 예감 85%

04 (가)~(라)를 바탕으로 ㉠을 바르게 이해한 사람은?

① 영후: 동양화가 서양화보다 빨리 완성될 수 있겠군.
② 준우: 동양화에서는 그림을 그릴 때 스케치가 필요없다는 거로군.
③ 시윤: 동양에서는 서예를 그림보다 더 수준 높은 예술 활동으로 보았다는 거로군.
④ 지호: 동양에서는 그림을 덧칠하고 수정하는 것을 바람직하지 않은 것으로 보았겠군.
⑤ 채은: 동양화는 재료의 특성 때문에 그림을 그릴 때 순간적인 표현이 중요하다는 거로군.

출제 예감 75% 서술형

05 이 글의 흐름으로 볼 때 ㉡의 특성을 나타내는 말을 (라)에서 찾아 쓰시오.

소단원 핵심 문제

[06~08] 다음을 읽고 물음에 답하시오.

(가) 서양에서는 주로 그림의 기록적인 측면이나 표현 방법을 중요하게 여겼습니다. 이는 그리스 · 로마 신화나 성경 내용 등을 그린 종교화, 귀족들의 초상화 등이 근대 이전 서양화의 많은 부분을 차지하고 있는 점을 보면 알 수 있습니다. 서양에서는 대상을 어떻게 정확하게 그리느냐가 중요했던 것입니다. 그리하여 서양 미술에서는 원근법이나 빛에 따른 대상의 변화와 형태를 파악하는 방법 등이 발달했습니다.

(나) 동양의 그림과 서양의 그림은 그리는 재료도 다릅니다. 동양에서는 주로 한지나 화선지 또는 비단에 먹으로 그림을 그렸습니다. 한지, 화선지 같은 종이나 비단같이 결이 고운 천은 먹의 진하고 연함이나 자세한 붓놀림을 잘 담아낼 수 있지요. 그에 비해 서양에서는 주로 캔버스라고 불리는 천에 유화 물감으로 그림을 그렸습니다. 캔버스는 아마나 면으로 짠 천에 아교풀 같은 것을 입혀 만드는데, 거기에는 물을 쓰는 먹과 달리 기름을 쓰는 유화 물감으로 그림을 그립니다.

(다) 한지나 화선지, 비단에 먹물로 그릴 때와 캔버스에 유화 물감으로 그릴 때의 차이점은 무엇일까요? 한지나 화선지, 비단에 먹물로 그리면 먹이 바탕에 바로 스며들기 때문에 한번 그린 그림을 (　　　　㉠　　　　) 하지만 캔버스에 유화 물감으로 그리면 손쉽게 덧칠하거나 고쳐 그릴 수가 있습니다.

(라) 먹으로 그릴 때에는 넓게 칠하는 작업보다 선으로 가늘게 그리는 작업이 수월합니다. 그러다 보니 선으로 표현하는 방법이 발달하였지요. 일단 선으로 대상을 그린 다음에 먹의 진하고 연함이나 채색으로 느낌을 더했던 것입니다. 동양의 미술을 '선의 예술'이라고 말하는 까닭입니다. 그에 비해 유화 물감으로 그릴 때에는 선보다 명암이나 색, 질감 등이 강조되었습니다. 그 결과 평면인 캔버스에 대상을 입체적으로 표현하는 기법이 중요한 과제가 되었지요.

(마) 여백을 처리하는 방식이 다릅니다. 서양은 화면에 꽉 차게 그림을 그리지만, 동양은 여백을 충분히 살려서 그립니다. 서양의 그림은 캔버스 면을 그대로 드러내는 일이 거의 없지요. 하지만 동양의 그림은 하얀 여백까지 작품 공간 안에 포함해서 완성합니다.

(바) 우리나라의 어떤 화가가 미국에서 전시회를 열었을 때의 이야기입니다. 그림을 사들인 한 미국인이 며칠 있다가 작품을 들고 호텔로 화가를 찾아왔더래요. 그림이 아무래도 미완성인 것 같으니 마저 그려 달라고 한 것이지요. 여백이 많은 그림이다 보니 미국인의 눈에는 그리다 만 것처럼 보였던 것입니다.

출제 예감 90% 학습 활동 응용

06 이 글로 보아 알 수 있는 사실이 아닌 것은?

① 동양화에는 선을 통한 표현과 여백이 어우러져 나타난다.
② 동양의 그림에서는 선과 먹의 농도가 중요한 표현 방법이었다.
③ 서양에서는 사실적으로 기록한 그림을 수준 높은 예술로 보았다.
④ 한지나 화선지에는 원근법이나 빛에 따른 대상의 변화를 드러낼 수 없다.
⑤ 캔버스는 기름이 스며들지 않는 특성이 있어 물감을 덧칠함으로써 수정을 하기가 쉽다.

출제 예감 95%

07 (가)~(바)를 내용 단락으로 묶을 때 바르게 나타낸 것은?

① (가) / (나), (다) / (라), (마) / (바)
② (가) / (나), (다) / (라) / (마), (바)
③ (가), (나) / (다) / (라) / (마), (바)
④ (가), (나) / (다), (라) / (마) / (바)
⑤ (가), (나) / (다) / (라), (마) / (바)

출제 예감 90% 서술형

08 ㉠에 들어갈 문장을 서술하시오.

조건
문맥에 맞게 완성된 문장으로 쓸 것

[09~12] 다음을 읽고 물음에 답하시오.

(가) 〈그림 1〉은 먹을 이용해 채색 없이 선으로 간략하게 표현했고, 〈그림 2〉는 다양한 색깔의 유화 물감으로 입체감을 살려 사실적으로 그렸습니다. 또 〈그림 1〉은 여백을 많이 살렸고, 〈그림 2〉는 배경을 가득 채워 색을 칠했습니다. 이런 차이는 무엇 때문에 생긴 것일까요?

(나) 동양의 그림과 서양의 그림은 그리는 재료도 다릅니다. 동양에서는 주로 한지나 화선지 또는 비단에 먹으로 그림을 그렸습니다. 한지, 화선지 같은 종이나 비단같이 결이 고운 천은 먹의 진하고 연함이나 자세한 붓놀림을 잘 담아낼 수 있지요. 그에 비해 서양에서는 주로 캔버스라고 불리는 천에 유화 물감으로 그림을 그렸습니다. 캔버스는 아마나 면으로 짠 천에 아교풀 같은 것을 입혀 만드는데, 거기에는 물을 쓰는 먹과 달리 기름을 쓰는 유화 물감으로 그림을 그립니다.

(다) ㉠이런 차이 때문에 동양과 서양에서 그림을 그리는 방법은 매우 다르게 발전했습니다. 먹으로 그릴 때에는 한 번의 붓질로 완성해야 하므로 순간적인 표현력이 중시됐습니다. 우리가 '일필휘지'라고 말하는 것이지요. 반면에 유화 물감으로 그리면 계속 덧칠하며 그림을 고칠 수 있으므로 꼼꼼한 과정이 중요했습니다. 대강의 형태를 스케치하고, 스케치 위에 차근차근 색을 칠해 가는 것입니다. 나중에는 칠한 부분이 두꺼워지고 표면에 질감이 생기지요.

(라) 서양은 화면에 꽉 차게 그림을 그리지만, 동양은 여백을 충분히 살려서 그립니다. 서양의 그림은 캔버스 면을 그대로 드러내는 일이 거의 없지요. 하지만 동양의 그림은 하얀 여백까지 작품 공간 안에 포함해서 완성합니다.

우리나라의 어떤 화가가 미국에서 전시회를 열었을 때의 이야기입니다. 그림을 사들인 한 미국인이 며칠 있다가 작품을 들고 호텔로 화가를 찾아왔더래요. 그림이 아무래도 미완성인 것 같으니 마저 그려 달라고 한 것이지요. 여백이 많은 그림이다 보니 미국인의 눈에는 그리다 만 것처럼 보였던 것입니다.

(마) ㉡옛날에는 동양과 서양이 그림을 보는 시각이 달랐고, 그림을 그리는 재료나 방법에도 차이가 있었습니다. 하지만 현대에 들어 동서양 간의 교류가 활발해지면서 동양과 서양의 그런 차이들이 많이 무너졌습니다. 오늘날의 미술을 보면 동양화의 특징과 서양화의 특징이 섞여 나타나 있는 그림들이 자주 눈에 띕니다. 자신이 생각한 바를 자신만의 방법으로 그리는 것을 중요하게 생각하기 때문이겠지요.

출제 예감 95% 학습 활동 응용

09 (가)~(마)의 중심 내용으로 적절하지 않은 것은?

① (가): 동양화와 서양화의 차이에 대한 문제 제기
② (나): 동양화와 서양화의 재료의 차이
③ (다): 동양화와 서양화의 표현 방법의 차이
④ (라): 동양과 서양의 그림을 보는 시각의 차이
⑤ (마): 줄어드는 동양화와 서양화의 차이

출제 예감 75%

10 (가)~(마) 중 〈보기〉의 설명과 가장 관계 깊은 것은?

보기
동양화는 작품 속에 빈 공간을 두어 그림을 감상하는 사람이 자기 생각으로 빈 공간을 채워서 작품을 완성하게 한다.

① (가) ② (나) ③ (다) ④ (라) ⑤ (마)

출제 예감 85% 서술형

11 ㉠의 구체적인 내용을 서술하시오.

조건
• (나)의 내용을 바탕으로 하여 서술할 것
• 한 문장으로 서술할 것

출제 예감 95% 학습 활동 응용

12 내용 전개 과정에서 ㉡의 역할로 적절한 것은?

① 대상에 대한 문제를 제기한다.
② 대상에 대한 호기심을 유발한다.
③ 설명한 내용을 간략하게 요약하여 강조한다.
④ 대상에 대한 글쓴이의 주관적인 의견을 부각한다.
⑤ 대상에 대하여 다양한 설명 방법을 활용하여 설명한다.

3 로봇, 친구가 될 수 있을까

• 생각 열기 신하들이 주장하는 내용을 읽고, 아래의 활동을 해 봅시다.

두 신하는 무슨 문제로 임금님 앞에서 다투고 있나요?

예시 답 백성이 수령을 고소할 수 있느냐 없느냐의 문제

자신이 임금님이라면 누구의 주장에 손을 들어 주고 싶은가요? 그 이유는 무엇인가요?

예시 답 ① 고소할 수 없다는 입장: 백성이 수령을 고소할 수 있다면 지방 세력들이 자신들의 이익을 위해 각종 꼬투리를 잡아 수령을 고소하고 수령의 권한을 약화하려 할 수 있기 때문이다.
② 고소할 수 있다는 입장: 만약 수령이 본래의 역할을 충분히 수행하지 못하고 개인적인 사리사욕을 추구한다면 이를 제지하거나 견제할 수 있는 장치가 필요하기 때문이다.

• 학습 목표로 내용 엿보기

"사람들이 하는 말이나 매체에서 하는 주장이 다 옳지는 않아. 그래서 우리는 상대방의 주장을 비판적으로 들어야 해. 비판적으로 듣는다는 것은 상대방의 주장이 올바른지 분석하고 평가하면서 듣는 거지. 내용의 타당성을 판단하며 다른 사람의 말을 비판적으로 들어 볼까?"

핵심 1 강연 「로봇, 친구가 될 수 있을까」를 듣고, 주장과 근거 파악하기

핵심 2 강연 「로봇, 친구가 될 수 있을까」를 듣고, 내용의 타당성 판단하기

핵심 원리 이해하기 판단하며 듣기

1. 강연의 뜻 일정한 주제에 대하여 청중 앞에서 자신의 의견이나 새로운 정보를 강의 형식으로 말하는 것

2. 내용의 타당성 판단하며 듣기의 방법
- 주장과 근거 구분하기: 말하는 이의 주장과 이를 뒷받침하는 근거를 파악한다.
- 근거의 타당성 판단하기: 근거가 정확하고 객관적인 정보를 바탕으로 하는지, 신뢰할 만한 것인지 판단한다.
- 주장의 타당성 판단하기: 근거를 통하여 주장에 도달하는 과정이 적절한지 판단한다.

개념 확인 콕콕 • 정답과 해설 p.33

01 강연에 대한 설명이 맞으면 ○, 틀리면 ×표 하시오.

(1) 다수의 청중 앞에서 일정한 주제를 전개하는 공식적인 말하기이다. ( )
(2) 청중은 강연자의 말을 비판 없이 그대로 받아들이며 듣는 것이 좋다. ( )
(3) 정보 전달이나 설득을 목적으로 보조 자료를 활용하여 말하는 경우가 많다. ( )

02 강연을 들을 때에는 사실과 의견을 구분하며 들어야 한다. 다음 중 의견에 해당하는 것은?

① 그 노래를 부른 가수는 이미 돌아가셨다.
② 우리 형은 한 달에 열 권 정도의 책을 읽는다.
③ 내가 다니던 초등학교는 다른 곳으로 이사를 했다.
④ 육식은 결코 건강에 이롭지 않은 음식이라 할 수 있다.
⑤ 입학식 때 갑자기 눈이 내려 추워하는 학생들이 많았다.

03 다음은 듣기에 대한 설명이다. ( )에 알맞은 말을 쓰시오.

> 다른 사람의 말을 들을 때는 그 말을 무조건 수용해서는 안 된다. 사람마다 다른 가치관과 경험이 있기 때문이다. 특히 주장하는 말을 들을 때는 자신의 시각에서 ( )으로 들어야 한다.

04 내용의 타당성을 판단하며 듣기에서 고려해야 할 사항으로 가장 거리가 먼 것은?

① 근거의 적절성 ② 표현의 참신성
③ 사실의 객관성 ④ 정보의 신뢰성
⑤ 주장의 명료성

본문 미리보기

본문 안내

이 소단원은 주장과 근거가 분명하게 드러나는 강연을 듣고 내용의 타당성을 판단해 보는 단원이다. 「로봇, 친구가 될 수 있을까」에서 로봇 전문가인 강연자는 로봇의 필요성과 로봇이 하는 일을 근거로 하여 로봇의 개발을 주장하고 있다. 아울러 로봇의 안전에 대한 우려를 극복하는 방안을 제시하고 있다. 강연을 들으면서 주장과 근거를 중심으로 내용을 파악하고 주장과 근거의 연관성, 논리성, 타당성 등을 판단해 보도록 한다.

처음: 로봇을 만드는 일을 하게 된 계기 → **중간**: 로봇을 개발해야 하는 까닭과 로봇을 안전하게 사용하는 방법 → **끝**: 로봇 개발을 촉구함.

본문 개관

★ **글쓴이 소개** 한재권

대학교수, 로봇공학자. 『소년소녀, 과학하라!』, 『로봇 정신』 등 로봇 기술에 관한 저서를 썼으며, '똘망', '찰리' 등의 로봇을 개발하였다.

★ **갈래** 강연

이 강연은 로봇 공학이라는 전문적인 분야에 종사하는 강연자가 다수의 청중을 앞에 두고 자신의 주장을 펼친 공식적인 말하기이다. 청중의 이해를 돕기 위하여 다양한 보조 자료를 활용하기도 하고 자신의 경험을 제시하기도 하였다.

★ **성격** 설득적, 논리적

이 강연은 청중들을 대상으로 로봇 개발의 필요성을 알리고 그에 관한 관심을 촉구하기 위한 목적으로 이루어지고 있다. 로봇이 인간 생활에 어떤 도움을 줄 수 있는지를 구체적으로 제시하고 있으며, 반론에 대하여 극복 방안을 제시함으로써 청중에 대한 호소력을 높이고 있다.

★ **제재** 로봇의 역할과 안전한 활용 방법

이 강연에서는 로봇의 필요성과 역할을 근거로 하여 로봇 개발의 중요성을 강조하고 있다. 또한, 로봇의 안전에 대한 우려를 고려하여 그 대안을 제시함으로써 로봇을 안전하게 활용할 방법도 말해 주고 있다.

★ **주제** 로봇은 인간 대신 다양한 임무를 수행하는 소중한 자원이므로 로봇 개발에 힘써야 함.

이 강연에서 강연자는 로봇이 인간 생활에 도움이 되는 존재라는 인식을 바탕으로 로봇의 개발에 대하여 좀 더 관심을 가지고 노력을 기울여야 함을 촉구하고 있다.

로봇, 친구가 될 수 있을까

한재권

이것이 핵심! ✓ 강연의 의도 파악하기 ✓ 강연의 내용 파악하기

처음 (가) 안녕하세요? 한재권입니다. 보시는 바와 같이 저는 로봇 만드는 일을 하고 있습니다. 여러분은 로봇을 좋아하시나요? 오늘은 여러분에게 로봇에 관한 이야기를 하려고 합니다. 여러분은 로봇을 왜 만들어야 한다고 생각하시나요? 각자 대답이 다 다를 것이고, 로봇을 굳이 만들 필요가 있냐고 생각하는 친구들도 있을 겁니다. 그럼 저는 왜 로봇을 만들었을까요?

(나) 먼저 제 얘기부터 해 보겠습니다. 제 동생은 뇌 병변(병이 원인이 되어 일어나는 생체의 변화) 장애를 가지고 있어 걷지도 말하지도 못합니다. 혼자서는 밥도 못 먹고 화장실에 갈 수도 없습니다. 37년 넘게 어머니께서 온종일 동생을 곁에서 돌봐 오셨어요. 그래서 저는 어렸을 때부터 누군가 동생 곁에서 동생을 돌봐 줄 수 있으면 얼마나 좋을까 생각했습니다. 그런 저에게 누군가가 나타났습니다. 바로 만화 영화 속 아톰입니다. 아톰은 몸집이 작지만, 위기 상황이 닥치면 사람들을 번쩍번쩍 들어서 구해 줍니다. 그게 제 눈에는 어떻게 보였냐 하면요, 제 동생이 목욕해야 할 때 동생을 번쩍 들어서 욕조에 데려다주는 장면으로 보였어요. 저에게는 그 모습이 영웅으로 보였고, 만화 속처럼 이런 존재가 우리와 같이 산다면 얼마나 좋을까 생각했습니다. 이런 마음이 자라서 저를 로봇 과학자로, 로봇 발명가로 만들었습니다.

처음 ⁞ 로봇을 만드는 일을 하게 된 계기

핵심 확인

강연자의 의도 파악

처음 부분	강연에서 다룰 내용 소개

↓

왜 로봇을 만들어야 할까?(로봇 개발의 필요성)

로봇을 만드는 일을 하게 된 계기

• 장애가 있는 동생을 돌보아야 함. • 만화 영화에서 힘센 로봇을 알게 됨.	로봇이 인간에게 도움이 될 수 있다는 생각을 함.

• 확인 문제 •

• 정답과 해설 p.33

핵심

01 이 강연에 대한 설명으로 적절하지 <u>않은</u> 것은?

① 강연의 중심 제재는 '로봇'이다.
② 공적인 말하기의 형식에 따라 이루어지고 있다.
③ 강연자는 로봇 발명과 관련된 일을 하는 사람이다.
④ 청중은 로봇이 필요하다는 것에 찬성하는 사람들이다.
⑤ 강연자는 자신의 이야기를 언급하면서 강연의 의도를 내비치고 있다.

서술형

02 (가)~(나)로 보아 강연의 처음 부분에 들어가야 할 내용에는 어떤 것들이 있는지 쓰시오.

03 (나)에 대한 청중의 반응으로 가장 적절한 것은?

① 강연자는 어릴 적부터 동생을 돌봐 왔군.
② 강연자에 대해 연민의 마음을 가지고 강연을 들어야겠어.
③ 강연자는 어린 시절의 경험으로 인해 로봇 공학자가 된 거로군.
④ 강연자는 어렸을 때부터 과학적인 사고에 익숙한 생활을 해 왔군.
⑤ 강연자는 만화 영화를 좋아할 만큼 순수한 마음을 가진 사람이로군.

핵심

04 (나)의 내용으로 볼 때, '로봇'에 대한 강연자의 인식으로 적절한 것은?

① 인간을 지배할 수 있는 존재
② 인간 생활에 도움을 주는 존재
③ 인간보다 뛰어나고 우월한 존재
④ 인간의 초능력을 증명해 주는 존재
⑤ 인간적인 교감을 나눌 수 있는 존재

이것이 핵심! ✓ 강연의 주요 내용 파악하기 ✓ 로봇 개발의 필요성

중간1 다 물론 지금은 로봇을 만들어야 할 까닭이 더 많아졌어요. 그럼 이제부터 로봇을 왜 만들어야 하는지 본격적으로 말씀드릴게요.

라

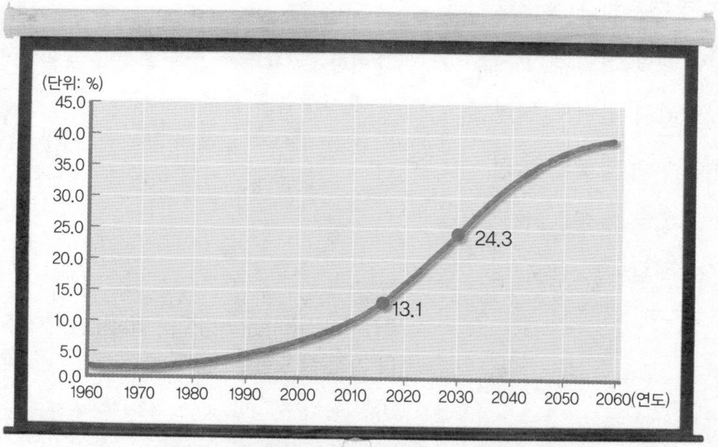

[자료 1] 1960~2060년 한국의 고령 인구 비중(통계청, 2015)

먼저 그래프 자료를 한번 보시죠. 저출산 · 고령화 사회, 이제는 진부할 정도로 많이 들어서 익숙한 말이죠? 통계청 조사에 따르면, 우리나라는 2030년에 65세 이상 고령 인구가 24.3퍼센트(%)로 늘어나게 될 것이라고 합니다. 고령화 사회가 되면 어떤 일이 벌어질까요? 아마도 어렵고 위험한 일에 종사하시는 분들이 더 줄어들 것입니다. 그러나 이러한 일들은 우리 사회를 유지해 주는 가장 중요한 일 중 하나입니다. 거리를 청소하시는 분이 없다거나 위급할 때 우리를 구해 줄 구조 대원이 없다고 생각해 보세요. 갑자기 아파서 병원 응급실에 갔는데 응급 의사나 간호사분들이 없다고 생각해 보십시오. 우리 사회는 유지되기 힘들 것입니다. 그런데 이때 로봇이 부족한 일손을 채워 줄 수 있다면 어떨까요? 아마도 우리는 불편함을 못 느끼고 사회생활을 할 수 있을 것입니다.

중간 1	로봇은 저출산 · 고령화 사회의 부족한 일손을 채워 사회를 유지할 수 있게 함.

핵심 확인 강연의 주요 내용 – 로봇 개발의 필요성 ①

저출산 · 고령화 사회 → 어렵고 위험한 일에 종사하는 사람이 줄어듦. → 로봇이 부족한 일손을 채워 줄 수 있음.

05 이 강연을 듣는 청중의 태도로 적절하지 않은 것은?

① 강연에 드러나는 내용 전개상의 특징을 파악한다.
② 강연자의 말이 얼마나 타당한지 비판하면서 듣는다.
③ 강연자가 말하고자 하는 바가 무엇인지 바르게 파악한다.
④ 강연 도중에 제시되는 보조 자료는 중요하게 여기지 않아도 된다.
⑤ 강연이 끝난 후에 궁금한 점이나 더 알고 싶은 점에 대해 질문한다.

핵심

06 (라)의 그래프에 대한 설명으로 적절한 것은?

① 주로 청각을 통해 내용에 대한 이해를 돕는다.
② 우리나라의 저출산 문제를 항목화하여 보여 준다.
③ 우리나라의 로봇 개발 현황을 시각적으로 보여 준다.
④ 로봇 개발에 대한 전 세계적인 관심의 변화를 보여 준다.
⑤ 시각적 자료를 통해 로봇 개발 필요성의 근거를 제시한다.

핵심

07 (라)의 중심 내용을 바르게 나타낸 것은?

① 로봇 개발의 필요성
② 로봇과 인간의 관계
③ 저출산·고령화 문제의 해결 방안
④ 고령 인구의 증가로 인한 의료 문제
⑤ 어렵고 위험한 일을 하는 사람들의 분류

서술형

08 (라)의 그래프를 통해 알 수 있는 내용이 무엇인지 서술하시오.

조건
- 그래프의 내용을 언급할 것
- 한 문장으로 쓸 것

이것이 핵심! ✓ 강연의 주요 내용 파악하기 ✓ 로봇 개발의 필요성

중간2 마 또 로봇은 인간의 생명을 구할 수도 있습니다. 로봇을 이용하면 사람이 하기 어려운 수술을 좀 더 쉽게 할 수 있습니다. 사람 손보다 훨씬 정교하고 가느다란 로봇 손을 만들면 사람보다 더 정밀하게 수술을 할 수 있기 때문입니다. 그리고 의사 선생님이 방문하기 어려운 두메에 수술 로봇만 배치해 두면 의사 선생님이 멀리 떨어져 있어도 원격 조종 수술로 응급 환자를 구할 수도 있습니다. 현재 수술 로봇들은 전 세계에 보급되어 수백만 건의 수술을 효과적으로 수행하고 있습니다. 그리고 일부 수술 로봇은 인간보다 뛰어난 봉합 수술 성능을 보여 주고 있습니다.

봉합: 수술을 하려고 절단한 자리나 몸의 겉에 생긴 상처로 갈라진 자리를 꿰매어 붙이는 일

중간 2 | 로봇은 인간의 생명을 구할 수 있음.

핵심 확인 강연의 주요 내용 – 로봇 개발의 필요성 ②

- 사람보다 정밀한 수술이 가능함.
- 로봇의 원격 조종으로 두메의 응급 환자 구조 가능

→ 인간의 생명을 구할 수 있음.

이것이 핵심! ✓ 강연의 주요 내용 파악하기 ✓ 로봇 개발의 필요성

중간3 바 또한, 로봇은 사람이 가기 위험한 곳에 투입되어 사고 현장을 수습할 수 있습니다. 2011년 후쿠시마 원자력 발전소가 폭발했을 때에도 로봇을 투입했습니다. 비록 사건 초기에 투입된 로봇들은 통신 장애로 임무 수행에 실패했지만 지난 수년간 로봇을 꾸준히 개발하여 얼마 전에는 후쿠시마 원자로에 로봇을 성공적으로 투입할 수 있었습니다.

중간 3 | 위험한 사고 현장에 로봇을 투입하여 사고를 수습할 수 있음.

핵심 확인 강연의 주요 내용 – 로봇 개발의 필요성 ③

후쿠시마 원자로 폭발 사고 현장에 투입됨. → 사람 대신 위험한 사고 현장을 수습할 수 있음.

이것이 핵심! ✓ 강연의 주요 내용 파악하기 ✓ 로봇의 위험성을 줄일 방안

중간4 사 물론, ㉠로봇이 군사적으로 이용되어서 사람을 죽이고 인류를 멸망시킬 것이라는 우려도 있습니다. 그러면 로봇을 더는 개발해서는 안 될까요? 저는 그 해답을 역사에서 찾았습니다. 사진 자료를 보시죠.

핵심

09 (마)에서 알 수 있는 사실로 적절한 것은?

① 로봇은 인간보다 의료 기술이 더 뛰어나다.
② 우리나라는 로봇을 활용한 의학 기술 발전에 힘쓰고 있다.
③ 교통 상황이 좋지 않은 곳에는 수술 로봇이 보급되어 있다.
④ 의학계에서는 인간의 의술을 보완하기 위해 로봇을 활용하고 있다.
⑤ 많은 의사가 로봇의 개발을 위해 관련된 연구 활동에 직접 참여하고 있다.

핵심

10 (마)~(바)를 바탕으로 할 때, 강연자의 입장을 가장 잘 표현한 것은?

① 일자리 차지한 로봇, 세금도 내야
② 의료, 법률, 행정마저도 로봇이 처리
③ 로봇의 작은 오류, 인간에겐 치명적 재앙
④ 로봇의 혜택, 서민들이 누리기 힘든 현실
⑤ 인간의 유한한 신체 능력, 로봇으로 보완 가능

11 (바)의 내용 전개 방법에 관한 설명으로 적절한 것은?

① 대상의 변화 과정을 시간 순서대로 나열하고 있다.
② 대상의 구체적인 사례를 제시하여 내용의 이해를 돕고 있다.
③ 대상의 생성 원인을 밝혀 결과를 자연스럽게 끌어내고 있다.
④ 대상의 개념을 정의하여 말하고자 하는 내용의 범위를 제한하고 있다.
⑤ 서로 상대적인 입장의 두 대상을 제시하여 대상의 특성을 강조하고 있다.

서술형

12 ㉠이 강연자의 입장과 어떻게 다른지 서술하시오.

조건
- 강연자의 주장이 드러나도록 쓸 것
- 한 문장으로 서술할 것

아 이 사진은 1924년 미국의 한 신문 기사에 실린 것으로 자동차가 인류를 위협하는 내용을 담고 있습니다. ㉠이 신문 기사에서는 자동차를 죽음의 기계로 묘사하며 자동차가 곧 인류를 멸망시킬 것이라고 예상하였습니다. 세월이 흐른 지금, 인류가 멸망했나요? 오히려 자동차는 우리에게 없어서는 안 될 도구가 되었습니다. 그럼 그 당시 사람들은 왜 자동차를 살인 기계처럼 생각했을까요? 교통 신호가 없었기 때문입니다. 이후 사람들은 자동차를 안전하게 사용하기 위해서 차도와 신호등을 만들었습니다. 또 운전면허와 같은 제도를 만들었습니다. 로봇을 개발할 때에도 이에 필요한 법과 제도를 만들면 안전하게 사용할 수 있을 것입니다.

[자료 2] 인류를 위협하는 자동차 (『뉴욕 타임스』, 1924. 11. 23.)

중간 4 | 로봇을 개발할 때 필요한 법과 제도를 만들면 안전하게 로봇을 사용할 수 있음.

핵심 확인 강연의 주요 내용 – 로봇의 위험성을 줄일 방안

로봇 개발 반대론자들의 주장	→	강연자의 주장
군사적으로 이용되어 인류를 멸망시킬 것임.	반론에 대해 반박함.	로봇을 안전하게 사용할 수 있는 법과 제도를 만들면 됨.

이것이 핵심! ✓ 강연의 마무리 ✓ 내용 파악하기

자 로봇은 (㉡) 사회를 극복하게 해 줄 대안이자 우리 사회를 안전하게 지탱해 줄 힘이라고 생각합니다. 그래서 저는 로봇을 개발해야 한다고 주장합니다. 그리고 로봇을 살인 기계로 만들지 않기 위해 우리가 모두 지혜를 모아야 합니다. 관련 법과 제도를 만들고 예의를 지키는 문화를 조성해야 로봇은 비로소 우리에게 편리한 도구로 다가올 수 있고, 더불어 우리에게 친구로 다가올 수 있다고 생각합니다. 여러분도 함께 노력해 주십시오.

끝 | 로봇 개발에 대한 관심을 촉구함.

핵심 확인 강연의 마무리

끝 부분	→	
강연 내용 요약 및 당부		• 로봇을 개발해야 한다는 주장의 확인 • 로봇 개발을 위해 함께 노력할 것을 당부

핵심

13 (아)에서 강연자가 자신의 주장을 펼치기 위해 활용한 방법은?

① 반론에 대한 반박을 통해 자신의 논리를 강화하였다.
② 주장에 대해 감정적으로 호소하여 공감을 유도하였다.
③ 다양한 사례를 근거로 제시하여 주장을 풍부하게 증명하였다.
④ 주장과 관련된 개인적인 경험을 제시하여 주장에 대한 이해를 돕고 있다.
⑤ 주장을 뒷받침하는 권위자의 말을 빌려 주장에 대한 신뢰감을 확보하였다.

14 ㉠에 대한 설명으로 적절한 것은?

① 기계 문명에 대하여 긍정적인 입장을 취하였다.
② 다양한 경로를 통해 인류의 멸망을 예언하였다.
③ 로봇에 대한 부정적 시각과 유사한 입장을 표현하였다.
④ 자동차가 인류의 생활필수품이 될 것이라고 예측하였다.
⑤ 자동차의 안전한 사용을 위한 법과 제도의 정비를 주장하였다.

15 이 강연의 흐름으로 볼 때, ㉡에 들어갈 말로 적절한 것은?

① 정보화 ② 고령화
③ 핵가족화 ④ 기계문명화
⑤ 고도의 지능화

서술형 핵심

16 이 강연을 통해 강연자가 궁극적으로 주장하는 바가 무엇인지 서술하시오.

다지기 학습 활동

• 정답과 해설 p.34

이해 활동

1. 이 강연을 들으며 기록한 내용을 바탕으로 강연 내용을 정리해 봅시다.

● 무엇에 관한 강연인가요?
예시 답 로봇을 개발해야 하는가?

● 강연자가 로봇 만드는 일을 하게 된 동기는 무엇인가요?
예시 답 뇌 병변 장애를 지닌 동생을 돌봐 줄 로봇이 있으면 좋겠다고 생각하게 되어서

● 로봇이 할 수 있는 일에는 무엇이 있나요?
예시 답 사람들 대신 어렵고 힘든 일을 할 수 있다.
사람들이 하기 어려운 정교한 수술을 쉽게 할 수 있다.
의사가 없는 오지에서도 원격 조종 수술로 응급 환자를 구할 수 있다.
원자력 발전소 사고 현장과 같은 위험한 곳의 사고 수습을 처리할 수 있다.

● 로봇을 안전하게 사용할 수 있는 방법은 무엇인가요?
예시 답 로봇을 안전하게 사용하기 위해 필요한 법과 제도를 만든다.

이해 다지기 문제

1 이 강연에서 주로 다룬 문제로 적절한 것은?

① 로봇 개발의 역사
② 로봇 개발의 현황
③ 로봇 개발의 필요성
④ 로봇과 인간의 공통점
⑤ 로봇에 대한 인간의 인식의 변화

2 이 강연을 듣고 메모한 내용으로 적절하지 않은 것은?

① 강연자의 직업: 로봇을 개발하는 일을 하고 있다.
② 강연자의 주장: 로봇을 개발하고 안전하게 활용하기 위해 노력해야 한다.
③ 강연자가 현재의 직업을 갖게 된 계기: 어린 시절에 로봇 만화를 좋아했기 때문이다.
④ 주장에 대한 근거: 로봇이 위험한 곳으로 투입되어 사고를 수습해 줄 수 있다.
⑤ 주장에 대한 근거: 로봇은 저출산·고령화 사회에서 일손 부족 문제를 해결해 줄 수 있다.

목표 활동

1. 다음 활동을 하면서 이 강연 내용의 타당성을 판단해 봅시다.

1 이 강연에 주장과 근거가 분명히 드러나 있는지 찾아봅시다.

주장	예시 답 로봇을 개발해야 한다.
근거	1. 로봇은 다가올 저출산·고령화 사회의 일손 부족 문제를 해결해 줄 수 있다. 2. 예시 답 로봇은 인간이 하기 어려운 정교한 수술을 하거나, 의사의 방문이 어려운 오지의 응급 환자를 구하는 등 인간의 생명을 구할 수 있다. 3. 예시 답 로봇은 후쿠시마 원자력 발전소 사고 현장의 경우처럼 인간이 투입되기 위험한 곳에서 일어난 사고를 수습할 수 있다. 4. 로봇이 인류를 멸망시킬 것이라는 우려는 자동차의 예처럼 관련 법과 제도를 만들어 해결할 수 있다.

2 다음 평가 항목에 따라 강연자가 든 근거의 타당성을 판단해 보고 타당하면 ○에, 타당하지 않으면 ×에 표시하고, 그 이유를 말해 봅시다.

근거	평가 항목	표시
근거 1	근거와 주장 간에 연관성이 있는가?	○
	근거가 주장을 적절하게 뒷받침하는가?	○
근거 2	근거와 주장 간에 연관성이 있는가?	○
	근거가 주장을 적절하게 뒷받침하는가?	○
근거 3	근거와 주장 간에 연관성이 있는가?	○
	근거가 주장을 적절하게 뒷받침하는가?	○
근거 4	근거와 주장 간에 연관성이 있는가?	○
	근거가 주장을 적절하게 뒷받침하는가?	×

예시 답 근거 4의 경우 자동차의 사례를 들어 로봇 개발에 대한 우려를 반박하고 있다. 자동차의 경우에도 처음에는 인류를 멸망시킬 것으로 보았지만 법과 제도를 통해 그러한 우려를 없애고 오늘날 인류의 필수품이 된 것처럼 로봇도 법과 제도를 갖추면 안전하게 사용할 수 있다는 것이다. 그러나 자동차는 이전 교통수단을 대체한 것이며, 로봇은 인간 자체를 대체한다는 점에서 단순한 비교 대상으로 볼 수 없다. 또한 로봇의 안전성 확보를 위해 법과 제도를 갖추어야 한다고 하면서 구체적으로 어떤 법과 제도를 갖추어야 하는지 언급하지 않아서 주장을 충분하게 뒷받침하는 근거로 볼 수 없다고 생각한다.

목표 다지기 문제

1 이 강연의 주된 목적을 바르게 나타낸 것은?

① 청중과의 공감
② 청중에 대한 설득
③ 청중에 대한 감사
④ 청중에 대한 비판 및 경고
⑤ 청중을 위한 객관적 정보 전달

2 이 강연에서 강연자가 제시한 근거로 적절하지 않은 것은?

① 로봇은 거리 청소나 응급 구조 활동과 같이 힘들고 어려운 일을 쉽게 해낼 수 있다.
② 많은 사람들이 로봇을 친구로 생각하면 로봇이 인간과 더욱 가까운 존재로 인식될 것이다.
③ 정밀한 수술 로봇은 인간에 비해 정교한 수술을 할 수 있어 환자를 구하는 데 도움이 된다.
④ 사람에게 위험할 수 있는 사고 현장에 로봇을 투입하면 인명의 피해가 없이 사고를 수습할 수 있다.
⑤ 의사의 빠른 도움을 받지 못하는 두메 산골과 같은 곳의 경우 로봇을 투입하여 원격 조종으로 응급 환자 수술이 가능하다.

3 이와 같은 강연을 들을 때의 바람직한 태도를 모두 고르면?

㉠ 주요 내용 상상하며 듣기
㉡ 중요 내용 메모하며 듣기
㉢ 내용의 타당성을 판단하며 듣기
㉣ 인물의 갈등 관계를 파악하며 듣기

① ㉠, ㉡ ② ㉠, ㉢ ③ ㉠, ㉣
④ ㉡, ㉢ ⑤ ㉡, ㉣

4 이 강연을 바르게 듣기 위해 제기한 질문으로 가장 거리가 먼 것은?

① 주장과 근거가 분명하게 드러나는가?
② 근거가 독창적이고 재미있는 것인가?
③ 주장과 근거 사이에 연관성이 있는가?
④ 근거는 객관적이고 신뢰할 만한 것인가?
⑤ 근거는 주장을 적절하게 뒷받침하고 있는가?

2. 다음 질문을 보고 자기 생각을 근거를 들어 말해 봅시다.

로봇, 친구가 될 수 있을까?

1 위 질문에 관한 자기 입장을 정해 이를 뒷받침하는 근거를 마련해 봅시다.

주장	예시 답 • 로봇은 인간의 진정한 친구가 될 수 있다. • 로봇은 인간의 진정한 친구가 될 수 없다.
근거	예시 답 • 애완 로봇이나 감성 로봇 등은 인간이 외로움을 극복하고 정서적으로 안정감을 찾는 데 도움을 준다는 연구 결과가 있다. • 로봇이 군사 기술로 이용되어 대량 살상 무기로 개발되거나 각종 상품 제조 현장에서 일손을 대체할 경우 실업자가 증가한 사례, 또는 로봇이 사람을 다치게 한 사례 등이 있다.

2 **1**을 바탕으로 자기 생각을 친구들 앞에서 발표해 봅시다.

예시 답 나는 로봇이 인간의 진정한 친구가 될 수 있다고 생각합니다. 로봇의 기능도 발달하고 특히 인공 지능이 발달하면 애완 로봇이나 감성 로봇 등이 개발되어 고독하게 사는 현대 사회의 사람들에게 친구 역할을 해 줄 수 있다고 생각하기 때문입니다. / 나는 로봇이 인간의 친구가 되기는 어려울 것이라고 생각합니다. 로봇이 반드시 인간에게 도움을 주는 존재로만 있을 수 없다고 보기 때문입니다. 오히려 인간을 살상하는 데 사용되는 각종 군사용 로봇은 인간의 생명을 해치기 위한 목적으로 만들어지고 있고, 그에 관한 기사도 많이 나고 있습니다. 또 요즘 로봇이 인간의 일자리를 차지하게 되어 실업자의 증가로 인한 사회 문제도 나타나고 있습니다. 이런 점에서 로봇은 인간에게 피해를 주기도 하므로 인간의 친구가 되는 데에는 어려움이 있다고 봅니다.

목표 다지기 문제

5 〈보기〉의 주장에 대한 근거로 가장 적절한 것은?

보기

로봇, 인간의 친구가 될 수 있다.

① 인간과 로봇의 바둑 시합에서 로봇이 이겼다는 내용의 신문 기사
② 대량 살상 생화학 무기를 탑재할 수 있는 소형 로봇 개발에 관한 인터넷 기사
③ 심리적 어려움을 겪는 환자에 대한 치료 로봇의 긍정적 결과를 보여 주는 연구 자료
④ 자동차 부품 제조 공장에서 로봇이 일자리를 차지하고 있는 비율이 증가하는 문제를 다룬 방송 보도
⑤ 로봇과의 기계적 교류에만 익숙하여 실제 인간관계 형성에 어려움을 겪고 있는 사람들의 인터뷰 자료

비판적 듣기의 조건, 타당성

내용의 타당성을 판단하며 듣기 위해서는 근거가 주장과 관련이 있는지, 근거가 주장을 적절하게 뒷받침하는지 생각하고 타당한 주장인지 판단해야 합니다. 타당성을 판단하지 않고 비판 없이 들으면 자칫 잘못된 정보나 주장을 그대로 받아들이게 되어 옳지 못한 판단을 할 수 있고, 이는 곤란한 상황이나 합리적이지 못한 결과로 이어질 수 있습니다.

창의·융합 활동

함께하기

1. 모둠원들과 함께 만들고 싶은 로봇을 토의하여 정한 뒤, 〈보기〉를 참고하여 설계해 봅시다.

보기

이름 간식을 부탁해, 로봇

만능 오븐 먹고 싶은 간식 재료를 넣고 주문만 하세요. 어떤 음식이든지 10분 안에 조리할 수 있어요.

양손 젓가락, 숟가락, 포크로 변할 수 있으며, 조리에 필요한 도구로도 변신할 수 있어요.

이름

예시 답 • 수업 시간에 선생님의 설명이나 판서 내용을 대신 필기해 주는 필기 로봇
• 방 안의 물건을 늘 제자리에 정리해 주는 정리 로봇
• 매일 아침 정해진 일정을 알려 주는 스케줄러 로봇

함께하기

2. 모둠별로 설계한 로봇을 가지고 다음과 같은 방법으로 경매 게임을 진행해 봅시다.

1 설계한 로봇의 특징과 기능을 중심으로 발표 자료를 만들어 봅시다.

특징	예시 답 필기 로봇 수업 시간에 선생님의 설명이나 판서 내용을 공책에 필기해 줌.
기능	– 선생님의 설명을 듣고 인식하는 음성 인식 기능 – 중요한 내용을 간단하게 정리하는 요약 기능 – 판서된 문자를 인식하는 문자 인식 기능 – 다양한 색상과 기호 등을 활용하는 기능 등

2 **1**의 활동을 바탕으로 자기 모둠에서 설계한 로봇의 필요성을 근거를 들어 주장해 봅시다.

예시 답 1. 선생님의 설명 듣기에만 집중할 수 있다.
2. 필기한 내용을 활용하여 복습하면 학습 효율이 높아진다.
3. 깨끗한 글씨체와 다양한 색상 등을 활용한 필기는 시각적으로도 보기에 좋다.

3 다른 모둠의 발표를 들으며 자기 모둠이 설계한 로봇의 희망 가격을 정해 봅시다. 예시 답 생략

우리 모둠에서 설계한 로봇의 가격은 (   )원입니다.

4 자기 모둠의 로봇을 사 간 모둠 친구들에게 가장 높은 가격으로 경매에 참여한 이유를 듣고, 자기 생각과 비교해 봅시다. 예시 답 생략

수행 평가 대비 활동

| 수행 평가 TIP | 이 수행 평가 활동은 자신이 설계한 로봇의 필요성을 근거를 들어 말하고, 친구들의 말하기 또한 평가해 보는 활동입니다. 이를 위해 모둠별로 각자 로봇을 설계하고 경매 게임을 하면서 친구들에게 홍보하는 활동을 수행해 봅시다.

1 평가 내용 확인하기

• 만들고 싶은 로봇 설계하기
• 설계한 로봇을 대상으로 경매 게임 진행하기

2 평가 기준 확인하기

• 실현 가능성이 있는가?
로봇이 일상생활에서 쓰일 수 있는지 실현 가능성을 점검해 봅시다.

• 창의적으로 로봇을 설계하였는가?
로봇이 창의성 있는 특징과 기능을 지니고 있는지를 점검하도록 합니다.

• 경매에 적극적으로 참여하였는가?
경매 운영 방식을 잘 따르고, 친구들의 발표도 잘 들어주도록 합니다.

• 다른 모둠의 발표를 들을 때 내용의 타당성을 평가하며 들었는가?
다른 모둠의 발표를 들으며 주장과 근거의 타당성을 평가해 보고 합리적인 판단을 하도록 합니다.

수행 평가 +

1. 텔레비전에서 토론 프로그램 중 하나를 골라 보고, 찬성과 반대 입장에서 내세우는 근거가 무엇인지 정리해 봅시다.

도와줄게 토론은 하나의 주제에 대한 찬성과 반대라는 대립적인 관점을 지닌 토론자들이 자기 주장의 정당성을 입증하는 말하기이므로, 각각 정당성을 입증하기 위해 내세우는 근거를 항목화하여 정리해 보세요.

2. 토론의 승자가 어떤 쪽인지 밝히고 그 이유가 무엇인지 주장의 타당성을 바탕으로 설명하시오.

도와줄게 토론의 심판관이 되기 위해서는 무엇보다 토론자가 자신의 주장을 명확히 밝히고 있는지, 그리고 그 주장을 뒷받침하는 근거가 타당하고 적절한지를 판단해야 해요. 찬성과 반대 입장 중 주장과 근거의 관계가 더 밀접한 쪽을 선택하여 근거를 하나하나 짚어가며 판단의 이유를 설명해 보세요.

핵심 콕 마무리

✔ 소단원 제재 정리

갈래: 강연

제재: (❶)의 역할과 안전한 활용 방법

주제: 로봇은 인간 대신 다양한 임무를 수행하는 소중한 자원이므로 로봇 개발에 힘써야 함.

특징: ① 자신의 이야기를 제시하여 청중의 흥미와 공감적 정서를 유도함.
② 강연 도중 질문을 제기하여 청중의 참여를 유도함.
③ 설명하고자 하는 대상의 역할을 항목화하여 청중이 내용을 쉽게 정리하며 듣도록 내용을 전개함.
④ 예상 (❷)을 제시하고 그에 대하여 대안을 제시하며 반박하여 설득력을 높임.

✔ 제재 한눈에 보기

처음	• 인사, 자기소개 • 로봇 과학자가 된 계기
↓	
중간	로봇을 개발해야 하는 까닭과 로봇을 안전하게 사용하기 위한 방법
↓	
끝	• 내용 요약 • 로봇 개발에 대한 관심 당부

핵심 원리

강연의 뜻

일정한 주제에 대하여 청중 앞에서 자신의 의견이나 새로운 정보를 강의 형식으로 말하는 것

내용의 타당성을 판단하며 듣을 때 고려할 점

- (❸) 판단하기: 주장과 근거가 이치에 맞고 합리적인지 판단한다.
- 신뢰성 판단하기: 주장을 뒷받침하는 정보나 자료가 믿을 만한지 판단한다.
- 공정성 판단하기: 상대의 주장이 공평하고 정의로운지 판단한다.

내용의 타당성을 판단하며 듣기의 효과

- 상대의 주장을 일방적으로 받아들이지 않게 되어 더 합리적으로 의사를 결정할 수 있다.
- 상대의 말을 있는 그대로 받아들일 경우 빠지게 될 곤란한 상황에서 벗어날 수 있다.

핵심 내용

(1) 강연자가 로봇 만드는 일을 하게 된 동기

만화 영화에서 (❹)을 보고 뇌 병변 장애를 지닌 동생을 돌봐 줄 로봇이 있으면 좋겠다고 생각함. → 로봇 과학자가 됨.

(2) 주장과 근거

주장	로봇을 개발해야 한다.
근거	1. 로봇은 앞으로 다가올 저출산 · 고령화 사회의 (❺) 부족 문제를 해결해 줄 수 있다. 2. 로봇은 인간이 하기 어려운 정교한 수술을 하거나, 의사 파견이 어려운 오지의 응급 환자를 구하는 등 인간의 생명을 구할 수 있다. 3. 로봇은 후쿠시마 원자력 발전소 사고 현장의 경우처럼 인간이 투입되기 위험한 곳에서 일어난 사고를 수습할 수 있다. 4. 로봇이 인류를 멸망시킬 것이라는 우려는 자동차가 인류에게 필수 도구화된 과정처럼 관련 법과 제도를 만들어 해결할 수 있다.

(3) 로봇 개발에 대한 반대 주장과 그 극복 방안

예상되는 반대 주장

로봇이 군사적으로 이용되어 사람을 죽이고 (❻)를 멸망시킬 것임.

자동차 사례에 적용

- 자동차도 개발 초기에는 인류를 멸망시킬 죽음의 기계로 예상됨.
- 교통법과 제도의 보완으로 현재는 인류에게 없어서는 안 될 도구가 됨.

↓

극복 방안

로봇 개발 시 필요한 법과 (❼)를 만들면 로봇을 안전하게 사용할 수 있음.

정답 ❶ 로봇 ❷ 반론 ❸ 타당성 ❹ 아톰 ❺ 일손 ❻ 인류 ❼ 제도

소단원 핵심 문제

• 정답과 해설 p.35

[01~04] 다음 글을 읽고 물음에 답하시오.

(가) 안녕하세요? 한재권입니다. 보시는 바와 같이 저는 로봇 만드는 일을 하고 있습니다. 여러분은 로봇을 좋아하시나요? 오늘은 여러분에게 로봇에 관한 이야기를 하려고 합니다. 여러분은 로봇을 왜 만들어야 한다고 생각하시나요? 각자 대답이 다 다를 것이고, 로봇을 굳이 만들 필요가 있냐고 생각하는 친구들도 있을 겁니다. 그럼 저는 왜 로봇을 만들었을까요?

(나) 물론 지금은 로봇을 만들어야 할 까닭이 더 많아졌어요. 그럼 이제부터 로봇을 왜 만들어야 하는지 본격적으로 말씀드릴게요.

(다) 먼저 그래프 자료를 한번 보시죠. 저출산 · 고령화 사회, 이제는 진부할 정도로 많이 들어서 익숙한 말이죠? 통계청 조사에 따르면, 우리나라는 2030년에 65세 이상 고령 인구가 24.3퍼센트(%)로 늘어나게 될 것이라고 합니다. 고령화 사회가 되면 어떤 일이 벌어질까요? 아마도 어렵고 위험한 일에 종사하시는 분들이 더 줄어들 것입니다. 그러나 이러한 일들은 우리 사회를 유지해 주는 가장 중요한 일 중 하나입니다. 거리를 청소하시는 분이 없다거나 위급할 때 우리를 구해 줄 구조 대원이 없다고 생각해 보세요. 갑자기 아파서 병원 응급실에 갔는데 응급 의사나 간호사분들이 없다고 생각해 보십시오. 우리 사회는 유지되기 힘들 것입니다. 그런데 이때 (　　㉠　　) 아마도 우리는 불편함을 못 느끼고 사회생활을 할 수 있을 것입니다.

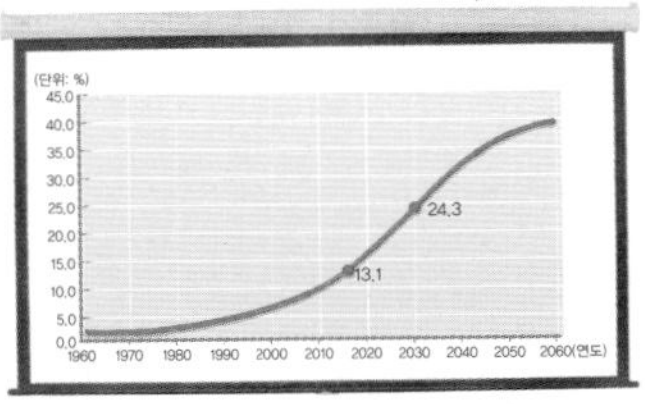

[자료 1] 1960~2060년 한국의 고령 인구 비중(통계청, 2015)

(라) 2011년 후쿠시마 원자력 발전소가 폭발했을 때에도 로봇을 투입했습니다. 비록 사건 초기에 투입된 로봇들은 통신 장애로 임무 수행에 실패했지만 지난 수년간 로봇을 꾸준히 개발하여 얼마 전에는 후쿠시마 원자로에 로봇을 성공적으로 투입할 수 있었습니다.

출제 예감 85%

01 이 강연에 대한 설명으로 적절하지 <u>않은</u> 것은?

① 시각 자료를 활용하여 청중의 이해를 돕고 있다.
② 주제에 대한 상반된 입장을 공평하게 다루고 있다.
③ 다양한 질문을 통해 청중의 참여를 유도하고 있다.
④ 공신력 있는 통계를 제시하여 설득력을 높이고 있다.
⑤ 구체적인 사례를 예로 제시하여 공감을 끌어내고 있다.

출제 예감 70%

02 (가) 뒤에 바로 이어질 내용을 바르게 예측한 사람은?

① 미예: 우리가 로봇을 너무 멀리한다는 점을 지적하겠군.
② 효빈: 로봇을 친구로 생각하는 사람이 많다는 점을 강조하겠군.
③ 시후: 자신이 평소에 로봇을 얼마나 사용하는지 구체적으로 밝히겠군.
④ 진서: 자신이 어떤 계기로 로봇을 개발하는 사람이 되었는지 설명하겠군.
⑤ 나리: 로봇과 함께 사는 일이 그리 멀지 않았음을 사례를 들어 설명하려 하겠군.

출제 예감 85% 서술형

03 ㉠에 들어갈 수 있는 말을 〈조건〉에 맞게 서술하시오.

조건
- 로봇의 필요성을 뒷받침하는 내용으로 서술할 것
- 질문 형태의 문장으로 서술할 것

출제 예감 95% 학습 활동 응용

04 (라)에서 알 수 있는 로봇의 역할을 바르게 설명한 것은?

① 더 많은 원자로를 가동할 수 있다.
② 위험한 사고 현장을 수습할 수 있다.
③ 통신 장애를 막는 기술을 발전시킬 수 있다.
④ 사고가 발생했을 때 초기에 대응할 수 있다.
⑤ 원자력 발전소 폭발과 같은 사고를 예방할 수 있다.

[05~07] 다음 글을 읽고 물음에 답하시오.

가 제 동생은 뇌 병변 장애를 가지고 있어 걷지도 말하지도 못합니다. 혼자서는 밥도 못 먹고 화장실에 갈 수도 없습니다. 37년 넘게 어머니께서 온종일 동생을 곁에서 돌봐 오셨어요. 그래서 저는 어렸을 때부터 누군가 동생 곁에서 동생을 돌봐 줄 수 있으면 얼마나 좋을까 생각했습니다. 그런 저에게 누군가가 나타났습니다. 바로 만화 영화 속 아톰입니다. 아톰은 몸집이 작지만, 위기 상황이 닥치면 사람들을 번쩍번쩍 들어서 구해 줍니다. 그게 제 눈에는 어떻게 보였냐 하면요, 제 동생이 목욕해야 할 때 동생을 번쩍 들어서 욕조에 데려다주는 장면으로 보였어요. 저에게는 그 모습이 영웅으로 보였고, 만화 속처럼 이런 존재가 우리와 같이 산다면 얼마나 좋을까 생각했습니다. ㉠이런 마음이 자라서 저를 로봇 과학자로, 로봇 발명가로 만들었습니다.

나 통계청 조사에 따르면, 우리나라는 2030년에 65세 이상 고령 인구가 24.3퍼센트(%)로 늘어나게 될 것이라고 합니다. 고령화 사회가 되면 어떤 일이 벌어질까요? 아마도 어렵고 위험한 일에 종사하시는 분들이 더 줄어들 것입니다. 그러나 이러한 일들은 우리 사회를 유지해 주는 가장 중요한 일 중 하나입니다. 거리를 청소하시는 분이 없다거나 위급할 때 우리를 구해 줄 구조 대원이 없다고 생각해 보세요. 갑자기 아파서 병원 응급실에 갔는데 응급 의사나 간호사분들이 없다고 생각해 보십시오. 우리 사회는 유지되기 힘들 것입니다.

다 물론, 로봇이 군사적으로 이용되어서 사람을 죽이고 인류를 멸망시킬 것이라는 우려도 있습니다. 그러면 로봇을 더는 개발해서는 안 될까요? 저는 그 해답을 역사에서 찾았습니다. 사진 자료를 보시죠.

[자료 2] 인류를 위협하는 자동차
(『뉴욕 타임스』, 1924. 11. 23.)

이 사진은 1924년 미국의 한 신문 기사에 실린 것으로 자동차가 인류를 위협하는 내용을 담고 있습니다. 이 신문 기사에서는 자동차를 죽음의 기계로 묘사하며 자동차가 곧 인류를 멸망시킬 것이라고 예상하였습니다. 세월이 흐른 지금, 인류가 멸망했나요? 오히려 자동차는 우리에게 없어서는 안 될 도구가 되었습니다. 그럼 그 당시 사람들은 왜 자동차를 살인 기계처럼 생각했을까요? 교통 신호가 없었기 때문입니다. 이후 사람들은 자동차를 안전하게 사용하기 위해서 차도와 신호등을 만들었습니다. 또 운전면허와 같은 제도를 만들었습니다.

출제 예감 95% 학습 활동 응용

05 이와 같은 말하기를 들을 때 제기할 만한 질문으로 적절하지 않은 것은?

① 주장하는 바가 분명히 드러나는가?
② 주장을 뒷받침하는 근거가 충분한가?
③ 주장하는 내용이 공평하고 정의로운가?
④ 주장에 대한 근거가 잘 알려진 내용인가?
⑤ 근거로부터 주장을 끌어내는 방식이 논리적인가?

출제 예감 95%

06 (다)에 대한 설명으로 적절하지 않은 것은?

① 자동차의 사례를 들어 반대 입장에 대한 대안을 제시하고 있다.
② 청중의 심리적 불안감을 자극하여 주장에 대해 동조하도록 하고 있다.
③ 강연자의 주장에 대한 예상 반론을 제시하고 그에 대해 반박하고 있다.
④ 신문 기사 자료를 제시하여 강연 내용에 대한 신뢰성을 확보하고 있다.
⑤ 질문과 대답을 반복하면서 청중이 강연의 흐름에 참여하도록 하고 있다.

출제 예감 80% 서술형

07 ㉠이 가리키는 바가 무엇인지 〈조건〉을 고려하여 서술하시오.

조건
• '로봇'에 대한 강연자의 관점이 드러나도록 쓸 것
• 8어절 이내로 쓸 것

소단원 핵심 문제

[08~11] 다음 글을 읽고 물음에 답하시오.

(가) 로봇은 인간의 생명을 구할 수도 있습니다. 로봇을 이용하면 사람이 하기 어려운 수술을 좀 더 쉽게 할 수 있습니다. 사람 손보다 훨씬 정교하고 가느다란 로봇 손을 만들면 사람보다 더 정밀하게 수술을 할 수 있기 때문입니다. 그리고 의사 선생님이 방문하기 어려운 두메에 수술 로봇만 배치해 두면 의사 선생님이 멀리 떨어져 있어도 원격 조종 수술로 응급 환자를 구할 수도 있습니다. 현재 수술 로봇들은 전 세계에 보급되어 수백만 건의 수술을 효과적으로 수행하고 있습니다. 그리고 일부 수술 로봇은 인간보다 뛰어난 봉합 수술 성능을 보여 주고 있습니다.

(나) 로봇은 사람이 가기 위험한 곳에 투입되어 사고 현장을 수습할 수 있습니다. 2011년 후쿠시마 원자력 발전소가 폭발했을 때에도 로봇을 투입했습니다. 비록 사건 초기에 투입된 로봇들은 통신 장애로 임무 수행에 실패했지만 지난 수년간 로봇을 꾸준히 개발하여 얼마 전에는 후쿠시마 원자로에 로봇을 성공적으로 투입할 수 있었습니다.

(다) 로봇은 고령화 사회를 극복하게 해 줄 대안이자 우리 사회를 안전하게 지탱해 줄 힘이라고 생각합니다. 그래서 저는 로봇을 개발해야 한다고 주장합니다. 그리고 로봇을 살인 기계로 만들지 않기 위해 우리가 모두 지혜를 모아야 합니다. 관련 법과 제도를 만들고 예의를 지키는 문화를 조성해야 로봇은 비로소 우리에게 편리한 도구로 다가올 수 있고, 더불어 우리에게 친구로 다가올 수 있다고 생각합니다. 여러분도 함께 노력해 주십시오.

출제 예감 90%

08 이 강연의 목적을 바르게 설명한 것은?

① 로봇 개발의 역사 설명
② 로봇 개발의 현황 설명
③ 로봇 개발의 어려움 토로
④ 로봇 개발의 필요성 설득
⑤ 로봇 개발의 문제점 비판

출제 예감 85%

09 (가)를 듣고 내용을 심화하기 위해 찾아본 신문 기사의 제목이다. 가장 적절한 것은?

① 로봇 수술로 의료비 절감 기대
② 오지와 벽지에 의료 인력 지원 확대
③ 응급 환자 구조 체계 새롭게 정비해야
④ 의사, 미래 사회에 없어질 직업으로 선정
⑤ 수술 로봇 개발에 대한 정부의 투자 현황

사고력 확장 문제

[10~11] 〈보기〉를 읽고 물음에 답하시오.

보기

2017년 미국의 대형 마트에서는 상품의 재고 파악과 진열 상태 등을 확인하는 로봇을 매장에 투입하였다. 카메라와 이동, 장애물 감지 장치 등을 갖추고 진열대 통로를 이동하면서 그동안 사람들이 수행했던 일을 대신하게 된 것이다. 이로써 이 일을 담당했던 단순 노동자들의 일자리가 없어져 버렸다.

출제 예감 75% 학습 활동 응용

10 이 글과 〈보기〉를 통해 토론의 논제를 정하고자 할 때 가장 적절한 것은?

① 로봇은 안전한 것인가?
② 로봇, 인간 생활에 필요한가?
③ 로봇이 할 수 있는 일은 무한한가?
④ 인간의 능력은 로봇에 비해 뛰어난가?
⑤ 로봇이 인류의 필수품이 되기 위해서는 무엇이 필요한가?

출제 예감 80% 서술형 논술 대비

11 이 강연의 강연자 입장에서 〈보기〉의 입장에 대한 반론을 제기하시오.

조건

- 주장과 근거가 드러나도록 쓸 것
- 2~3문장으로 쓸 것

단원+단원

활동 순서 내용 요약하기 ➔ 글쓴이의 주장 파악하기 ➔ 근거를 들어 자신의 주장 펼치기

활동 길잡이
요약과 근거를 들어 말하기 활동을 종합적으로 수행하는 활동이다. 두 글을 바탕으로 자신의 견해를 세워 보도록 한다.

다음 이야기와 기사의 내용을 바탕으로 층간 소음 문제를 생각해 봅시다.

가 **[앞부분 줄거리]** 위층 가족은 전에 살던 집이 비좁아 시골의 넓고 환한 삼층집으로 이사를 하기로 했습니다. 온 가족이 처음 새집 구경을 하러 간 날, 아래층 할머니가 올라와 너무 시끄럽다며 화를 내고 돌아가 버렸습니다. 얼마 뒤 새집으로 이사한 위층 가족은 발소리를 덜 나게 하려고 양탄자를 깔았습니다. 그러나 할머니는 날마다 올라와 시끄럽다고 소리를 질렀고, 심지어는 화장실 변기 물만 내려도 화를 냈습니다. 이제 아이들은 집 안을 네 발로 엉금엉금 기어 다니며 생쥐처럼 행동하기 시작했습니다. 음식도 잘 먹지 않고, 놀지도 않고, 그저 집 안을 살금살금 기어 다니다가 그저 손가락을 움직이며 놀 뿐이었습니다.

아래층 할머니는 도무지 영문을 알 수 없었어요. 아무리 들어 봐도 아이들 발소리가 들리지 않았거든요. 아이들이 웃고 떠드는 소리도 안 들렸고, 울음소리도 안 들렸어요.……

–『우당탕탕, 할머니 귀가 커졌어요』(비룡소, 2016)

나 우리 국민의 60퍼센트(%)는 아파트, 연립 주택, 다세대 주택 등 공동 주택에 산다. 일부 대도시 지역은 이 비율이 80퍼센트를 넘는다. 더불어 사는 공동체 의식의 지혜가 필요한 세상이다. 하지만 먼 친척보다도 가깝다는 '이웃사촌'이 '이웃 원수'가 되는 일이 발생하고 있다. 층간 소음 때문이다.

층간 소음 문제로 일어나는 갈등과 범죄는 줄지 않고 있다. 층간 소음 경험자들은 정신적 · 육체적 고통을 견디기 어렵다고 호소한다. 민원도 쏟아지고 있다. 환경부 산하 '층간소음이웃사이센터'에 따르면 민원 건수가 2012년 8,795건에서 2015년 1만 9,278건으로 급증했다. 아이 뛰는 소리와 어른 발소리 등이 80퍼센트를 차지했다. 국민권익위원회 조사에서도 아파트 거주자 중 88퍼센트가 층간 소음을 겪은 것으로 나타났다. 소음이 우리 모두의 고통인 셈이다.

이 문제를 해결하기 위해서는 무엇보다 개인의 노력이 필요하다. 이웃은 안중에도 없는 이기주의가 만연하면 공동체 삶이 더 황폐해질 수밖에 없기 때문이다. 아이가 있다면 최대한 주의를 주고 이웃과 수시로 소통하며 양해를 구하는 성의를 보여야 한다. 의자 밑에 받침을 붙이거나 많이 활동하는 곳에 양탄자를 까는 생활의 지혜도 요구된다.

제도적 보완도 서둘러야 한다. 갈등 조정과 피해 보상, 소음 · 건축 기준 강화 등의 대책이 필요하다. 먼저 갈등 조정을 위해 1차 화해 창구이면서도 제 역할을 못 하는 공동 주택 관리 기구부터 활성화해야 한다. 입주민 홍보를 확대하고 친분에 따라 판단이 기우는 일이 없도록 해야 한다. 소음을 일으킨 사람에게 배상금은 물론 100만 원 이상의 과태료를 부과하는 징벌 제도를 운영하는 외국의 사례도 참고할 만하다.

건설사도 책임감을 느껴야 한다. 층간 소음 문제는 팽개쳐 놓고 수십 년간 이익 부풀리기에만 관심을 가져 오다가 최근에서야 이 문제에 눈을 돌린 만큼, 지금이라도 층간 소음을 줄이기 위한 시공법 연구 및 개발에 최선의 노력을 다해야 한다.

–『중앙일보』(2016. 7. 4.)

1 **가**에서 들려주는 내용을 잘 듣고, 그 내용을 간단히 요약해 봅시다.

예시 답 위층 가족이 내는 소리가 들리지 않자, 아래층 할머니는 이상하게 관심이 가기 시작하여 위층 소리에 귀를 기울이게 되었다. 그러다 보니 할머니의 귀가 점점 커졌다. 의사가 할머니에게 '못 들어서 생긴 병'이라고 진단하자 할머니는 위층 가족에게 소리를 내어 달라고 부탁하였다. 신경 쓰지 않고도 위층 소리를 들을 수 있게 되자 할머니의 귀는 저절로 작아졌다.

2 **나**의 글쓴이가 주장하는 내용은 무엇인지 적어 봅시다.

예시 답 층간 소음 문제를 해결하기 위해 개개인 모두 소음이 발생하지 않도록 노력해야 하며, 갈등 조정과 피해 보상, 건축 기준 강화 등과 같은 제도적인 보완도 필요하다. 건설사도 층간 소음을 줄이기 위한 시공법을 개발해야 한다.

3 **가**와 **나**를 참고하여 자기가 생각하는 층간 소음의 해결 방법을 근거를 들어 말해 봅시다.

예시 답 먼저 층간 소음을 최소화할 수 있는 주택 건설이 필요합니다. 하지만 이미 건설된 주택의 경우에는 어쩔 수 없이 소음을 감당하며 살아야 합니다. 공동 주택에서의 소음과 그로 인한 갈등은 이웃에 대한 무관심과 개인주의적 성향으로 인해 나타난다고 생각합니다. 따라서 이웃 간의 화합을 통해 서로를 위해 배려하는 마음을 갖게 된다면 소음으로 인한 갈등이 줄어들 것이라고 생각합니다. 이를 위해 공동 주택에 사는 주민들이 적어도 한 달에 한 번 정도 만나서 대화하고 소통하는 날을 가지는 것이 좋은 방법이라고 생각합니다.

대단원 확인 문제

[01~03] 다음 글을 읽고 물음에 답하시오.

(가) 어느 날, 유화에게 신기한 일이 생기기 시작했다. 따사로운 햇볕이 유화가 머무는 어두운 방 안을 환하게 비추었다. 그런데 ㉠유화가 햇빛을 피하는데도 햇빛이 자꾸 따라다니며 비추는 것이었다. 더욱 신기한 일은 그 뒤로 유화의 배가 점점 불러 오더니 열 달이 되자 알을 하나 낳은 것이었다. 알의 크기는 무려 다섯 되쯤 되었다.

(나) 무척 영리한 그 아이는 일곱 살이 되었을 때부터 빼어난 용모와 함께 뛰어난 재주를 보이기 시작했다. 아이는 저 스스로 활과 화살을 만들어 쏘곤 했는데, 백 번 쏘면 백 번을 다 맞히었다. ㉡이 당시 동부여에서는 활을 잘 쏘는 사람을 주몽이라 부르는 풍속이 있어서 금와왕을 비롯한 주변 사람들이 모두 그를 주몽이라고 불렀다.

(다) 주몽은 말을 알아보고 기르는 재주도 가지고 있었는데 자신이 기르는 말 가운데 힘이 좋고 날쌘 말은 먹이를 조금씩 주어 비쩍 마르게 하였고, 반대로 늙고 굼뜬 말은 잘 먹여 살을 찌워 겉으로는 힘차고 좋은 말로 보이게 만들었다. 그러자 ㉢금와왕은 보기 좋게 살찐 말을 자기가 타고, 겉으로는 비쩍 말랐지만 사실은 날쌘 말을 주몽에게 주었다. 사실 주몽은 자신에게 닥쳐올 앞날을 내다보고 이렇게 행동한 것이었다.

(라) ㉣그 무렵 대소는 다른 동생들과 신하들을 꾀어 어떻게든 자신에게 위협이 될 수 있는 주몽을 해치려고 이런 저런 음모를 꾸몄다. 이런 사실을 알게 된 주몽의 어머니 유화는 어느 날 아들에게 몰래 말했다. [중략]

어머니의 말을 들은 주몽은 평소에 자신을 따르던 오이를 비롯한 세 명의 부하들을 데리고 몰래 부여를 떠나기로 했다. 하지만 대소 또한 주몽의 행동을 눈여겨보고 있던 터라, 주몽이 떠났다는 사실을 알고 부하들과 함께 뒤를 쫓기 시작했다. 주몽과 그 일행은 대소와 그 부하들의 추격을 피해 말을 달려 엄수라는 강가에 이르렀다. 그런데 엄수는 넓은 강이었고 더구나 물살도 거칠어 더는 달아날 수가 없었다. 그때 주몽은 강물을 향해 큰 소리로 외쳤다.

"나는 해모수의 아들이자 물의 신 하백의 외손자다. 지금 나를 죽이려는 자들을 피해 달아나는데 뒤쫓는 자들이 코앞까지 따라오고 있으니 내가 어떻게 하면 좋겠는가?" / 주몽의 말이 끝나자마자 신기한 일이 벌어졌다. 갑자기 강물 위로 수많은 물고기와 자라가 떠올라 다리를 만들어 주는 것이었다.

(마) 이렇게 하여 어렵게 목숨을 건진 ㉤주몽은 졸본에 도착해 자신이 장차 다스릴 나라의 도읍으로 정했다. 그리고 일단 비류수 강가에 초가를 짓고 임시로 궁궐로 삼았으며, 나라 이름을 고구려라 짓고 고(高)를 자신의 성씨로 삼았다. / 이때, 주몽의 나이 겨우 열두 살이었다.

01 이와 같은 글에 대한 설명으로 적절하지 않은 것은?

① 오랜 세월 동안 여러 사람이 창작에 참여한다.
② 초인적이고 비현실적인 인물이 주인공으로 등장한다.
③ 주로 민족이나 국가 단위로 전승되는 이야기를 다룬다.
④ 우주나 한 나라의 기원을 설명하려는 의도가 담겨 있다.
⑤ 비극적인 결말을 통하여 올바른 삶에 대한 교훈을 주고자 한다.

02 (가)~(마)의 내용을 요약한 것으로 적절하지 않은 것은?

① (가): 유화가 햇빛을 받아 알을 낳았다.
② (나): 주몽은 일곱 살이 되어 빼어난 용모를 가지게 되었다.
③ (다): 주몽은 좋은 말을 일부러 비쩍 마르게 키웠다.
④ (라): 대소를 피해 도망가던 주몽이 물고기와 자라의 도움으로 강을 건넜다.
⑤ (마): 주몽이 열두 살에 졸본에 고구려를 건국하였다.

03 ㉠~㉤ 중 〈보기〉의 내용에 해당하는 부분은?

> 보기
> 신화는 후손에게 민족의 구성원으로서의 자부심이나 자긍심을 느끼게 하기 위해서 그 조상이 신적인 존재임을 강조하는 경우가 많다.

① ㉠ ② ㉡ ③ ㉢ ④ ㉣ ⑤ ㉤

[04~06] 다음 글을 읽고 물음에 답하시오.

(가) 동양과 서양은 그림을 보는 시각이 다릅니다. 동양에서는 그림을 인격 수양의 한 방법으로 생각했습니다. 선비는 시(詩), 글씨[書], 그림[畵] 세 가지를 모두 잘하는 것을 이상으로 여겼지요. 그래서 그리는 이의 정신과 인격을 어떻게 표현하느냐가 중요한 관심사가 되었습니다. 사물을 보이는 대로 그린다거나 대상의 색을 그대로 칠하는 것 등은 그림을 그리는 기초에 불과하다고 생각했지요.

(나) 동양의 그림과 서양의 그림은 그리는 재료도 다릅니다. 동양에서는 주로 한지나 화선지 또는 비단에 먹으로 그림을 그렸습니다. 한지, 화선지 같은 종이나 비단같이 결이 고운 천은 먹의 진하고 연함이나 자세한 붓놀림을 잘 담아낼 수 있지요. 그에 비해 서양에서는 주로 캔버스라고 불리는 천에 유화 물감으로 그림을 그렸습니다. 캔버스는 아마나 면으로 짠 천에 아교풀 같은 것을 입혀 만드는데, 거기에는 물을 쓰는 먹과 달리 기름을 쓰는 유화 물감으로 그림을 그립니다.

(다) 이런 차이 때문에 동양과 서양에서 그림을 그리는 방법은 매우 다르게 발전했습니다. 먹으로 그릴 때에는 한 번의 붓질로 완성해야 하므로 순간적인 표현력이 중시됐습니다. 우리가 '일필휘지'라고 말하는 것이지요. 반면에 유화 물감으로 그리면 계속 덧칠하며 그림을 고칠 수 있으므로 꼼꼼한 과정이 중요했습니다.

(라) 여기에 더해서, 먹으로 그릴 때에는 넓게 칠하는 작업보다 선으로 가늘게 그리는 작업이 수월합니다. 그러다 보니 선으로 표현하는 방법이 발달하였지요. 일단 선으로 대상을 그린 다음에 먹의 진하고 연함이나 채색으로 느낌을 더했던 것입니다. 동양의 미술을 '선의 예술'이라고 말하는 까닭입니다. 그에 비해 유화 물감으로 그릴 때에는 선보다 명암이나 색, 질감 등이 강조되었습니다. 그 결과 평면인 캔버스에 대상을 입체적으로 표현하는 기법이 중요한 과제가 되었지요.

(마) 서양은 화면에 꽉 차게 그림을 그리지만, 동양은 여백을 충분히 살려서 그립니다. 서양의 그림은 캔버스 면을 그대로 드러내는 일이 거의 없지요. 하지만 동양의 그림은 하얀 여백까지 작품 공간 안에 포함해서 완성합니다.

우리나라의 어떤 화가가 미국에서 전시회를 열었을 때의 이야기입니다. 그림을 사들인 한 미국인이 며칠 있다가 작품을 들고 호텔로 화가를 찾아왔더래요. ㉠그림이 아무래도 미완성인 것 같으니 마저 그려 달라고 한 것이지요. 여백이 많은 그림이다 보니 미국인의 눈에는 그리다 만 것처럼 보였던 것입니다.

04 (가)~(마)를 바탕으로 알 수 있는 사실이 아닌 것은?

① 동양에서는 그림을 인격 수양의 수단으로 보았다.
② 서양화는 선보다 명암이나 색, 질감 등을 강조한다.
③ 서양화는 동양화와 달리 덧칠이나 수정이 가능하다.
④ 동양에서는 그림을 통해 그리는 이의 정신을 표현하였다.
⑤ 동양화는 대상을 있는 그대로 그리는 그림의 기초를 중시하였다.

서술형

05 (가)의 바로 다음에 이어질 내용을 예측하여 서술하시오.

조건
- (가)와 대등하게 나열될 수 있는 내용을 담을 것
- 4어절로 쓸 것

06 ㉠과 같은 미국인의 요구에 대한 답변으로 가장 알맞은 것은?

① 동양에서는 여백을 많이 두는 것을 더 좋은 그림으로 생각하고 있습니다.
② 동양화는 서양화와 재료가 다르기 때문에 작품 전체를 채색할 수 없습니다.
③ 동양에서는 그림을 그릴 때 채색되지 않은 여백까지도 작품의 일부로 생각합니다.
④ 그림의 의미는 보는 이가 만들어 내는 것이므로 이 작품에 대해 스스로 의미를 구성해 보아야 합니다.
⑤ 구매자가 자신의 마음에 맞게 그림을 바꾸어 달라고 하는 것은 화가의 창작 활동을 부정하는 것입니다.

[07~10] 다음 글을 읽고 물음에 답하시오.

(가) 안녕하세요? 한재권입니다. 보시는 바와 같이 ㉠저는 로봇 만드는 일을 하고 있습니다. 여러분은 로봇을 좋아하시나요? 오늘은 여러분에게 로봇에 관한 이야기를 하려고 합니다. [중략]

먼저 제 얘기부터 해 보겠습니다. ㉡제 동생은 뇌 병변 장애를 가지고 있어 걷지도 말하지도 못합니다. 혼자서는 밥도 못 먹고 화장실에 갈 수도 없습니다. 37년 넘게 어머니께서 온종일 동생을 곁에서 돌봐 오셨어요. 그래서 저는 어렸을 때부터 누군가 동생 곁에서 동생을 돌봐 줄 수 있으면 얼마나 좋을까 생각했습니다.

(나) ㉢통계청 조사에 따르면, 우리나라는 2030년에 65세 이상 고령 인구가 24.3퍼센트(%)로 늘어나게 될 것이라고 합니다. 고령화 사회가 되면 어떤 일이 벌어질까요? 아마도 어렵고 위험한 일에 종사하시는 분들이 더 줄어들 것입니다. 그러나 이러한 일들은 우리 사회를 유지해 주는 가장 중요한 일 중 하나입니다. 거리를 청소하시는 분이 없다거나 위급할 때 우리를 구해 줄 구조 대원이 없다고 생각해 보세요. 갑자기 아파서 병원 응급실에 갔는데 응급 의사나 간호사분들이 없다고 생각해 보십시오. 우리 사회는 유지되기 힘들 것입니다. 그런데 이때 로봇이 부족한 일손을 채워 줄 수 있다면 어떨까요? 아마도 우리는 불편함을 못 느끼고 사회생활을 할 수 있을 것입니다.

(다) 로봇을 이용하면 사람이 하기 어려운 수술을 좀 더 쉽게 할 수 있습니다. 사람 손보다 훨씬 정교하고 가느다란 로봇 손을 만들면 사람보다 더 정밀하게 수술을 할 수 있기 때문입니다. 그리고 의사 선생님이 방문하기 어려운 두메에 수술 로봇만 배치해 두면 의사 선생님이 멀리 떨어져 있어도 원격 조종 수술로 응급 환자를 구할 수도 있습니다. ㉣현재 수술 로봇들은 전 세계에 보급되어 수백만 건의 수술을 효과적으로 수행하고 있습니다. 그리고 일부 수술 로봇은 인간보다 뛰어난 봉합 수술 성능을 보여 주고 있습니다.

(라) ㉮로봇은 고령화 사회를 극복하게 해 줄 대안이자 우리 사회를 안전하게 지탱해 줄 힘이라고 생각합니다. 그래서 저는 로봇을 개발해야 한다고 주장합니다. 그리고 ㉤로봇을 살인 기계로 만들지 않기 위해 우리가 모두 지혜를 모아야 합니다. 관련 법과 제도를 만들고 예의를 지키는 문화를 조성해야 로봇은 비로소 우리에게 편리한 도구로 다가올 수 있고, 더불어 우리에게 친구로 다가올 수 있다고 생각합니다. 여러분도 함께 노력해 주십시오.

07 이 강연자가 기대하는 청중의 반응으로 적절한 것은?

① 강연자의 아픈 가정사가 안타까워 강연자의 삶을 응원해 줘야겠어.
② 강연자가 어떤 이유에서 로봇을 만들게 되었는지 구체적으로 알아봐야겠어.
③ 강연자가 자신의 로봇을 홍보하고 있으니 강연자가 만든 로봇을 한번 찾아봐야겠어.
④ 로봇이 우리 생활에 도움이 되는 부분이 많으니 로봇 개발에 좀 더 관심을 가져야겠어.
⑤ 로봇에 대한 부정적 시선도 있으니 로봇으로 인한 사회 문제가 무엇인지 찾아봐야겠어.

08 이 강연을 통해 답을 확인할 수 있는 질문으로 적절한 것은?

① 로봇 산업의 전망은 어떠한가?
② 로봇은 언제부터 만들어졌을까?
③ 로봇이 의학계에 어떤 점에서 유용한가?
④ 로봇을 친구로 생각하는 사람이 얼마나 되는가?
⑤ 로봇은 몸이 불편한 사람을 어떻게 돕고 있는가?

09 ㉠~㉤ 중 말하는 이의 개인적인 의견에 해당하는 것은?

① ㉠ ② ㉡ ③ ㉢ ④ ㉣ ⑤ ㉤

서술형

10 (가)~(라)를 바탕으로 ㉮의 구체적인 내용을 찾아 서술하시오.

조건
• 문제 상황과 해결 방법이 드러나도록 서술할 것
• 한 문장으로 서술할 것

[11~15] 다음 글을 읽고 물음에 답하시오.

가 금와왕은 왠지 꺼림칙하여 ⓐ알을 개와 돼지에게 던져 주라고 명령했다. 그런데 어느 동물도 이 알을 먹지 않았다. 이번에는 ⓑ알을 다시 길가에 내다 버렸다. 하지만 이번에도 길을 지나는 ⓒ소나 말들이 하나같이 그 알을 피해 다니는 것이었다. 금와왕은 더욱 이상한 생각이 들어 ⓓ알을 새와 짐승들이 먹도록 거친 들판에다 버렸다. 그러자 새들이 알에 다가와 오히려 깃털로 덮어 주기까지 하는 것이었다. 왕은 이 ⓔ알을 그냥 두어서는 안 된다고 생각하고는 깨뜨려 버리려고 했지만, 너무 단단해 도저히 깨지지 않았다.

나 하루는 맏아들 대소가 아버지인 금와왕에게 아뢰었다.

"주몽은 사람의 몸에서 태어난 자가 아닙니다. 없애 버리지 않으면 훗날 뒤탈이 있을 것입니다."

그러나 금와왕은 섬뜩한 주장을 하는 맏아들 대소의 말을 귀담아듣지 않았다. 오히려 왕은 주몽이 태어나기 전에 있었던 일들을 곰곰이 되새겨 보았고, 고민 끝에 주몽에게 말을 기르도록 했다. / 주몽은 말을 알아보고 기르는 재주도 가지고 있었는데 자신이 기르는 말 가운데 ㉠힘이 좋고 날쌘 말은 먹이를 조금씩 주어 비쩍 마르게 하였고, 반대로 늙고 굼뜬 말은 잘 먹여 살을 찌워 겉으로는 힘차고 좋은 말로 보이게 만들었다. 그러자 금와왕은 보기 좋게 살찐 말을 자기가 타고, 겉으로는 비쩍 말랐지만 사실은 날쌘 말을 주몽에게 주었다.

다 한지나 화선지, 비단에 먹물로 그릴 때와 캔버스에 유화 물감으로 그릴 때의 차이점은 무엇일까요? 한지나 화선지, 비단에 먹물로 그리면 먹이 바탕에 바로 스며들기 때문에 한번 그린 그림을 덧칠하거나 다시 고치기 어렵습니다. 하지만 캔버스에 유화 물감으로 그리면 손쉽게 덧칠하거나 고쳐 그릴 수가 있습니다. 심지어 완성된 그림 위에 완전히 새로운 그림을 덧그릴 수도 있지요.

라 옛날에는 동양과 서양이 그림을 보는 시각이 달랐고, 그림을 그리는 재료나 방법에도 차이가 있었습니다. 하지만 현대에 들어 동서양 간의 교류가 활발해지면서 동양과 서양의 그런 차이들이 많이 무너졌습니다. 오늘날의 미술을 보면 동양화의 특징과 서양화의 특징이 섞여 나타나 있는 그림들이 자주 눈에 띕니다. [중략] 여러분은 ㉡〈그림 3〉이 동양화로 보이나요, 서양화로 보이나요?

11 글을 간결하게 요약하는 방법에 대한 설명으로 적절하지 않은 것은?

① 중복되는 표현은 삭제한다.
② 구체적 사례나 보충 내용은 생략한다.
③ 중심 문장에 대한 자신의 느낌을 밝힌다.
④ 개별적 내용은 상위 개념으로 일반화한다.
⑤ 중심 내용을 뒷받침하는 내용은 생략한다.

서술형

12 (다)의 내용을 〈조건〉에 맞게 요약하시오.

조건
- '동양화', '서양화'라는 말을 언급할 것
- 한 문장으로 서술할 것

13 ㉠의 이유를 바르게 설명한 것은?

① 대소에 대한 두려움 때문에
② 대소를 향한 적대감 때문에
③ 자기 출생의 비밀을 숨기기 위해서
④ 금와왕의 부당한 지시에 저항하기 위해서
⑤ 나중에 자신이 좋은 말을 차지하기 위해서

14 ㉡의 예로 적절한 것은?

① 원시 시대에 그려진 그림
② 서양 출신의 화가가 그린 동양화
③ 동양화 재료를 활용하여 그린 동양화
④ 동양화와 서양화의 특성이 혼합된 그림
⑤ 서양화의 특성이 두드러지게 나타나는 그림

15 (가)를 요약할 때 ⓐ~ⓔ 중 〈보기〉의 방법을 적용하기 어려운 것은?

보기

여러 개의 사건이 비슷하게 나타날 때에는 비슷한 사건을 하나로 묶어서 요약한다.

① ⓐ ② ⓑ ③ ⓒ ④ ⓓ ⑤ ⓔ

대단원 확인 문제

[16~19] 다음 글을 읽고 물음에 답하시오.

가 동양에서는 그림을 인격 수양의 한 방법으로 생각했습니다. 선비는 시(詩), 글씨[書], 그림[畵] 세 가지를 모두 잘하는 것을 이상으로 여겼지요. 그래서 그리는 이의 정신과 인격을 어떻게 표현하느냐가 중요한 관심사가 되었습니다. 사물을 보이는 대로 그린다거나 대상의 색을 그대로 칠하는 것 등은 그림을 그리는 기초에 불과하다고 생각했지요. [중략] 그에 비해 서양에서는 주로 그림의 기록적인 측면이나 표현 방법을 중요하게 여겼습니다. 이는 ㉠그리스 · 로마 신화나 성경 내용 등을 그린 종교화, 귀족들의 초상화 등이 근대 이전 서양화의 많은 부분을 차지하고 있는 점을 보면 알 수 있습니다. 서양에서는 대상을 어떻게 정확하게 그리느냐가 중요했던 것입니다. 그리하여 서양 미술에서는 원근법이나 빛에 따른 대상의 변화와 형태를 파악하는 방법 등이 발달했습니다.

나 물론, 로봇이 군사적으로 이용되어서 사람을 죽이고 인류를 멸망시킬 것이라는 우려도 있습니다. 그러면 로봇을 더는 개발해서는 안 될까요? 저는 그 해답을 역사에서 찾았습니다. [중략] 이 신문 기사에서는 자동차를 죽음의 기계로 묘사하며 자동차가 곧 인류를 멸망시킬 것이라고 예상하였습니다. 세월이 흐른 지금, 인류가 멸망했나요? 오히려 자동차는 우리에게 없어서는 안 될 도구가 되었습니다. 그럼 그 당시 사람들은 왜 자동차를 살인 기계처럼 생각했을까요? 교통 신호가 없었기 때문입니다. 이후 사람들은 자동차를 안전하게 사용하기 위해서 차도와 신호 등을 만들었습니다. 또 운전면허와 같은 제도를 만들었습니다. 로봇을 개발할 때에도 이에 필요한 법과 제도를 만들면 안전하게 사용할 수 있을 것입니다.

로봇은 고령화 사회를 극복하게 해 줄 대안이자 ㉡우리 사회를 안전하게 지탱해 줄 힘이라고 생각합니다. 그래서 저는 로봇을 개발해야 한다고 주장합니다. 그리고 로봇을 살인 기계로 만들지 않기 위해 우리가 모두 지혜를 모아야 합니다.

16 (가)와 (나)를 강연으로 들을 때 청중의 태도를 가장 바르게 설명한 것은?

① (가), (나) 모두 내용의 정확성을 우선하며 들어야 한다.
② (가), (나) 모두 주장의 타당성을 판단하며 들어야 한다.
③ (가), (나) 모두 표현의 창의성을 판단하며 들어야 한다.
④ (가)는 내용의 정확성을, (나)는 주장의 타당성을 판단하며 들어야 한다.
⑤ (가)는 주장의 타당성을, (나)는 표현의 창의성을 판단하며 들어야 한다.

서술형

17 〈보기〉의 밑줄 친 부분에 해당하는 내용을 (나)에서 찾아 쓰시오.

보기

주장을 펼칠 때에는 상대의 관점에서 내세울 수 있는 반론을 예측해 보아야 한다. 일반적으로 반론은 주장에 대한 근거가 잘못이라는 점을 지적하거나, 제시된 근거가 주장과 관계없는 것이라는 점을 강조한다. 또한 주장의 부작용을 들어 그 타당성을 반박한다.

조건

- 강연자의 주장에 대한 반론이 드러난 문장을 찾을 것
- 해당 문장을 바탕으로 반대 입장의 주장이 드러나도록 쓸 것

18 ㉠에 대한 설명으로 적절한 것은?

① 대상을 기록하기 위해 그린 그림이다.
② 화가의 정신세계를 잘 드러낸 그림이다.
③ 대상의 특성을 추상적으로 표현한 그림이다.
④ 사물에 대한 화가의 해석을 직접 드러낸 그림이다.
⑤ 역사적 사실에 대한 화가의 시각을 표현한 그림이다.

19 ㉡을 뒷받침하는 내용을 표현한 표제로 적절한 것은?

① 알파고 시대, 로봇이 인간을 이긴다
② 자동차 부품 공장, 로봇 채용 늘린다
③ 우리나라, 로봇 개발 경쟁에 뛰어들다
④ 원자로 폭발, 로봇이 현장을 수습하다
⑤ 로봇이 만화와 영화, 소설 속 주인공으로 활약하다

[20~23] 다음 글을 읽고 물음에 답하시오.

(가) 북부여의 왕이었던 해부루는 천제의 명령으로 동부여로 피해 가서 살았다. 해부루는 아들이 없어 이 자리를 금와가 이어받았다. / 어느 날 금와가 지금의 백두산인 태백산 남쪽의 우발수라는 강을 지나고 있을 때였다. 그는 매우 아리따운 여인이 강변에서 울고 있는 것을 보았다.

"웬 여인인데 이곳에서 그리 슬피 울고 있는가?"

왕의 물음에 그 여인은 울음을 그치고 이렇게 대답했다.

"저는 북부여의 물의 신 하백의 딸로 이름은 유화라고 합니다. 어느 화창한 날, 동생들과 함께 놀러 나왔는데, 그때 웬 남자가 나타나 자신이 하늘나라 임금의 아들 해모수라고 하면서 웅신산 아래 압록강 가에 있는 집으로 저를 데려가 저와 사랑을 나누었습니다. 그러고 나서 저를 버리고 떠나가서 돌아오지 않았습니다. [중략]"

아무래도 평범한 여인이 아니다 싶었던 금와왕은 그녀를 궁궐로 데려왔다.

(나) 동양에서는 주로 한지나 화선지 또는 비단에 먹으로 그림을 그렸습니다. 한지, 화선지 같은 종이나 비단같이 결이 고운 천은 먹의 진하고 연함이나 자세한 붓놀림을 잘 담아낼 수 있지요. 그에 비해 서양에서는 주로 캔버스라고 불리는 천에 유화 물감으로 그림을 그렸습니다. 캔버스는 아마나 면으로 짠 천에 아교풀 같은 것을 입혀 만드는데, 거기에는 물을 쓰는 먹과 달리 기름을 쓰는 유화 물감으로 그림을 그립니다. / 한지나 화선지, 비단에 먹물로 그릴 때와 캔버스에 유화 물감으로 그릴 때의 차이점은 무엇일까요? ㉠<u>한지나 화선지, 비단에 먹물로 그리면 먹이 바탕에 바로 스며들기 때문에 한번 그린 그림을 덧칠하거나 다시 고치기 어렵습니다</u>. 하지만 캔버스에 유화 물감으로 그리면 손쉽게 덧칠하거나 고쳐 그릴 수가 있습니다.

(다) 먼저 제 얘기부터 해 보겠습니다. 제 동생은 뇌 병변 장애를 가지고 있어 걷지도 말하지도 못합니다. 혼자서는 밥도 못 먹고 화장실에 갈 수도 없습니다. 37년 넘게 어머니께서 온종일 동생을 곁에서 돌봐 오셨어요. 그래서 저는 어렸을 때부터 누군가 동생 곁에서 동생을 돌봐 줄 수 있으면 얼마나 좋을까 생각했습니다. 그런 저에게 ⓐ<u>누군가</u>가 나타났습니다. 바로 만화 영화 속 아톰입니다. ⓑ<u>아톰</u>은 몸집이 작지만, 위기 상황이 닥치면 사람들을 번쩍번쩍 들어서 구해 줍니다. 그게 제 눈에는 어떻게 보였냐 하면요, 제 동생이 목욕해야 할 때 동생을 번쩍 들어서 욕조에 데려다주는 장면으로 보였어요. 저에게는 그 모습이 ⓒ<u>영웅</u>으로 보였고, 만화 속처럼 ⓓ<u>이런 존재</u>가 우리와 같이 산다면 얼마나 좋을까 생각했습니다. 이런 마음이 자라서 저를 로봇 ⓔ<u>과학자</u>로, 로봇 발명가로 만들었습니다.

20 (가)를 다음과 같은 목적으로 읽고 요약할 때 가장 중요한 정보는?

신화 속 인물의 혈통과 탄생 과정을 탐구하고자 함.

① 금와가 우발수에서 유화를 처음 만났다.
② 금와는 유화가 평범한 여인이 아님을 알아챘다.
③ 금와가 유화의 사연을 듣고 궁궐로 데리고 왔다.
④ 해부루가 북부여에서 동부여로 옮겨 금와에게 나라를 물려주었다.
⑤ 물의 신의 딸인 유화가 하늘의 기운을 가진 해모수와 사랑을 나누었다.

서술형

21 〈보기〉는 (나)를 요약한 것이다. 요약문에 나타난 문제점이 무엇인지 서술하시오.

보기

동양에서는 한지나 화선지 또는 비단에 먹으로 그림을 그리고, 서양에서는 캔버스에 유화 물감으로 그림을 그렸다. 이에 따라 동양에서는 그림을 수정하기 어렵다.

22 ㉠과 가장 관계 깊은 한자성어는?

① 감개무량(感慨無量)
② 일필휘지(一筆揮之)
③ 지필연묵(紙筆硯墨)
④ 일맥상통(一脈相通)
⑤ 일사불란(一絲不亂)

23 ⓐ~ⓔ 중 가리키는 대상이 <u>다른</u> 하나는?

① ⓐ ② ⓑ ③ ⓒ ④ ⓓ ⑤ ⓔ

5 독서는 폭넓게, 표현은 다양하게

(1) 천국의 아이들

(2) 포기하고 싶을 때 딱 한 걸음만 더 나아가라

대단원 미리 보기

대단원 학습 목표

쓰기 영상이나 인터넷 매체의 특성을 고려하여 생각이나 느낌, 경험을 표현할 수 있다.
읽기 도서관이나 인터넷에서 관련 자료를 찾아 참고하면서 한 편의 글을 읽을 수 있다.

(1) 천국의 아이들

영상이나 인터넷 매체의 특성을 고려하여 생각이나 느낌, 경험을 표현할 수 있다.

- 「천국의 아이들」을 보고 영화에 나타난 영상 언어의 특성 알아보기
- 「천국의 아이들」을 보고 난 후 인터넷 매체의 특성을 고려하여 자기 생각이나 느낌 표현하기

영상물을 보고 영상물에 활용된 영상 언어의 특성을 이해하고 영상물에 대한 자기 생각이나 느낌을 인터넷 매체를 통해 표현해 볼 수 있도록 한다. 이때, 인터넷의 특성을 고려하여 표현할 수 있도록 한다.

(2) 포기하고 싶을 때 딱 한 걸음만 더 나아가라

도서관이나 인터넷에서 관련 자료를 찾아 참고하면서 한 편의 글을 읽을 수 있다.

- 「포기하고 싶을 때 딱 한 걸음만 더 나아가라」를 읽고 글에 제시된 사례를 통해 글쓴이의 의도 파악하기
- 「포기하고 싶을 때 딱 한 걸음만 더 나아가라」를 읽으면서 글의 이해에 필요한 자료를 도서관이나 인터넷에서 능동적으로 찾기

한 편의 글을 읽으면서 글 속에 제시된 사례를 통해 글쓴이가 전달하고자 하는 바와 그 의도를 파악하고 글의 이해에 필요한 자료를 다양한 방법을 통해 찾아 읽어 볼 수 있도록 한다.

• 정답과 해설 p.39

영상 언어는 영상물에 사용되는 언어로, 시각적 요소와 청각적 요소로 구성되어 있다.

시각적 요소	청각적 요소
• 자막 • 시각 이미지(화면) – 카메라의 거리, 각도	• 대사 • 효과음 • 배경 음악

확인 문제

01 다음 중 영상 언어의 구성 요소 중 청각적 요소가 아닌 것은? (정답 2개)

① 화면 ② 대사 ③ 자막
④ 효과음 ⑤ 배경 음악

인터넷 매체에는 전자 우편, 블로그, 온라인 대화, 인터넷 게시판, 누리집, 누리소통망 등이 있다.

확인 문제

02 〈보기〉와 같은 특징을 가진 인터넷 매체를 쓰시오.

보기
온라인에서 사용자 간의 자유로운 의사소통과 정보 공유를 통해 사회적 관계망의 형성을 도와주는 서비스로, 소셜 네트워크 서비스(SNS)를 말함.

글을 읽으면서 뜻을 모르는 단어나 낯선 용어, 잘 모르는 정보나 지식과 만나는 경우 자료를 찾아 참고하면서 글을 읽어야 이해가 쉽다.

확인 문제

03 〈보기〉의 밑줄 친 단어의 뜻을 모를 때, 이를 해결하기 위한 방법을 서술하시오.

보기
토인비는 인류 역사는 곧 '도전'과 '응전'의 역사로 설명될 수 있다고 했다.

자료를 찾아 참고하며 글을 읽고 매체를 활용하여 생각이나 느낌을 표현하면, 우리 국어 생활이 더 풍부해져.

1 천국의 아이들

• 생각 열기 다음 그림을 참고하여 자신의 경험을 떠올려 봅시다.

지난 일 년 동안 자신이 겪었던 일 중에서 가장 인상 깊었던 것은 무엇인가요?

예시 답 처음 교복을 입고 중학교에 입학했을 때, 선생님과 주변 환경이 낯설고 어색했다.

자신의 경험을 표현하고자 할 때, 어떤 매체를 활용하는 것이 좋을지 말해 봅시다.

예시 답 중학교 입학식 때 찍은 사진을 활용하여 영상물을 만들어 볼 수 있을 것 같다.

• 학습 목표로 내용 엿보기

"평소에 다른 사람의 경험이나 생각을 다른 영상이나 인터넷 자료를 자주 접할 수 있었어. 그런데 막상 나의 경험이나 생각을 영상이나 인터넷으로 표현하려고 하니 어떻게 해야 할지 잘 모르겠어. 영상 매체와 인터넷 매체의 특성을 잘 배워, 나의 경험뿐만 아니라 평소 관심이 있었던 분야에 관한 생각도 표현해 보도록 해야겠어."

핵심 1 「천국의 아이들」을 보고 영화에 나타난 영상 언어의 특성 알아보기

핵심 2 「천국의 아이들」을 보고 난 후 인터넷 매체의 특성을 고려하여 자기 생각이나 느낌 표현하기

핵심 원리 이해하기 영상 언어와 인터넷 매체

1. 영상 언어의 특징
- 직접적이고 구체적이다.
- 기계에 의해 탄생하였다.
- 카메라의 눈에 의해 결정된다.
- 복제가 가능하다.
- 틀(프레임)에 의해 의미가 전달된다.
- 국경을 초월한 만국 공통어이다.

2. 영상물 제작 과정 영상물 기획하기 → 시나리오 작성하기 → 이야기판 만들기 → 촬영하기 → 편집하기

3. 인터넷 매체의 종류
- 인터넷 게시판: 사람들이 정보를 교환하고 의사소통을 하기 위해 만들어 놓은 인터넷상의 공간
- 온라인 대화: 인터넷상에서 여러 사용자가 한번에 실시간으로 대화를 나누는 것
- 누리소통망: 온라인에서 사용자 간의 자유로운 의사소통과 정보 공유를 통해 사회적 관계망의 형성을 도와주는 서비스로, 소셜 네트워크 서비스(SNS)를 말함.

개념 확인 콕콕

• 정답과 해설 p.39

01 다음 빈칸에 알맞은 말을 쓰시오.

> (   )는 영상 매체에서 의미를 표현하고 전달할 때 사용하는 수단으로, 시각적 요소와 청각적 요소로 구성된다.

02 다음 중 영상 언어의 특징으로 적절하지 않은 것은?

① 직접적이다.
② 구체적이다.
③ 기술의 발전과 관련이 있다.
④ 국가 간의 구별이 분명하다.
⑤ 프레임에 의해 의미가 전달된다.

03 다음 ㉠~㉤을 영상물 제작 과정의 순서에 맞게 나열하시오.

> ㉠ 영상물 기획하기
> ㉡ 시나리오 작성하기
> ㉢ 촬영하기
> ㉣ 이야기판 만들기
> ㉤ 편집하기

04 다음에서 설명하는 인터넷 매체가 무엇인지 쓰시오.

> 인터넷상에서 여러 사용자가 한번에 실시간으로 대화를 나누는 것

본문 미리보기

본문 안내

이 소단원은 영상 매체나 인터넷 매체의 특성에 맞게 자기 생각이나 느낌, 경험을 표현하는 능력을 기르기 위해 설정하였다. 영화 「천국의 아이들」을 보면서 영상 언어의 구성 요소와 특성을 학습하도록 한다. 그리고 이를 바탕으로 시나리오를 희곡으로 각색하여 연극으로 공연하거나, 이야기판을 작성하여 실제 영상을 촬영하고 편집하는 활동을 한다. 또한, 인터넷에 연극 공연이나 영상물 촬영에 관한 감상 및 평가를 게재하는 활동을 함으로써 실제적인 표현 활동을 한다.

발단		전개		절정		하강		대단원
문제 학생들이 모인 특별반을 맡게 된 유진	➜	뮤지컬 공연을 준비하며 조금씩 서로를 이해하게 된 선생님과 아이들 (교과서 수록 부분)	➜	형주를 도우려다 폭력 사건에 휘말리게 된 성아	➜	취소된 뮤지컬 공연에 몰래 재신청을 하고, 홀로 무대에 오르는 병민	➜	늦은 밤 놀이터에 모여 자신들만의 뮤지컬을 공연하는 아이들

본문 개관

★ **글쓴이 소개** 박흥식

영화감독이자 각본가. 주요 작품으로 「인어 공주」, 「협녀, 칼의 기억」, 「해어화」 등이 있다.

★ **갈래** 시나리오

영화 「천국의 아이들」의 대본으로, 실제 중학생들의 생활 모습이 반영되어 있다.

★ **성격** 교훈적

「천국의 아이들」은 문제 학생들이 자신들을 바라보는 편견에 맞서 어려운 상황을 극복하고 자기들만의 뮤지컬 공연을 완성해 가는 내용을 다루고 있다. 서로 배려하고 상대방을 이해하려는 태도를 가지면 누구나 화합할 수 있다는 교훈적 의미를 담고 있는 작품이다.

★ **제재** 뮤지컬 공연

「천국의 아이들」은 특별반 학생들이 뮤지컬 공연을 완성해 가는 모습을 보여 준다. 문제 학생들이 모인 반을 맡은 선생님 유진과 학생 주임 선생님 홍구, 그리고 교장 선생님과 학생들은 뮤지컬 공연을 준비하면서 서로를 이해하게 된다.

★ **주제** 교사와 학생 간의 진정한 소통과 배려

「천국의 아이들」은 학생들과 선생님이 뮤지컬을 매개로 하여 진정한 소통을 이루어 내고 서로를 배려하는 아름다운 모습을 만들어 낸다.

천국의 아이들

박흥식

주요 등장인물

유진: 교장 선생님의 권유로 문제 학생들이 모인 특별반을 맡게 된 선생님.

성아: 노래를 잘하며, 정훈에게 호감을 갖고 있는 학생.

고은: 멋 부리는 것을 좋아하고 이야기 쓰는 데 소질이 있는 학생.

홍구: 학생들을 위하는 마음은 크지만 원칙을 중요시하는 학생 주임 선생님.

정훈: 어른스럽지만 욱하는 성질이 있는 학생.

형주: 특별반의 웃음을 책임지는 활발한 성격의 학생.

발단 **[앞부분 줄거리]**

학교에 새로 부임한 교장 선생님은 문제 학생들을 모아 방과 후 동아리 활동 특별반을 만들고, 유진은 특별반의 지도 교사가 된다. 얼떨결에 특별반을 맡게 된 유진은 아이들의 무기력한 모습에 좌절한다. 유진은 아이들이 하고 싶어 하는 것을 찾아 활기를 돋우어 주려고 하는데, 우연한 기회에 '학생 동아리 한마당'이라는 축제를 알게 된다.

이것이 핵심! ✓ 인물의 성격 ✓ 편집 방법의 의도

전개 1 **S# 33 교무실 (낮)**

(㉠) 음악이 흐르고 낮은 유리 탁자에 놓인 '학생 동아리 한마당' 포스터. 그걸 쭉 밀어서 홍구 쪽으로 보여 주는 유진. 심지어 약간 의기양양한 표정이다. 홍구는 인상을 찌푸리며 포스터를 본다. 한참을 한 글자 한 글자 보는 홍구.

홍구 ㉡ <u>그러니까 특별반 애들을 데리고 여기를 나간다고요?</u>

S# 34 특별반 교실 (낮)

교탁에 서 있는 유진. 몹시 신난 표정이다.

유진 응!

그러나 심드렁한 아이들 반응. 모두 어리둥절한 분위기.

성아 우리가 거기 나가서 뭐해요?

S# 35 교무실 (낮)

유진이 홍구의 질문에 대답하고 있다.

유진 노래도 할 수 있고 춤도 출 수 있고……. 연극 같은 거 해도 재미있을 거 같고. 애들이 다 끼는 있으니까…….

• 확인 문제 •

• 정답과 해설 p.39

낱개 확인 문제

01 이 글에서 공간적 배경이 다른 유진의 등장 장면을 이어 붙임으로써 얻게 된 효과로 적절한 것은?

① 시간을 압축적으로 제시한다.
② 주제를 암시적으로 드러낸다.
③ 인물들 간의 관계를 보여 준다.
④ 인물의 성격을 분명히 제시한다.
⑤ 공간적 배경의 특징을 드러낸다.

핵심

02 ㉠에 들어가기에 적절한 내용은?

① 빠른 느낌의 경쾌한
② 밝은 느낌의 이국적인
③ 신비한 느낌의 환상적인
④ 조용한 느낌의 감미로운
⑤ 조용한 느낌의 애처로운

03 ㉡에 담긴 홍구의 심정으로 적절한 것은?

① 의아함
② 기대감
③ 반가움
④ 두려움
⑤ 고마움

핵심

04 S# 35를 바탕으로 할 때 유진이 학생들을 데리고 '학생 동아리 한마당'에 나가려고 하는 이유로 적절하지 <u>않은</u> 것은?

① 학생들에게 성취감을 주려고
② 학생들에게 목표가 필요하므로
③ 학생들에게 좋은 경험이 되므로
④ 학교의 이름을 높이는 데 좋으므로
⑤ 학생들끼리 서로 우정을 쌓을 수 있으므로

홍구 애들 데리고 문제 일으키지 말라고 그런 거지, 이렇게 일을 벌이라 고 그런 것은 아닌데…….

유진 어차피 모여 있는 시간이니까 목표가 있으면 좋을 것 같고……. 이 게 또 애들한테 성취감도 주고, 좋은 경험도 되고……. 또 자기들끼리 우정도 쌓고……. 이게 또…….

S# 36 특별반 교실 (낮)

유진 돈을 준다!

아이들 오오!

포스터의 상금 부분을 가리키는 유진. 1등 1팀 100만 원, 2등 1팀 70만 원, 3등 1팀 50만 원.

유진 1등 100만 원!

형주 야, 하자 하자 하자!

고은 와, 저 100만 원 갖고 싶어요.

순식간에 들뜬 분위기. 유진은 호응이 있는 것 같아서 (㉠)

지혜 야, 성아가 노래하면 되겠다. / 형주 그럼 나는 랩 할래.

유진 성아가 노래 잘하나 보네? / 지혜 네, 진짜 잘해요.

형주 정말 잘해요, 진짜. / 성아 아, 내가 뭐.

형주 너 수련회 때 반응 좋았잖아. (성아 흉내를 내며) 찌아오 니아오 하오 니하오. (엉터리 중국 노래를 부르는 형주.)

성아 아, 그거 아니거든! / 유진 그럼 뭔데?

정훈 (갑자기) 어차피 일 등 못 할 거잖아요. / 유진 어?

정훈 우리가 어떻게, 뭘 해서 일 등을 하는데요?

유진 넌 왜 해 보지도 않고 그러냐? / 정훈 해 봤자 뻔하니까.

유진 ㉡안 해 보고는 모르는 거야. 세상이 원래 그래. 나 믿어. 그리고 뭐 일 등이 중요하냐?

전개 1 | 유진은 특별반 학생들과 함께 '학생 동아리 한마당'에 나가려 함.

핵심 확인 영상 편집의 효과

둘 이상의 장소에서 벌어지는 두 개 이상의 독립적인 장면들을 연관 지어 교대로 제시함. (평행 편집)	→	시간을 압축적으로 제시하거나 긴장감을 조성함.

05 이 글에 등장하는 유진의 성격으로 적절한 것은?

① 내성적이고 소심하다.
② 적극적이고 긍정적이다.
③ 배려심이 많고 조용하다.
④ 밝고 명랑하며 산만하다.
⑤ 세상 물정을 모르고 어리숙하다.

06 S# 36에서 유진이 특별반 학생들을 설득하기 위해 사용한 방법으로 적절한 것은?

① 학생들의 능력을 칭찬함.
② 학생들의 동정심에 호소함.
③ 자신의 경험을 예로 들어 설명함.
④ 자신의 능력을 직접적으로 보여 줌.
⑤ 학생들이 관심을 가질 만한 부분을 언급함.

07 인물의 심리를 고려했을 때, ㉠에 들어갈 말로 알맞은 것은?

① 안타깝다. ② 뿌듯하다.
③ 심란하다. ④ 불안하다.
⑤ 걱정스럽다.

08 ㉡과 관련이 깊은 속담으로 적절한 것은?

① 세 살 버릇 여든 간다.
② 천 리 길도 한 걸음부터.
③ 부뚜막의 소금도 넣어야 짜다.
④ 가다 말면 안 가느니만 못하다.
⑤ 길고 짧은 건 대어 보아야 안다.

서술형 | 날개 확인 문제

09 S# 36에서 유진의 제안에 대해 부정적인 관점을 가진 인물은 누구인지 쓰고, 그 인물의 생각을 서술하시오.

이것이 핵심! ✔ 갈등의 원인과 양상

[중간 부분 줄거리]

유진은 '학생 동아리 한마당'에 나가기 위해 아이들을 다독인다. 교장 선생님은 이왕 나갈 거면 일 등을 하라며 허락을 하지만, 홍구는 유진이 아이들을 데리고 대회에 나가는 것을 여전히 못마땅하게 여긴다. 유진은 '학생 동아리 한마당'에서 뮤지컬을 하기로 하고, 뮤지컬을 기획하는 친구인 하나에게 아이들의 지도를 부탁한다.

전개 2 **S# 41 특별반 교실(낮)**

㉠교탁에 서 있는 유진. 뿌듯한 표정으로 아이들을 바라보다 아이들 쪽으로 다가가 책상 위에 걸터앉는다. 건너편에서 하나가 아이들에게 악보를 한 장씩 나눠 주고 있다.

하나 자, 다 받았지? 분위기 왜 그래? 이거 간단하고 아주 유명한 거니까 그냥 가볍게 불러 보자. 알았지?

몇몇 아이는 악보를 뚫어져라 보고, 몇몇은 그냥 한번 쓱 보고 만다.

하나 자, 선생님이 하나, 둘 하면 하는 거야. 자 준비. (신나게) 하나, 둘!

조용하다. ㉡당황한 하나.

하나 왜, 어렵나? 그러면…….

하나가 주변을 두리번거리다가 다른 곳을 보던 정훈에게 다가가 어깨를 툭 친다.

하나 야, 그럼 네가 가사 말고 음계만 읽어 보자. 음계 알지? 도레미……. 할 수 있지? 자, 하자. 시작! 하나, 둘!

㉢살짝 한숨을 쉬며 악보 쪽을 바라보는 정훈. 하지만 이맛살을 찌푸리며 아무런 소리를 내지 않는다.

이맛살: 이마에 잡힌 주름살

하나 다시 한번. 하나, 둘!

정훈 (들릴 듯 말 듯) 아이…….

고개를 돌려 버리는 정훈.

하나 (당황하며) 너 지금, 지금 뭐라 그랬어? 어? 아, 기막혀. (유진에게) 유진아……. 아니, 저기 유진 선생님. 얘 이름 뭐야? 얘 지금 나한테 뭐라고 그랬는지 알아?

자리에서 벌떡 일어나 주머니에 손을 넣고 교실 밖으로 나가는 정훈. 하나 쪽을 한 번 바라보고 정훈을 뒤쫓아 나가는 유진.

유진 (한숨 쉬며) 어디 가?

핵심

10 ㉠에 나타난 영상 언어의 시각적 요소에 대한 설명으로 적절한 것은?

① 카메라의 거리를 대상과 가깝게 하여 전체적 분위기를 보여 준다.
② 카메라의 거리를 대상과 멀게 하여 전체적인 분위기를 보여 준다.
③ 카메라의 거리를 대상과 멀게 하여 인물의 표정과 심리를 보여 준다.
④ 카메라의 거리를 대상과 가깝게 하여 인물의 표정과 심리를 보여 준다.
⑤ 카메라의 각도를 위에서 아래로 하여 인물이 자신감 없게 보이게 한다.

11 ㉡에서 하나가 당황한 이유로 적절한 것은?

① 아이들이 집단으로 반발해서
② 아이들이 유진의 말만 들어서
③ 아이들이 노래를 부르지 않아서
④ 아이들이 너무 적극적으로 참여해서
⑤ 아이들이 불안해하는 모습을 보여서

12 ㉢에서 표면적으로 드러나는 정훈의 심리 변화로 적절한 것은?

① 기대감 → 실망
② 고마움 → 미안함
③ 두려움 → 안도감
④ 답답함 → 안타까움
⑤ 당황스러움 → 짜증

핵심

13 S# 41에 드러나는 갈등의 양상으로 적절한 것은?

① 하나와 정훈의 갈등
② 유진과 하나의 갈등
③ 하나와 학생들의 갈등
④ 유진과 학생들의 갈등
⑤ 유진과 학교 측의 갈등

S# 42 학교 건물 뒤(낮)

학교 건물 밖으로 나온 유진. 두리번거리다 학교 뒤편에서 공을 차는 정훈을 발견한다. 공이 벽을 맞고 굴러간 곳으로 정훈이 시선을 돌린다. 여자 구두를 신은 다른 발이 공을 뻥 찬다. 유진이다. 유진이 발로 찬 공이 정훈에게 간다.

유진 패스!

그 소리를 듣고 슬쩍 유진에게 공을 차는 정훈.

유진 모르는 사람이 갑자기 뭐 시켜서, 화가 나서? 응?

정훈에게 굴러온 공. 정훈이 말없이 다시 유진에게 건넨다.

유진 말해 줘. 정확하게 말 안 해 주면 몰라. 나만 모르나? 아무도 몰라.

정훈 창피해서요.

유진 뭐가?

정훈 저 그거 볼 줄 몰라요.

유진 뭐? 악보?

정훈 배운 적 없어요.

유진 (공을 다시 정훈에게 건네며) 알았어.

정훈 (공을 받으며) 끝이에요?

유진 뭐가?

정훈 ㉠<u>학교에서 음악 시간에 다 배운 거잖아, 이걸 안 배웠을 리가 없잖아, 악보도 볼 줄 모르냐? 너 수업 시간에 뭐했냐? 어릴 때 피아노 학원도 안 다녔냐? 이런 말 안 해요?</u>

유진 안 해. 대신 앞으로는 네가 왜 그러는지, 무슨 생각인지, 뭐가 좋고 싫은지는 꼭 말해 줬으면 좋겠다. 꼭!

정훈 생각 좀 해 보고요.

공을 다뤄서 멀리 차 보내는 정훈. 성큼성큼 어디론가 걸어간다.

전개 2 ⋮ 뮤지컬을 지도하는 하나와 갈등을 일으키는 정훈

핵심 확인 인물 간 갈등 양상과 해결 과정

하나		정훈
정훈에게 악보의 음계를 읽게 하지만, 정훈의 과격한 반응에 당황함.	⟷	하나의 지시를 따르지 않고, 자리에서 일어나 교실 밖으로 나가 버림.

↓

갈등의 해소
유진이 정훈을 이해해 주고 공감해 줌.

서술형

14 **S# 41에서 정훈이 하나의 지시를 따르지 않고 밖으로 나가 버린 이유가 무엇인지 S# 42의 내용을 바탕으로 서술하시오.**

핵심

15 **S# 42에서 정훈과 유진이 공을 주고받는 행위에 담긴 의미로 적절한 것은?**

① 둘 사이에 거리감이 존재함을 나타낸다.
② 정훈이 진정으로 원하는 것을 나타낸다.
③ 유진이 가진 마음속의 아픔을 의미한다.
④ 둘 사이의 소통 과정을 상징적으로 드러낸다.
⑤ 둘이 힘을 합쳐 어려움을 극복할 것임을 암시한다.

16 **㉠으로 알 수 있는 정훈의 심리로 적절한 것은?**

① 자신에 대한 자책
② 어른들에 대한 불신
③ 친구들에 대한 원망
④ 선생님에 대한 공감
⑤ 교육 제도에 대한 불만

17 **S# 42에 등장하는 유진에 대한 평가로 적절한 것은?**

① 무조건 정훈의 편에서 말하고 있어.
② 정훈에게 예의를 지킬 것을 요구하는군.
③ 정훈보다는 자기 마음을 더 중시하는군.
④ 정훈의 말을 있는 그대로 믿어 주고 있어.
⑤ 문제를 적극적으로 해결하려고 하지 않고 회피하고 있어.

이것이 핵심! ✓ 대조적 분위기

전개 3 **S# 43 특별반 교실(낮)**

하나는 앞에서 박자를 맞추며 음계를 부르고 있고, 지혜가 덤덤하게 따라 부르고 있다. 다들 지루하고 무기력한 모습이다. 문이 열리고 유진과 정훈이 교실로 들어온다. 아이들의 시선이 모두 정훈에게 향한다. 자리에 앉은 정훈을 돌아보며 안도하는 기색의 성아.

유진 노래가 원래 ㉠이런 분위기에서는 잘 안되는 거 같아. 그렇지?

S# 44 노래방(낮)

노래방에서 노는 아이들과 유진. 유진과 하나가 아이들 앞에서 노래를 부른다. 신이 난 아이들. 하나는 아이들을 앞으로 불러내 같이 노래를 부른다. 마이크를 잡은 형주는 마이크에 대고 비트박스를 하고, 성아는 중국 노래를 부른다. 천천히 노래를 고르는 병민. 아이들이 기대 반 걱정 반의 모습으로 병민을 바라본다. 반주가 시작되고 드디어 마이크를 잡은 병민이 첫 소절을 부르려고 입을 떼는데, 방에 불이 꺼지고 노래 반주도 꺼진다. 화면에 가득 뜨는 글씨. '서비스 시간이 종료되었습니다. 다음에 또 만나요.' 아이들은 짐을 싸 밖으로 나간다.

전개 3	유진은 뮤지컬 준비를 위한 노래 연습에도 여전히 무기력한 아이들을 노래방으로 데려옴.

핵심 확인 대조적 분위기

교실	⟷	노래방
지루하고 무기력함.		신나는 분위기에 적극적임.

이것이 핵심! ✓ '고은의 상상' 부분의 기능 ✓ 효과음과 배경 음악의 역할

전개 4 **S# 46 특별반 교실(낮)**

형주가 고은을 유진에게 데리고 온다.

형주 야, 말해 봐. 빨리. / 유진 뭔데?

고은 아, 그 별것은 아닌데요. / 형주 그 학생 주임 선생님 있잖아요.

고은 (재촉하는 형주에게) 아, 가만히 있어. 넌 좀.

유진 (피식 웃으며) 뭔데?

고은 뮤지컬 하면은요, 이야기 같은 거 있어야 하잖아요. 대본 이런 거.

유진 응. 있어야 하지.

고은 제가 원래 이야기 쓰는 거 좀 좋아해서요. 그 뭐지? 이런 거 했으면 좋겠다고 생각해서, 제가 하나 생각나서요.

핵심

18 S# 43을 연출하면서 연출자가 각 인물의 배역을 맡은 배우에게 당부할 말로 적절하지 <u>않은</u> 것은?

① 지혜역의 배우 – 열정적으로 노래 수업에 임하는 모습을 보여 주세요.
② 정훈역의 배우 – 교실에 들어올 때 쑥스러워하는 표정으로 들어오세요.
③ 하나역의 배우 – 아이들에게 노래를 가르치느라 애쓰는 모습을 보여 주세요.
④ 성아역의 배우 – 정훈이 교실에 들어오는 모습을 지켜보며 점차 편안한 표정을 지어 주세요.
⑤ 유진역의 배우 – 아이들이 연습하는 모습을 안타까워하는 마음으로 지켜보다가 대사를 해 주세요.

19 S# 44를 이해한 내용으로 적절하지 <u>않은</u> 것은?

① 신나고 자유로운 분위기를 보인다.
② 자막을 통해 상황을 설명하고 있다.
③ 아이들이 적극적으로 노래를 부른다.
④ 병민의 노래 실력이 드러나지 않았다.
⑤ 아이들과 어울리려는 유진과 하나의 모습이 드러난다.

20 S# 46으로 볼 때, 뮤지컬 공연에서 고은이 맡게 될 역할로 적절한 것은?

① 뮤지컬의 대본을 쓰는 것
② 등장인물이 되어 연기하는 것
③ 공연에 사용되는 소품을 맡는 것
④ 연출자가 되어 뮤지컬을 연출하는 것
⑤ 뮤지컬에서 배경 음악과 효과음을 담당하는 것

서술형

21 ㉠은 어떤 분위기를 말하는지 한 문장으로 서술하시오.

유진 응, 말해 봐. 무슨 얘기야?

고은 어떤 여자애가요. 좀 예쁘게 생긴 여자애가 지각해서 학교로 막 뛰어와요. 열심히 뛰어서 교문 앞에 딱 도착을 하죠.

S# 47 뮤지컬의 내용 – 고은의 상상

아침. 성아가 가방을 메고 헐레벌떡 학교로 달리고 있다.

고은 (E.) 안 걸리려고 몰래 들어가죠. 교문은 잘 통과하나 했는데, 딱 교문에 학생 주임 선생님이 있어서 '걸렸구나.' 했어요. 근데 뭔가 좀 이상한 거예요.

효과음. 주로 화면 밖에서의 음향이나 대사에 의한 효과를 말함.

우두커니 서 있는 홍구. 이쪽을 보고 있는 것 같은데 아무런 미동이 없다. 성아가 학생 주임에게 다가간다.

고은 (E.) 재밌기도 하고요. 그래서요.

아무런 움직임이 없는 학생 주임을 보며 미소를 짓는 성아. 깡충깡충 뛰며 학교 안으로 들어간다. '드르륵' 교실 문을 여는 성아. 교실에 앉아 있는 아이들과 앞에 나와 있는 유진. 그런데 모두가 얼음처럼 딱딱하게 굳어 있다.

S# 48 뮤지컬의 내용 – 고은의 상상

㉠ 밝고 신비한 느낌을 주는 음악이 흐르고 이어지는 뮤지컬의 내용. 모두가 굳어 있는 교실에서 기묘한 해방감을 느끼는 성아.

이상하고 묘한

성아 (유진에게 다가서며) 선생님 좀 마음에 드네요. 이것도.

성아는 유진이 두르고 있던 스카프를 뺏어 자기 목에 두르고는 아이들을 하나씩 구경한다. 지혜가 들고 있는 화장품을 빼앗는 성아.

성아 색깔 예쁘네. 내가 가질게.

화장품을 주머니에 쏙 넣는 성아. 고은이 먹으려고 하던 빵을 덥석 물어 제 입에 털어 넣는다.

성아 (고은에게) 살 뺀다면서 왜 만날 뭘 먹냐?

형주에게는 괜히 꿀밤을 한 대 먹인다. 맞고도 반응 못 하고 움찔거리기만 하는 형주. ㉡ 멋진 남자 주인공처럼 햇빛이 잘 들어오는 창가에 반짝거리며 앉아 있는 정훈. 성아는 정훈에게 향한다. 정훈의 앞에 앉는 성아.

핵심 날개 확인 문제

22 S# 47에서 고은의 목소리를 효과음으로 처리한 이유로 적절한 것은?

① 현실감을 자연스럽게 강조하기 위해서
② 상상과 현실을 구별하기 어렵게 하기 위해서
③ 고은의 속마음을 효과적으로 표현하기 위해서
④ 고은의 성격을 더욱 효과적으로 드러내기 위해서
⑤ 고은이 상상한 장면으로 자연스럽게 전환하기 위해서

23 S# 47, 48에 대한 설명으로 적절하지 않은 것은?

① 고은이 상상한 장면이다.
② 고은의 고민과 방황이 담겨 있다.
③ 고은이 생각하는 대본의 내용이다.
④ 유진에 대한 성아의 마음이 드러난다.
⑤ 시간이 정지되었다는 설정이 나타난다.

핵심 날개 확인 문제

24 ㉠의 역할을 설명한 것으로 적절한 것은?

① 주제를 효과적으로 드러낸다.
② 시대적 배경을 우회적으로 드러낸다.
③ 인물의 성격을 직접적으로 나타낸다.
④ 인물의 상황을 효과적으로 보여 준다.
⑤ 사건의 전개 방향을 암시적으로 보여 준다.

서술형

25 ㉡에 드러난 성아의 심정을 한 문장으로 서술하시오.

성아 야, 이정훈. 너 좋아하는 사람 있어?

무반응의 굳은 정훈. 혼자 말해 놓고 쑥스러운 듯 성아는 눈을 마주치지 못한다. 그러다 천천히 입을 맞출 듯 정훈의 얼굴에 가까이 다가가는데, ㉠ 가만히 있던 유진의 눈동자가 움직인다. 계속 천천히 정훈의 얼굴에 다가가는 성아의 얼굴. 성아는 살며시 눈을 감는다.

S# 49 특별반 교실 (낮)

유진 아악!

어느새 고은의 주변에 다 모여든 아이들. 머리를 맞대고 이야기를 듣고 있다가 유진이 호들갑이다. 옆 아이를 찰싹찰싹 때리면서 "어떡해!" 하는 유진.

유진 그래서? 그다음엔? / 고은 그냥 한 명씩 깨어나요.

형주 뭐야? 아니라며? 홍구 선생님이 괴물이 된다며?

유진 괴물? / 고은 그거는 그냥 말한 거고.

성아 뭐 해서 깨어나는 건데?

지혜 야야, 그 잠자는 공주인가 그거처럼 그냥 전부 다한테 뽀뽀해.

형주 뽀뽀? 으악! 더러워, 진짜.

고은 그렇게 안 할 거거든. 칠판에 막 퀴즈 같은 암호문이 있어요. 그걸 보고 친구들을 막 한 명씩 깨우는 거죠. 뭐 그러면 애들이 자기 이야기 같은 거 하고……. 뭐 그 뒤는 아직 확실하게 모르겠어요.

유진 좋다! 여기까진 좋다! 오늘의 결론은! 뮤지컬 작가 심고은!

아이들 오오.

전개 4	뮤지컬 대본을 위해, 고은은 자신이 상상한 이야기를 유진과 친구들에게 들려줌.

핵심 확인

'고은의 상상' 부분이 하는 역할

뮤지컬 연습을 본격적으로 하게 됨.	성아의 속마음이 드러남.
고은이 상상한 이야기를 바탕으로 뮤지컬 대본을 작성하게 되면서 뮤지컬 공연 준비가 본격적으로 시작됨.	유진을 좋아하는 성아의 마음이 드러나며, 정훈을 향한 호감이 표현됨.

효과음과 배경 음악의 역할

효과음(E.)	배경 음악
고은의 목소리를 화면 밖의 효과음으로 처리하여 '고은의 상상' 장면으로 자연스럽게 전환되도록 함.	'밝고 신비한 느낌을 주는 음악'이 학교에서 혼자만 움직이는 성아의 상황을 더욱 효과적으로 전달해 줌.

26 S# 49에 대한 설명으로 적절한 것은?

① 유진과 특별반 학생들이 뮤지컬을 할지 말지 망설이고 있다.
② 유진과 특별반 학생들이 뮤지컬의 어려움을 공감하고 있다.
③ 특별반 학생들의 뮤지컬 준비가 본격적으로 시작되고 있다.
④ 뮤지컬로 인해 유진과 특별반 학생들 간에 갈등이 생기고 있다.
⑤ 유진과 특별반 학생들이 뮤지컬을 해야 하는 이유를 공유하고 있다.

27 S# 49의 유진에 대한 설명으로 적절하지 <u>않은</u> 것은?

① 고은에게 신뢰감을 보인다.
② 고은의 이야기에 많은 관심을 보인다.
③ 뮤지컬 제작에 대해 매우 적극적이다.
④ 홍구 선생님에 대한 반감을 드러낸다.
⑤ 아이들과 매우 친근한 모습을 드러낸다.

핵심

28 다음은 S# 49의 한 장면이다. 이와 같이 카메라를 사람의 눈높이에서 촬영한 효과로 적절하지 <u>않은</u> 것은?

① 안정적이다.
② 자연스럽다.
③ 특정 인물이 돋보인다.
④ 객관적인 느낌을 준다.
⑤ 일상적인 느낌을 준다.

서술형

29 S# 49의 첫 대사와 관련하여 ㉠이 하는 역할을 한 문장으로 서술하시오.

이것이 핵심! ✓ 장면에 어울리는 배경 음악

전개 5 **S# 52 특별반 교실 및 강당(낮)**

㉠뮤지컬 연습이 한창인 교실. ㉡처음과는 달리 모두 밝아 보인다. 손뼉을 치며 연습에 집중하는 아이들. 강당으로 옮겨서 연습을 이어 나간다. 악보를 보며 열심히 노래하는 아이들.

아이들의 합창 일어나.

'아아' 하는 입들. 합창으로 후렴구를 부르고 있다. 듣고 있던 유진이 다른 아이들에게 눈짓으로 한번 조용히 해 보라는 시늉을 한다. 쉿, 쉿. 한 명씩 노래를 멈추기 시작하고 유진이 슬쩍 병민에게 다가간다. 자세히 귀를 기울이니, 뻐끔뻐끔 흉내만 내는 병민.

아이들 에이.

뻐끔거리는 병민을 구박하는 정훈. 그 와중에도 헤헤 실실 웃는 병민. 분위기가 화기애애하다. 이를 몰래 보고 있던 홍구, 유진과 눈이 마주치자 몰래 강당에서 빠져나간다.

전개 5 | 처음과 달리 아이들이 활기차게 뮤지컬을 준비함.

핵심 확인 뮤지컬 연습 장면에 어울리는 배경 음악

장면 상황	분위기	배경 음악
아이들이 열심히 뮤지컬 연습을 하는 상황	화기애애함	• 밝고 희망을 주는 음악 • 경쾌한 음악

이것이 핵심! ✓ 홍구의 태도 변화 ✓ 홍구의 이야기를 듣는 아이들의 심정

전개 6 **S# 57 복도(낮)**

복도로 급하게 걸어 나온 유진이 홍구를 부른다.

유진 선생님!

돌아서 휘적휘적 재빠르게 나가려다 우뚝 제자리에 멈춰 서는 홍구. 홍구가 어색하게 씩 돌아선다.

홍구 아니 저는 뭐, 애들이 사고 안 치고 잘하고 있나 하고. 허허.

유진 아유, 애들 진짜 잘하고 있어요.

홍구 잘하기는 하던데요. 그, 정유진 선생님이 고생이 많으십니다. (자리를 슬슬 피할 기색으로) 필요한 거 있으면 말씀하시고, 그럼 고생하십시오.

홍구가 뒤돌아서서 가려는데,

30 **S# 52의 병민에 대한 평가로 적절한 것은?**

① 적극적으로 뮤지컬 연습에 임한다.
② 망신을 준 유진에 대해 적대감을 드러낸다.
③ 어리숙한 행동으로 유쾌한 분위기를 형성한다.
④ 아이들에게 인정을 받고 싶은 마음이 강하다.
⑤ 아이들에게 불만을 품고 일부러 연습에 참여하지 않는다.

핵심 | 날개 확인 문제

31 **㉠에 어울리는 배경 음악으로 적절한 것은?**

① 밝고 희망을 느끼게 하는 음악
② 엄숙하고 경건한 느낌을 주는 음악
③ 포근하면서 따뜻함이 느껴지는 음악
④ 우울하고 슬픈 느낌을 자아내는 음악
⑤ 조용하면서도 추억에 잠기게 하는 음악

서술형

32 **㉡을 촬영할 때 카메라와 대상의 거리가 어떠해야 효과적일지 한 문장으로 서술하시오.**

핵심

33 **S# 52, 57에서 홍구를 대하는 유진의 생각을 추측한 내용으로 가장 적절한 것은?**

① '우리를 감시하다니 기분이 나쁘군.'
② '애들이 사고를 못 치게 하려면 꼭 필요한 분이지.'
③ '선생님이 우리가 뮤지컬 하는 걸 이해하셨으면 좋겠어.'
④ '혼자서는 너무 힘들어. 선생님의 뮤지컬 지도가 필요해.'
⑤ '선생님을 속일 필요가 있어. 뮤지컬을 무사히 마무리하는 게 우선이니까.'

유진　어! 도와주실 일이 하나 생각났어요!

홍구　뭔데요?

홍구가 유진을 보면, 유진이 씩 웃으면서 말한다.

유진　㉠ 저 혹시, 돈 좀 있으세요?

S# 58　중국집(저녁)

홍구가 아이들에게 저녁을 사 주는 모양이다.

형주　우리 아빠도 그렇게 먹는데. 나이 들면 다 자장면에 고춧가루 뿌려 먹나 봐. 선생님 혹시 몇 살이세요?

홍구　내년이면 쉰 된다. 이 녀석아.

형주　쉰? 쉰이면 오십 살? 어? 우리 아빠랑 똑같다.

홍구　형주 아버님도 63년 토끼띠시냐?

형주　네 맞아요! 토끼띠.

한결 부드러워진 분위기. 다른 아이들도 홍구를 경계하는 마음이 한결 풀어진 눈치다. 눈치 보던 여자애들도 하나둘씩 질문을 던진다.

성아　선생님, 선생님 자식 중에 중학생 있어요?

홍구　작은 딸내미는 중학교 삼 학년.

성아　그러면 우리 학교 같이 다녀요?

형주　선생님 딸 이뻐요?

지혜　야, 예쁘겠냐?

아이들 모두 웃는다. 홍구는 말없이 자장면을 먹는다.

형주　선생님, 그럼 선생님은 딸 하나예요? 아들 없어요?

형주가 자장면을 오물오물 씹으면서 질문한다. 홍구는 곧잘 대답하던 지금까지와는 다르게 대답을 미룬다.

홍구　큰아들은 중학생이었는데…….

'었는데?' 과거형에 의아한 아이들. 다들 먹기를 멈추고 홍구의 말에 귀를 기울인다.

홍구　오토바이 그것만 아니었으면……, 올해 대학교 갔겠네.

형주　그럼 아들이 죽었어요?

고은　아, 입방정!

순식간에 숙연해지는 분위기. 아이들은 어떤 말을 해야 할지 몰라 한다.

숙연해지는: 고요하고 엄숙해지는

34 이어지는 S# 58을 고려할 때, ㉠의 속뜻을 올바르게 이해한 것은?

① '함께 뮤지컬을 해 보실래요?'
② '아이들에게 맛있는 것 좀 사 주세요.'
③ '혹시, 경제적으로 여유가 좀 있으세요?'
④ '사고를 친 아이에게 도움을 주실 수 있나요?'
⑤ '평소의 모습이 너무 소박하고 검소해 보이시네요.'

핵심 | 서술형

35 〈보기〉는 특별반 학생들이 '학생 동아리 한마당'에 나간다는 말을 처음 들었을 때 홍구 선생님이 보인 반응이다. S# 58에 드러난 홍구 선생님의 아이들에 대한 태도와 어떻게 다른지 서술하시오.

보기
"그러니까 특별반 애들을 데리고 여기를 나간다고요?"

36 S# 58에서 알 수 있는 홍구 선생님에 관한 정보로 적절하지 않은 것은?

① 중학교 삼 학년인 딸이 있다.
② 학생들을 아끼는 마음이 있다.
③ 아들이 있었지만 슬픈 사연이 있다.
④ 평소 뮤지컬에 대한 관심이 많았다.
⑤ 학생들의 아버지와 비슷한 나이이다.

핵심 | 날개 확인 문제

37 S# 58에서 홍구 선생님의 아들 이야기를 들은 아이들의 심정으로 적절한 것은?

① 고마움　② 신기함
③ 의아함　④ 당황스러움
⑤ 존경스러움

홍구 ㉠너희 그거 다 먹어야 한다.

아이들 (힘없이) 네…….

자리에서 먼저 일어나는 홍구. 눈치를 보던 유진은 밖으로 따라 나간다. 밖에 서 있는 홍구에게 다가서는 유진.

유진 애들이 철이 없어서요. / **홍구** 괜찮습니다.

전개 6	조금씩 아이들에게 마음의 문을 여는 홍구는 유진의 부탁으로 아이들에게 저녁을 사 줌.

핵심 확인 홍구의 태도 변화

S# 33, S# 35		S# 57, S# 58
학생 주임으로서 특별반 아이들이 일으켰던 문제를 잘 알고 있기에 그들을 문제 학생으로 바라봄.	→	열심히 뮤지컬을 준비하는 아이들의 모습을 내심 대견해하며, 조금씩 아이들에게 관심을 보임.

이것이 핵심! ✔ 사건 전개 과정에 나타난 병민의 역할

전개 7 **S# 64 강당 (낮)**

안무를 맞추고 있는 아이들. 종전에는 화기애애했는데 자꾸 안 맞으니까 조금씩 신경질이 난 상태다. 성아가 손짓을 탁! 하면 팔을 좍좍 벌리면서 옆으로 퍼져 나가야 하는데 자꾸 부딪친다.

성아 야, 내가 이리로 오면 너는 옆으로 빠져야지.

형주 나는 원래대로 한 거야. / **성아** 아, 조용히 해.

지혜 아, 오늘 진짜 하기 싫어.

고은 아, 선생님. 우리 놀러 가면 안 돼요?

자꾸 반복되는 연습에 지친 아이들이 바닥에 풀썩풀썩 주저앉는다.

[A]
유진 야, 너넨 요거 하고 쉬냐?

병민 (작게) 바다 가고 싶다.

정훈 오! 김병민! 바다!

퍼질러 앉아 있던 아이들과 유진이 쫑긋한다.

병민 좋겠지? 바다! 나 한 번도 안 가 봤는데.

형주 뻥치시네. 가족 여행으로 한 번 정도는 가 봤을 거 아니야?

㉡**병민** 나 가족 여행 같은 거 안 가 봤어.

정훈 가족 여행도 안 가 봤어? / **병민** 응.

핵심

38 ㉠ 앞에 지시문을 넣으려고 할 때, 가장 적절한 것은?

① 자상하게 ② 권위적으로
③ 우쭐해하며 ④ 서운해하며
⑤ 걱정스러운 표정으로

39 S# 64에서 병민의 역할로 적절한 것은?

① 분위기를 바꾸는 역할을 한다.
② 영화의 주제를 드러내는 역할을 한다.
③ 인물의 성격을 변화시키는 역할을 한다.
④ 사회적 분위기를 드러내는 역할을 한다.
⑤ 인물들 간의 갈등을 유발하는 역할을 한다.

40 [A] 부분을 연출하기 위해 연출자가 각 인물들에게 당부할 말로 알맞지 <u>않은</u> 것은?

① 유진: 아이들을 격려하는 활기찬 모습을 보여 주세요.
② 병민: 자신 없고 소심한 모습으로 혼잣말 하듯이 대사해 주세요.
③ 정훈: 평소보다 과장된 표정과 동작을 취하며 힘 있게 대사해 주세요.
④ 아이들: 정훈의 대사에 조금씩 정훈 쪽을 바라보는 동작을 취해 주세요.
⑤ 병민과 정훈: 서로 마주 보며 긴장된 분위기로 대사를 주고받아 주세요.

41 S# 64에 드러나는 분위기의 변화를 바르게 설명한 것은?

① 어수선한 분위기가 조용해진다.
② 밝았던 분위기가 점점 어두워진다.
③ 엄숙했던 분위기가 점차 밝아진다.
④ 답답한 분위기가 점차 밝아지고 있다.
⑤ 어두웠던 분위기가 점점 더 어두워진다.

서술형

42 ㉡ 부분을 효과적으로 표현하려면 〈보기〉의 영상 언어의 구성 요소를 어떻게 처리하는 것이 좋을지 서술하시오.

보기
카메라와 대상의 거리

유진 너희 몇 년 살았지?

형주 십오 년이요.

성아 만으로 십삼 년이요.

유진 ㉠김병민. 너 진짜 거짓말하면 안 된다. 십오 년 동안 살면서 바다를 한 번도 안 가 봤단 말이야?

병민 네.

성아 선생님! 바다 가요. 바다!

아이들 (박수를 치며) 바다! 바다! 바다! 바다! 바다!

전개 7 ┊ 계속된 연습에 지친 아이들은 유진에게 바다로 놀러 가자고 조름.

핵심 확인 병민의 역할: 분위기를 전환시키는 역할

반복되는 연습에 지친 아이들의 무거운 분위기 → 바다를 보러 가자며 활기를 찾음.

↑

병민: "바다 가고 싶다.", "좋겠지? 바다! 나 한 번도 안 가 봤는데."

이것이 핵심! ✔ 갈등의 원인과 해소 과정

전개 8 **S# 66 교장실 (낮)**

교장 저도 뭐 애들 밖에 내보내고 싶죠. 하지만 원칙은 지켜야 하는 거 아니겠습니까?

아이들을 바다로 데려가도 되겠냐고 물어봤던 유진은 스스로 부끄러워지는 기분이다.

유진 ㉡아, 애들 문제 생기면 제가 다 책임질게요! 진짜 부탁드립니다.

교장 정유진 선생님 고생하시는 것은 제가 다 압니다. 공연도 기대가 되고 하는데…….

㉢유진이 침을 꿀꺽 삼킨다.

교장 애들이 사고를 치면 그게 정유진 선생님 책임이 아닙니다. 그게 다 제 책임이 되는 거지요. 아무튼……, 뭐 고생하세요.

유진, 쭈뼛거리며 자리에서 일어선다.

43 ㉠에 담긴 유진의 심정을 추측한 것으로 적절하지 않은 것은?

① 병민의 처지가 안쓰럽다.
② 병민의 말을 믿기 힘들다.
③ 병민에게 바다를 보여 주고 싶다.
④ 병민의 처지를 알지 못한 자신이 부끄럽다.
⑤ 병민에게 진지하고 솔직한 대답을 듣고 싶다.

44 S# 66에 드러나는 갈등에 대한 설명으로 적절한 것은?

① 갈등이 해소되고 있다.
② 갈등의 원인이 드러나 있다.
③ 갈등이 최고조에 이르고 있다.
④ 갈등 해결의 실마리가 드러나 있다.
⑤ 하나의 갈등이 해소되면서 다른 갈등이 생겨나고 있다.

핵심

45 S# 66에서 교장 선생님이 유진의 의견에 반대하는 이유로 적절한 것은?

① 학생 주임이 함께 가지 않으므로
② 유진이 독단적으로 결정했으므로
③ 자신이 함께 갈 수 없는 상황이므로
④ 아이들에게 문제가 생길 수 있으므로
⑤ 뮤지컬 준비가 아직 완전하지 않으므로

46 유진이 ㉡과 같이 말한 의도로 알맞은 것은?

① 교장 선생님을 설득하기 위해서
② 교장 선생님의 도움을 칭찬하기 위해서
③ 학생들에게 말할 변명거리를 만들기 위해서
④ 교장 선생님에게 새로운 정보를 제공하기 위해서
⑤ 교장 선생님에 대한 불만을 간접적으로 표현하기 위해서

서술형

47 ㉢을 통해 형성되는 분위기를 한 문장으로 서술하시오.

S# 67 복도(낮)

어딘가 바쁘게 계단을 내려가는 홍구. 휴대 전화 벨 소리를 듣고 주머니에서 휴대 전화를 꺼내 보니, 교장 선생님이다.

홍구 아, 여보세요. 교장 선생님.

교장 아, 뮤지컬반 애들이 바다를 가고 싶다는데…….

홍구 바다요?

교장 아, 예. 이 선생님이 같이 갔다 오면 어떨까요?

홍구 아, 예. 알겠습니다, 교장 선생님. 교장 선생님도 애들한테 관심이 많으시네요…….

교장 나도 교장 이전에 선생 아닙니까?

홍구 예.

S# 68 학교 강당 근처(낮)

뮤지컬 연습을 하던 강당 옆 계단. 아이들이 앉아 있고, 유진이 풀이 죽은 표정으로 말을 꺼낸다.

유진 ㉠<u>내가 생각해 봤는데, 우리가 지금 연습해야지, 바다에 갈 때는 아닌 것 같아. (머뭇거리며) 우리 끝나고 갈까?</u>

[A]
- **정훈** 왜 안 된대요? 우리가 또 사고 칠까 봐 그렇대요?
- **성아** 뻔하지 뭐.
- **형주** 그냥 가요.

어쩔 줄 몰라 하는 유진. 갑자기 자동차 경적 소리(E.)가 난다. 아이들의 시선이 뒤쪽으로 향한다. 차에서 내리는 사람은 가죽 재킷을 입고 선글라스를 낀 홍구. 유진의 표정이 점점 밝아지며, 홍구와 아이들을 번갈아 쳐다본다.

홍구 얘들아, (손을 흔들며) 가자! 이리 와.

전개 8	교장 선생님의 허락이 나지 않아 풀이 죽은 유진과 아이들 앞에 홍구가 등장함.

핵심 확인 인물 간 갈등 양상과 해결 과정

유진		교장
아이들을 바다로 데려가고 싶음.	⟷	아이들을 바다로 데려가는 것을 허락할 수 없음.

↓

교장 선생님이 홍구가 함께 가는 조건으로 허락함.

48 **S# 67의 교장 선생님에 대한 평가로 적절한 것은?**

① 교장으로서의 권위를 앞세운다.
② 교육자로서 아이들의 마음을 이해한다.
③ 교장으로서 학교 구성원의 눈치를 본다.
④ 문제 해결을 위해 독단적으로 행동한다.
⑤ 학교의 최고 책임자로서 책임을 회피한다.

49 **S# 68에 활용되고 있는 영상 언어의 구성 요소가 <u>아닌</u> 것은?**

① 효과음 ② 자막과 해설
③ 인물의 대사 ④ 카메라의 거리
⑤ 카메라의 각도

서술형

50 **S# 68에서 홍구의 등장 전과 후에 유진의 표정이 어떻게 변하고 있는지 한 문장으로 서술하시오.**

51 **㉠에 대한 설명으로 알맞지 <u>않은</u> 것은?**

① 유진은 아이들의 기대감을 잘 알고 있다.
② 유진은 아이들이 실망할까 봐 걱정하고 있다.
③ 유진은 아이들에게 수정된 제안을 하고 있다.
④ 유진은 뮤지컬 준비가 완벽하지 못한 것을 걱정하고 있다.
⑤ 유진은 교장 선생님의 허락을 받지 못했다는 사실을 감추고 있다.

핵심

52 **[A]의 세 인물의 대사에 깔린 공통된 심리로 적절한 것은?**

① 교장 선생님에 대한 불신
② 자신들의 행동에 대한 후회
③ 다시 기회를 얻게 된 데 대한 안도감
④ 자신들의 부족한 능력에 대한 부끄러움
⑤ 자신들의 노력이 부족했음에 대한 아쉬움

이것이 핵심! ✓ 촬영 기법의 효과

전개 9 S# 72 바닷가(낮)

드넓게 펼쳐진 백사장. 가을이라 파란 하늘과 구별도 되지 않는 넓은 바다. 아이들이 바다로 뛰어간다.

전개 9 드디어 도착한 바다를 향해 아이들이 달려감.

핵심 확인 S# 72에 쓰인 촬영 기법 및 그 효과

대상을 먼 곳에서 찍음.	→	• 전체적인 분위기를 표현함. • 배경이나 인물의 전체적인 모습을 드러냄. • 아이들의 자유로움과 해방감을 효과적으로 나타냄.

절정/하강/대단원 [뒷부분 줄거리]

바다에 다녀오면서 홍구와 유진, 아이들은 점점 서로를 이해하게 된다. 아이들은 뮤지컬 연습을 열심히 하는데, 성아와 형주가 폭력 사건에 휘말려 뮤지컬 공연을 할 수 없게 된다. 하지만 병민은 몰래 '학생 동아리 한마당'에 재신청을 하고, 홀로 무대에 오른다. 부족할 수밖에 없는 병민의 공연 영상을 본 특별반 친구들은 늦은 밤 놀이터에 모여 자신들만의 뮤지컬 공연을 펼친다.

핵심 낱개 확인 문제

53 S# 72에서 바다로 달려가는 아이들의 모습을 멀리서 찍은 이유로 적절하지 않은 것은?

① 전체적인 분위기를 효과적으로 표현하기 위해서
② 아이들의 행동을 전체적으로 보여 줄 수 있기 때문에
③ 배경과 인물이 어우러지는 장면을 드러낼 수 있기 때문에
④ 등장인물 한 명 한 명의 심리를 분명하게 표현하기 위해서
⑤ 아이들의 자유로움과 해방감을 효과적으로 표현하기 위해서

54 이 영화의 주제로 적절한 것은?

① 청소년들의 꿈과 좌절
② 청소년의 순수한 사랑
③ 비참한 현실에 대한 극복 의지
④ 교사와 학생 간의 진정한 소통
⑤ 친구들 간의 끈끈한 우정과 사랑

다지기 학습 활동

• 정답과 해설 p.42

이해 활동

1. 다음 장면들을 중심으로 이 영화의 주요 사건을 정리해 봅시다.

유진 선생님이 특별반 아이들에게 '학생 동아리 한마당'에 나가자고 말한다.

뮤지컬 준비를 위한 노래 연습에도 여전히 무기력한 아이들을 위해 유진은 노래방으로 향한다.

고은의 상상 속 이야기에서 모든 것이 정지된 상황에 성아 혼자만 움직이고 있다.

홍구 선생님과 아이들은 개인적인 이야기를 하며 서로 마음을 열어 간다.

바다에 가고 싶지만, 허락이 나지 않아 풀이 죽은 유진과 아이들 앞에 홍구 선생님이 등장하고, 아이들은 바다로 떠날 수 있게 된다.

이해 다지기 문제

1 이 영화에서 중심을 이루는 사건으로 적절한 것은?

① 특별반 학생들의 바다 여행
② 특별반 학생들과 유진의 갈등
③ 특별반 학생들의 뮤지컬 만들기
④ 특별반 학생들이 겪는 학업의 어려움
⑤ 특별반 학생들과 교장 선생님의 소통 과정

목표 활동

1. 다음은 이 영화를 본 사람들이 인터넷 게시판에 올린 감상평입니다. 자신이 생각하는 평점과 한 줄 감상을 적어 봅시다.

평점	한 줄 감상	작성자
★★★★★ 10	청소년들을 위한 영화여서 더 몰입하고 봤습니다.	참사랑
★★½☆☆ 5	웃음을 주는 장면이 더 있었으면 했지만 볼 만해요.	어린 왕자
★½☆☆☆ 3	결말이 예상했던 대로 흘러가고 반전이 없네요.	수선화
☆☆☆☆☆	예시 답 희망을 노래할 수 있는 계기의 중요성을 생각해 볼 수 있었어요.	애솔나무 등록

목표 다지기 문제

1 이 인터넷 게시판에 대한 설명으로 적절하지 않은 것은?

① 평점은 10점 만점이다.
② 작성자는 별칭으로 표시된다.
③ 별점으로 영화를 평가하도록 하였다.
④ 감상평에 대한 글자 수의 제한은 없다.
⑤ 감상평에 대한 댓글은 나타나 있지 않다.

2 이와 같이 감상평을 인터넷 게시판에 올리면 좋은 점으로 적절하지 않은 것은?

① 감상평을 쉽게 작성할 수 있다.
② 영화에 대한 평가를 쉽게 알 수 있다.
③ 자신의 생각을 여러 사람에게 알릴 수 있다.
④ 다른 사람의 감상을 즉각적으로 알 수 있다.
⑤ 영화 내용의 자세한 줄거리를 파악할 수 있다.

3 이 영화에 대한 감상평 중 영화의 주제와 직접적인 관련이 있는 것은?

① 잘생기고 예쁜 배우들이 나와서 재미있었어.
② 결말이 너무 예상한 대로였어. 반전이 없더군.
③ 청소년을 위한 영화여서 더 몰입할 수 있었어.
④ 목표를 향해 노력하는 모습에서 아름다움을 느꼈어.
⑤ 웃음을 자아내는 장면이 더 많았으면 좋았을 텐데, 아쉬웠어.

2. 이 영화에서 인상 깊었던 장면을 고르고 그 까닭을 우리 반 누리집에 적어 봅시다.

작성자: 최지은

제가 이 영화에서 가장 인상 깊었던 장면은 정훈이 유진 선생님에게 마음을 여는 장면이었습니다. 진정한 대화는 상대를 편견 없이 바라보며 서로를 마주할 때 이루어지는 것이라는 생각이 들었습니다.

공감하기 댓글 달기 퍼가기

ㄴ 이영수: 선생님이 정훈의 처지나 기분을 고려하는 모습도 좋았지?

ㄴ 최지은: 그렇지. 선생님이 다그쳤으면 정훈도 마음을 쉽게 열지는 않았겠지.

작성자:

예시 답 생략

공감하기 댓글 달기 퍼가기

3. 이 영화에 나타난 영상 언어의 구성 요소와 효과를 알아봅시다.

1 다음에 제시된 내용들을 연결하여 이 영화에 나타난 영상 언어의 시각적 요소와 그 효과를 파악해 봅시다.

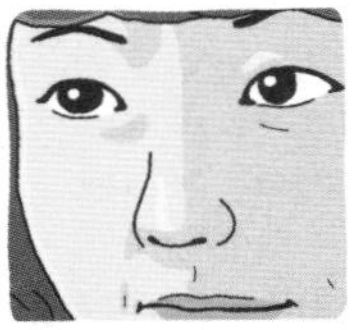

자막: 등장인물의 이름과 역할을 글자로 표현함.	자연스럽고 안정적인 느낌을 줌.
카메라의 거리: 대상을 매우 가깝게 촬영함.	시각 이미지만으로는 전달하기에 부족한 내용을 구체적으로 보여 줌.
카메라의 거리: 대상을 아주 먼 곳에서 촬영함.	배경이나 등장인물들의 전체 모습을 보여 줌.
카메라의 각도: 대상을 사람의 눈높이에서 촬영함.	등장인물의 표정을 통해 인물의 심리 상태를 보여 줌.

목표 다지기 문제

4 이와 같은 활동을 하기 위해 세운 계획으로 적절하지 않은 것은?

① 댓글을 통해 다른 사람들과 소통하면 좋을 것 같아.
② 누리집이 여의치 않으면 누리소통망을 활용해야겠어.
③ 글을 읽는 사람을 존중하는 언어 표현을 사용해야지.
④ 친구들과 한번에 실시간으로 의견을 주고받을 수 있겠군.
⑤ 글을 올린 후 댓글을 통해 다른 사람들의 반응을 살펴봐야겠어.

목표 다지기 문제

5 영상물을 촬영할 때, 카메라를 대상에 가깝게 함으로써 얻을 수 있는 효과로 적절한 것은?

① 자연스럽고 안정적인 느낌을 준다.
② 배경이나 등장인물의 전체 모습을 보여 준다.
③ 인물의 활동 범위에 관한 정보를 제공해 준다.
④ 대상을 크고 강력하며 권위적으로 보이게 한다.
⑤ 등장인물의 표정을 통해 인물의 심리 상태를 보여 준다.

6 영상물에서 다음과 같은 자막이 하는 역할을 한 문장으로 서술하시오.

2 이 영화에 나타난 영상 언어의 청각적 요소와 그 효과를 파악해 봅시다.

장면		청각적 요소	효과
	빠른 느낌의 경쾌한 음악을 사용함.	배경 음악	인물의 심정이나 사건의 분위기를 효과적으로 전달해 줌.
	등장인물들이 말을 주고받음.	대사	사건을 전개하고, 인물의 심리나 성격 등을 드러냄.
	화면 밖에서 자동차 경적 소리가 들림.	효과음	동시에 일어나는 사건이지만 보이지 않는 곳의 일을 관객들에게 알려 줌.

목표 다지기 문제

7 영상 언어의 구성 요소 중 〈보기〉와 같은 역할을 하는 요소는?

보기

사건을 전개하고 인물의 심리나 성격 등을 분명하게 드러낸다.

① 자막 ② 대사 ③ 효과음
④ 배경 음악 ⑤ 화면

8 다음 중 배경 음악의 역할로 가장 적절한 것은?

① 주제를 분명하게 드러낸다.
② 사건의 전개 과정을 보여 준다.
③ 인물의 성격을 적절하게 드러낸다.
④ 장면의 내용을 구체적으로 설명한다.
⑤ 사건의 분위기를 효과적으로 전달해 준다.

9 〈보기〉에서 '보이지 않는 곳의 일'을 알려 주는 역할을 하는 것을 찾아 쓰시오.

보기

어쩔 줄 몰라 하는 유진. 갑자기 자동차 경적 소리(E.)가 난다. 아이들의 시선이 뒤쪽으로 향한다.

4. **3의 활동을 바탕으로 영상 언어의 특성을 살려 S# 47~S# 48의 이야기판을 만들어 봅시다.**

순서	장면 그림	장면 내용	
1		카메라	성아가 가방을 메고 헐레벌떡 학교로 달려가는 모습이 모두 보이도록 찍음. 교문에서 성아가 뛰어오는 쪽을 배경으로 촬영함.
		소리	• 경쾌한 느낌의 음악, 도로에 자동차가 달리는 소리와 인물의 숨이 차오르는 소리 • 화면 밖에서 고은의 목소리가 효과음으로 나옴.
		자막	없음.
2		카메라	교문에서 가만히 멈춰 서 있는 홍구와 이를 바라보는 성아의 모습에서 홍구와 성아의 표정을 각각 가깝게 확대하여 촬영함.
		소리	• 경쾌한 느낌의 음악이 이어짐. • 화면 밖에서 고은의 목소리가 효과음으로 이어짐.
		자막	없음.
3		카메라	학교 교문에서 학교를 향해 뛰어가는 성아의 뒷모습을 촬영함.
		소리	• 경쾌한 느낌의 음악이 이어짐. • 보도블록 위를 뛰어가는 발소리
		자막	없음.

목표 다지기 문제

10 이와 같은 활동이 이루어진 직후의 영상물 제작 단계로 적절한 것은?

① 촬영하는 단계
② 편집하는 단계
③ 영상물을 기획하는 단계
④ 시나리오를 작성하는 단계
⑤ 이야기판을 작성하는 단계

영상·인터넷 매체로 생각이나 느낌 표현하기

영상으로 표현할 때에는 영상 언어의 구성 요소인 시각적 요소(카메라의 거리와 각도, 자막 등)와 청각적 요소(대사나 배경 음악, 효과음 등)의 특성을 이해하고 내용에 맞게 장면을 구성해야 합니다. 또한, 인터넷으로 자기 생각이나 느낌을 표현할 때에는 온라인 대화, 전자 우편, 누리소통망 등 인터넷 매체의 특성을 고려하여 표현하도록 합니다.

창의·융합 활동

반 친구들과 함께 「천국의 아이들」을 연극으로 공연해 봅시다. 또 연극을 만들어 가는 과정을 영상물로 제작해 봅시다.

함께하기

1. 「천국의 아이들」을 연극으로 공연할 모둠과 그 과정을 영상물로 만들 모둠을 구성해 봅시다.

모둠을 구성할 때의 유의점

1. 친구들 각자가 들어가고 싶어 하는 모둠을 존중해 줍니다.
2. 친구들의 관심사와 능력을 고려하여 추천해 줍니다.
3. 연극을 할 모둠과 영상물을 찍을 모둠으로 나눕니다.
4. 우리 반 친구들 모두가 참여할 수 있도록 합니다.

• 내가 들어간 모둠은 어디인지, 그 모둠에서 내가 하고 싶은 역할은 무엇인지 적어 봅시다.

내가 들어간 모둠은 어디인가요?

나는 **연극 모둠**에서
연극 공연을 총괄하는 연출의 역할을 해 보고 싶어.

나는 **영상 모둠**에서
연극을 준비하고 공연하는 친구들의 모습을 촬영하고 싶어.

함께하기

2. 연극 모둠과 영상 모둠 중 자신이 선택한 모둠에서 다음 활동을 해 봅시다.

연극 모둠

• 연극 모둠을 선택한 모둠원들끼리 모여 「천국의 아이들」을 재구성하는 방안을 논의해 봅시다.

논의할 내용

1. 영화의 어느 부분을 연극으로 공연할 것인가?
2. 어떤 이야기 방향과 내용으로 구성할 것인가?
3. 공연 시간은 몇 분으로 할 것인가?

• 연극 구성원들이 하는 일을 살펴보고 자신에게 맞는 역할을 정해 봅시다.

역할	하는 일	맡은 사람
각색자	시나리오를 연극 대본으로 고쳐 쓰는 사람	
연출	연극 공연을 총괄하는 사람	
조연출	연출을 도와 연극의 진행을 돕는 사람	
무대 감독	무대 장치 등을 기획하고 만드는 사람	
음향 감독	효과음이나 사건 전개에 맞는 배경 음악을 준비하는 사람	
의상 감독	무대에서 공연하는 배우들의 의상을 책임지는 사람	
연기자	실제 무대에서 공연하는 사람	

• 자신이 맡은 역할을 위해 어떤 준비를 해야 할지 적어 봅시다.

예 연기자 1: 영화를 보면서 내가 맡은 인물의 말과 행동을 잘 살펴보고 성격을 분석해야겠어.

예시 답 무대 감독: 프로젝터를 활용하여 사진으로 배경을 표현하면 연극 장면의 배경을 효과적으로 표현할 수 있을 거야.

• 자신이 맡은 역할에 맞게 실제 연극 공연을 해 봅시다.

예시 답 생략

수행 평가 대비 활동

| 수행 평가 TIP | 본문의 시나리오를 각색할 때에는 자세하게 쓸 부분이나 간략하게 쓸 부분, 극대화할 장면을 선정할 수 있습니다. 또한 등장인물이나 주제 자체에도 변화를 줄 수 있고, 소품을 활용하여 인물의 특성을 효과적으로 표현할 수 있습니다.

1 평가 내용 확인하기

• 본문의 시나리오에서 일부를 선택하여 각색하기
• 역할을 분담하여 연극 준비를 하고 공연하기

2 평가 기준 확인하기

• 자신이 맡은 역할에 맞게 적극적으로 참여하였는가?
공연에는 각색자, 연출, 조연출, 무대 감독, 음향 감독, 의상 감독, 연기자 등 다양한 역할이 필요합니다. 자신이 맡은 역할에 대해 제대로 이해하고, 어떻게 수행하면 좋을지 충분히 생각해 볼 필요가 있어요. 연극은 여러 사람이 함께 이뤄 나가는 공동 작업임을 알고 적극적으로 자신의 역할을 수행하도록 노력해야 합니다.

• 모둠원들과 함께 즐겁게 협력적으로 활동하였는가?
시나리오에서 연극으로 공연하기에 적합한 내용은 어떤 부분일지, 역할은 어떻게 분담할지 등을 정할 때는 모둠원 간의 충분한 의사소통을 거쳐 협의가 이루어져야 해요. 모둠원들과의 교류를 통하면 각자에게 주어진 역할을 수행함에도 도움을 얻을 수 있습니다.

수행 평가 +

1. 자신이 최근에 본 영화의 일부분을 연극으로 재구성하여 공연해 봅시다.

도와줄게 모둠원들과의 토의를 통해 영화를 선정하고 그 영화에서 인상적인 장면을 골라 연극으로 재구성하여 공연해 보세요.

영상 모둠

• 영상 모둠을 선택한 모둠원들끼리 모여 영상물을 어떻게 만들지 토의해 보고, 그 결과를 아래의 기획서에 작성해 봅시다.

제목	연극 공연, 그 뒷이야기	상영 시간	10분
기획 의도	우리 반 연극 공연의 과정을 기록한다.		
순서와 표현 방법	연극 공연을 준비하는 과정과 공연, 무대 뒷이야기를 다큐멘터리 형식으로 표현한다.		
역할 분담	• 감독: • 촬영: • 편집:	• 이야기 구성: • 음악:	
제작 일정	20○○년 ○○월 ○○일		

• 기획서를 바탕으로 영상을 촬영하고 편집해 봅시다.

예시 답 생략

함께하기

3. 연극 공연과 영상물의 상영을 마치고, 반 친구들과 이야기를 나눠 봅시다.

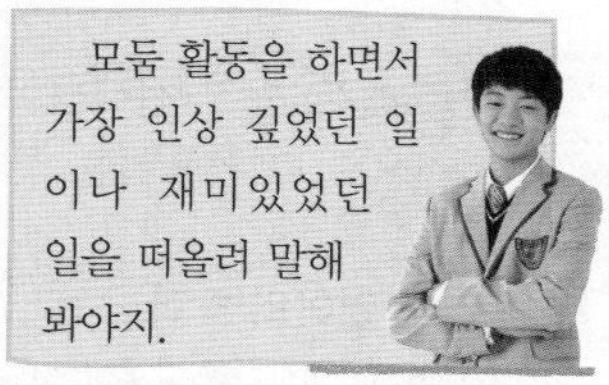

예시 답 처음에 다 함께 연극 대본을 각색했던 게 가장 기억에 남아. 우리 반을 배경으로 시나리오를 재구성하다 보니 모둠원들과 더 많은 이야기를 나눌 수 있었던 것 같아.

혼자 하기

4. 연극 공연이나 영상물 촬영에 참여하는 내 모습이 담긴 사진을 골라 글과 함께 누리소통망에 올려 봅시다.

작성자: 김꽃님

공감하기 댓글 달기 퍼가기

우리 반의 연극 공연에 참여했다. 계속된 연습에 지치기도 했었고, 잘 안 될 때는 그만두고 싶기도 했는데……. 그 시간을 견디고 나니 나 자신도 대견하고, 반 친구들도 모두 대단해 보인다.

우리_반 # 연극 # 공연 # 열정 # 멋짐

작성자: 예시 답 생략

사진

공감하기 댓글 달기 퍼가기

• 내가 받은 댓글 중 가장 마음에 드는 것을 골라 적어 봅시다.

예시 답 나는 초등학교 때 담임 선생님이 남겨 주신 "이건 그냥 지나치지 못하겠는데? 중학교에서 친구들과 좋은 추억 많이 만들고 있구나."라는 댓글이 가장 마음에 들었어.

수행 평가 대비 활동

| 수행 평가 TIP | 영상물 제작을 하려면 역할을 분담하고 구체적인 촬영 계획을 구상할 수 있어야 합니다. 촬영한 영상을 배열하고 음악을 삽입하는 등의 편집을 위해서는 동영상 편집 프로그램이 필요합니다.

1 평가 내용 확인하기

• 본문의 시나리오에서 일부를 선택하여 영상물 만들기
• 역할을 분담하여 영상으로 촬영하고 발표하기

2 평가 기준 확인하기

• 카메라의 거리나 각도가 장면의 내용을 효과적으로 나타내었는가?
카메라의 거리와 각도에 대해 공부한 것을 참고하여 다양한 방식으로 촬영해 보세요.

• 장면에 어울리는 자막이나 배경 음악, 효과음을 사용하였는가?
자막이나 배경 음악, 효과음도 영상에서는 매우 중요합니다. 다양한 영상 언어의 구성 요소를 활용해 보세요.

수행 평가 +

1. 완성된 영상물을 누리집에 올려 봅시다. 그리고 다른 모둠에서 올린 영상물에 댓글을 달아 봅시다.
도와줄게 다른 모둠의 영상에 댓글을 달 때에는 상대방을 배려하고 존중하는 언어 표현을 사용해 주세요. 비판보다는 칭찬을 해 주세요.

2. 좋아하는 노래의 뮤직비디오를 만들어 봅시다.
도와줄게 먼저 좋아하는 노래의 가사에 맞게 시나리오를 작성한 후 이야기판을 만들어 봅니다. 이를 바탕으로 영상을 만들어 보세요.

핵심 콕 마무리

소단원 제재 정리

갈래: 시나리오
성격: 교훈적
주제: 교사와 학생 간의 진정한 소통과 배려
특징: ① 실화를 바탕으로 재구성된 시나리오임.
② 영상 언어의 구성 요소가 효과적으로 사용됨.
③ 대사와 행동을 통해 등장인물의 성격과 심리 변화를 드러냄.

제재 한눈에 보기

발단	문제 학생들이 모인 특별반을 맡게 된 유진
전개(교과서 수록 부분)	뮤지컬 공연을 준비하며 조금씩 서로를 이해하게 된 선생님과 아이들
절정	형주를 도우려다 폭력 사건에 휘말리게 된 성아
하강	취소된 뮤지컬 공연에 몰래 재신청을 하고, 홀로 무대에 오르는 병민
대단원	늦은 밤 놀이터에 모여 자신들만의 뮤지컬을 공연하는 아이들

핵심 원리

영상 언어의 뜻
영상 매체에서 의미를 표현하고 전달할 때 사용하는 수단

영상 언어의 구성 요소

시각적 요소	시각 이미지(카메라의 거리와 각도, 색, 형태, 구도, 움직임), 자막
청각적 요소	대사, 효과음, 배경 음악

인터넷 매체의 종류
인터넷 게시판, 누리소통망, 온라인 대화, 전자 우편 등

인터넷 매체의 특징
① 시간과 공간의 제약을 받지 않는다.
② 다양한 매체를 활용할 수 있다.
③ 정보나 의견의 소통이 (❶)적으로 이루어진다.
④ 자신을 드러내지 않는 익명성이 있다.

핵심 내용

(1) 갈등의 양상

❶ 하나와 정훈의 갈등

하나	↔	정훈
정훈에게 악보의 음계를 읽게 하지만, 정훈의 과격한 반응에 당황함.	↔	하나의 지시를 따르지 않고, 자리에서 일어나 교실 밖으로 나가 버림.

→ 갈등 해소: 유진이 정훈과 공을 주고받으며 정훈을 이해해 주고 공감해 줌.

❷ 유진과 교장 선생님의 갈등

유진	↔	교장 선생님
아이들과 함께 바다에 가고 싶음.	↔	아이들의 안전 때문에 반대함.

→ 갈등 해소: 교장 선생님이 (❷) 선생님이 같이 가는 조건으로 바다에 가는 것을 허락함.

(2) 영상 언어의 효과

장면	영상 언어	효과
	(❸)	시각 이미지만으로 전달하기에 부족한 내용을 구체적으로 보여 줌.
	카메라의 거리 – 가까움.	등장인물의 표정을 통해 인물의 심리 상태를 보여 줌.
	카메라의 (❹) – 눈높이	자연스럽고 안정적인 느낌을 줌.
	카메라의 거리 – 멂.	배경이나 등장인물들의 전체 모습을 보여 줌.
	배경 음악 – 빠른 느낌의 경쾌한 음악	인물의 심정이나 사건의 분위기를 효과적으로 전달해 줌.
	(❺) – 등장인물들이 말을 주고받음.	사건을 전개하고 인물의 심리나 성격 등을 드러냄.
	(❻) – 자동차 경적 소리	동시에 일어나는 사건이지만 보이지 않은 곳의 일을 관객들에게 알려 줌.

정답 ❶ 즉각 ❷ 홍구 ❸ 자막 ❹ 각도 ❺ 대사 ❻ 효과음

소단원 핵심 문제

• 정답과 해설 p.43

[01~04] 다음 글을 읽고 물음에 답하시오.

(가) **S# 33 교무실(낮)**

빠른 느낌의 경쾌한 음악이 흐르고 낮은 유리 탁자에 놓인 '학생 동아리 한마당' 포스터. 그걸 쭉 밀어서 홍구 쪽으로 보여 주는 유진. 심지어 약간 의기양양한 표정이다. 홍구는 인상을 찌푸리며 포스터를 본다. 한참을 한 글자 한 글자 보는 홍구.

홍구 그러니까 특별반 애들을 데리고 여기를 나간다고요?

(나) **S# 34 특별반 교실(낮)**

교탁에 서 있는 유진. 몹시 신난 표정이다.

유진 응!

그러나 심드렁한 아이들 반응. 모두 어리둥절한 분위기.

성아 우리가 거기 나가서 뭐해요?

(다) **S# 35 교무실(낮)**

유진이 홍구의 질문에 대답하고 있다.

유진 노래도 할 수 있고 춤도 출 수 있고……. 연극 같은 거 해도 재미있을 거 같고. 애들이 다 끼는 있으니까…….

홍구 애들 데리고 문제 일으키지 말라고 그런 거지, 이렇게 일을 벌이라고 그런 것은 아닌데…….

유진 어차피 모여 있는 시간이니까 목표가 있으면 좋을 것 같고……. 이게 또 애들한테 성취감도 주고, 좋은 경험도 되고……. 또 자기들끼리 우정도 쌓고……. 이게 또…….

(라) **S# 36 특별반 교실(낮)**

형주 너 수련회 때 반응 좋았잖아. (성아 흉내를 내며) 찌아오 니아오 하오 니하오. (엉터리 중국 노래를 부르는 형주.)

성아 아, 그거 아니거든!

유진 그럼 뭔데?

정훈 (갑자기) 어차피 일 등 못 할 거잖아요. / 유진 어?

정훈 우리가 어떻게, 뭘 해서 일 등을 하는데요?

유진 넌 왜 해 보지도 않고 그러냐?

정훈 해 봤자 뻔하니까.

유진 안 해 보고는 모르는 거야. 세상이 원래 그래. 나 믿어. 그리고 뭐 일 등이 중요하냐?

(마) **S# 41 특별반 교실(낮)**

살짝 한숨을 쉬며 악보 쪽을 바라보는 정훈. 하지만 이맛살을 찌푸리며 아무런 소리를 내지 않는다.

하나 다시 한번. 하나, 둘! / 정훈 (들릴 듯 말 듯) 아이…….

고개를 돌려 버리는 정훈.

하나 (당황하며) 너 지금, 지금 뭐라 그랬어? 어? 아, 기막혀. (유진에게) 유진아……. 아니, 저기 유진 선생님. 얘 이름 뭐야? 얘 지금 나한테 뭐라고 그랬는지 알아?

출제 예감 80%

01 이와 같은 글의 특징으로 적절하지 않은 것은?

① 장면(S#)을 기본 단위로 한다.
② 시간적·공간적 제약을 많이 받는다.
③ 영상 언어를 기본적인 표현 수단으로 한다.
④ 영화를 촬영하기 위한 시나리오에 해당한다.
⑤ 대사와 지시문을 통해 인물의 행동을 표현한다.

출제 예감 85%

02 (가)~(다)에 대한 설명으로 적절하지 않은 것은?

① 화면이 겹치면서 전환되고 있다.
② 유진의 등장 장면을 이어 붙이고 있다.
③ 이야기 전개에 긴장감을 조성하고 있다.
④ 독립적인 장면을 연관 지어 제시하고 있다.
⑤ 시간을 압축적으로 표현하며 제시하고 있다.

출제 예감 80%

03 (라)에서 대회의 참여에 대해 유진과 정훈이 보이는 태도를 바르게 나타낸 것은?

① 유진과 정훈은 모두 중립적이다.
② 유진과 정훈은 모두 긍정적이다.
③ 유진은 부정적이고 정훈은 중립적이다.
④ 유진은 부정적이고 정훈은 긍정적이다.
⑤ 유진은 긍정적이고 정훈은 부정적이다.

출제 예감 75% 서술형

04 (마)에서 갈등이 일어나는 원인이 무엇인지 한 문장으로 서술하시오.

소단원 핵심 문제

[05~11] 다음 글을 읽고 물음에 답하시오.

(가) S# 43 특별반 교실 (낮)

하나는 앞에서 박자를 맞추며 음계를 부르고 있고, 지혜가 덤덤하게 따라 부르고 있다. 다들 지루하고 무기력한 모습이다. 문이 열리고 유진과 정훈이 교실로 들어온다. 아이들의 시선이 모두 정훈에게 향한다. 자리에 앉은 정훈을 돌아보며 안도하는 기색의 성아.

유진 노래가 원래 이런 분위기에서는 잘 안 되는 거 같아. 그렇지?

(나) S# 46 특별반 교실 (낮)

형주가 고은을 유진에게 데리고 온다.

형주 야, 말해 봐. 빨리.

유진 뭔데?

고은 아, 그 별것은 아닌데요.

형주 그 학생 주임 선생님 있잖아요.

고은 (재촉하는 형주에게) 아, 가만히 있어. 넌 좀.

유진 (피식 웃으며) 뭔데?

고은 뮤지컬 하면은요, 이야기 같은 거 있어야 하잖아요. 대본 이런 거.

유진 응. 있어야 하지.

고은 제가 원래 이야기 쓰는 거 좀 좋아해서요. 그 뭐지? 이런 거 했으면 좋겠다고 생각해서, 제가 하나 생각 나서요.

유진 응, 말해 봐. 무슨 얘기야?

고은 어떤 여자애가요. 좀 예쁘게 생긴 여자애가 지각해서 학교로 막 뛰어와요. 열심히 뛰어서 교문 앞에 딱 도착을 하죠.

(다) S# 47 뮤지컬의 내용 – 고은의 상상

아침. 성아가 가방을 메고 헐레벌떡 학교로 달리고 있다.

고은(E.) 안 걸리려고 몰래 들어가죠. 교문은 잘 통과하나 했는데, 딱 교문에 학생 주임 선생님이 있어서 '걸렸구나.' 했어요. 근데 뭔가 좀 이상한 거예요.

우두커니 서 있는 홍구. 이쪽을 보고 있는 것 같은데 아무런 미동이 없다. 성아가 학생 주임에게 다가간다.

고은(E.) 재밌기도 하고요. 그래서요.

아무런 움직임이 없는 학생 주임을 보며 미소를 짓는 성아. 깡충깡충 뛰며 학교 안으로 들어간다.

(라) S# 48 뮤지컬의 내용 – 고은의 상상

㉠밝고 신비한 느낌을 주는 음악이 흐르고 이어지는 뮤지컬의 내용. 모두가 굳어 있는 교실에서 기묘한 해방감을 느끼는 성아.

성아 (유진에게 다가서며) 선생님 좀 마음에 드네요. 이것도.

성아는 유진이 두르고 있던 스카프를 빼어 자기 목에 두르고는 아이들을 하나씩 구경한다. 지혜가 들고 있는 화장품을 빼앗는 성아.

성아 색깔 예쁘네. 내가 가질게.

화장품을 주머니에 쏙 넣는 성아. 고은이 먹으려고 하던 빵을 덥석 물어 제 입에 털어 넣는다.

성아 (고은에게) 살 빼다면서 왜 만날 뭘 먹냐?

(마) S# 52 특별반 교실 및 강당 (낮)

뮤지컬 연습이 한창인 교실. 처음과는 달리 모두 밝아 보인다. 손뼉을 치며 연습에 집중하는 아이들. 강당으로 옮겨서 연습을 이어 나간다. 악보를 보며 열심히 노래하는 아이들.

아이들의 합창 일어나.

'아아' 하는 입들. 합창으로 후렴구를 부르고 있다. 듣고 있던 유진이 다른 아이들에게 눈짓으로 한번 조용히 해 보라는 시늉을 한다. 쉿, 쉿. 한 명씩 노래를 멈추기 시작하고 유진이 슬쩍 병민에게 다가간다. 자세히 귀를 기울이니, 뻐끔뻐끔 흉내만 내는 병민.

아이들 에이.

출제 예감 90%

05 이 글에 대한 설명으로 적절하지 않은 것은?

① 청소년들의 성장 과정을 담고 있다.
② 사회적 현상에 대해 우회적으로 비판하고 있다.
③ 상상 속의 장면을 통해 흥미를 이끌어 내고 있다.
④ 인물의 행동을 통해 인물의 성격을 드러내고 있다.
⑤ 영상 언어의 구성 요소를 효과적으로 사용하고 있다.

출제 예감 75%

06 이와 같은 글에서 대사가 하는 역할로 적절하지 않은 것은?

① 인물의 성격을 드러낸다.
② 전체적 분위기를 형성한다.
③ 인물 간의 관계를 드러낸다.
④ 등장인물의 행동을 지시한다.
⑤ 사건을 발전시키고 진행시킨다.

출제 예감 90%

07 (가)의 유진을 평가한 내용으로 적절한 것은?

① 아이들의 무기력한 모습에 실망하고 있다.
② 노래를 잘 부를 수 있는 방법을 설명하려 한다.
③ 분위기에 맞는 노래를 찾기 위해 고심하고 있다.
④ 자신도 노래를 하고 싶은 마음을 감추지 못한다.
⑤ 분위기 전환을 유도하며 아이들에게 다가가려 한다.

출제 예감 95% 서술형

08 (다)에서 고은의 대사를 효과음으로 표현함으로써 얻을 수 있는 효과가 무엇인지 한 문장으로 서술하시오.

사고력 확장 문제 서술형

09 (나)에 드러나는 카메라의 각도와 비교하여 〈보기〉의 [A]에서 옥림의 심정을 강조하기 위해서 어떻게 촬영하는 것이 표현 효과가 높을지 서술하시오.

보기

S# 35 해가 보이는 육교 (새벽)

걸어가는 옥림. 뿌듯한 발걸음도 경쾌하다. 그때. [A]

욱(E.) (설마하며) 이옥림?

옥림 (돌아보고 욱이임을 확인한 후 기분 좋게) 어 욱아. 좋은 아침!

욱 네가 이 시간에 웬일이냐? 너 지금쯤 잘 시간 아냐?

옥림 그러는 너는 웬일이냐? 이렇게 일찍.

욱 나 어젯밤에 깜빡 잠들어서 방금 전에 깼잖아. 하나도 못 보고, 근데, 자전거는 어쨌어?

옥림 나 밤새워 공부했는데, 자전거 타면 머리 흔들려서 기껏 집어 넣은 거 다 우수수 떨어질 것 같아서.

출제 예감 80%

10 (마)에 대한 감상으로 적절하지 않은 것은?

① 전반적으로 밝고 활기찬 분위기야.
② 병민은 갑자기 일어난 상황에 당황했겠어.
③ 아이들의 연습 태도가 처음과는 많이 달라졌군.
④ 아이들이 병민에게 반감이 있었다는 것이 드러나.
⑤ 유진은 병민이 노래를 부르지 않는다는 것을 눈치채고 있었군.

출제 예감 95% 학습 활동 응용 서술형

11 (라)에서 ㉠의 배경 음악이 주는 효과를 한 문장으로 서술하시오.

[12~16] 다음 글을 읽고 물음에 답하시오.

(가) S# 58 중국집 (저녁)

형주 선생님 딸 이뻐요?

지혜 야, 예쁘겠냐?

아이들 모두 웃는다. 홍구는 말없이 자장면을 먹는다.

형주 선생님, 그럼 선생님은 딸 하나예요? 아들 없어요?

형주가 자장면을 오물오물 씹으면서 질문한다. 홍구는 곧잘 대답하던 지금까지와는 다르게 대답을 미룬다.

홍구 큰아들은 중학생이었는데…….

'었는데?' 과거형에 의아한 아이들. 다들 먹기를 멈추고 홍구의 말에 귀를 기울인다.

홍구 오토바이 그것만 아니었으면……, 올해 대학교 갔겠네.

형주 그럼 아들이 죽었어요?

고은 아, 입방정!

순식간에 숙연해지는 분위기. 아이들은 어떤 말을 해야 할지 몰라 한다.

(나) S# 64 강당 (낮)

안무를 맞추고 있는 아이들. 종전에는 화기애애했는데 자꾸 안 맞으니까 조금씩 신경질이 난 상태다. 성아가 손짓을 탁! 하면 팔을 쫙쫙 벌리면서 옆으로 퍼져 나가야 하는데 자꾸 부딪친다.

성아 야, 내가 이리로 오면 너는 옆으로 빠져야지.
형주 나는 원래대로 한 거야.
성아 아, 조용히 해.
지혜 아, 오늘 진짜 하기 싫어.
고은 아, 선생님. 우리 놀러 가면 안 돼요?

자꾸 반복되는 연습에 지친 아이들이 바닥에 풀썩풀썩 주저앉는다.

(다) S# 66 교장실 (낮)

교장 저도 뭐 애들 밖에 내보내고 싶죠. 하지만 원칙은 지켜야 하는 거 아니겠습니까?

아이들을 바다로 데려가도 되겠냐고 물어봤던 유진은 스스로 부끄러워지는 기분이다.

유진 아, 애들 문제 생기면 제가 다 책임질게요! 진짜 부탁드립니다.

교장 정유진 선생님 고생하시는 것은 제가 다 압니다. 공연도 기대가 되고 하는데…….

유진이 침을 꿀꺽 삼킨다.

교장 애들이 사고를 치면 그게 정유진 선생님 책임이 아닙니다. 그게 다 제 책임이 되는 거지요. 아무튼……, 뭐 고생하세요.

유진, 쭈뼛거리며 자리에서 일어선다.

(라) S# 68 학교 강당 근처 (낮)

어쩔 줄 몰라 하는 유진. 갑자기 ㉠자동차 경적 소리(E.)가 난다. 아이들의 시선이 뒤쪽으로 향한다. 차에서 내리는 사람은 가죽 재킷을 입고 선글라스를 낀 홍구. 유진의 표정이 점점 밝아지며, 홍구와 아이들을 번갈아 쳐다본다.

홍구 얘들아, (손을 흔들며) 가자! 이리 와.

출제 예감 85%

12 이 영화를 보고 난 후 인터넷 매체를 활용하여 감상평을 올릴 때 유의할 점으로 적절하지 않은 것은?

① 자신에게 맞는 인터넷 매체를 선택한다.
② 인터넷 매체의 종류에 따른 특성을 파악한다.
③ 상대방을 존중하고 배려하는 표현을 사용한다.
④ 감상평의 댓글에 대해서는 즉각적으로 반응한다.
⑤ 영화에 대한 자기 생각과 느낌을 먼저 잘 정리한다.

출제 예감 80% 서술형

13 (가)에서 분위기가 어떻게 변화하고 있는지 〈조건〉에 맞춰 한 문장으로 서술하시오.

> 조건
> (가)에서 분위기를 나타내는 표현을 한 가지 찾아 포함하여 서술할 것

출제 예감 80%

14 (나)의 장면을 촬영할 때의 방법으로 가장 적절한 것은?

① 카메라를 아래에서 위로 촬영한다.
② 카메라를 위에서 아래로 촬영한다.
③ 카메라를 대상에서 멀리하여 촬영한다.
④ 카메라를 대상에 가깝게 하여 촬영한다.
⑤ 카메라를 좌에서 우로 이동하면서 촬영한다.

출제 예감 80%

15 (다)에 대한 설명으로 적절하지 않은 것은?

① 교장과 유진의 갈등이 드러나 있다.
② 교장은 유진의 고생에 대해 인정하고 있다.
③ 교장은 아이들이 사고 칠 것을 걱정하고 있다.
④ 기대감으로 긴장하고 있는 유진의 모습이 드러나 있다.
⑤ 유진은 아이들과 바다에 가려 했던 것을 부끄러워하고 있다.

출제 예감 75%

16 ㉠에 대한 반응으로 적절하지 않은 것은?

① 화면 밖에서 들리는 소리야.
② 갈등이 해소됨을 알려 주고 있어.
③ 주제를 암시적으로 드러내고 있어.
④ 유진의 표정을 밝게 하는 소재로군.
⑤ 영상 언어의 구성 요소 중 청각적 요소야.

2 포기하고 싶을 때 딱 한 걸음만 더 나아가라

• 생각 열기 다음과 같은 상황에 놓인 친구에게 책을 추천해 봅시다.

'나독서' 학생의 책 읽기 특징을 고려했을 때, 어떻게 하면 책을 끝까지 읽게 할 수 있을지 말해 봅시다.

예시 답 모른다고 바로 포기하지 말고, 인터넷을 통해 검색하거나 관련 내용을 다룬 책을 찾아 모르는 내용을 확인하면서 읽도록 해야 한다.

'나독서' 학생에게 도움이 될 만한 책은 무엇이 있을지 추천해 봅시다.

예시 답 '이순신'이나 '헬렌 켈러'와 같이 크고 작은 어려움을 극복하고 성공한 인물(위인)의 전기를 추천한다.

• 학습 목표로 내용 엿보기

"한 편의 글을 읽다 보면 낯선 용어나 모르는 정보 등이 나올 때가 있어. 그 부분을 지나치면 글의 전체 내용을 이해하기 어렵고……. 이럴 때 도서관이나 인터넷을 이용하여 궁금증을 해결하는 건 어떨까? 관련 자료를 찾아 참고하여 읽는다면, 어려운 내용의 글도 문제없이 읽을 수 있을 거야."

핵심 1 글의 이해에 필요한 정보나 지식 정리하기

핵심 2 도서관이나 인터넷을 활용하여 어려움이나 궁금증 해결하기

핵심 원리 이해하기 자료 활용하여 읽기

1. 관련 자료를 참고하며 읽는 방법

사전 찾아보기	국어사전, 백과사전, 분야별 사전 활용 모르는 단어나 용례, 낯선 용어의 개념을 찾음.
인터넷 검색하기	인터넷을 활용 컴퓨터, 휴대 전화를 활용하여 손쉽게 찾음.
도서관에서 자료 찾기	도서관 누리집에서 검색하여 도서를 찾아 활용 신뢰성 있는 정보를 찾을 수 있음.

2. 관련 자료를 찾아 참고하며 글 읽기의 효과

- 능동적으로 글을 읽는 습관을 기를 수 있음.
- 글의 내용을 정확하고 깊이 있게 이해할 수 있음.
- 필요한 자료를 선별하는 비판적 사고력을 기를 수 있음.

개념 확인 콕콕

• 정답과 해설 p.44

01 다음 중 자료를 찾으며 글을 읽어야 하는 경우에 해당하지 않는 것은?

① 낯선 용어가 나왔을 때
② 모르는 정보와 맞닥뜨릴 때
③ 내용이 이해가 잘 되지 않을 때
④ 더 알고 싶은 부분이 생겼을 때
⑤ 읽은 내용이 잘 정리되지 않을 때

02 글을 읽다가 모르는 단어가 나왔을 때, 그 뜻을 찾아볼 자료로 가장 적절한 것은?

① 국어사전
② 백과사전
③ 영상 자료
④ 오디오 자료
⑤ 도서관 자료

03 다음에서 설명하는 자료 검색 방법은 무엇인지 쓰시오.

> • 다양한 형태의 자료를 찾을 수 있다.
> • 컴퓨터, 휴대 전화로 쉽게 검색할 수 있다.

04 자료를 찾아 참고하며 글을 읽을 때의 좋은 점이 아닌 것은?

① 배경지식을 넓힐 수 있다.
② 글을 빠르게 읽을 수 있다.
③ 글을 정확하게 이해할 수 있다.
④ 능동적으로 글을 읽는 습관이 생긴다.
⑤ 자료를 선별하는 비판적 능력을 기를 수 있다.

본문 미리보기

본문 안내

이 소단원은 글을 읽으면서 마주하는 낯선 용어나 개념, 모르는 정보나 지식 등을 도서관이나 인터넷을 통해 해결하는 능동적인 읽기 능력을 키우기 위한 단원이다. 「포기하고 싶을 때 딱 한 걸음만 더 나아가라」는 청소년들의 현실 회피 현상의 특징과 해결 방안을 다룬 글이다. 궁금한 점이나 모르는 부분을 확인하고, 관련 참고 자료를 도서관이나 인터넷을 통해 확인하여 배경지식을 쌓으며 읽을 수 있도록 한다.

서론		본론 1		본론 2		본론 3		결론
가혹한 환경에 맞서 싸우며 발전한 인류	→	시련과 고통을 통해 인간은 더욱 성숙해질 수 있음.	→	힘들고 고통스러운 상황을 무조건 회피하는 현상인 '리셋 증후군'	→	청소년기에 적절한 좌절 경험이 필요한 까닭과, 시련과 고통을 대하는 자세	→	포기하고 싶을 때는 딱 한 발자국만 앞으로 나아가라.

본문 개관

★ **글쓴이 소개** 이정현

정신건강의학과 전문의. 주요 저서로 『심리학, 열일곱 살을 부탁해』가 있다.

★ **갈래** 논설문

이 글은 청소년기에 겪을 수 있는 현실 회피 현상과 그 극복 방안에 관한 글쓴이의 주장이 담긴 글이다. 문제 제기와 극복 방안이라는 논설문의 기본적인 구조를 보여 주고 있다.

★ **성격** 설득적, 논리적

이 글은 청소년기에 어려움을 겪고 있는 청소년들을 대상으로 쓴 글이다. 어려움을 이겨 내는 힘이 부족한 청소년들에게 어려운 순간에 쉽게 포기하지 말고 딱 한 걸음만 나아갈 수 있도록 노력하라고 설득하고 있다. 또한 자신의 주장을 뒷받침하기 위해 다양한 사례를 제시하면서 논리적인 성격을 가지고 있다.

★ **제재** 『역사의 연구』, 쥐 격리 실험, 『그래도 계속 가라』

책에 담긴 내용과 실험 사례를 근거로 제시하여 어려움이 닥쳤을 때 포기하지 말고 조금만 더 노력하라는 이 글의 주장을 뒷받침하고 있다.

★ **주제** 어려운 순간에 쉽게 포기하지 않고 견디고 극복하는 자세의 중요성

이 글은 가혹한 환경에 맞서 싸우면서 발전해 온 인류의 모습과 힘들고 고통스러운 상황을 무조건 회피하려는 현상인 '리셋 증후군'을 대조하고 있다. 그러면서 청소년기에 적절한 좌절의 경험이 필요한 까닭을 말하고, 포기하고 싶을 때는 딱 한 발자국만 앞으로 나아가자고 주장하고 있다.

포기하고 싶을 때 딱 한 걸음만 더 나아가라

이정현

이것이 핵심! ✔ 토인비의 주장과 근거

서론 가 역사학자 토인비는 『역사의 연구』라는 책에서 아주 재미있는 역사 이론을 펼친다. ㉠가혹한 환경이 인간을 위협하면 그에 맞서 싸우는 과정에서 ㉡인류 역사가 발전해 왔다고 주장한 것이다. 고대 중국 문명을 예로 들어 보자. 양쯔강과 황허강은 중국을 대표하는 강인데, 그 중 양쯔강 유역은 기후가 따뜻하고 농토가 비옥해서 농사를 짓기에는 최적의 환경이었다. 반면 황허강 유역은 너무 추워서 겨울이면 강물이 얼어붙어 배가 다닐 수조차 없었다. 게다가 매년 범람이 잦아 농사 피해가 이만저만이 아니었다. 그런데 고대 문명이 생겨난 곳은 양쯔강이 아니라 험난한 황허강 유역이었다. 황허 문명뿐만 아니라 다른 고대 문명의 발상지 또한 모두 ㉢척박하기 이를 데 없는 환경이었다.

토인비: 영국의 역사학자. 인간 및 인간 사회의 자유 의지와 행위로 역사와 문화가 형성됨을 강조함.

나 그래서 토인비는 인류 역사는 곧 도전과 ㉣응전의 역사로 설명될 수 있으며, 가혹한 환경이 없었다면 인류는 지금처럼 발전할 수 없었을 거라고 말한다. 토인비는 이 주장을 뒷받침하기 위해 청어와 관련된 이야기도 했다. 보통 북해나 베링 ㉤해협 같은 먼바다에서 잡히는 청어는 운반되는 동안 죽어 버리기 일쑤이다. 그런데 언젠가부터 런던에 살아 있는 청어가 대량으로 공급되기 시작했다. 그 비결은 청어의 천적, 물메기에 있었다.

응전: 상대편의 공격에 맞서서 싸움. 또는 상대편의 도전에 응하여 싸움.

다 청어들이 가득 담긴 수조에 물메기를 몇 마리 넣으면 청어는 물메기에게 잡아먹히지 않으려고 있는 힘껏 도망 다닌다. 청어에게 물메기와 함께 있는 것은 가혹한 시련이었으나, 그에 맞서 필사적으로 대응하다 보니 오히려 죽지 않고 살아남을 수 있었다.

확인 문제

• 정답과 해설 p.45

01 이 글에서 글쓴이가 토인비의 『역사의 연구』를 예로 든 이유로 적절하지 않은 것은?

① 독자의 흥미를 끌기 위해서
② 주장의 신뢰성을 높이기 위해서
③ 자신의 주장을 뒷받침하기 위해서
④ 글의 중심 내용을 제시하기 위해서
⑤ 주장에 대한 반론을 소개하기 위해서

핵심

02 『역사의 연구』의 핵심 내용으로 적절한 것은?

① 인류의 발전은 불가사의한 일이다.
② 인류는 환경과 더불어 발전해 왔다.
③ 가혹한 환경이 인류를 발전하게 했다.
④ 인류의 발전은 강가에서 주로 이루어졌다.
⑤ 중국 문명은 고대 문명 발생에 큰 역할을 하였다.

서술형

03 양쯔강 유역에서 고대 문명이 발생하지 않고 황허강 유역에서 고대 문명이 발생한 이유를 서술하시오.

핵심

04 ㉠~㉤ 중 국어사전을 참고하기에 적절하지 않은 것은?

① ㉠ ② ㉡ ③ ㉢
④ ㉣ ⑤ ㉤

서론 | 가혹한 환경에 맞서 싸우며 발전한 인류

핵심 확인 토인비의 주장과 근거

토인비의 주장	가혹한 환경에 맞서 싸우며 인류가 지금까지 발전해 옴.
	↑
근거	① 고대 중국 문명: 험난하고 척박한 황허강 유역에서 고대 중국 문명이 생겨남. ② 청어와 관련된 이야기: 청어들이 가득 담긴 수조에 천적인 물메기를 넣으면 청어가 더 오랫동안 살아남음.

이것이 핵심! ✔ 쥐 격리 실험 사례

본론 1 ㉣ 우리는 삶에 시련이나 고통이 찾아오면 나쁜 일이 벌어졌다고만 생각한다. '왜 하필이면 이런 일이 나에게 일어났을까?'라고 생각하며 세상을 원망하기도 한다. 하지만 토인비의 주장에 따르면 시련이나 고통이 꼭 나쁜 것만은 아니다. 시련에 맞서 싸우는 과정에서 우리는 더욱 성숙해지고 강인해지니까 말이다.

㉤ 1960년대 초 어느 생물학자는 막 태어난 쥐 몇 마리를 21일 동안 매일 작은 우리 속에 15분 정도 격리했다가 다시 어미에게 보내 주는 실험을 했다. 그 결과 이 쥐들은 성장하면서 스트레스를 받아도 잘 이겨 내고, 모험을 두려워하지 않으며, 용감하게 도전했다. 반면 어미와 떨어져 본 경험이 없는 쥐들은 작은 스트레스에도 민감하게 반응하며 괴로워했다. 이 실험은 인간이 건강한 정신을 가지려면 반드시 적절한 좌절을 경험해야만 한다는 것을 증명한 사례이다.

본론 1 | 시련과 고통을 통해 인간은 더욱 성숙해질 수 있음.

핵심 확인 쥐 격리 실험 사례

어미와 떨어져 본 경험이 없는 쥐보다 어릴 적부터 어미와 격리된 경험을 꾸준히 한 쥐가 스트레스를 덜 받고 건강함. → 시련에 맞서 싸우는 과정에서 인간은 더욱 성숙해지고 강인해짐.

이것이 핵심! ✔ 관련 자료를 찾는 방법

본론 2 ㉥ 그런데 요즘 우리는 시련이나 고통이 찾아오면 지레 겁부터 먹는다. 어떻게든 도전할 생각을 하는 게 아니라 좌절하고 다시 못 일어나

05 (다)의 '청어'의 관점에서 '물메기'가 지닌 상징적 의미로 적절한 것은?

① 생명을 살리는 시련
② 즐거운 놀이를 할 친구
③ 도저히 넘을 수 없는 벽
④ 손쉽게 잡을 수 있는 먹잇감
⑤ 함께 도우며 살아가는 동반자

날개 확인 문제

06 (라)를 바탕으로 할 때, 시련과 고통이 꼭 나쁜 것이라고만 볼 수 <u>없는</u> 이유는?

① 견디어 내면 반드시 성공하므로
② 누구나 공평하게 겪는 일이므로
③ 자신에게 원인이 있는 것이 아니므로
④ 성숙해지고 강인해지는 계기가 되므로
⑤ 나중에 생각해 보면 좋은 추억이 되므로

핵심 | 날개 확인 문제

07 (마)의 실험 내용에 대해 더 알고 싶을 때 관련 자료를 찾는 방법으로 적절한 것은?

① 인터넷에서 쥐에 대해 검색해 본다.
② 인터넷에서 쥐의 생태와 관련된 자료를 찾아본다.
③ 국어사전에서 스트레스와 관련된 내용을 찾아본다.
④ 도서관에서 쥐에 관한 실험 기록을 모두 찾아본다.
⑤ 인터넷에서 쥐 격리 실험과 관련된 정보를 검색해 본다.

서술형

08 (바)에서 글쓴이가 문제를 제기하고 있는 사회 현상이 무엇인지 한 문장으로 서술하시오.

지 않을까부터 염려한다. 그런 두려움은 결국 도전을 무조건 회피하는 현상으로 나타난다.

사 "저는 중학생인데요. 이사를 가고 싶어요. 제가 사는 곳은 분위기도 저와 맞지 않는 것 같고, 학교도 집과 너무 멀리 떨어져 있어요. 게임을 하다가 생각대로 잘되지 않을 때, 그 게임을 삭제하고 새롭게 시작하면 그 전보다 나은 경우가 많거든요. 지금 문제도 이사를 가서 새롭게 출발하면 해결될 것으로 생각해요."

아 리셋(reset) 증후군을 보이는 중학생의 이야기이다. 리셋 증후군이란 컴퓨터가 원활하게 돌아가지 않거나 제대로 작동하지 않을 때 리셋 버튼만 누르면 처음부터 다시 시작할 수 있는 것처럼 현실 세계에서도 리셋이 가능할 것이라고 착각하는 현상을 일컫는 말이다. 힘들고 고통스러운 상황에서 벗어나 다시 새롭게 시작하고 싶은 마음이야 이해하지만 다른 상황이 된다 한들 역경이 없을까? 어떤 환경이든 고통스러운 과정은 있게 마련인데 그때마다 다시 새롭게 시작할 수는 없는 노릇 아닌가.

리셋: 데이터를 처리하는 기구 전체나 일부를 초기 상태로 되돌리는 일
역경: 일이 순조롭지 않아 매우 어렵게 된 처지나 환경

본론 2 힘들고 고통스러운 상황을 무조건 회피하는 현상인 '리셋 증후군'

핵심 확인 관련 자료를 찾는 방법

찾을 대상	자료를 찾는 방법
리셋 증후군	• 백과사전을 통해 리셋 증후군의 개념을, 심리학 책에서 리셋 증후군의 자세한 정보를 찾아봄. • 인터넷 검색을 통해 리셋 증후군과 관련된 검사용 표, 실제 사례와 해결 방법 등의 정보를 알아봄.

이것이 핵심! ✔ 관련 자료를 찾는 방법

본론 3 자 그렇다면 청소년기에 적절한 좌절을 경험하지 않으면 어떠한 문제가 생길 수 있을까? 당시에는 힘들고 고통스러운 상황을 겪지 않는다고 좋아할지 모르나, 어른이 되었을 때 오히려 더 큰 위기에 봉착할 수 있다. 2, 30대가 되어 그 나이에 겪어야 할 고통에서 사춘기의 고통까지 함께 겪게 될 수도 있기 때문이다.

봉착할: 어떤 처지나 상태에 부닥칠

09 **(사)의 '중학생'에 대한 설명으로 적절하지 <u>않은</u> 것은?**

① 삶을 게임처럼 생각하고 있다.
② 사는 곳에 적응하지 못하고 있다.
③ 학교가 집에서 너무 멀다고 생각한다.
④ 분위기를 바꾸어 새롭게 시작하고 싶어 한다.
⑤ 완전히 새롭게 출발하는 것은 어렵다고 생각한다.

핵심

10 **관련 자료를 참고하며 (아)를 읽은 방법으로 적절하지 <u>않은</u> 것은?**

① 국어사전에서 리셋 증후군의 개념을 찾아보았다.
② 인터넷을 활용하여 리셋 증후군의 진단 방법을 알아보았다.
③ 백과사전에서 리셋 증후군을 찾아 관련 지식을 확충하였다.
④ 인터넷 검색을 해서 리셋 증후군에 대한 다양한 사례를 살펴보았다.
⑤ 리셋 증후군과 관련된 심리학 책을 검색해서 심화된 지식을 습득하였다.

11 **(아)를 통해 알 수 있는 리셋 증후군에 대한 정보가 <u>아닌</u> 것은?**

① 컴퓨터의 리셋 버튼과 관련이 있다.
② 역경을 완전히 피할 수 있는 방법이 아니다.
③ 현실을 리셋할 수 있다고 착각하는 현상이다.
④ 누구나 마음속으로 생각해 보는 문제 해결 방법이다.
⑤ 고통이 있을 때마다 다시 시작할 수 없으므로 현실적 문제 해결 방법은 아니다.

핵심 서술형

12 **(자)를 바탕으로, 리셋 증후군에 걸려 청소년기를 보낼 경우 어떤 문제가 발생하는지 서술하시오.**

차 이와 관련하여 ㉠『그래도 계속 가라』라는 책에서 '늙은 매'라고 불리는 할아버지는 손자인 제레미에게 다음과 같이 말한다.

"폭풍이 얼마나 많이 불어닥치건 간에 폭풍에 맞서 대항하다 보면, 그것에 저항하기 위해서는 굳이 폭풍만큼 강할 필요가 없다는 사실을 터득하게 된다. 그냥 서 있을 정도로만 강하면 된다. 겁에 질린 채 떨면서 서 있든지, 주먹을 휘두르면서 서 있든지 간에 우리가 서 있는 한은 그만큼 강하다는 뜻이 아니겠느냐."

본론 3	청소년기에 적절한 좌절 경험이 필요한 까닭과 시련과 고통을 대하는 자세

핵심 확인 관련 자료를 찾는 방법

찾을 대상	자료를 찾는 방법
『그래도 계속 가라』	• 인터넷을 활용하여 『그래도 계속 가라』라는 책과 관련된 정보나 서평 등을 찾아봄. • 도서관에서 『그래도 계속 가라』라는 책을 찾아봄.

이것이 핵심! ✓ 글쓴이의 주장

결론 카 어떤 사람들은 잘하지 못할 바엔 처음부터 도전하지 않는 게 낫다고 말한다. 중간에 그만두면 괜히 시간만 낭비하는 셈이라고 주장하면서 말이다. 그러나 그것은 도전이 두려워 포기해 버리는 자의 변명에 불과하다. '늙은 매'의 말처럼 폭풍이 불어닥칠 때에는 그냥 서 있을 정도로만 강해도 된다. ㉡이렇게 생각한다면 할 수 없다고만 말할 게 아니라 뭐든 해 볼 수 있지 않을까? 포기하고 싶은 마음이 들 때는 더도 말고 덜도 말고 ㉢딱 한 발자국만 앞으로 나아가 보라. 시련을 이겨 내고 더 단단해진 나를 상상하면서 말이다.

결론	포기하고 싶을 때는 딱 한 발자국만 앞으로 나아가 보는 것이 좋음.

핵심 확인 글쓴이의 주장

포기하고 싶은 마음이 들 때 더도 말고 덜도 말고 딱 한 발자국만 앞으로 나아가라. → 청소년들에게 어려움이 닥쳤을 때 회피하지 말고 조금만 더 노력하라는 말을 전하고자 함.

13 (차)에서 '늙은 매'가 제레미에게 한 말을 이해한 내용으로 적절한 것은?

① 시련에 맞서려면 시련보다 강해야 한다.
② 시련을 시련으로 생각하지 않으면 된다.
③ 시련을 이겨 내려면 견딜 힘만 있으면 된다.
④ 시련은 당하기 전에 맞이하지 않는 것이 좋다.
⑤ 시련은 맞서지 말고 피해 가는 것이 바람직하다.

14 ㉠에 관해 얻을 수 있는 인터넷 자료로 적절하지 않은 것은?

① 책의 목차
② 독자들의 감상평
③ 작가에 관한 정보
④ 책에 수록된 참고 문헌
⑤ 책에 대한 전문가의 서평

15 ㉡에 사용된 표현 방법으로 적절한 것은?

① 의도적으로 주장을 반대로 표현하였다.
② 서로 모순되는 표현을 함께 제시하였다.
③ 서로 반대되는 대상을 견주어 표현하였다.
④ 의문의 형식으로 표현하여 내용을 강조하였다.
⑤ 표현하고자 하는 대상을 다른 대상에 직접 빗대어 표현하였다.

16 ㉢에 담긴 의미로 가장 적절한 것은?

① 미래를 향한 꿈
② 현실에 안주하는 마음
③ 함께하는 사람과의 연대
④ 시련을 이겨 내려는 의지
⑤ 과거에서 벗어난 새로운 출발

다지기 학습 활동

• 정답과 해설 p.46

이해 활동

1. **이 글에 제시된 사례들을 정리하여 글쓴이가 말하고자 하는 바를 파악해 봅시다.**

고대 문명의 발상지

험난한 황허강 유역에서 고대 중국 문명이 생겨남.

청어와 관련된 이야기

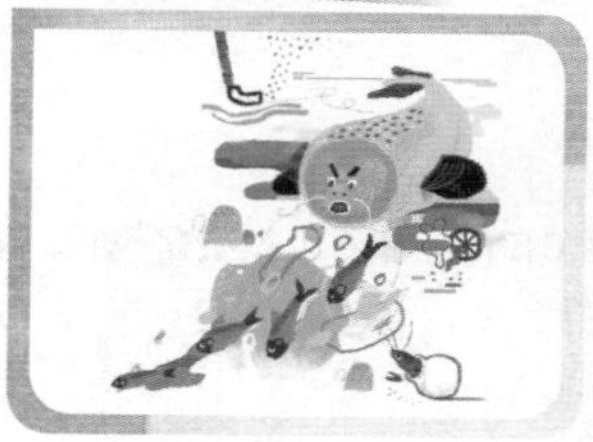

청어들이 가득 담긴 수조에 물메기를 넣으면 청어가 더 오랫동안 살아남음.

쥐 격리 실험

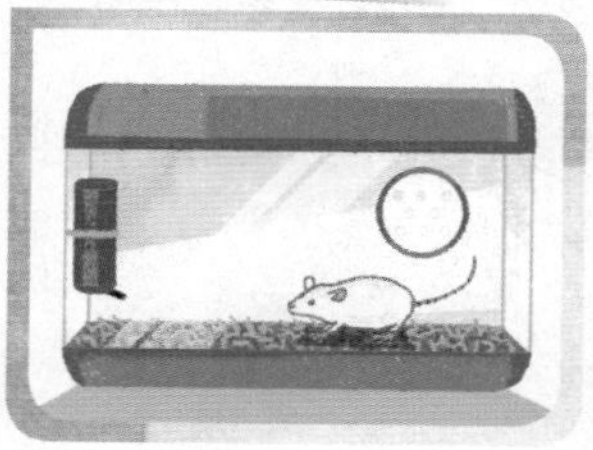

어미와 떨어져 본 경험이 없는 쥐보다 어릴 적부터 어미와 격리된 경험을 꾸준히 한 쥐가 스트레스를 덜 받고 건강함.

『그래도 계속 가라』의 내용

폭풍에 저항하기 위해서는 그냥 서 있을 정도로만 강하면 됨.

↓ 주장

어려움이 닥쳤을 때 회피하지 말고 (조금만 더 노력하라).

이해 **다지기 문제**

1 이 글을 통해 글쓴이가 전달하고자 하는 중심 생각으로 적절한 것은?

① 어려움은 두려움이 없다면 이겨 낼 수 있다.
② 어려움을 피하려 하지 말고 조금만 더 노력하자.
③ 어려움 뒤에는 반드시 즐거움이 따르는 법이다.
④ 쉬지 않고 노력한다면 누구나 성공을 거둘 수 있다.
⑤ 어려움은 누구나 겪는 일이므로 혼자만 힘들어 하지 말자.

서술형

2 이 글에서 글쓴이가 자신의 주장을 뒷받침하기 위해 사용한 방법은 무엇인지 서술하시오.

3 글쓴이가 제시한 〈보기〉의 사례에 나타난 '청어'와 '물메기'의 관계와 유사한 관계는?

보기

청어들이 가득 담긴 수조에 물메기를 몇 마리 넣으면 청어는 물메기에게 잡아먹히지 않으려고 있는 힘껏 도망다닌다. 청어에게 물메기와 함께 있는 것은 가혹한 시련이었으나, 그에 맞서 필사적으로 대응하다 보니 오히려 죽지 않고 살아남을 수 있었다.

	청어	물메기		청어	물메기
①	어부	갈매기	②	지게	지게꾼
③	학생	컴퓨터 게임	④	동성 친구	이성 친구
⑤	네덜란드	저지대 국토			

4 이 글을 읽으면서 관련 자료를 찾아 참고한 활동으로 적절하지 않은 것은?

① 쥐 격리 실험과 유사한 실험을 백과사전에서 찾아보았다.
② 고대 문명의 발상지를 다룬 책을 도서관에서 찾아 읽어 보았다.
③ 황허강 유역의 환경 정보를 좀 더 얻기 위해 인터넷을 검색해 보았다.
④ 청어와 물메기가 어떻게 생겼는지 인터넷에서 이미지를 검색해 보았다.
⑤ 『그래도 계속 가라』를 도서관에서 찾아 관련된 부분의 내용을 읽어 보았다.

목표 활동

1. 다음 학생들의 대화를 보고, 글을 읽으며 겪은 어려움이나 궁금증을 해결하는 방법을 생각해 봅시다.

> 지영: 이 글을 읽고 나서 지금까지 힘든 일이 있으면 쉽게 포기해 왔던 내 모습을 반성하게 되었어.
> 민준: 나도 그랬어. 특히 다시 새롭게 시작하면 모든 게 해결될 것으로 생각하는 리셋 증후군이 있는 건 아닐까 생각했지.
> 우현: ㉠<u>그런데 왜 리셋 증후군이라고 해?</u>
> 수정: 컴퓨터 용어 '리셋'과 '증후군'이 합쳐진 말 아니야?
> 지영: 나는 『역사의 연구』나 『그래도 계속 가라』라는 책의 내용을 알면 이 글을 이해하기 쉬울 것으로 생각했어.
> 우현: 그런 책의 내용을 알기 위해서는 어떻게 해야 하는 거야?

1 이 대화에서 학생들이 알고 싶어 하는 내용을 도서관이나 인터넷에서 찾는다면, 어떤 자료를 구할 수 있을지 정리해 봅시다.

	도서관	인터넷
리셋 증후군	백과사전을 통해 리셋 증후군의 개념을, 심리학 책 등을 통해 리셋 증후군의 자세한 정보를 찾을 수 있다.	리셋 증후군과 관련된 검사용 표, 실제 사례와 해결 방법 등의 정보를 얻을 수 있다.
『역사의 연구』	『역사의 연구』에 나오는 고대 문명의 발상지에 관한 내용을 찾아보거나 고대 문명의 발상지와 관련된 다른 책을 찾아 참고할 수 있다.	『역사의 연구』에 관한 주요 정보와 서평 등을 찾아보고, 고대 중국 문명과 관련하여 양쯔강과 황허강 유역의 환경 정보나 사진 자료를 검색해 본다.
『그래도 계속 가라』	『그래도 계속 가라』를 직접 찾아 읽고 더 알고 싶은 것들을 찾을 수 있다.	『그래도 계속 가라』의 표지, 차례, 주요 내용 등의 관련 정보와 서평, 독자들의 감상 등을 찾을 수 있다.

2 평소에 글을 읽으면서 이해하기 어려운 내용이 나왔을 때 어떻게 하였는지 말해 봅시다.

예시 답 필요한 자료를 찾을 때 최신 정보는 인터넷이나 신문 등을 활용하고, 깊이 있는 정보는 백과사전 등을 활용하였다.

목표 다지기 문제

1 이 대화를 바탕으로 자료를 참고하며 글을 읽기 위해 찾은 정보 중에서 성격이 <u>다른</u> 것은?

① 『역사의 연구』에 담긴 서평
② 『그래도 계속 가라』에서 찾은 관련 정보
③ 백과사전에 실려 있는 리셋 증후군의 개념
④ 블로그에 실려 있는 양쯔강과 황허강의 사진
⑤ 심리학 책을 통해 얻은 리셋 증후군의 다양한 정보

2 ㉠과 같은 궁금증을 가장 빠르고 손쉽게 해결하는 방법으로 적절한 것은?

① 인터넷 검색을 통해 찾아본다.
② 서점에서 관련 서적을 찾아본다.
③ 도서관에 있는 자료의 참고 문헌을 확인한다.
④ 도서관에서 심리학 전문 서적을 대출해 읽어 본다.
⑤ 백과사전에서 '리셋'과 '증후군'을 따로따로 찾아본다.

3 글을 읽으면서 이해하기 어려운 내용이 나왔을 때의 태도로 바람직하지 <u>않은</u> 것은?

① 제시된 참고 문헌을 찾아 필요한 정보를 얻는다.
② 내용에 관한 모든 정보를 신문에서 얻으려고 한다.
③ 백과사전을 활용하여 관련된 다양한 지식을 얻는다.
④ 인터넷을 활용하여 내용과 관련된 최신 정보를 찾아본다.
⑤ 깊이 있는 지식과 신뢰성이 있는 정보는 도서관에서 책을 통해 찾는다.

2. 도서관에서 이 글과 관련된 자료를 찾아보고, 알게 된 내용을 말해 봅시다.

리셋 증후군이란 컴퓨터 실행 중 프로그램에 문제가 생겼을 때 시스템을 초기화시킨다는 뜻의 '리셋(reset)'과 병적인 증상을 뜻하는 '증후군'이 합쳐진 말이다. 이 증후군에 속하는 사람들은 가상 세계와 현실 세계를 잘 구분하지 못하며, 조금만 어려움이 있어도 그것을 회피하고 다시 시작하려는 경향을 보인다. 최근 청소년들 사이에 리셋 증후군이 퍼지고 있어 심각한 사회 문제가 되고 있다.

1 이 글의 내용을 이해하기 위하여 도서관에서 찾은 자료의 목록을 적고, 도움이 된 점을 정리해 봅시다.

책 제목	내용	이 글의 이해에 도움이 된 점
『정재승의 도전 무한 지식 3』	컴퓨터와 디지털 제품에 둘러싸여 살아가는 현대인들은 인간관계나 사회생활에서도 마치 컴퓨터를 다루듯 초기화를 해 버리는 경향이 있다.	빠른 결과를 뜻하는 '퀵백(quick back)'과 같은 신조어를 비롯하여 디지털 시대의 어두운 면을 생각해 볼 수 있었다.
『신드롬을 읽다』	본래 전문 용어였던 '리셋'은 컴퓨터 사용이 보편화됨에 따라 점차 '완전히 바꾸다.' 또는 '모두 되돌리다.'라는 뜻으로 확장되었다.	리셋 증후군 이외에도 비슷한 맥락의 '컨트롤 제트 증후군'과 같은 디지털 시대와 관련한 현상들을 알 수 있었다.

2 **1**의 활동을 바탕으로 책을 읽으면서 이해하기 어려운 내용이 나왔을 때, 도서관을 이용하면 어떤 점이 좋을지 말해 봅시다.

예시 답 모르는 내용과 관련된 책을 찾아 읽음으로써 내용에 관한 이해도를 높이고, 배경지식을 확장할 수 있다.

목표 다지기 문제

4 글을 읽으면서 이해하기 어려운 내용이 나왔을 때, 도서관에서 도서 자료를 이용하면 좋은 점은?

① 필요한 정보만 손쉽게 찾아볼 수 있다.
② 가장 최신의 자료를 신속하게 얻을 수 있다.
③ 다양한 매체의 자료를 폭넓게 사용할 수 있다.
④ 모르는 내용과 관련된 신뢰성 있는 자료를 얻을 수 있다.
⑤ 다른 사람들과 교류하면서 내용 이해의 폭을 넓힐 수 있다.

3. 인터넷에서 이 글의 내용을 이해하는 데 도움이 되는 참고 자료를 찾아, 읽기에 자신감을 가져 봅시다.

백과사전 리셋 증후군

리셋 증후군의 특징

1. 무엇이든지 인터넷으로 해결할 수 있다고 생각한다.
2. 게임 또는 인터넷 속 세상이 현실처럼 느껴진다.
3. 자기 합리화가 심해지고 잘못을 저질러도 쉽게 없었던 일로 돌아갈 수 있다고 믿는다.
4. 책임감과 인내심이 부족해진다.

1 이 글을 읽으면서 잘 몰랐던 정보나 지식을 인터넷에서 찾아봅시다.

내가 잘 모르는 정보나 지식	수집한 자료	출처
고대 문명의 발상지	고대 문명의 발상지로는 티그리스강·유프라테스강 유역의 메소포타미아 문명, 나일강 유역의 이집트 문명, 인도의 인더스강 유역의 인더스 문명, 중국 황허강 유역의 중국 문명(황허 문명)이 있다. 이들 지역은 큰 강의 유역으로, 교통이 편리하고, 관개 농업에 유리한 물이 풍부하며, 모두 청동기, 문자, 도시 국가라는 특징을 지니고 있다.	『Basic 고교생을 위한 세계사 용어사전』
스트레스	스트레스는 좋은 스트레스(eustress)와 나쁜 스트레스(distress)로 나눌 수 있다. 당장에는 부담스럽더라도 적절히 대응하면 자신의 향후 삶을 개선시키는 스트레스는 좋은 스트레스이고, 자신의 대처나 적응에도 불구하고 지속되는 스트레스는 불안이나 우울 등의 증상을 일으킬 수 있는 나쁜 스트레스라고 할 수 있다.	국가건강정보의학포털

2 **1**의 활동을 하면서 힘들었던 점을 친구들과 이야기해 보고, 인터넷에서 참고 자료를 찾을 때 유의해야 할 점을 정리해 봅시다.

예시 답 인터넷에는 허위 정보나 쓸모없는 정보도 많으므로 정보를 수집할 때는 정확한 정보인지 확인해야 한다.

목표 다지기 문제

5 인터넷 자료를 활용하여 글을 읽을 때에 유의할 점이 아닌 것은?

① 허위 정보가 아닌지 살펴본다.
② 내용과 관련이 있는지 살펴본다.
③ 다양한 관점이 있는 경우 객관적으로 판단한다.
④ 되도록 이용자가 많은 사이트의 정보를 활용한다.
⑤ 인터넷 자료 검색의 효율적 방법을 적절히 활용한다.

성공적인 독서를 위한, 필요한 자료 찾아 읽기

한 편의 글을 제대로 이해하기 위해서는 필요한 자료를 능동적으로 찾아서 참고하며 읽어야 합니다. 글을 읽다 보면 낯선 용어나 개념, 모르는 정보나 지식과 마주 대하는 경우가 많은데, 이 경우 도서관과 인터넷, 사전 등에서 참고 자료를 찾아보면 모르는 것을 해소하고 배경지식을 확충할 수 있습니다.

창의・융합 활동

혼자 하기

1. 다음 광고와 관련된 참고 자료를 찾아, 이 광고의 주제를 파악해 봅시다.

예시 답 광고의 뜻을 정확하게 파악하기 위해 '철인삼종경기' 등에 관련된 정보를 찾아볼 수 있다. 이를 통해 이 광고는 장애인들의 처지에 관한 이해를 돕는 광고임을 알 수 있다.

혼자 하기

2. 1의 주제와 관련하여 자신이 읽으면 좋을 책의 내용을 생각해 보고, 앞으로의 독서 계획을 세워 봅시다.

예시 답 장애만이 아니라, 일상생활에서 접할 수 있는 다양한 편견에 관한 책들을 찾아 읽어 봐야겠다.
예 『피티 이야기』(벤 마이켈슨), 『바르톨로메는 개가 아니다』(라헐 판 코에이), 『사춘기 수호천사』(이범, 홍은경), 『완득이』(김려령) 등

수행 평가 대비 활동

| 수행 평가 TIP | 이 수행 평가 활동을 위해서는 학생들이 매일 접하는 광고에 담긴 뜻을 파악할 때, 매체를 활용하여 필요한 자료를 능동적으로 찾아 참고하여 내용을 이해하는 능력이 필요합니다. 광고를 통해 전달하고자 하는 중심 내용이 무엇인지 파악한 후에 중심 내용을 뒷받침할 수 있는 자료를 인터넷이나 도서관 누리집에서 검색해 보는 것도 좋은 방법입니다.

1 평가 내용 확인하기

- 광고의 주제를 파악하고 주제와 관련된 참고자료를 찾아 활용하기
- 광고의 주제를 확장하고 심화해 줄 독서 활동 수행하기

2 평가 기준 확인하기

- 광고의 주제와 관련된 참고자료를 찾을 수 있는가?

광고에 표현된 문자, 시각 자료, 청각 자료 등의 다양한 요소를 해석하여 광고의 주제를 정확히 파악한 후, 주제와 관련된 내용을 인터넷 검색으로 찾아봅시다. 인터넷을 검색해서 주제와 직접 관련된 정보를 얻을 수도 있고, 주제 관련 참고자료에 관한 정보를 얻을 수도 있으니, 상황에 맞게 활용하도록 해요.

- 앞으로의 독서 계획을 세울 수 있는가?

광고의 주제를 확장, 심화해서 알아보기 위해서는 관련 도서를 찾아 독서 활동을 하는 게 좋습니다. 주제와 관련된 도서를 인터넷을 통해 검색하고 도서 목록을 작성해 자신의 관심과 수준에 맞는 독서 계획을 세우도록 해요.

수행 평가 +

- 다양한 공익 광고 중에서 하나를 선택하고 다양한 자료를 활용하여 그 광고의 주제를 파악해 보자.

도와줄게 공익 광고는 한국방송광고진흥공사(https://www.kobaco.co.kr/)의 '공익광고자료실'에서 많이 만날 수 있어. 광고를 먼저 찾아봐. 광고를 찾을 때, 주제를 정하고 찾아야 시간 낭비를 줄일 수 있겠지?

핵심 콕 마무리

소단원 제재 정리

갈래: 논설문
성격: 설득적, 논리적
주제: 어려운 순간에 쉽게 포기하지 않고 견디고 극복하는 자세의 중요성
특징: ① 다양한 사례를 바탕으로 주장을 뒷받침함.
② 책의 내용을 인용하여 설득력을 높임.
③ 시련과 고통을 무조건 회피하는 자세를 비판함.

제재 한눈에 보기

서론	가혹한 환경에 맞서 싸우며 발전한 인류
본론 1	시련과 고통을 통해 인간은 더욱 성숙해질 수 있음.
본론 2	힘들고 고통스러운 상황을 무조건 회피하는 현상인 '(❸)'
본론 3	청소년기에 적절한 좌절 경험이 필요한 까닭과, 시련과 고통을 대하는 자세
결론	포기하고 싶을 때는 딱 한 발자국만 앞으로 나아가 보는 것이 좋음.

핵심 원리

관련 자료를 찾아 글을 읽어야 하는 상황
- 글을 읽으면서 모르는 단어나 낯선 용어, 모르는 정보나 지식과 맞닥뜨릴 때
- 더 알고 싶거나 궁금한 부분이 있을 때

관련 자료를 참고하며 읽는 방법

사전 찾아보기	국어사전, 백과사전, 분야별 사전 활용 – 뜻을 모르는 단어나 용례, 낯선 용어의 개념을 찾음.
인터넷 검색하기	인터넷을 활용 – 컴퓨터, 휴대 전화를 활용하여 손쉽게 정보를 찾을 수 있음.
도서관에서 자료 찾기	도서관 누리집에서 도서를 검색하여 활용 – 신뢰성 있는 정보를 찾을 수 있음.

관련 자료를 찾아 참고하며 글 읽기의 효과
- 능동적으로 글을 읽는 습관을 기를 수 있음.
- 글의 내용을 정확하고 깊이 있게 이해할 수 있음.
- 필요한 자료를 선별하는 비판적 사고력을 기를 수 있음.

핵심 내용

(1) 글쓴이의 주장과 근거

❶ 주장: 어려움이 닥쳤을 때 (❶)하지 말고 조금만 더 노력하라.

❷ 근거
① 고대 문명의 발상지: 험난한 (❷) 유역에서 고대 중국 문명이 생겨남.
② 청어와 관련된 이야기: 청어들이 가득 담긴 수조에 물메기를 넣으면 청어가 오랫동안 살아남음.
③ 쥐 격리 실험: 어미와 떨어져 본 경험이 없는 쥐보다 어릴 적부터 어미와 격리된 경험을 꾸준히 한 쥐가 스트레스를 덜 받고 건강함.
④ 『그래도 계속 가라』의 내용: 폭풍에 저항하기 위해서는 그냥 서 있을 정도로만 강하면 됨.

(2) 필요한 자료를 찾아 참고하며 글 읽기

필요한 자료	자료를 찾는 방법	
	도서관	인터넷
고대 문명의 발상지	고대 문명의 발상지와 관련된 책을 도서관에서 찾아봄.	양쯔강과 황허강 유역의 환경 정보나 사진 자료를 인터넷에서 찾아봄.
『역사의 연구』, 『그래도 계속 가라』	(❹) 누리집에서 검색을 한 후, 책을 찾아 대출하여 읽음.	도서 검색을 활용하여 책의 주요 내용과 차례, 서평, 다른 독자의 감상이나 평가 등을 찾아봄.
쥐 격리 실험	도서관에서 본문 제재가 실린 책을 찾아 참고 문헌을 확인하여 실험 내용이 나와 있는 책을 찾아봄.	실험 내용과 관련된 정보를 검색함.
리셋 증후군	(❺)에서 리셋 증후군 관련 지식을, 심리학 책에서 리셋 증후군의 자세한 정보를 찾아봄.	인터넷 검색을 통해 리셋 증후군과 관련된 검사용 표, 실제 사례와 해결 방법 등의 정보를 알아봄.

정답 ❶ 포기 ❷ 황허강 ❸ 리셋 증후군 ❹ 도서관 ❺ 백과사전

소단원 핵심 문제

• 정답과 해설 p.46

[01~04] 다음 글을 읽고 물음에 답하시오.

(가) 역사학자 토인비는 『역사의 연구』라는 책에서 아주 재미있는 역사 이론을 펼친다. 가혹한 환경이 인간을 위협하면 그에 맞서 싸우는 과정에서 인류 역사가 발전해 왔다고 주장한 것이다. 고대 중국 문명을 예로 들어 보자. 양쯔강과 황허강은 중국을 대표하는 강인데, 그중 양쯔강 유역은 기후가 따뜻하고 농토가 비옥해서 농사를 짓기에는 최적의 환경이었다. 반면 황허강 유역은 너무 추워서 겨울이면 강물이 얼어붙어 배가 다닐 수조차 없었다. 게다가 매년 범람이 잦아 농사 피해가 이만저만이 아니었다. 그런데 고대 문명이 생겨난 곳은 양쯔강이 아니라 험난한 황허강 유역이었다. 황허 문명뿐만 아니라 다른 고대 문명의 발상지 또한 모두 척박하기 이를 데 없는 환경이었다.

(나) 청어들이 가득 담긴 수조에 물메기를 몇 마리 넣으면 청어는 물메기에게 잡아먹히지 않으려고 있는 힘껏 도망 다닌다. 청어에게 물메기와 함께 있는 것은 가혹한 시련이었으나, 그에 맞서 필사적으로 대응하다 보니 오히려 죽지 않고 살아남을 수 있었다.

(다) 우리는 삶에 시련이나 고통이 찾아오면 나쁜 일이 벌어졌다고만 생각한다. '왜 하필이면 이런 일이 나에게 일어났을까?'라고 생각하며 세상을 원망하기도 한다. 하지만 토인비의 주장에 따르면 시련이나 고통이 꼭 나쁜 것만은 아니다. 시련에 맞서 싸우는 과정에서 우리는 더욱 성숙해지고 강인해지니까 말이다.

(라) 1960년대 초 어느 생물학자는 막 태어난 쥐 몇 마리를 21일 동안 매일 작은 우리 속에 15분 정도 격리했다가 다시 어미에게 보내 주는 실험을 했다. 그 결과 이 쥐들은 성장하면서 스트레스를 받아도 잘 이겨 내고, 모험을 두려워하지 않으며, 용감하게 도전했다. 반면 어미와 떨어져 본 경험이 없는 쥐들은 작은 스트레스에도 민감하게 반응하며 괴로워했다. 이 실험은 인간이 건강한 정신을 가지려면 반드시 적절한 좌절을 경험해야만 한다는 것을 증명한 사례이다.

출제 예감 90%

01 이 글을 읽으면서 필요한 자료를 찾아 참고한 활동으로 적절하지 않은 것은?

① '범람'의 뜻을 국어사전에서 찾아보았다.
② '토인비'와 관련하여 백과사전을 찾아보았다.
③ 『역사의 연구』에 관해 인터넷에서 검색해 보았다.
④ '청어'와 '물메기'의 관계를 알고자 교과서를 찾아보았다.
⑤ '쥐 격리 실험'과 유사한 실험이 있는지 인터넷에서 찾아 보았다.

출제 예감 70%

02 (가)의 내용과 일치하지 않는 것은?

① 황허강은 양쯔강에 비해 환경이 척박하다.
② 양쯔강에서는 고대 문명이 발생하지 않았다.
③ 인간은 가혹한 환경과 맞서 싸우며 발전했다.
④ 양쯔강과 황허강은 중국을 대표하는 강이다.
⑤ 중국 고대 문명은 비옥한 토지를 바탕으로 발전하였다.

출제 예감 90%

03 (다)를 바탕으로 할 때 '시련'의 의미를 올바르게 이해한 학생은?

① 영민: 시련은 모두 함께 겪는 것이 좋겠군.
② 민호: 강한 사람만이 시련을 이겨 낼 수 있겠어.
③ 영재: 시련이 오면 즐거운 일도 함께 온다는 말이군.
④ 진수: 시련을 겪지 않을 수 있다면 겪지 말아야겠어.
⑤ 수빈: 시련을 이겨 내는 과정에서 강인한 정신을 기를 수 있겠군.

출제 예감 90%

04 (라)에 제시된 '쥐 격리 실험'의 목적으로 적절한 것은?

① 쥐의 성장 과정을 알아보기 위해서
② 어린 쥐의 생태학적 특성을 살피기 위해서
③ 적절한 좌절의 긍정적 영향을 살피기 위해서
④ 스트레스의 부정적인 영향을 파악하기 위해서
⑤ 부모와 자식의 올바른 관계를 파악하기 위해서

[05~08] 다음 글을 읽고 물음에 답하시오.

(가) 그런데 요즘 우리는 시련이나 고통이 찾아오면 지레 겁부터 먹는다. 어떻게든 도전할 생각을 하는 게 아니라 좌절하고 다시 못 일어나지 않을까부터 염려한다. 그런 두려움은 결국 도전을 무조건 회피하는 현상으로 나타난다.

(나) "저는 중학생인데요. 이사를 가고 싶어요. 제가 사는 곳은 분위기도 저와 맞지 않는 것 같고, 학교도 집과 너무 멀리 떨어져 있어요. 게임을 하다가 생각대로 잘되지 않을 때, 그 게임을 삭제하고 새롭게 시작하면 그 전보다 나은 경우가 많거든요. 지금 문제도 이사를 가서 새롭게 출발하면 해결될 것으로 생각해요."

(다) 리셋(reset) 증후군을 보이는 중학생의 이야기이다. 리셋 증후군이란 컴퓨터가 원활하게 돌아가지 않거나 제대로 작동하지 않을 때 리셋 버튼만 누르면 처음부터 다시 시작할 수 있는 것처럼 현실 세계에서도 리셋이 가능할 것이라고 착각하는 현상을 일컫는 말이다. 힘들고 고통스러운 상황에서 벗어나 다시 새롭게 시작하고 싶은 마음이야 이해하지만 다른 상황이 된다 한들 역경이 없을까? 어떤 환경이든 고통스러운 과정은 있게 마련인데 그때마다 다시 새롭게 시작할 수는 없는 노릇 아닌가.

(라) 그렇다면 청소년기에 적절한 좌절을 경험하지 않으면 어떠한 문제가 생길 수 있을까? 당시에는 힘들고 고통스러운 상황을 겪지 않는다고 좋아할지 모르나, 어른이 되었을 때 오히려 더 큰 위기에 봉착할 수 있다. 2, 30대가 되어 그 나이에 겪어야 할 고통에서 사춘기의 고통까지 함께 겪게 될 수도 있기 때문이다.

(마) 이와 관련하여 『그래도 계속 가라』라는 책에서 '늙은 매'라고 불리는 할아버지는 손자인 제레미에게 다음과 같이 말한다.

"폭풍이 얼마나 많이 불어닥치건 간에 폭풍에 맞서 대항하다 보면, 그것에 저항하기 위해서는 굳이 폭풍만큼 강할 필요가 없다는 사실을 터득하게 된다. 그냥 서 있을 정도로만 강하면 된다. 겁에 질린 채 떨면서 서 있든지, 주먹을 휘두르면서 서 있든지 간에 우리가 서 있는 한은 그만큼 강하다는 뜻이 아니겠느냐."

출제 예감 85%

05 (가)~(마)에 대한 설명으로 적절하지 않은 것은?

① (가): 사회 현상 중 하나에 대해 언급하고 있다.
② (나): 직접 인용을 통해 현실감을 높이고 있다.
③ (다): 용어의 뜻을 명확하게 제시하고 있다.
④ (라): 묻고 답하는 형식으로 설득력을 높이고 있다.
⑤ (마): 글쓴이의 주장이 직접적으로 담겨 있다.

출제 예감 90% 서술형

06 (다)의 내용을 바탕으로 (나)의 중학생에게 해 줄 충고의 말을 〈조건〉에 맞게 서술하시오.

조건
친근한 말투를 활용할 것

출제 예감 95%

07 (라)에서 글쓴이가 강조하려는 내용으로 적절한 것은?

① 청소년기의 좌절은 어른이 되어 겪으면 된다.
② 청소년기의 좌절은 되도록 많이 겪을수록 좋다.
③ 청소년기에 적절한 좌절을 경험하는 것이 바람직하다.
④ 청소년기에는 실패보다는 성공의 경험이 더 중요하다.
⑤ 청소년기의 좌절은 2, 30대의 좌절보다 더 큰 충격이다.

출제 예감 80%

08 관련 자료를 참고하며 (마)를 읽은 방법으로 적절한 것은?

① '폭풍'의 종류를 국어사전에서 찾아보았다.
② '폭풍'을 검색해서 관련된 문학 작품을 찾아보았다.
③ '제레미'를 인명 사전에서 찾아서 자세한 정보를 탐색하였다.
④ 『그래도 계속 가라』를 인터넷에서 검색해서 목차를 살펴보았다.
⑤ 『그래도 계속 가라』를 백과사전에서 찾아 세부 내용을 살펴보았다.

소단원 핵심 문제

[09~12] 다음 글을 읽고 물음에 답하시오.

(가) 역사학자 ㉠토인비는 ㉡『역사의 연구』라는 책에서 아주 재미있는 역사 이론을 펼친다. 가혹한 환경이 인간을 위협하면 그에 맞서 싸우는 과정에서 인류 역사가 발전해 왔다고 주장한 것이다. ㉢고대 중국 문명을 예로 들어 보자. 양쯔강과 황허강은 중국을 대표하는 강인데, 그중 양쯔강 유역은 기후가 따뜻하고 농토가 비옥해서 농사를 짓기에는 최적의 환경이었다. 반면 황허강 유역은 너무 추워서 겨울이면 강물이 얼어붙어 배가 다닐 수조차 없었다. 게다가 매년 범람이 잦아 농사 피해가 이만저만이 아니었다. 그런데 고대 문명이 생겨난 곳은 양쯔강이 아니라 험난한 황허강 유역이었다.

(나) ㉣리셋(reset) 증후군을 보이는 중학생의 이야기이다. 리셋 증후군이란 컴퓨터가 원활하게 돌아가지 않거나 제대로 작동하지 않을 때 리셋 버튼만 누르면 처음부터 다시 시작할 수 있는 것처럼 현실 세계에서도 리셋이 가능할 것이라고 착각하는 현상을 일컫는 말이다. 힘들고 고통스러운 상황에서 벗어나 다시 새롭게 시작하고 싶은 마음이야 이해하지만 다른 상황이 된다 한들 역경이 없을까? 어떤 환경이든 고통스러운 과정은 있게 마련인데 그때마다 다시 새롭게 시작할 수는 없는 노릇 아닌가.

(다) 그렇다면 청소년기에 ⓐ적절한 좌절을 경험하지 않으면 어떠한 문제가 생길 수 있을까? 당시에는 힘들고 고통스러운 상황을 겪지 않는다고 좋아할지 모르나, 어른이 되었을 때 오히려 더 큰 위기에 ㉤봉착할 수 있다. 2, 30대가 되어 그 나이에 겪어야 할 고통에서 사춘기의 고통까지 함께 겪게 될 수도 있기 때문이다.

(라) 어떤 사람들은 잘하지 못할 바엔 처음부터 도전하지 않는 게 낫다고 말한다. 중간에 그만두면 괜히 시간만 낭비하는 셈이라고 주장하면서 말이다. 그러나 그것은 도전이 두려워 포기해 버리는 자의 변명에 불과하다. '늙은 매'의 말처럼 폭풍이 불어닥칠 때에는 그냥 서 있을 정도로만 강해도 된다. 이렇게 생각한다면 할 수 없다고만 말할 게 아니라 뭐든 해 볼 수 있지 않을까? 포기하고 싶은 마음이 들 때는 더도 말고 덜도 말고 딱 한 발자국만 앞으로 나아가 보라. 시련을 이겨 내고 더 단단해진 나를 상상하면서 말이다.

출제 예감 95%

09 이 글에 대한 설명으로 적절하지 않은 것은?

① 예상되는 반박을 제시한 후 재반박하고 있다.
② 구체적인 사례를 들어 주장을 뒷받침하고 있다.
③ 저명한 인물의 저서를 인용하여 설득력을 높이고 있다.
④ 묻고 답하는 형식을 활용하여 표현 효과를 높이고 있다.
⑤ 글쓴이의 개인적 경험을 활용하여 주장을 내세우고 있다.

출제 예감 80%

10 (라)를 통해 글쓴이가 하고자 하는 말로 적절한 것은?

① 포기하고 싶을 때 조금만 더 노력하자.
② 중간에 포기하는 것은 아니한 것만 못하다.
③ 시련 없이 성공한 사람은 존재하지 않는다.
④ 마음처럼 안 될 때에는 미련 없이 포기하자.
⑤ 중간에 포기하는 것은 시간을 낭비하는 것이다.

출제 예감 90% 서술형

11 ⓐ의 구체적인 예를 (가)에서 찾아 서술하시오.

사고력 확장 문제

12 ㉠~㉤ 중 <보기>의 밑줄 친 부분을 이해하기 위해 자료를 활용할 때와 방법이 다른 것은?

보기

디자이너들이 '존경하는 디자이너'로 손꼽는 빅터 파파넥은 세계 각국을 다니며 가난한 사람들, 장애인과 어린이, 여성과 문맹 등 소외된 사람들과 자연을 위한 디자인을 선보이며, 디자인의 영역과 지평을 넓혔다는 찬사를 받고 있다.

① ㉠ ② ㉡ ③ ㉢ ④ ㉣ ⑤ ㉤

단원+단원

활동 순서 모둠별 토의를 바탕으로 소개할 책 선정하기 → 영상물 촬영 계획 세우기 → 완성한 영상물을 누리집 게시판에 올리기 → 다른 모둠의 영상물을 보고 관심이 생긴 책 선택하기

활동 길잡이
소개하고 싶은 내용을 정할 때에는 그 대상을 선정한 까닭이 있게 마련이므로 이를 구체적으로 생각해 본다. 인터넷 등의 매체를 활용하여 책의 내용과 관련되는 사회적 사건이나 다양한 참고 자료를 준비한다.

1 모둠별로 소개하고 싶은 책을 골라 영상물에서 다룰 내용을 정해 봅시다.

책 제목 예시 답 『합체』

주요 내용
'난쟁이' 아버지를 둔 키 작은 쌍둥이 형제들의 성장을 위한 눈물겨운 분투기

추천하는 까닭
청소년기에 누구나 한 번쯤 겪게 되는 외모 콤플렉스에 관한 시원한 해결책을 제시해 준다.

느낀 점
'꿈을 이루기 위해 노력하는 게 혁명'이라는 소설 속의 대사처럼 비록 불가능해 보이지만 끊임없이 노력하는 모습이 중요함을 다시 한번 깨닫게 되었다.

기타
제8회 사계절문학상 대상 수상작이다.

활동 길잡이
효과적인 책 소개 영상물을 제작하기 위해 모둠별로 내용과 형식을 고려하여 의논한다. 이야기판을 작성할 때에는 실제적인 촬영 계획을 위해 최소 12장면 이상 작성하는 것이 좋다.

2 책의 내용을 영상물로 표현할 수 있도록 계획을 세워 봅시다.

1 영상물의 형식을 결정해 봅시다.

☐ 동영상 촬영하기 ☐ 사진 연결하기
☑ 손 그림(글씨) 연결하기 ☐ 애니메이션 만들기
☐ 기타:

2 1의 내용을 바탕으로 영상물에 들어갈 장면을 마련해 봅시다.

순서	장면 그림	장면 내용	
1	체육 시간의 농구 경기에서 작은 키 때문에 친구들과 비교당하는 합과 체	설명	손으로 그린 그림이 합, 체, 병철, 체육 선생님 순으로 등장함.
		소리	• 경쾌한 느낌의 배경 음악 • 농구 경기 심판의 호루라기 소리
		자막	체육 선생님의 대사: "지금처럼 쪼그매서야 어디 졸업할 때까지 공 한 번 넣어 보겠어?"
2	마을 뒷산 약수터에 등장한 이상한 노인	설명	산속 약수터 배경의 그림이 먼저 제시되고, 이상한 노인이 등장함.
		소리	경쾌한 느낌의 배경 음악이 이어짐.
		자막	이상한 노인의 대사: "도라……. 그렇게 부른다면 그런 것이겠지요."
3	공을 가지고 사람들 앞에서 쇼를 했던, 난쟁이인 합과 체의 아버지	설명	그림의 중앙에 난쟁이 아버지, 양옆으로 어머니와 다른 사람들이 순서대로 등장함. / 과거의 이야기이기에 흑백으로 처리함.
		소리	잔잔한 느낌의 배경 음악으로 전환됨.
		자막	어머니의 대사: "아버지는 예능인이시다." 다른 사람들의 대사: "난쟁이 쇼쟁이야."

활동 길잡이
실제로 촬영하고 편집하여 완성한 영상물을 학교 누리집 게시판에 올리고, 친구들의 평을 들어 본다. 이때 제시된 책 소개 영상 관련 평가 점검표에 따라 서로 평가해 본다.

3 완성한 영상물을 학교 누리집 게시판에 올리고, 친구들의 평을 들어 봅시다. 예시 답 생략

참고 ※ 책 소개 영상 관련 평가 점검표

평가 기준	결과
책의 주제나 내용 등에 관한 자신만의 해석이 드러나는가?	☆☆☆☆☆
영상 전체의 일관성이 있는가?	☆☆☆☆☆
보는 사람이 읽고 싶게 매력적으로 표현하였는가?	☆☆☆☆☆
촬영 등 편집 기법이 내용을 전달하는 데 효과적인가?	☆☆☆☆☆
내용의 흐름이 자연스럽도록 편집되었는가?	☆☆☆☆☆
소리나 음악 등이 글, 영상과 조화를 이루었는가?	☆☆☆☆☆

활동 길잡이
다른 모둠의 책 소개 영상물을 보고, 이 과정에서 관심이 생긴 책을 정리한 후 방학 기간을 활용하여 읽어 본다.

4 다른 모둠의 책 소개 영상물을 보고 관심이 생긴 책이 있다면 그 제목을 써 봅시다. 예시 답 생략

대단원 확인 문제

[01~05] 다음 글을 읽고 물음에 답하시오.

(가) **S# 33 교무실(낮)**

빠른 느낌의 경쾌한 음악이 흐르고 낮은 유리 탁자에 놓인 '학생 동아리 한마당' 포스터. 그걸 쭉 밀어서 홍구 쪽으로 보여 주는 유진. 심지어 약간 의기양양한 표정이다. 홍구는 인상을 찌푸리며 포스터를 본다. 한참을 한 글자 한 글자 보는 홍구.

홍구 그러니까 특별반 애들을 데리고 여기를 나간다고요?

(나) **S# 34 특별반 교실(낮)**

교탁에 서 있는 유진. 몹시 신난 표정이다.

유진 응!

그러나 심드렁한 아이들 반응. 모두 어리둥절한 분위기.

성아 우리가 거기 나가서 뭐해요?

(다) **S# 41 특별반 교실(낮)**

㉠ 교탁에 서 있는 유진. 뿌듯한 표정으로 아이들을 바라보다 아이들 쪽으로 다가가 책상 위에 걸터앉는다. 건너편에서 하나가 아이들에게 악보를 한 장씩 나눠 주고 있다.

하나 자, 다 받았지? 분위기 왜 그래? 이거 간단하고 아주 유명한 거니까 그냥 가볍게 불러 보자. 알았지?

몇몇 아이는 악보를 뚫어져라 보고, 몇몇은 그냥 한번 쓱 보고 만다.

하나 자, 선생님이 하나, 둘 하면 하는 거야. 자 준비. (신나게) 하나, 둘!

조용하다. 당황한 하나.

(라) **S# 42 학교 건물 뒤(낮)**

학교 건물 밖으로 나온 유진. 두리번거리다 학교 뒤편에서 공을 차는 정훈을 발견한다. 공이 벽을 맞고 굴러간 곳으로 정훈이 시선을 돌린다. 여자 구두를 신은 다른 발이 공을 뻥 찬다. 유진이다. 유진이 발로 찬 공이 정훈에게 간다.

유진 패스!

그 소리를 듣고 슬쩍 유진에게 공을 차는 정훈.

유진 모르는 사람이 갑자기 뭐 시켜서, 화가 나서? 응?

정훈에게 굴러온 공. 정훈이 말없이 다시 유진에게 건넨다.

유진 말해 줘. 정확하게 말 안 해 주면 몰라. 나만 모르나? 아무도 몰라.

정훈 창피해서요. / 유진 뭐가?

정훈 저 그거 볼 줄 몰라요.

유진 뭐? 악보? / 정훈 배운 적 없어요.

01 이와 같은 영상물을 제작하는 단계 중 〈보기〉와 같은 단계로 적절한 것은?

보기

순서	장면 그림	장면 내용	
1		카메라	성아가 가방을 메고 헐레벌떡 학교로 달려가는 모습이 모두 보이도록 찍음. 교문에서 성아가 뛰어오는 쪽을 배경으로 촬영함.
		소리	• 경쾌한 느낌의 음악, 도로에 자동차가 달리는 소리와 인물의 숨이 차오르는 소리 • 화면 밖에서 고은의 목소리가 효과음으로 나옴.
		자막	없음.

① 편집하기 ② 촬영하기 ③ 이야기판 만들기 ④ 영상물 기획하기 ⑤ 시나리오 작성하기

02 (가), (나)에서 유진의 등장 장면을 이어 붙임으로써 얻을 수 있는 효과로 적절하지 않은 것은? (2개)

① 긴장감을 느낄 수 있다.
② 시간을 압축적으로 보여 준다.
③ 중심 사건의 변화를 알려 준다.
④ 다양한 인물의 반응을 살필 수 있다.
⑤ 편안하고 안정된 분위기를 조성한다.

03 (가)~(다)의 등장인물에 대한 이해로 적절하지 않은 것은?

① 유진 – 적극적이고 주도적이다.
② 홍구 – 아이들에 대해 부정적이다.
③ 아이들 – 적극적이지 않고 무관심하다.
④ 하나 – 아이들의 의외의 반응에 당황한다.
⑤ 성아 – 유진의 생각에 긍정적 반응을 보인다.

04 (라)에서 유진과 정훈이 공을 주고받는 행위에 담긴 의미로 적절한 것은?

① 서로에 대한 불신을 상징한다.
② 새로운 갈등의 시작을 의미한다.
③ 미묘하게 대립되는 경쟁을 의미한다.
④ 서로의 마음을 주고받는 것을 의미한다.
⑤ 사회에 대한 두 사람의 불만을 표현한다.

서술형

05 ㉠을 표현하기에 알맞은 카메라의 각도와 거리를 서술하시오.

[06~09] 다음 글을 읽고 물음에 답하시오.

(가) **S# 43 특별반 교실(낮)**

하나는 앞에서 박자를 맞추며 음계를 부르고 있고, 지혜가 덤덤하게 따라 부르고 있다. 다들 지루하고 무기력한 모습이다. 문이 열리고 유진과 정훈이 교실로 들어온다. 아이들의 시선이 모두 정훈에게 향한다. 자리에 앉은 정훈을 돌아보며 안도하는 기색의 성아.

유진 노래가 원래 이런 분위기에서는 잘 안되는 거 같아. 그렇지?

(나) **S# 46 특별반 교실(낮)**

형주가 고은을 유진에게 데리고 온다.

형주 야, 말해 봐. 빨리. / 유진 뭔데?

고은 아, 그 별것은 아닌데요.

형주 그 학생 주임 선생님 있잖아요.

고은 (재촉하는 형주에게) 아, 가만히 있어. 넌 좀.

유진 (피식 웃으며) 뭔데?

고은 뮤지컬 하면은요, 이야기 같은 거 있어야 하잖아요. 대본 이런 거.

(다) **S# 47 뮤지컬의 내용 – 고은의 상상**

아침. 성아가 가방을 메고 헐레벌떡 학교로 달리고 있다.

고은(E.) 안 걸리려고 몰래 들어가죠. 교문은 잘 통과하나 했는데, 딱 교문에 학생 주임 선생님이 있어서 '걸렸구나.' 했어요. 근데 뭔가 좀 이상한 거예요.

우두커니 서 있는 홍구. 이쪽을 보고 있는 것 같은데 아무런 미동이 없다. 성아가 학생 주임에게 다가간다.

고은(E.) 재밌기도 하고요. 그래서요.

(라) 형주 선생님, 그럼 선생님은 딸 하나예요? 아들 없어요?

형주가 자장면을 오물오물 씹으면서 질문한다. 홍구는 곧잘 대답하던 지금까지와는 다르게 대답을 미룬다.

홍구 큰아들은 중학생이었는데…….

'었는데?' 과거형에 의아한 아이들. 다들 먹기를 멈추고 홍구의 말에 귀를 기울인다.

홍구 오토바이 그것만 아니었으면……, 올해 대학교 갔겠네.

형주 그럼 아들이 죽었어요?

고은 아, 입방정!

㉠<u>순식간에 숙연해지는 분위기</u>. 아이들은 어떤 말을 해야 할지 몰라 한다.

06 이 글에 대한 설명으로 적절하지 <u>않은</u> 것은?

① 비현실적인 장면이 들어 있다.
② 청소년들의 삶을 소재로 하고 있다.
③ 대사와 행동을 통해 주제가 드러나고 있다.
④ 인물의 심리를 내레이션을 통해 전달하고 있다.
⑤ 영상 언어의 구성 요소가 효율적으로 사용되고 있다.

07 연출자의 입장에서 (가)의 아이들 역할을 맡은 배우들에게 해 줄 조언으로 적절한 것은?

① 유진에 대한 불만을 거친 행동으로 보여 주세요.
② 모두 산만하고 의욕이 없는 모습을 보여 주세요.
③ 서로 자기가 잘났다고 다투는 모습이 필요합니다.
④ 의욕적으로 연습하면서 밝은 분위기를 연출하세요.
⑤ 몇 명은 적극적으로, 몇 명은 소극적으로 참여해 주세요.

08 (나)에서 (다)로 넘어오면서 고은의 대사를 효과음으로 처리한 이유로 적절한 것은?

① 극적인 재미를 더욱 높일 수 있어서
② 고은의 성격을 명확하게 드러내기 위해서
③ 상상 장면임을 분명하게 드러내기 위해서
④ 작품의 주제와 밀접한 관련이 있기 때문에
⑤ 현실감이 더 드러날 수 있도록 하기 위해서

서술형

09 ㉠과 같이 된 이유가 무엇인지 한 문장으로 서술하시오.

[10~14] 다음 글을 읽고 물음에 답하시오.

가 **S# 64 강당(낮)**

안무를 맞추고 있는 아이들. 종전에는 화기애애했는데 자꾸 안 맞으니까 조금씩 신경질이 난 상태다. 성아가 손짓을 탁! 하면 팔을 쫙쫙 벌리면서 옆으로 퍼져 나가야 하는데 자꾸 부딪친다.

성아 야, 내가 이리로 오면 너는 옆으로 빠져야지.

형주 나는 원래대로 한 거야.

성아 아, 조용히 해.

지혜 아, 오늘 진짜 하기 싫어.

고은 아, 선생님. 우리 놀러 가면 안 돼요?

자꾸 반복되는 연습에 지친 아이들이 바닥에 풀썩풀썩 주저앉는다.

유진 야, 너넨 요거 하고 쉬냐?

병민 (작게) 바다 가고 싶다.

정훈 오! 김병민! 바다!

나 **S# 68 학교 강당 근처(낮)**

뮤지컬 연습을 하던 강당 옆 계단. 아이들이 앉아 있고, 유진이 풀이 죽은 표정으로 말을 꺼낸다.

유진 내가 생각해 봤는데, 우리가 지금 연습해야지, 바다에 갈 때는 아닌 것 같아. (머뭇거리며) 우리 끝나고 갈까?

정훈 왜 안 된대요? 우리가 또 사고 칠까 봐 그렇대요?

성아 뻔하지 뭐.

형주 그냥 가요.

어쩔 줄 몰라 하는 유진. 갑자기 자동차 경적 소리(E.)가 난다. 아이들의 시선이 뒤쪽으로 향한다. 차에서 내리는 사람은 가죽 재킷을 입고 선글라스를 낀 홍구. 유진의 표정이 점점 밝아지며, 홍구와 아이들을 번갈아 쳐다본다.

홍구 얘들아, (손을 흔들며) 가자! 이리 와.

다 그래서 토인비는 인류 역사는 곧 도전과 응전의 역사로 설명될 수 있으며, 가혹한 환경이 없었다면 인류는 지금처럼 발전할 수 없었을 거라고 말한다. 토인비는 이 주장을 뒷받침하기 위해 청어와 관련된 이야기도 했다. 보통 북해나 베링 해협 같은 먼바다에서 잡히는 청어는 운반되는 동안 죽어 버리기 일쑤이다. 그런데 언젠가부터 런던에 살아 있는 청어가 대량으로 공급되기 시작했다. 그 비결은 청어의 천적, 물메기에 있었다.

라 어떤 사람들은 잘하지 못할 바엔 처음부터 도전하지 않는 게 낫다고 말한다. 중간에 그만두면 괜히 시간만 낭비하는 셈이라고 주장하면서 말이다. 그러나 그것은 도전이 두려워 포기해 버리는 자의 변명에 불과하다. '늙은 매'의 말처럼 폭풍이 불어닥칠 때에는 그냥 서 있을 정도로만 강해도 된다. 이렇게 생각한다면 할 수 없다고만 말할 게 아니라 뭐든 해 볼 수 있지 않을까? 포기하고 싶은 마음이 들 때는 더도 말고 덜도 말고 딱 한 발자국만 앞으로 나아가 보라. 시련을 이겨 내고 더 단단해진 나를 상상하면서 말이다.

10 (가)와 (나)의 영화에 대한 자기 생각을 인터넷 매체에 올릴 때 유의할 점이 아닌 것은?

① 적극적으로 소통하는 태도를 가진다.
② 다른 사람의 생각을 인용하여 올린다.
③ 글을 읽는 사람을 존중하는 표현을 사용한다.
④ 인터넷 매체에 따른 활용 방법을 먼저 파악한다.
⑤ 이모티콘이나 인터넷 용어를 지나치게 사용하지 않는다.

11 (가)에서 드러나는 갈등 상황을 설명한 것으로 적절한 것은?

① 연습에 지친 학생들끼리 갈등하고 있다.
② 집단과 집단 간의 갈등이 일어나고 있다.
③ 사회적 원인이 갈등의 이유가 되고 있다.
④ 유진과 학생들 간의 갈등이 벌어지고 있다.
⑤ 갈등 해결의 실마리가 전혀 보이지 않는다.

12 (나)를 촬영하기 위한 계획으로 적절하지 않은 것은?

① 유진은 아이들에게 미안한 표정을 짓도록 한다.
② 아이들은 감정을 고조시키면서 화를 내도록 한다.
③ 아이들이 홍구에게 반가운 마음으로 달려가도록 한다.
④ 홍구가 등장하는 것을 본 유진은 밝은 표정을 짓도록 한다.
⑤ 화면 밖에서 들리는 자동차 경적 소리는 효과음으로 처리한다.

13 (나), (다)를 읽을 때, 자료를 참고한 것으로 적절하지 않은 것은?

① 'E.'를 시나리오 용어 사전에서 찾아보았다.
② '도전'과 '응전'의 차이를 국어사전에서 찾아보았다.
③ '북해'의 위치를 지리부도에서 찾아보았다.
④ '청어'와 '물메기'의 생김새를 인터넷에서 찾아 비교해 보았다.
⑤ '가혹한 환경'에는 어떤 것이 있는지 백과사전을 찾아보았다.

서술형

14 (라)의 글쓴이와의 가상 인터뷰에서 〈보기〉와 같은 질문에 대한 예상 대답을 한 문장으로 서술하시오.

보기

질문: 끝으로 청소년들에게 하고 싶은 말씀이 있으시면 해 주시겠습니까?

조건

대화하는 것처럼 서술할 것

[15~20] 다음 글을 읽고 물음에 답하시오.

가 역사학자 토인비는 『역사의 연구』라는 책에서 아주 재미있는 역사 이론을 펼친다. ㉠가혹한 환경이 인간을 위협하면 그에 맞서 싸우는 과정에서 인류 역사가 발전해 왔다고 주장한 것이다. 고대 중국 문명을 예로 들어 보자. 양쯔강과 황허강은 중국을 대표하는 강인데, 그중 양쯔강 유역은 기후가 따뜻하고 농토가 ㉡비옥해서 농사를 짓기에는 최적의 환경이었다. 반면 황허강 유역은 너무 추워서 겨울이면 강물이 얼어붙어 배가 다닐 수조차 없었다. 게다가 매년 범람이 잦아 농사 피해가 이만저만이 아니었다. 그런데 고대 문명이 생겨난 곳은 양쯔강이 아니라 험난한 황허강 유역이었다.

나 1960년대 초 어느 생물학자는 막 태어난 쥐 몇 마리를 21일 동안 매일 작은 우리 속에 15분 정도 ㉢격리했다가 다시 어미에게 보내 주는 실험을 했다. 그 결과 이 쥐들은 성장하면서 스트레스를 받아도 잘 이겨 내고, 모험을 두려워하지 않으며, 용감하게 도전했다. 반면 어미와 떨어져 본 경험이 없는 쥐들은 작은 스트레스에도 민감하게 반응하며 괴로워했다.

다 리셋(reset) 증후군을 보이는 중학생의 이야기이다. 리셋 증후군이란 컴퓨터가 원활하게 돌아가지 않거나 제대로 작동하지 않을 때 리셋 버튼만 누르면 처음부터 다시 시작할 수 있는 것처럼 현실 세계에서도 리셋이 가능할 것이라고 착각하는 현상을 일컫는 말이다. 힘들고 고통스러운 상황에서 벗어나 다시 새롭게 시작하고 싶은 마음이야 이해하지만 다른 상황이 된다 한들 ㉣역경이 없을까? 어떤 환경이든 고통스러운 과정은 있게 마련인데 그때마다 다시 새롭게 시작할 수는 없는 노릇 아닌가.

라 이와 관련하여 『그래도 계속 가라』라는 책에서 '늙은 매'라고 불리는 할아버지는 손자인 제레미에게 다음과 같이 말한다.

"폭풍이 얼마나 많이 불어닥치건 간에 폭풍에 맞서 대항하다 보면, 그것에 저항하기 위해서는 굳이 폭풍만큼 강할 필요가 없다는 사실을 ㉤ 터득하게 된다. 그냥 서 있을 정도로만 강하면 된다. 겁에 질린 채 떨면서 서 있든지, 주먹을 휘두르면서 서 있든지 간에 우리가 서 있는 한은 그만큼 강하다는 뜻이 아니겠느냐."

(마) 어떤 사람들은 잘하지 못할 바엔 처음부터 도전하지 않는 게 낫다고 말한다. 중간에 그만두면 괜히 시간만 낭비하는 셈이라고 주장하면서 말이다. 그러나 그것은 도전이 두려워 포기해 버리는 자의 변명에 불과하다. '늙은 매'의 말처럼 ⓐ 폭풍이 불어닥칠 때에는 그냥 서 있을 정도로만 강해도 된다. 이렇게 생각한다면 할 수 없다고만 말할 게 아니라 뭐든 해 볼 수 있지 않을까? 포기하고 싶은 마음이 들 때는 더도 말고 덜도 말고 딱 한 발자국만 앞으로 나아가 보라. 시련을 이겨 내고 더 단단해진 나를 상상하면서 말이다.

15 관련 자료를 찾아 참고하며 이 글을 읽은 방법으로 적절하지 않은 것은?

① '토인비'를 백과사전에서 찾아 그 업적을 살펴보았다.
② 『역사의 연구』를 도서관에서 찾아 목차를 살펴보았다.
③ '쥐 격리 실험'과 유사한 실험을 인터넷에서 찾아보았다.
④ '리셋 증후군'에 관한 다양한 정보를 국어사전에서 찾아보았다.
⑤ 『그래도 계속 가라』를 인터넷에서 검색해서 주요 내용을 찾아보았다.

서술형
16 〈보기〉의 밑줄 친 소재와 같은 의미를 지닌 내용을 (가)와 (나)에서 각각 하나씩 찾아 문장으로 서술하시오.

보기
청어들이 가득 담긴 수조에 물메기를 몇 마리 넣으면 청어는 물메기에게 잡아먹히지 않으려고 있는 힘껏 도망다닌다. 청어에게 물메기와 함께 있는 것은 가혹한 시련이었으나, 그에 맞서 필사적으로 대응하다 보니 오히려 죽지 않고 살아남을 수 있었다.

17 (다)로 볼 때 리셋 증후군에 걸린 사람들의 특징으로 적절하지 않은 것은?

① 역경을 견디지 못하고 피하려고만 한다.
② 컴퓨터를 지나치게 많이 사용하는 특징을 보인다.
③ 어떤 상황에서도 처음부터 다시 시작할 수 있다고 생각한다.
④ 힘들고 고통스러운 상황에 처할 때마다 새롭게 시작하려 한다.
⑤ 컴퓨터의 리셋 버튼 기능이 현실 세계에서도 가능하다고 착각한다.

18 (라)에서 '늙은 매'가 하고자 하는 말로 적절한 것은?

① 폭풍이라는 자연 현상은 시간이 지나면 지나간다.
② 어려움을 이기기 위해서는 정신적으로 강인해야 한다.
③ 어려움이 오면 그 어려움을 견뎌 낼 힘만 있으면 된다.
④ 자연에 맞서는 것은 무모한 일이지만 해 볼 만한 일이다.
⑤ 폭풍에 순응하듯이 어려움에도 순응하는 태도가 필요하다.

19 국어사전을 활용해 ㉠~㉤의 뜻을 찾아보았다. 적절하지 않은 것은?

① ㉠: 몹시 모질고 혹독함.
② ㉡: 땅이 걸고 기름짐.
③ ㉢: 다른 것과 통하지 못하게 사이를 막거나 떼어 놓음.
④ ㉣: 일이 순조롭지 않아 매우 어렵게 된 처지나 환경
⑤ ㉤: 스스로 깨달아 얻음.

서술형
20 ⓐ가 의미하는 바를 〈조건〉에 맞춰 한 문장으로 서술하시오.

조건
'~때를 의미한다.'로 된 문장으로 쓸 것

정답과 해설

중학교 국어 1-2

1 별, 하늘, 사람

• 본문 p.007

확인 문제 **01.** ① **02.** 갈등 **03.** 감동, 즐거움

01. '성찰'은 자신을 향한 것이지 타인을 향한 것이 아니다.

02. 성장 소설은 주인공이 겪는 고민과 그 해결 과정을 통해 인물이 성장하는 모습을 보여 준다. 성장 소설의 주인공은 자신의 마음속 또는 외부의 인물이나 상황과의 갈등을 겪고 이를 해소해 나가는 과정을 통해 보다 발전하는 모습을 보여 준다.

03. 자신의 의미 있는 경험을 진솔하게 표현하면 독자도 글쓴이가 주고자 하는 감동이나 즐거움에 공감하게 된다.

1 서시

개념 확인 콕콕 • 본문 p.008

01. ③ **02.** 성찰 **03.** ③

01. '나'는 자신의 지나간 삶에서 작은 잘못이나 부족함에도 부끄러움을 느끼고 있다. '풍자적 태도'는 남의 결점이나 잘못을 비웃으면서 폭로하고 공격하는 태도이다.

02. 문학 작품을 통해 삶을 성찰하는 태도를 배움으로써 우리는 우리 자신의 삶을 성찰하고 이를 통해 더 발전할 수 있다.

03. '성찰'은 생각의 방향이 자신을 향하며, 스스로에 대해 생각하고 고민하고 반성하는 등의 모습이 나타나는 것이다.

확인 문제 • 본문 p.010

01. ① **02.** ② **03.** ② **04.** 하늘, 진지하고 엄격하게 자신을 반성하고 성찰하려는 말하는 이의 삶의 태도를 배울 수 있다.

01. 「서시」의 말하는 이는 자신의 삶을 되돌아보고 성찰하는 모습을 보여 주고 있다.

오답 해설

② 자신의 모습을 우스꽝스럽게 표현(희화화)하지 않았다.

③ 말하는 이는 '잎새에 이는 바람에도 괴로워'하고 있으므로 현실 만족은 드러나지 않는다.

④ 말하는 이는 현실을 '밤'이라 표현하여 부정적으로 인식하고 있으나 이에 대한 비판은 드러나지 않는다.

⑤ 이 시는 '과거 – 미래 – 현재'의 구조를 드러내고 있으나, 현재와 과거의 비교를 통한 미래의 희망적 인식은 드러나지 않는다.

02. 말하는 이가 처한 현실은 '별이 바람에 스치우는 밤'으로 어두운 현실이며 말하는 이는 이런 상황 속에서도 자신이 추구하는 삶에 대한 의지를 버리지 않는다. 이 시에서 힘든 현실 속의 소박한 행복은 드러나지 않는다.

03. 이 시는 긍정적 의미의 '하늘, 별'과 부정적 의미의 '바람, 밤' 등의 시어를 대립적으로 사용하여 말하는 이의 성찰적 태도와 주제를 부각하고 있다.

04. 모든 것을 다 알고 있는 '하늘'에 부끄러움을 느끼지 않으려는 말하는 이의 태도는 깊이 있고 진지하게 자신을 반성하고자 하는 태도에서 비롯된다.

학습 활동 다지기 • 본문 p.011

이해 다지기 문제 **1.** ③

목표 다지기 문제 **1.** ③ **2.** ①

이해 **1.** '하늘'은 말하는 이가 긍정적으로 바라보는 대상이자, 절대자, 절대적 기준을 의미한다. ③에서 '나'의 삶을 잘 알고 있는 '달님' 역시 유사한 의미를 지닌다.

오답 해설

①의 '바다'는 차고 잔잔하고 고요한 속성을 지닌 대상, ②의 '저녁노을'은 묘한 슬픔을 일으키는 대상, ④의 '겨울'은 가난한 사람들을 힘들게 만드는 환경, ⑤의 '새'는 자유로운 존재이자 부러움의 대상의 의미를 지니고 있다.

목표 **1.** 이 시의 말하는 이는 '잎새에 이는 바람'에도 '괴로워'하는 자신을 이야기하며 '한 점 부끄럼이 없'는 삶을 소망하고 있다.

2. 윤동주는 자신의 생각을 시로 펼칠 수 있다고 생각한 사람이다. (나)에는 「서시」를 쓸 당시 윤동주가 겪고 있었던 현실 속의 구체적인 고민, 괴로움들이 제시되어 있으며, 이러한 상황은 「서시」의 '입새에 이는 바람'으로 형상화되었다. ①은 이에 해당하지 않는다.

소단원 핵심 문제 • 본문 p.014

01. ④ **02.** ② **03.** ⑤ **04.** ⑤ **05.** 순수한 소망과 이상적인 세계를 의미한다. **06.** ② **07.** ⑤ **08.** (다), (라) **09.** ④ **10.** 이 시와 〈보기〉 모두 말하는 이는 밝고 순수한 세계를 소망하고 있으나 〈보기〉에는 (가), (나)와 달리 말하는 이의 성찰적 태도가 드러나지 않는다.

01. 이 시의 말하는 이가 추구하는 삶과 현실의 모습은 '별'과 '밤'이라는 시어로 대립적으로 제시되어 있다.

02. (가)에는 성찰과 반성을 통해 말하는 이가 느끼는 부끄러움과 괴로움이 드러난다. 그러나 (가)만으로 말하는 이가 처한 시대 상황을 파악하기는 어렵다.

오답 해설

① 1연의 3~4행을 통해 말하는 이의 삶에 대한 성찰과 반성이 잘 드러난다.

③ 1연의 6행에서 미래의 삶에 대한 의지적 태도가 제시된다.

④ 1연의 5행을 통해 말하는 이가 추구하는 삶의 모습이 드러난다.

⑤ 말하는 이가 추구하는 별이 바람에 스치우는 모습을 통해 말하는 이가 겪는 현실적 어려움이 드러난다.

03. 절대적 기준, 절대자를 의미하는 '하늘', 말하는 이가 추구하는 대상이자 순수하고 아름다운 '별'은 긍정적 의미의 시어들이고, 말하는 이가 처한 암담한 현실을 의미하는 '밤'과 시련이나 고난을 의미하는 '바람'은 부정적 의미의 시어들이다.

04. 시에 반영된 현실이 일제 강점기임을 고려하면 이런 암담한 현실 속에서도 부끄러움 없는 삶을 살고자 하는 시인의 성찰적 태도는 더욱 큰 의미를 갖는다.

05. 〈보기〉의 시에서 말하는 이는 '별'을 아름다운 것들과 결부시키고 있다. 이로 볼 때, 〈보기〉의 '별'은 「서시」의 '별'처럼 순수한 소망과 이상적 세계를 지향하는 시인의 마음이 표출된 시어라고 볼 수 있다.

06. 말하는 이는 '별을 노래하는 마음으로 / 모든 죽어 가는 것을 사랑'할 것이라고 말하고 있다. 순수하고 아름다운 속성을 지닌 '별'은 말하는 이가 추구하는 '한 점 부끄럼이 없'는 삶을 표현하는 시어이다.

오답 해설

①, ③ 2연에서 말하는 이가 처한 현실이 부정적으로 드러나지만, 말하는 이의 슬픔이 드러나지는 않는다.

④ 1연의 3~4행에서 말하는 이는 잎새에 이는 바람에도 괴로워할 정도로 자신에게 엄격한 모습을 보여 주고 있지만, 이를 부끄러워하는 모습은 드러나지 않는다.

⑤ 말하는 이에게 강한 저항감이나 적개심 등은 드러나지 않는다.

07. 이 시와 ⑤의 '길'은 모두 '주어진 숙명, 운명'이라는 상징적 의미를 띠고 있다.

오답 해설

① 수단이나 방법, ② 사람이나 동물 또는 자동차 따위가 지나갈 수 있게 땅 위에 낸 일정한 너비의 공간, ③ 걷거나 탈것을 타고 어느 곳으로 가는 노정, ④ 어떤 자격이나 신분으로서 주어진 도리나 임무

08. 이 시는 '과거에 대한 성찰과 반성: (가), (나) – 미래의 삶에 대한 다짐: (다), (라) – 현실 상황에 대한 인식: (마)'의 구조로 시상이 전개된다.

09. 〈보기〉의 말하는 이는 '해'와 '어둠'의 대립적 이미지를 통해 새로운 세계가 오기를 소망하고 있다.

은찬: [A]는 말하는 이가 추구하는 순수하고 깨끗한 삶의 모습을 표현하는 시어이므로 '은찬'의 해석은 적절하다.

준현: 〈보기〉의 '어둠'은 부정적 이미지이며, [B]는 긍정적 이미지로 서로 대립되므로 '준현'의 해석은 적절하다.

채원: [B]와 「서시」의 '하늘'은 유사한 의미를 지니고 있으므로 '채원'의 해석은 적절하다.

오답 해설

민서: [A]와 [B] 모두 긍정적 의미를 지닌 시어이므로 '민서'의 해석은 적절하지 않다.

현수: [A]와 [B] 모두 상징적 의미를 지닌 시어이므로 '현수'의 해석은 적절하지 않다.

10. 〈보기〉의 말하는 이는 새로운 세계가 오기를 소망하고 있으나 성찰의 태도가 나타나지는 않는다.

2 하늘은 맑건만

개념 확인 콕콕 • 본문 p.016

01. 내적, 외적 **02.** ④ **03.** ①

01. 등장인물의 마음속에 일어나는 대립이나 충돌은 내적 갈등, 등장인물과 외부적 요소(또 다른 등장인물, 사회, 자연, 운명 등)의 대립이나 충돌은 외적 갈등이다.

02. 놀이를 우선시하는 '나'와 '나'의 놀이보다 공부를 우선시하는 '아빠' 사이의 갈등이 나타난다.

03. '성찰'에는 자신에 관한 반성과 고민이 수반되어야 한다.

• 확인 문제 • • 본문 p.018

01. ④ **02.** ④ **03.** ①, ③ **04.** 며칠 전 일이다. **05.** ⑤ **06.** ⑤ **07.** ③ **08.** ⑤ **09.** ④ **10.** 손이 맞고 **11.** 해설 참조 **12.** ② **13.** ① **14.** ⑤ **15.** 이내 올 것이 오고 말았다. **16.** 삼촌 앞에 나가 무릎을 꿇고 앉지 않을 수 없었다. **17.** 환등 기계를 사서 용돈을 벌자는 계획 **18.** 문기가 (수만과 함께 산) 공이 없어져 걱정하며 찾음. **19.** ② **20.** 엄격하다. **21.** ① **22.** 삼촌을 속인 것과 써서는 아니

될 돈을 쓴 것 **23.** ③ **24.** ③ **25.** ⑤ **26.** 무거운 짐을 풀어놓은 듯 **27.** ① **28.** ④ **29.** ③ **30.** ⑤ **31.** ③ **32.** ⑤ **33.** ② **34.** ③ **35.** 수만이는 내밀었던 손으로 대뜸 멱살을 잡는다. **36.** ④ **37.** ② **38.** 선생님이나 삼촌에게 사실을 털어놓고 도움을 청한다. / 수만의 잘못을 짚어 주고, 같이 잘못을 자백하자고 설득한다. **39.** ① **40.** ③ **41.** ⑤ **42.** ④ **43.** ③ **44.** ③ **45.** ③ **46.** 두 번째 허물을 범하고 말았다. **47.** 숙모의 돈을 훔침. **48.** ⑤ **49.** ⑤ **50.** ② **51.** ③ **52.** 죄책감 때문에 집에 가기가 두려워서 **53.** ④ **54.** 수신 **55.** '맑은 하늘'은 거짓이 없고 순수한 마음을 나타낸다. 따라서 대조적으로 정직하지 못한 행동으로 인해 어둡고 무거운 문기의 마음을 강조하는 의미를 지닌다. **56.** ③ **57.** ⑤ **58.** ⑤ **59.** ⑤ **60.** ⑤ **61.** 잘못 받은 거스름돈을 돌려주지 않고 써 버린 것, 숙모의 돈을 훔친 것, 자신이 훔친 돈 때문에 다른 사람이 누명을 쓰는 것을 보고도 가만히 있었던 것 **62.** 하늘을 떳떳이 마음껏 쳐다볼 수 있을 것이다. **63.** ① **64.** ④ **65.** ⑤ **66.** 마음속이 후련해짐을 느꼈을 것이다.

01. 이 글은 소설로서, 허구성을 가장 큰 특징으로 한다.

오답 해설

① 운율이 있는 언어로 압축하여 표현하는 것은 시의 특징이다.

② 논리적인 근거를 들어 자신의 주장을 펼치는 것은 논설문의 특징이다.

③ 무대 공연을 목적으로 행동 위주로 표현하는 것은 희곡의 특징이다.

⑤ 자신의 경험이나 느낌을 형식의 제약 없이 자유롭게 쓰는 것은 수필의 특징이다.

02. (가)~(다)의 구성 단계는 발단이다. 발단은 인물과 배경이 소개되고, 사건의 실마리가 드러나는 부분이다.

03. 이 글의 시대적 배경은 1930년대이다. '쌍안경'과 '삼거리'는 지금도 사용하는 말이다.

오답 해설

② '지전'은 '지폐'를 의미하나 현재 쓰이지 않는 말이다.

④ '고깃간'은 '푸줏간'을 의미하나 현재 잘 쓰이지 않는 말이다.

⑤ '은전'은 '은으로 만든 돈', 즉 '은화'를 의미하나 현재 쓰이지 않는 말이다. 또 은화는 현재 우리나라에서 쓰이지 않는 화폐이다.

04. 사건이 시간의 흐름에 따라 서술되지 않고 재배열된 것을 역순행적 구성이라 하는데, 이러한 구성은 독자의 흥미를 유발한다.

05. 문기의 모든 갈등은 거스름돈을 더 받은 데서 비롯된다.

06. 이 글은 소설이므로 등장인물의 실존 여부 확인은 필요하지 않다.

07. 수만은 이 글에서 주인공인 문기의 갈등을 심화시키는 역할을 한다.

08. 문기는 주어진 상황에 뚜렷한 자기 의견을 내지 못하는 소극적인 성격의 인물이고, 수만은 주어진 상황이 자신에게 유리해지게 꾀를 내는 적극적이고 대담한 성격의 인물이다.

오답 해설

① 지금까지의 이야기 전개에서 문기를 비겁한 성격으로 볼 만한 근거는 없다.

② '낙천적'이란 '세상과 인생을 즐겁고 좋은 것으로 여기는. 또는 그런 것'을 의미한다. 지금까지의 이야기 전개에서 문기가 낙천적일 것이라고 볼 만한 근거는 없으며 오히려 소설의 앞부분에서 사라진 공을 찾으며 초조하고 불안해하는 문기의 모습은 반대로 낙천적이지 않은 성격으로 볼 수 있는 근거가 된다.

③ 지금까지의 이야기 전개에서 문기의 성격 변화를 판단할 만한 근거는 없다.

④ 이 소설에서 사건을 이끌어 가는 인물은 문기로 보아야 한다.

09. 수만은 문기에게 거스름돈으로 그동안 거리에서 보고 지내던, 가지고 싶고 해 보고 싶은 가지가지를 다 해 보자고 제안한다. 그리고 불안해하는 문기를 자신이 하는 대로만 하면 된다고 부추기고 있다.

오답 해설

① 문기는 고깃간 주인이 더 내 준 거스름돈을 쓰는 것에 대해 "돈을 쓰면 어떻게 되니?"라며 소극적으로 의견을 제시할 뿐 적극적으로 돈을 돌려주려는 노력을 하지 않는다.

② 거스름돈으로 수만과 함께 물건들을 구입하면서 문기는 애초에 가졌었던 죄책감마저 사라지고 기쁨을 느끼게 된다.

③ 수만은 거스름돈을 쓸 계획에만 몰두하며 고깃간 주인에게 돌려줄 생각은 전혀 하지 않는다.

⑤ (마)에는 문기와 수만이 서로에게 책임을 미루는 속마음이 제시되어 있다.

10. '손이 맞다.'는 '의견이 맞다.'라는 뜻의 관용구이다.

11. [예시 답] (마)에서 수만은 남은 돈으로 가지고 싶은 물건들을 사고 해 보고 싶은 일들을 마음껏 해 보자고 한다. 그러자 문기는 "돈을 쓰면 어떻게 되니?"라고 묻고 수만은 "염려 없

어. 나 하는 대로만 해."라고 답한다. 이 대화에서 문기의 성격은 소극적이고, 수만은 적극적임을 알 수 있다.

12. 돈을 쓰면 어떻게 하나 하는 두려움이 평소 자신이 가지고 싶었던 물건을 이것저것 사면서 기쁨으로 변하고 있다.

13. 문기는 고깃간 주인에게 돌려줘야 할 돈을 함부로 쓴 것에 대한 죄책감 때문에 삼촌을 만나기가 두려운 것이다.

14. 삼촌은 "네 말이 옳겠지. 설마 네가 날 속이기야 하겠니?"라고 말하며 문기에 대한 신뢰를 나타낸다. 이렇게 자신을 믿어 주는 삼촌에게 거짓말을 하는 문기는 죄송한 마음이 들 것이다.

15. 문기가 자신의 잘못을 숨기고 있는데 삼촌이 부르는 난처한 상황과 문기의 불안한 심정을 나타낸 부분은 '이내 올 것이 오고 말았다.'이다.

16. 문기가 저녁 식사를 하는 삼촌 앞에 무릎을 꿇고 앉아 있는 모습을 통해 삼촌을 매우 어려워하고 있음을 알 수 있다.

18. 이 소설의 도입에 제시되었던 '문기가 불안해하며 공을 찾는' 사건은 시간상으로는 삼촌이 못 보던 공과 관련하여 문기를 꾸중하기 직전에 일어난다.

19. 삼촌의 훈계를 들으며 문기는 양심의 가책과 부끄러움을 느끼고 있다.

20. 엄한 어조로 꾸중한 후 다짐을 단단히 받아 내고 있는 것으로 보아 엄격한 성격임을 알 수 있다.

21. (자)에는 삼촌의 말씀을 듣고 난 뒤 양심의 가책을 느끼는 문기의 내적 갈등이 강하게 나타나 있다.

22. 문기가 아랫방에 내려와 반성하는 부분에서 자기가 저지른 잘못이라고 생각하는 내용을 찾아볼 수 있다. 문기는 삼촌을 속인 것과 써서는 아니 될 돈을 쓴 것이 잘못이라고 느끼고 있다.

23. 얼굴이 달아오르는 문기의 모습을 통해 문기의 부끄러운 심리를 드러내고 있다.

24. (자)의 내용을 보면, 문기의 아버지는 일확천금을 노리며 거처 없이 돌아다니고 있음을 알 수 있다.

오답 해설

① '일찍이 어머니를 여의고'라는 구절을 통해 알 수 있다.
② '어려서부터 문기를 길러 낸 사람이 삼촌이었다.'라는 구절을 통해 알 수 있다.
④ '조카의 장래를 자기의 그것보다 더 중히 알고 염려하며 잘되어 주기를 바라는 삼촌이었다.'라는 구절을 통해 알 수 있다.
⑤ '삼촌의 기대에 어그러지지 않는 인물이 되어 보이겠다고 엊그제도 주먹을 쥐고 결심하던 문기가 아니냐.'라는 구절을 통해 알 수 있다.

25. ㉠~㉣은 모두 죄책감을 느끼는 문기의 심리를 드러내지만, ㉤은 물건을 버리고 돈을 주인에게 돌려준 뒤에 부담감을 덜 느끼게 된 문기의 심리를 드러낸다.

26. 공과 쌍안경을 버리고 돈도 돌려주고 난 뒤 죄책감을 벗어난 문기의 심리를 다른 대상에 빗대어 직유법으로 표현한 부분은 '무거운 짐을 풀어 놓은 듯'이다.

27. 문기의 대응 방식을 합당한 이유를 들어 비판해야 한다.

오답 해설

② 자신의 마음을 편하게 하려고 공과 쌍안경을 내다 버린 문기의 문제 해결 방식은 근본적인 해결 방식으로 볼 수 없으며 미숙하다는 면에서 비판적으로 이해할 수 있다.
③ 아직 어리고 힘이 약한 문기가 자신의 힘만으로 문제를 해결하기 어렵다는 현실적 인식을 하였다면 믿을 만한 어른인 삼촌에게 잘못을 고백하고 도움을 청하는 것이 현명했다고 비판적으로 이해할 수 있다.
④ 자신이 받을 꾸중이나 비난을 회피하는 방식으로 문제를 해결하려 한 것이므로 떳떳하지 않은 문제 해결 방식이라고 비판적으로 이해할 수 있다.
⑤ 문기의 잘못된 행동은 고깃간 주인에게 거스름돈을 더 받으면서 시작되었던 것이고 지금까지의 문기의 행동으로 피해를 본 사람은 고깃간 주인이므로 고깃간 주인에게 사실대로 말하고 용서를 비는 것이야말로 가장 근본적인 문제 해결 방식이라고 비판적으로 이해할 수 있다.

28. 물건들을 버리고, 돈을 돌려주고 난 뒤 죄책감에서 조금이나마 벗어났기 때문이다.

29. 이 글은 인물의 심리를 사실적으로 그리고 있다.

오답 해설

① 현실적인 내용이다.
② 필연적 사건 전개를 보인다.
④ 문기는 성격(심리)에 변화가 있는 입체적 인물이다.
⑤ 수만과 문기의 외적 갈등도 드러난다.

30. 수만의 등장은 또 다른 갈등이 발생할 것임을 암시한다.

31. 남은 돈으로 수만과 함께 환등기를 사기로 했었는데, 문기가 돈을 주인에게 돌려줌으로써 둘 사이에 갈등이 발생하게 되었다.

32. 수만은 문기가 돈을 혼자 쓰려고 거짓말을 한다고 생각하고 있다.

33. 자신의 말을 믿지 못하는 수만 앞에서 고개를 떨어뜨리고 울상을 하는 태도를 통해 문기가 소극적인 성격임을 알 수 있다.

34. 인물 간의 대화를 통해 갈등을 드러내고 있다.

35. 수만이 문기의 말을 믿지 못하고 문기의 멱살을 잡고 있는데 이는 둘 사이의 갈등이 본격적으로 시작되었음을 보여 준다.

36. 여기서 '멱살'은 '사람의 멱(목의 앞쪽)이 닿는 부분의 옷깃'의 의미로 쓰였다.

37. 문기가 수만과 한 약속은 정당하지 않게 얻은 돈으로 계획을 세운 것이다. 이 약속을 지키지 못하는 것에 관해 반성을 하는 것은 적절하지 않다.

38. 수만은 문기가 약속을 지키지 않고 자신에게 거짓말을 한다고 비난하고 있지만, 수만과 문기의 약속은 원래 도덕적이지 않은 행위에 바탕한 것이므로 그대로 받아들여서는 안 된다.

39. 뒷부분을 더 읽어 보면 수만이 "너 지금으로 가지고 나오지 않으면 낼은 가만 안 둔다. 도적질했다 하구 똑바루 써 놓을 테야."라고 말하고 있다. 따라서 ㉠에 들어갈 말은 '도적질'이다.

40. '골리다'는 '상대편을 놀리어 약을 올리거나 골이 나게 하다.'라는 뜻이다.

41. 직접적으로 도적질했다고 떠들고 있지는 않다.

42. ⓐ는 수만이 문기에게 돈을 받아 내기 위해서 문기를 위협하고 못살게 구는 행동이다.

43. '빈지판'은 한 짝씩 끼웠다 떼었다 할 수 있게 만든 문으로, 오늘날의 '셔터'와 같은 구실을 했다.

44. 문기는 자기가 한 일을 수만이 다른 사람들에게 알릴까 봐 두렵고 괴로웠을 것이다.

45. (하)에서 문기는 수만의 협박에 못 이겨 결국 숙모의 돈을 훔쳐 수만에게 가져다 준다. 이러한 행동을 통해 문기는 마음이 여리고 소심한 성격임을 알 수 있다.

46. 문기의 심리적 갈등이 더욱 심해지는 계기가 되는 상황은 숙모의 돈을 훔치게 된 것이다. 이 글에서는 '두 번째 허물을 범하고 말았다.'라고 표현하고 있다.

47. 이 글에서 문기는 첫 번째 허물을 감추기 위해 더 큰 허물을 범하고 있다.

48. '늦게 배운 도둑이 날 새는 줄 모른다.'는 '어떤 일에 남들보다 늦게 재미를 붙인 사람이 그 일에 더 열중한다'는 뜻이다. 문기가 숙모의 돈까지 훔치게 된 것은 수만의 협박을 이기지 못해서일 뿐 돈을 훔치는 일에 열중하고 있다고는 볼 수 없다.

오답 해설

① '엎친 데 덮친 격'이란 어렵거나 나쁜 일이 겹치어 일어날 때 쓰는 관용구이다.
② '언 발에 오줌 누기'란 언 발을 녹이려고 오줌을 누어 봤자 효력이 별로 없다는 뜻으로, 임시변통은 될지 모르나 그 효력이 오래가지 못할 뿐만 아니라 결국에는 사태가 더 나빠짐을 비유적으로 이르는 속담이다.
③ '첩첩산중'은 여러 산이 겹치고 겹친 산속을 의미하는 사자성어로 갈수록 어려워지는 상황을 비유할 때 사용된다.
④ '호미로 막을 것을 가래로 막다'란 적은 힘으로 충분히 처리할 수 있는 일에 쓸데없이 많은 힘을 들이는 경우, 커지기 전에 처리하였으면 쉽게 해결되었을 일을 방치하여 두었다가 나중에 큰 힘을 들이게 된 경우를 비유적으로 이르는 말로 자신의 잘못을 방치하다가 더 큰 잘못을 저지르고 어려운 상황에 처한 문기의 처지를 드러내기에 적합하다.

49. (더)에서 문기는 점순이 훌쩍거리는 소리를 듣고 내적 갈등을 겪고 있다. ⑤ 역시 이익을 위해서는 나비를 잡아 주어야 하지만 자존심 때문에 그러기 싫은 '나'가 내적 갈등을 겪는 양상이 드러나 있다.

오답 해설

①, ③ 인물 대 인물의 외적 갈등이다.
②, ④ 인물 대 사회의 외적 갈등이다.

50. 점순은 문기가 훔친 돈 때문에 오해를 받아 쫓겨나 울고 있다.

51. '전전반측'은 걱정으로 인해 잠을 이루지 못함을 뜻한다.

오답 해설

① 이목구비(耳目口鼻): 귀 · 눈 · 입 · 코, 또는 귀 · 눈 · 입 · 코를 중심으로 한 얼굴의 생김새를 의미한다.
② 목불식정(目不識丁): 아주 간단한 글자인 '丁' 자를 보고도 그것이 '고무래'인 줄을 알지 못한다는 뜻으로, 아주 까막눈임을 이르는 말이다.
④ 설상가상(雪上加霜): 눈 위에 서리가 덮인다는 뜻으로, 난처한 일이나 불행한 일이 잇따라 일어남을 이르는 말이다.
⑤ 동상이몽(同床異夢): 같은 침상에서 서로 다른 꿈을 꾼다는 뜻으로, 겉으로는 같이 행동하면서도 속으로는 각기 딴생각을 함을 이르는 말이다.

52. 돈을 훔친 죄책감 때문에 집에 들어가기를 망설이는 것이다.

53. (러)~(머)는 갈등이 최고조에 이르는 절정 부분이다.

오답 해설

① '위기'에 관한 설명이다.
② '결말'에 관한 설명이다.
③ '발단'에 관한 설명이다.
⑤ '전개'에 관한 설명이다.

54. '수신'은 일제 강점기의 도덕 과목을 말한다.

55. '맑은 하늘'은 문기에게 떳떳이 하늘을 쳐다볼 수 있는, 즉 남을 떳떳이 대할 수 있는 마음을 가져야 함을 느끼게 한다.

56. 정직함을 강조하는 수업에서 문기는 죄책감을 느끼고 있다.

오답 해설

① '내 코가 석 자다.'는 내 사정이 급하고 어려워서 남을 돌볼 여유가 없음을 비유적으로 이르는 말이다.
② '콩 심은 데 콩 난다.'는 모든 일은 근본에 따라 거기에 걸맞은 결과가 나타나는 것임을 비유적으로 이르는 말이다.
④ '아니 땐 굴뚝에 연기 날까.'는 실제 어떤 일이 있기 때문에 말이 남을 비유적으로 이르는 말이다.
⑤ '벙어리 속은 벙어리가 안다.'는 같은 처지에 있는 사람이라야 그 마음을 알 수 있음을 비유적으로 이르는 말이다.

57. ⓔ는 '놀라거나 어색한 느낌이 들어 갑자기 하던 짓을 멈추고'의 뜻이다.

58. 이 글의 사회적 배경이 작품 전체에 중대한 영향을 미치지 않은 이유는 문기의 개인적 갈등을 다루고 있기 때문이라고 할 수 있다.

59. 문기가 갑작스럽게 교통사고를 당하는 사건은 극적인 사건의 전환을 가져온다.

60. 문기가 점순을 위해 해 줄 수 있는 일은 자신의 잘못을 고백함으로써 점순의 누명을 벗겨 주는 것이다.

61. 문기가 내면적 갈등을 겪은 이유는 문기가 저지른 잘못 때문이다. 즉 잘못 받은 거스름돈을 그냥 써 버린 것부터 시작하여 숙모의 돈을 훔치고 그 때문에 점순이 누명을 쓰는 것을 보고도 가만히 있었던 것이 문기의 잘못이다.

62. 삼촌에게 모든 것을 고백한 뒤의 문기의 후련한 심정을 '하늘을 떳떳이 마음껏 쳐다볼 수 있을 것이다.'라고 표현하고 있다.

63. 이 글은 정직하지 못한 돈으로 인해 문기가 겪는 갈등을 통해 떳떳하게 사는 삶이 소중하다는 교훈을 주고 있다.

64. 문기가 바르게 성장하기를 바라는 삼촌이 수만에게 똑같이 복수하라고 충고하지는 않았을 것이다.

65. 문기가 고의로 점순에게 죄를 뒤집어씌운 것은 아니다.

학습 활동 다지기

• 본문 p.032

이해 다지기 문제 **1.** ③ **2.** ③ **3.** ④
목표 다지기 문제 **1.** ① **2.** ② **3.** ㉣-㉢-㉠-㉤-㉡ **4.** ① **5.** ⑤ **6.** ⑤ **7.** ② **8.** ① **9.** ② **10.** ②

이해 **1.** 이 소설은 고깃간 주인이 잘못 거슬러 준 돈에서 사건이 시작되며 문기가 그 돈을 써 버리고 거짓말을 거듭하는 과정, 그 속에서 느끼는 문기의 죄책감과 고민으로 사건이 진행된다.

2. 양심을 속인 문기는 삼촌의 꾸중으로 인해 자신의 잘못을 깨닫고 잘못된 방법으로나마 상황을 해결하려 한다. 따라서 문기는 삼촌과 대립하여 갈등하는 것이 아니라, 삼촌이 바라는 대로 행동하려 하면서 수만과 대립하게 되는 것이다.

오답 해설

① 문기는 양심의 가책으로 인해 내적 갈등을 겪는다.
② 문기는 자신의 잘못을 해결하기 위해 공과 쌍안경을 내다 버리고 고깃간에 남은 돈을 돌려준다. 하지만 수만이 그런 문기의 행동을 인정하지 않음으로써 수만과 문기의 갈등이 드러난다.
④ 결말 부분에서 문기는 자신의 잘못을 고백하면서 자신의 몸과 마음이 맑아지는 것을 느낀다.
⑤ 사라진 공을 찾는 문기(현재) - 잘못 거슬러 받은 돈으로 수만과 공을 샀던 일(과거) - 삼촌이 문기가 찾던 공을 꺼내며 문기를 꾸중한 일과 그 이후의 사건(현재)으로 소설이 전개되고 있다.

3. ①, ②, ③, ⑤는 거짓말과 그로 인한 잘못된 행동에 관해 문기가 스스로 반성하거나 죄책감을 느끼는 장면이다. 이에 비해 ④는 문기가 겪은 중요한 사건을 사실적으로 표현한 장면이다.

오답 해설

① 잘못 얻은 돈으로 산 공이 안 보이자 공을 숙모에게 들킬까 봐 걱정하는 문기의 심리가 드러난다.
② 삼촌의 훈계를 듣고 부끄러움과 양심의 가책을 느끼는 문기의 심리가 나타난다.
③ 점순에 대해 강한 죄책감을 느끼는 문기의 심리가 드러난다.
⑤ 자신이 겪은 불운한 사고를 자신의 잘못에 대한 벌로 여기며 잘못을 뉘우치는 문기의 심리가 드러난다.

목표 **1.** 문기는 공의 출처에 관한 삼촌의 질문을 거짓말로 모면하고 이로 인해 죄책감을 느낀다.

오답 해설

② 공의 출처를 묻는 삼촌의 행동을 잘못된 것으로 볼 수 없다.
③ 삼촌에게 문기가 불손한 태도를 취하지는 않았다.
④ 친구를 존중하지 않는 태도 때문에 문기에게 문제가 생긴 것은 아니다.
⑤ 친구에게 잘못된 행동을 권한 사람은 문기가 아니라 수만이다.

2. 수만은 거스름돈을 더 받은 문기에게 사실을 밝히지 말고 돈을 써 버리자는 잘못된 방향을 제시하는 인물이며, 이후 자신의 잘못을 깨닫고 나름대로 잘못을 바로잡으려 노력하는 문기를 협박하여 집에서 돈을 훔치는 잘못된 행동을 하게끔 몰아가는 인물이다.

오답 해설

① 문기가 고깃간에서 거스름돈으로 큰돈을 받고 이를 수만과 함께 써 버리면서 사건이 시작된다.
③ 문기는 자신의 잘못을 해결하기 위해 쌍안경과 공을 버리고 남은 돈은 고깃간에 몰래 던져두고 오지만, 이로 인해 수만과의 갈등이 더 커지게 된다.
④ 문기가 삼촌이나 숙모에게 사실대로 말하지 않고 이를 숨김으로써 문기가 처한 문제는 점점 더 심각해진다.
⑤ 문기는 자신의 잘못을 선생님이나 삼촌에게 말해야 한다는 마음과 이를 말하지 못하는 마음 사이에서 계속되는 내적 갈등을 겪는다.

3. 문기는 잘못된 해결 방법으로 점점 더 큰 갈등 상황에 놓이게 되지만, 삼촌에게 자신의 잘못을 전부 사실대로 고백함으로써 문제를 해결하고 갈등을 해소하게 된다.

4. 문기가 돌려준 돈의 액수보다는 남은 돈을 다시 돌려주는 문기의 행동에 담겨 있는 심리를 이해하는 것이 이 작품을 바르게 감상하는 방법이다.

5. 문기는 죄책감으로 마음이 무겁고 어둡기만 한 자신의 마음 때문에 맑은 하늘을 떳떳이 볼 수 없었다. 삼촌에게 자신의 잘못을 모두 고백하고 나서야 하늘을 떳떳이 마음껏 쳐다볼 수 있으리라 생각한다.

6. 문기는 수신 시간에 정직에 대해 배운 뒤 가슴이 뜨끔뜨끔하고 하늘을 쳐다보기가 두려워질 만큼 죄책감을 느낀다.

7. 이 소설에서 문기는 정직하지 않은 행동과 잘못된 해결 방법으로 인해 양심의 가책을 느끼고 괴로워한다. 문기가 겪는 갈등은 자신의 잘못을 사실대로 고백하는 방법을 통해 해소되고 이를 통해 독자는 정직의 중요함을 깨닫게 된다.

8. 소설 속 문기는 거짓말로 상황을 모면하려다가 더 큰 곤란에 빠지게 된다.

9. 문기는 더 받은 거스름돈으로 물건을 사는 잘못을 저지르고 거짓말로 모면한 뒤에 내내 내적 갈등을 겪다가, 삼촌에게 사실을 고백하고 나서야 비로소 마음이 편해진다. 이런 문기라면 잘못을 저지르고 사실을 고백하지 못한 '나'에게 사실을 고백하라고 조언할 것이다.

10. 문기가 잘못 받은 거스름돈에 관해 이야기하자 수만이 이를 마음대로 쓰자고 문기를 꼬드긴다.

오답 해설

① '문기는 돈과 주인을 의심스레 쳐다보았'지만, '사람에게 밀려 뒷줄로 나오고 말았다.'
③ 문기는 삼촌이 공과 쌍안경에 대해 어디서 났는지를 묻자 수만이 주었다고 거짓말을 한다.
④, ⑤ 문기는 결말에서 자신의 잘못을 삼촌에게 털어놓고서야 마음의 평온을 얻는다.

소단원 핵심 문제 • 본문 p.038

01. ② **02.** ⑤ **03.** ⑤ **04.** ④ **05.** ① **06.** 문기가 자신의 잘못을 깨닫고 반성하도록 한다. **07.** ④ **08.** ⑤ **09.** ③ **10.** 수만은 칠판에 문기를 압박하는 말을 쓰되 구체적인 내용은 제시하지 않음으로써 사실을 비밀로 한 채 문기를 압박하여 돈을 받아 내고자 한다. 이를 통해 볼 때 수만은 음흉하고 욕심 많은 인물이다. **11.** ① **12.** ③ **13.** ② **14.** 정직, 거짓이나 꾸밈이 없이 마음이 바르고 곧음. **15.** ⑤ **16.** ⑤ **17.** ② **18.** ③ **19.** ④

01. 문기는 '수만이가 시키는 대로 끌려 하기만 하면 남이 하래서 하는 것이니까 어떻게 자기 책임은 없는 듯싶었다.'고 생각한다.

오답 해설

① 수만과 문기는 서로에게 잘못의 책임을 미루고 있다.
③ 문기가 평소에 수만에게 거리감을 보이는 내용은 드러나지 않는다.
④, ⑤ 수만은 문기에게 거스름돈 얘기를 듣고 '좋은 일'이 있다며 '거리에서 보고 지내던 온갖 가지고 싶고 해 보고 싶은 가지가지를 한번 모조리 돈으로 바꾸어 보자'고 유혹한다.

02. 문기는 고깃간 주인이 거스름돈을 더 준 것에 의아해하다가 돈을 함께 쓰자는 수만의 꼬임에 솔깃함을 느낀다. 문기는 자신의 잘못된 행동에 관해 두려움을 느끼지만, 이내 새로운 물건을 살 생각에 기쁨을 느낀다.

03. (가)에서 수만은 문기에게 잔돈만 작은어머니에게 주고 작은어머니가 아무 말이 없으면 그냥 나오라고 하면서, 그러면 '좋은 일'이 있을 거라고 이야기하였고 (나)에서 수만이 말한 '좋은 일'이 온갖 가지고 싶던 것들을 사는 것이었으며 이 돈이 '문기가 만든 돈'이라는 내용으로 보아, 고깃간 주인이 거스름돈을 잘못 주었고 문기가 그 돈을 작은어머니께 드리지 않고 수만과 함께 쓰는 것임을 알 수 있다.

04. 문기의 어머니는 어려서 돌아가셨고, 아버지는 거처 없이 여기저기를 떠돌아다니는 사람이라 문기는 어려서부터 삼촌 내외의 손에 자랐다.

오답 해설

① 문기는 자신의 아버지를 '일상 천 냥 만 냥 하고 허한 소리만 하면서 남루한 주제에 거처가 없이 시골, 서울로 돌아다니는 사람'이라고 생각하고 있다.

② 삼촌은 공과 쌍안경을 수만이 주었다는 문기의 말에 "네 입으로 수만이가 줬다니 네 말이 옳겠지. 설마 네가 날 속이기야 하겠니?"라고 말한다.

③ 삼촌은 문기가 수만과 어울리고 있다는 이야기를 듣고 "성실치 못한 아이들하고 어울려 다니다 혹 나쁜 데 빠지거나 하면 첫째 네 꼴은 뭐구 내 모양은 뭐냐?"라고 꾸중한다.

⑤ 문기는 '자기는 수만이가 시켜서 한 일이니까 잘못이 없다'는 생각을 포함해서 자신의 잘못을 인정하고, 작은아버지에게 거짓말을 한 것을 후회하고 있다.

05. 문기는 삼촌의 말을 듣고 자신이 삼촌을 속이고 써서는 안 될 돈을 써 버렸음을 후회하고 있다.

06. 삼촌은 문기가 가진 공과 쌍안경에 관해 추궁하고 문기가 바르게 행동하기를 바라는 마음을 표현하고 있다. 문기는 삼촌의 말을 듣고 자신의 잘못을 부끄러워한다.

07. 문기는 자신이 써서는 안 될 돈을 쓰고, 그 허물을 수만의 탓으로만 미루며 자신의 잘못을 외면하였다. 삼촌의 꾸중에도 사실대로 말하지 않고 삼촌을 속였으며 이것이 삼촌의 기대에 어긋나는 행동임을 알고 부끄러움을 느끼고 있다.

08. (마)는 문기에 대한 수만의 협박이 점점 강해지는 부분으로 등장인물 간의 갈등이 심화되는 부분이다. 갈등 해결의 실마리는 드러나지 않는다.

오답 해설

① (가)는 공을 버리러 나선 문기가 그 공을 '남이 볼까 두려워졌다'라고 하며 문기의 심리를 직접 제시하고 있다.

② (나)에는 문기의 속마음과 생각이 서술자를 통해 직접 서술되고 있다. 이는 3인칭 전지적 작가 시점의 가장 큰 특징이다.

③ 돈을 돌려주었다는 문기의 말을 믿지 않고 돈을 가져오라는 수만의 말을 통해 문기와 수만의 갈등이 드러난다.

④ 수만의 행동으로 인해 수만과 문기의 갈등이 심화되고 있다.

09. (다)에서 문기는 쓰고 남은 돈을 돌려준 사실을 수만에게 솔직하게 이야기했지만, 수만이 이를 믿어 주지 않는다.

10. ㉠은 문기의 잘못을 폭로하면서도 그 구체적인 내용을 '○○○'으로 처리하였다. 문기의 잘못이 공개되면 수만도 돈을 받을 수 없기 때문이다. 따라서 수만은 문기의 잘못을 비판하고자 하는 목적이 아니라 문기에게 돈을 받아 내려는 목적으로 ㉠을 썼다고 볼 수 있다.

11. 문기는 자신의 잘못을 고백하지 못하고 괴로워하다가 교통사고 후 자신의 잘못을 작은아버지에게 고백한 후에야 마음이 편안해진다. 자신의 잘못으로 인해 고민하는 문기의 내적 갈등이 잘 드러나 있다.

12. 문기는 선생님께 잘못을 고백하려 했지만, 여러 가지 상황으로 인해 고백하지 못하고 돌아왔기 때문에 선생님은 문기의 잘못에 대해 알지 못한다.

13. 작은아버지에게 자신의 잘못을 털어놓으면서 문기는 '마음속의 어둠도 차차 사라지며 맑아지는 것'을 느낀다. 정직하게 자신의 잘못을 털어놓는 문기의 모습으로 결말을 지음으로써 소설의 주제가 정직과 양심에 대한 것임을 분명하게 제시하고 있다.

오답 해설

① 문기는 작은아버지에게 잘못을 고백함으로써 내적 갈등에서 벗어난다.

③ (다)는 소설의 결말 부분으로 사건의 해결이 드러난다.

④ 문기는 자신의 잘못을 고백하고 '마음속의 어둠'이 사라짐을 느낀다.

⑤ 이 소설에는 시대적 상황에 대한 비판은 드러나지 않는다.

14. 문기는 잘못된 행동을 거짓말로 숨기고 그것을 해결하기 위해 또 다른 잘못을 저지르면서 괴로워한다. (다)의 결말에서 자신의 잘못을 작은아버지에게 사실대로 고백하면서 문기는

비로소 마음의 괴로움에서 벗어난다. 이런 문기를 통해 우리가 배울 수 있는 미덕은 '정직'이다.

15. 문기는 삼촌에게 꾸중을 들은 뒤 자신의 잘못을 반성하며 더 이상 잘못을 저지르지 않으려 하지만, 수만의 계속된 압박에 불안감을 느끼게 된다.

오답 해설

① (가)에서 문기는 돈을 더 거슬러 받고 의아함을 느낀다.
② (나)에서 문기는 자기 행동의 책임을 수만에게 넘기며 자신의 잘못을 합리화하고 있다.
③ (다)에서 문기는 삼촌의 말을 듣고 삼촌의 기대에 어긋나는 사람이 된 자신을 후회하고 반성하고 있다. 이는 문기가 삼촌의 기대를 거스르지 않기 위해 노력함을 의미한다.
④ (라)에서 더 이상의 잘못을 하지 않기로 결심한 문기에게 나타난 수만은 그동안의 행동을 계속하기를 요구하고 이에 문기는 불안감을 느낀다.

16. 수만은 문기를 계속 압박하면서도 문기의 잘못을 직접적으로 언급하지는 않는다. 문기의 잘못을 다른 사람들이 알게 되는 것보다 돈을 받는 것이 수만의 목적이기 때문이다.

오답 해설

① 잘못 받은 거스름돈을 어른들에게 들키지 않고 쓰려고 치밀하게 계획을 세우는 모습, 그리고 이러한 계획을 문기에게도 미리 알려 주지 않는 모습을 통해 수만의 약삭빠르고 음흉한 성격을 짐작할 수 있다.
② '수만이는 수만이대로 ~ 또 안심이었다.'를 통해 서로에게 책임을 돌리며 자신의 잘못을 합리화하는 두 소년의 생각이 나타난다.
③ 문기는 자신을 길러 주는 삼촌에게 고마워하며 그 기대에 부응하려고 하면서 자신의 잘못에 대해서도 반성을 하고 더 나은 사람이 되고자 한다.
④ 고깃간 집에 자기 혼자 몰래 돈을 돌려준 것은 근본적인 문제 해결이 아니었으므로 문기는 자신의 말을 믿지 못하고 돈을 내놓으라는 수만의 요구에 어찌할 도리 없이 난감한 처지가 된다.

17. 문기는 수만의 협박에 시달리는 상황에서 수만에게 숙모의 돈을 훔쳐 가져다 줌으로써, 이후에 이 돈으로 인한 문제가 여전히 남게 됨을 예상할 수 있다.

18. 문기는 떳떳하지 못한 자신으로서는 맑고 푸른 하늘을 쳐다보기가 부끄럽다고 느낀다. '하늘'은 문기가 추구하는 떳떳한 마음의 상태이자, 그렇지 못한 자신을 일깨워 죄책감과 양심의 가책을 느끼게 만드는 대상이다.

오답 해설

ⓐ 문기는 '하늘'을 '쳐다보기가 두려워졌다'고 느낀다.
ⓓ 문기는 맑고 푸른 '하늘'을 보며 자신을 반성하고 있으므로 '하늘'을 문기가 자신의 행동을 합리화하도록 부추기는 대상으로 보기는 어렵다.
ⓔ '하늘'은 부모님에 대한 그리움의 의미와는 관련이 없다.

19. 양심의 가책을 느끼고 있는 문기에게 수신 시간에 선생님이 하는 말은 모두 자신에게 해당하는 것으로 느껴진다. 하지만 선생님이 문기의 잘못을 알고 이야기한 것은 아니며 문기가 그렇게 느낀 것일 뿐이다.

3 괜찮아

개념 확인 콕콕 • 본문 p.044

01. ② 02. 성찰 03. ㉠ 내용 생성 및 선정하기, ㉡ 진솔

01. 진솔하게 글을 쓸 때 더 큰 감동과 즐거움을 줄 수 있다.

02. 자신을 되돌아보는 것, 즉 '성찰'은 삶과 경험을 담은 글 쓰기를 통해 얻을 수 있는 효과이다.

03. 일반적인 글쓰기의 과정 중 글쓴이 자신의 삶과 경험에 관한 성찰의 내용은 글의 내용을 생성하고 선택할 때의 바탕이 되며, 표현을 통해 글쓴이 자신의 진실한 모습을 드러낼 때 반영된다.

확인 문제 • 본문 p.046

01. ⑤ 02. ③ 03. ② 04. 자신을 배려해 주는 친구들의 마음을 알고 있었기 때문이다. 05. ⑤ 06. ② 07. ① 08. ④ 09. 몸이 불편한 '나'를 안타깝게 여기는 마음, 외로워 보이는 '나'를 위로해 주고 싶은 마음, '나'가 선의를 느끼고 기분이 좋아지기를 바라는 마음 등 10. ② 11. ③ 12. ⑤ 13. 괜찮아.

01. 이 글의 갈래는 글쓴이가 자신의 삶의 경험을 진솔하게 담아낸 수필이다. 따라서 글쓴이와 글 속의 '나'는 일치한다.

02. 친구들은 한곳에 앉아 있는 '나'를 위해 무언가 역할을 꼭 만들어 주었다. 글쓴이는 어린 시절의 경험 중에서도 그때의 친구들에 대한 추억을 이야기한다.

03. '나'는 공기놀이 외의 놀이에는 참여할 수 없는 상황이었다. 그러나 어머니는 '나'가 집 안에서만 생활하지 않고 친구들과 어울리기를 원하여 방과 후 골목길에 아이들이 모일 때쯤이면 대문 앞 계단에 작은 방석을 깔고 '나'를 거기에 앉히셨다.

오답 해설

① 어머니는 '나'가 친구들과 어울리기를 원해서 '나'를 골목으로 보낸 것이다.
③ '나'는 다리가 불편하여 공기놀이 외에는 어떤 놀이에도 참여할 수 없었다.
④ 친구들은 '나'를 배려하여 골목 구석진 쪽에 있던 '나'의 집 계단 앞에서 주로 놀았다.
⑤ '나'의 형제들에 대한 정보는 이 글에서 드러나지 않으므로 '나'의 형제들이 몇 명인지는 알 수 없다.

04. 공기놀이 외에 어떤 놀이에도 참여할 수 없는 '나'를 위해 친구들은 심판을 시키거나 물건을 맡기는 등 무언가 역할을 만들어 주고 '나'가 있는 골목 구석에서 함께 놀아 주었다.

05. 이 글은 삶과 경험을 담은 글로서 익살스러운 농담(유머)이나 웃음을 유발하는 표현보다는 자신의 생각을 진지하고 솔직하게 드러내어 독자에게 감동과 깨달음을 준다.

오답 해설

① '나'가 경험한 깨엿 장수 아저씨와의 일을 제시하고 있다.
② 깨엿 장수 아저씨의 행동과 그것을 받아들이는 '나'의 태도가 감동과 깨달음을 준다.
③, ④ (마)에 나타난 '나'의 말을 통해 삶에 대한 긍정적 시선과 타인에 대한 배려가 주는 감동이 잘 드러난다.

06. 이 부분에 제시된 주요 사건은 깨엿 장수가 '나'에게 깨엿을 주고 "괜찮아."라고 말한 것이다. 이 말을 들은 날부터 '나'는 세상은 살 만한 곳이며, 선의와 사랑이 있고, 용서와 너그러움이 있는 곳이라고 믿기 시작했다.

07. '나'는 깨엿 장수의 말 "괜찮아."가 목발을 짚고 살아도 괜찮다는 의미로 한 말일 수 있다고 추측한다. 이로 보아 '나'가 다리가 불편한 사람임을 짐작할 수 있다.

08. 깨엿 장수는 처음 보는 아이에게 선의를 베풀며 "괜찮아."라는 말로 따뜻이 다독여 준다.

09. 깨엿 장수 아저씨는 '나'를 배려하는 마음으로 깨엿을 준 것이며, 이어지는 "괜찮아."라는 말은 이러한 배려의 마음을 더 분명하게 해 준다.

10. '나'는 결승 진출 시합에 진 선수들, 골든벨 퀴즈에서 탈락한 학생 등 최종 목표를 앞에 두고 실패를 겪는 이들에게 희망과 격려를 담은 "괜찮아."라는 말이 주는 힘이 얼마나 큰지를 이야기하고 있다.

11. 글쓴이에게 '괜찮아'라는 말은 희망과 용기를 북돋워 주는 긍정적인 의미로 다가온다. '비난'은 남의 잘못이나 흠을 책잡아 나쁘게 말하는 것으로 부정적인 의미를 지니고 있다.

12. 다른 친구들이 뚱뚱한 친구를 축구팀에 끼워 주려 하지 않을 때 그 친구가 할 수 있는 최선의 방법을 찾아 함께 경기하게 해 준 어느 가수의 말은 친구에게 '따뜻한 말과 마음'으로 기억되고 있었다. 가수의 말 속에 친구에게 소외감이나 박탈감을 느끼지 않도록 하려는 배려가 담겨 있었기 때문이다.

13. 이 글은 배려의 소중함을 보여 주며 배려의 마음을 전달하는 대표적인 말 "괜찮아."가 내포하는 다양한 의미를 살펴보고 있다.

학습 활동 다지기

• 본문 p.049

이해 다지기 문제 **1.** ② **2.** ③ **3.** ④ **4.** ②
목표 다지기 문제 **1.** ① **2.** ④

이해 **1.** '나'는 친구들, 깨엿 장수 아저씨와의 경험을 통해 세상이 너그러움과 용서, 사랑과 선의로 이루어졌다고 생각하게 되었다.

2. '나'는 다리가 불편한 자신을 배려해 주는 친구들과 '괜찮아'라는 말로 격려해 준 깨엿 장수 아저씨로 인해 이 세상이 선의와 사랑, 용서와 너그러움으로 가득 차 있는 공간이라고 생각하게 된다.

오답 해설

①, ② '나'는 깨엿 장수 아저씨가 내민 깨엿을 보며 고마움과 감동을 느낀다.
④, ⑤ '나'는 다리가 불편한 자신을 배려해 주는 친구들 덕분에 세상을 살 만한 곳으로, 선의와 사랑, 용서와 너그러움이 있는 곳이라고 믿기 시작했다.

3. 글쓴이가 말하는 '괜찮아'는 용서, 희망, 격려, 나눔, 부축의 의미를 담고 있다. ④의 '괜찮아'는 상관없다는 말, 허락의 의미로 해석할 수 있다.

4. 글쓴이는 힘들고 주저앉고 싶은 순간에 용서와 격려, 응원과 희망의 의미로 '괜찮아'라는 말을 떠올린다. ②의 경

우는 '자만하고 있는' 상황이지 힘들거나 좌절한 상황이 아니므로 응원과 격려의 '괜찮아'보다는 자만을 일깨워 줄 수 있는 깨우침의 말이 필요하다.

목표 **1.** 깨엿 장수 아저씨의 말은 다리가 불편한 '나'에 대한 격려와 응원, 따뜻함이 담겨 있는 말이어서 읽는 이에게 감동과 깨달음을 준다.

2. 삶과 경험을 담은 글을 통해 독자에게 감동과 즐거움을 주기 위해 글쓴이의 경험이 보편적일 필요는 없다.

소단원 핵심 문제 • 본문 p.053

01. ② **02.** ③ **03.** ② **04.** 어린 시절 친구들과 깨엿 장수 아저씨 / 이들을 통해 '나'는 세상을 선의와 사랑, 너그러움과 용서가 있는 곳으로 인식하게 되었다. **05.** ④ **06.** ② **07.** ③ **08.** ① **09.** 깨엿 두 개 **10.** 몸이 불편한 '나'가 소외감이나 박탈감을 느끼지 않도록 배려하는 친구들의 행동이 독자에게 감동을 준다.

01. 글쓴이는 자신을 배려하고 격려해 주었던 친구들과 깨엿 장수 아저씨와의 일화를 진솔하게 표현하여 독자에게 감동과 깨달음을 준다.

오답 해설

① 이 글에서 반전은 드러나지 않는다. (가)~(라)와 (마)는 유사한 두 경험을 제시한 것이다.
③ 이 글은 어린 시절의 감동적인 추억을 회상하여 독자에게 감동과 깨달음을 준다.
④ 이 글에서 현실에 대한 문제의식은 드러나지 않는다.
⑤ 이 글은 '나'의 삶에 대한 관점을 형성하게 한 두 가지의 경험을 독자에게 전달하고 있다.

02. (다)에는 다리가 불편해 공기놀이 외에는 다른 놀이에 참여하지 못하는 '나'를 위한 친구들의 배려가 잘 드러나 있다.

03. 어머니는 다리가 불편한 '나'가 집에만 있을 것을 염려하여 책만 읽지 않고 골목에 나가 친구들과 어울리기를 원하셨다.

04. 이 글에서 '나'는 어린 시절의 두 경험을 통해 자신의 몸이 불편해도 세상을 긍정적으로 인식하게 되었음을 이야기하고 있다.

05. 이 글은 경험과 깨달음을 중심으로 쓴 글이므로 글에 드러난 글쓴이의 삶을 간접 경험하고 이와 관련된 자신의 경험을 떠올리며 읽는 것이 좋다.

06. (가)와 (나)에서는 '괜찮아'라는 말에 대한 글쓴이의 생각을 제시하고 있다.

오답 해설

① (가), (나)는 모두 실제 사건을 다루고 있다.
③ (가)는 글쓴이의 경험담이지만, (나)는 글쓴이가 직접 경험한 일이 아니다.
④ (가), (나)는 모두 글쓴이에게 긍정적으로 기억되고 있다.
⑤ (가), (나)는 모두 글쓴이의 주관적이고 개성적인 관점이 드러난다.

07. '괜찮아'는 다리가 불편한 '나'나 몸이 뚱뚱한 '친구'를 배려하고 격려한 말이며 시합에 지거나 퀴즈 대회에서 떨어졌을 때 등 좌절의 상황에서 희망을 준 말이다. 이러한 '괜찮아'의 의미는 글쓴이에게 깊은 감동을 주었다.

08. 이 글은 글쓴이의 개인적 체험과, 그로 인한 생각이나 깨달음을 다룬 것으로 사회적인 문제와는 거리가 멀다. (라)는 글쓴이가 자신의 삶에서 느낀 깨달음을 제시한 부분으로, 어릴 적 잘못에 관한 고백은 드러나지 않는다.

09. 깨엿 장수가 글쓴이에게 공짜로 준 깨엿은 글쓴이로 하여금 이 세상에 대가를 요구하지 않는 선의와 사랑이 있음을 깨닫게 한다.

10. ㉠~㉣은 친구들이 '나'를 놀이에 끼워 주려 한 행동으로 다리가 불편한 '나'를 배려한 것이다. 독자는 이러한 글쓴이의 어린 시절 경험을 읽고 친구들의 따뜻한 마음과 배려에서 감동을 느끼게 된다.

대단원 확인 문제 • 본문 p.059

01. ③ **02.** ② **03.** ③ **04.** ⑤ **05.** ② **06.** ④ **07.** ① **08.** ⓐ 예상보다 많은 거스름돈을 받고 어리둥절함. ⓑ 삼촌의 말을 듣고 부끄러움과 죄책감을 느낌. **09.** ① **10.** ⑤ **11.** ⑤ **12.** 그러나(하지만) **13.** ① **14.** ⑤ **15.** 용기, 정직 / 자신의 잘못을 [정직]하게 고백하는 [용기]가 있다면 양심의 가책에서 벗어날 수 있을 것이다. **16.** ⑤ **17.** ② **18.** 하늘 **19.** ⑤ **20.** ⑤ **21.** ④ **22.** ② **23.** 글쓴이는 세상을 긍정적으로 바라보고 있다. **24.** ③ **25.** ③ **26.** 나눔의 말, 부축의 말 / 몸이 불편한 '나'에게 '지금은 아파도 슬퍼하지 말라'며 나눔의 말을, 마음으로 일으켜 주는 부축의 말을 하고자 "괜찮아."라고 했을 것이다. **27.** ④ **28.** ⑤ **29.** ① **30.** 어둠과 같이 컴컴하고 무겁다. **31.** ② **32.** ② **33.** ㉮ 자신의 잘못으로 인해 양심의 가책을 느낌. ㉯ 작은아버지께 자신의 잘못을 고백하고 양심의 가책에서 벗어남.

01. 이 글은 '시'로 주관적 생각이나 느낌을 함축적으로 표현하고 있다.

오답 해설
① 희곡에 대한 설명이다.
② 소설이나 희곡 등에 대한 설명이다.
④ 논설문에 대한 설명이다.
⑤ 수필에 대한 설명이다.

02. 1연에서 1~4행은 자신의 지나온 삶에 관한 반성(과거)을, 5~8행은 앞으로의 다짐(미래)을, 2연은 암울한 현실 상황에 관한 판단(현재)을 드러내고 있다.

오답 해설
① 의성어란 '멍멍, 야옹, 쿵쿵'처럼 소리를 흉내내는 말을 의미하는데, 이 시에는 쓰이지 않았다.
③ 이 시에는 경어체가 사용되지 않았다.
④ 이 시에는 문답법이 드러나지 않는다.
⑤ '하늘', '바람', '별', '밤' 등은 자연을 드러내는 시어이기는 하나, 고향을 연상시키는 시어가 아니라 상징적 의미를 담고 있는 시어이다.

03. '별'은 어둡고 힘겨운 현실('밤') 속에서 말하는 이가 추구하는 이상이다.

04. 시대적 배경이 일제 강점기임을 고려한다면 양심에 따라 부끄러움 없는 삶을 추구하는 시인의 성찰적 태도는 더 큰 의미를 가진다.

05. (나)의 서술자는 문기와 수만의 심리를 구체적으로 직접 설명하여 전달해 주고 있다.

오답 해설
① 이 소설은 당대의 사회적 문제와는 관련이 없다.
③ (다)에서는 새로운 인물로 '삼촌'이 등장하여 문기의 마음 속 갈등을 유발한다.
④ 삼촌의 말과 삼촌의 속마음은 일치한다.
⑤ '자기라는 몸은 ~ 아니고 뭐냐.' 등에서 인물의 속마음은 서술자를 통해 직접 제시된다.

06. 삼촌의 꾸지람을 듣고 자신의 잘못을 깨달은 문기에게 더 받은 거스름돈으로 구입한 공은 양심의 가책을 불러일으키는 대상이 된다.

오답 해설
① 문기는 고깃간 주인이 잘못 준 거스름돈으로 '상점 유리창 안의 온갖 것이 모두 제 것인 양' 그동안 사고 싶었던 것들—공, 쌍안경 등—을 산다. 이런 물건들은 문기에게 꼭 필요한 물건들이기보다는 문기가 갖고 싶었던 물건들일 뿐이다.
② '공'은 문기와 수만이 잘못 거슬러진 돈으로 구입한 물건이다.
③ '공'을 발견한 삼촌의 꾸지람으로 문기는 자신의 잘못에 대한 후회를 느끼게 된다. 이는 문기가 삼촌의 말에 적극적으로 반응하고 삼촌의 생각을 중요하게 여기고 있음을 보여 준다.
⑤ 삼촌은 수만이 공을 사 준 것이라 하더라도 남이 준 것을 덥적덥적 받는 것은 문제가 있다고 생각하며 수만과 문기의 관계에 대한 문제를 제기한다.

07. '주몃주몃'은 '말이나 행동을 선뜻 결정하지 못하고 머뭇거리며 자꾸 망설이는 모양을 나타내는 말'로, 문기가 고깃간 주인을 의도적으로 속인 것이 아니라 고깃간 주인에게 받은 거스름돈이 이상하다는 것을 안 문기가 망설이다가 바로 말하지 못하는 상황을 드러낸다.

08. ⓐ '고깃간'에서는 예상보다 많은 거스름돈을 받아든 문기의 심리가 '어리둥절함'으로 드러난다. 삼촌과 대화를 마치고 혼자 남은 문기의 내면 심리를 통해 ⓑ '아랫방'에서 느낄 문기의 심리는 '부끄러움, 죄책감'임을 짐작할 수 있다.

09. 문기는 '수만이가 시키는 대로 끌려 하기만 하면 남이 하래서 하는 것이니까 어떻게 자기 책임은 없는 듯싶었다.'라며 돈을 쓰는 것에 그럴듯한 이유를 붙이고 있다.

10. 삼촌이 문기와 아버지의 관계가 회복되기를 바라는지에 대한 내용은 (나)에 드러나지 않는다.

오답 해설
① '아버지란 사람은 일상 천 냥 만 냥 하고 허한 소리만 하면서 남루한 주제에 거처가 없이 시골, 서울로 돌아다니는 사람'이라는 말을 통해 짐작할 수 있다.
② '일찍이 어머니를 여의고', '어려서부터 문기를 길러 낸 사람이 삼촌이었다.'라는 말을 통해 짐작할 수 있다.
③ '문기는 이미 삼촌을 속이었다.'라는 말을 통해 짐작할 수 있다.
④ '조카의 장래를 자기의 그것보다 더 중히 알고 염려하며 잘되어 주기를 바라는 삼촌이었다.'라는 말을 통해 짐작할 수 있다.

11. 문기는 더 받은 거스름돈으로 구입한 공과 쌍안경을 버리고 남은 돈을 돌려주지만, 자신의 잘못을 정직하게 고백하는 모습이 나타나 있지는 않다.

12. (라)의 앞부분에서 문기는 자신의 허물을 벗었다고 생각하지만 뒤이어 '그것만으로는 도저히 자기 허물을 완전히 벗을 수 없었다'며 이를 부정하는 내용이 이어지고 있으므로, 이를 연결하는 접속어로는 '그러나(하지만)'가 들어가야 한다.

13. 문기는 자신의 잘못을 고백하고 양심의 가책에서 벗어나기 위해 선생님을 찾아간다. 비록 고백은 하지 못했지만, 자신의 잘못을 해결하기 위해 노력하고 있음을 알 수 있다.

오답 해설

② 사모님과 문기의 관계에 대한 내용은 소설에서 드러나지 않는다.
③ 숙모가 평상시에 문기를 엄격하게 대했다는 내용은 드러나지 않는다.
④ 삼촌은 (다) 이후 문기의 고백을 통해서야 문기의 잘못을 알게 된다.
⑤ '학교에서 볼 때 엄하고 딱딱하던 선생님'이라는 표현으로 보아 평소 문기와 담임 선생님의 관계가 친밀하지 않다는 것을 짐작할 수 있다.

14. (나)에는 자신의 잘못된 행동으로 심각한 고민에 빠진 문기가 자동차가 다가오는 것도 모른 채 걸어가다가 교통사고를 당하는 내용이 담겨 있다.

15. 이 글에는 잘못을 고백하려 하지만 용기를 내지 못하는 문기의 모습이 드러난다.

16. 「서시」, 「하늘은 맑건만」 모두 말하는 이인 '나'와 주인공 문기의 성찰과 반성이 드러나 있다.

오답 해설

① 두 작품 모두 따뜻하고 낭만적인 분위기는 드러나지 않는다.
② 글쓴이의 실제 경험이 반영되는 것은 수필의 특징이다. (가)는 시, (나)~(마)는 소설이다.
③ 소설 갈래인 (나)~(마)에만 적용되는 내용이다.
④ (나)~(마)는 시대적 문제와 무관한 내용을 담고 있다.

17. 문기는 양심의 가책으로 인해 수신 시간에 선생님이 정직에 대해 말하는 것을 자신에게만 하는 말인 것처럼 느낀다. 선생님이 문기에게 직접적인 꾸지람을 한 것은 아니다.

18. 「서시」와 「하늘은 맑건만」에서 '하늘'은 잘못을 저질렀을 때 똑바로 쳐다볼 수 없는 대상으로, 자신의 잘못을 판단하는 기준이 되며 잘못에 대한 부끄러움이나 양심의 가책을 유발하는 존재로 볼 수 있다.

19. (가)의 말하는 이는 부끄러움이 없는 삶을 추구하는 사람이므로 마음의 거리낌이나 양심의 가책이 없는 마음의 상태를 추구할 것임을 알 수 있다.

20. 글쓴이는 몸이 불편한 자신을 배려해 주던 주변의 따뜻한 시선 덕분에 세상을 좋은 곳으로 인식하게 되었다. 글쓴이가 처한 문제 상황은 이 글의 관심사가 아니며 이에 관한 극복 노력도 제시되어 있지 않다.

오답 해설

① 글쓴이의 실제 경험을 다루고 있다.
② 글쓴이는 어린 시절의 경험을 통해 세상에 대한 긍정적 인식을 갖게 된다.
③ 수필에서 글쓴이와 서술자는 일치한다.
④ 글쓴이의 경험을 통해 타인을 배려하는 말과 행동이 타인에게 어떤 영향을 미칠 수 있는지 알 수 있다.

21. 초등학교 때의 경험을 통해 삶을 긍정적으로 바라보게 된 글쓴이의 이야기는 독자에게 감동을 준다. 이처럼 자신의 삶과 경험을 진지하게 되돌아보고 이를 솔직하게 전달하는 것이 감동과 즐거움을 주는 글을 쓸 때 필요한 태도이다.

22. 글쓴이는 다리가 불편해서 참여할 수 있는 놀이가 많지 않았지만, 친구들은 그런 글쓴이에게 가방을 맡기거나 심판 역할을 주며 함께 참여하도록 배려했고 이로 인해 글쓴이는 박탈감이나 소외감을 전혀 느끼지 않았다고 했다.

오답 해설

① 깨엿 장수 아저씨의 행동을 통해 '나'는 세상을 살아갈 만한 곳으로 인식하게 된다.
③, ⑤ 글쓴이의 친구들은 글쓴이를 위해 무언가 꼭 역할을 만들어 주고, 골목 중앙이 아닌 글쓴이의 집 앞에서 어울려 놀았다.
④ 글쓴이의 어머니는 방과 후에 아이들이 모일 때면 글쓴이를 문 앞 계단에 내보내서 친구들과 어울리게 하였다.

23. 글쓴이가 어린 시절의 경험 이후로 세상을 선의와 사랑, 용서와 너그러움이 있는 곳이라고 생각하게 되었음을 알 수 있다.

24. 글쓴이는 초등학교 시절 친구들과의 경험, 초등학교 1학년 때 깨엿 장수 아저씨와의 만남 등을 이야기한 후, 이러한 경험들을 통해 얻은 자신의 생각의 변화, '괜찮아'라는 말의 의미를 독자에게 전달하고 있다.

25. ㉮는 글쓴이의 친구들처럼 친구가 소외감이나 박탈감을 느끼지 않도록 배려해 주고 있다.

오답 해설

① '가수'나 '깨엿 장수'에게 동정의 태도가 있었다면 '친구'나 글쓴이에게 좋은 기억으로 남지 못했을 것이다.

② '가수'의 행동으로 인해 '친구'는 글쓴이처럼 세상을 살 만한 곳이라고 여기게 되었을 것이다.

④ '가수'가 아니라, '가수의 친구'가 '가수'의 말을 통해 힘을 얻었을 것이다.

⑤ '친구들'은 글쓴이를 배려하기 위해 자기 가방이나 신발주머니를 맡긴 것이다. '가수' 역시 이와 비슷한 마음에서 '친구'에게 골키퍼의 역할을 주자고 한 것이다.

26. (마)에는 '괜찮아'라는 말에 담긴 다섯 가지 의미가 제시되어 있다. (마)의 내용을 고려하여 깨엿 장수 아저씨가 글쓴이에게 건넨 '괜찮아'의 의미에 가까운 것은 무엇인지 생각해 보고, 그렇게 생각하는 이유를 정리해 본다.

27. (가)에는 주인공 문기의 심리나 생각이 서술자를 통해 직접 드러나며, (나) 역시 글쓴이의 서술을 통해 글쓴이의 심리나 생각이 직접적으로 드러난다.

28. (나)의 '나'는 "괜찮아."라는 말을 들었던 경험을 통해 세상은 너그러움과 용서가 있는 곳이라고 생각한다. 따라서 자신의 잘못을 고백하지 못하고 고민하는 '문기'에게 용기를 내어 고백해 보라고 말해 줄 것이다.

오답 해설

② '나'를 친구들과 어울리게 만든 것은 '나'의 어머니이지만, '나'가 (나)를 통해서 말하고자 하는 바는 다른 사람에 대한 배려와 격려의 소중함이다.

29. 삼촌은 어릴 때부터 부모님을 대신하여 문기를 길러 온 사람으로 문기를 진심으로 걱정하고 있다. 문기는 이런 삼촌의 기대에 맞는 사람이 되고 싶어 한다.

30. '하늘은 맑건만'의 '-건만'은 내용이 상반되는 문장을 앞뒤로 이어 주는 어미이므로 빈칸은 하늘의 상태와 대조를 이루는 문기의 마음을 나타내도록 내용이 채워져야 한다.

31. (나)의 '나'는 자신의 경험을 바탕으로 세상을 긍정적으로 바라보고 있다. 하지만 (가)의 '나'는 세상을 '바람'이 스치우는 '밤'이라고 인식하고 있다.

오답 해설

① (가)의 '하늘'은 배려와 격려를 주는 대상이 아니라, 말하는 이의 부끄러움을 판단하는 절대적인 존재이다.

③ 문기가 살아가는 시대적 상황은 구체적으로 드러나지 않으며 소설의 전개에 큰 영향을 미치지도 않는다.

④, ⑤ (라)에서 문기는 작은아버지에게 자신의 잘못을 모두 털어놓고 '하늘을 떳떳이 마음껏 쳐다볼 수 있을 것'이라고 후련해한다.

32. 말하는 이는 부끄러움 없는 삶을 살기를, 별을 노래하는 마음으로 살기를 바라며 자신의 삶을 살아가고자 한다.

33. (나)의 '나'는 타인의 배려와 격려를 통해 문제를 극복하고, (다), (라)의 문기는 자신의 잘못을 고백함으로써 문제 상황을 극복한다.

2 세상을 담은 말, 마음을 닮은 말

• 본문 p.069

확인 문제 **01.** ㉠ 기준, ㉡ 공통성 **02.** (1) ○ (2) × **03.** 폭력, 배려

01. 어휘는 단어들을 일정한 기준에 따라 공통성이 있는 것끼리 묶은 집합을 가리킨다.

02. 한자어는 중국의 한자를 기반으로 하지만 외래어의 한 종류가 아니라 고유어, 외래어와 함께 국어의 어휘 체계를 이루는 어휘이다.

03. 상대방을 배려하며 말을 하면 긍정적인 대인 관계 형성에 도움이 된다.

1 우리말의 어휘

개념 확인 콕콕 • 본문 p.070

01. ③ 02. 티셔츠, 입다 / 냉면, 살구 / 잠, 아파트
03. (1) ○ (2) ○ (3) ×

01. 단어를 분류하는 기준은 다양하게 정할 수 있지만 분류 항목은 동일한 기준을 바탕으로 해야 한다. ③의 '사물의 이름을 가리키는 말'과 '의생활을 나타내는 말'은 하나의 기준에 따라 나눈 것으로 보기 어렵다.

오답 해설

① 체언은 문장에서 주어 따위의 기능을 하는 말, 용언은 문장에서 서술어의 기능을 하는 말로, 문장에서의 역할을 기준으로 단어를 분류한 것이다.
② 동작을 나타내는 말은 동사, 상태를 나타내는 말은 형용사에 해당한다. 이는 품사를 기준으로 단어를 분류한 것이다.
④ 단어가 지닌 의미의 많고 적음이라는 기준으로 단어를 분류한 것이다.
⑤ 고유어와 한자어를 나타내는 것으로, 어휘의 체계를 기준으로 단어를 분류한 것이다.

02. 제시된 단어들은 모두 일상생활에서 자주 사용하는 말들이다. 일정한 기준에 따라 단어를 분류해 보면 단어의 특성을 이해할 수 있다.

03. (1) '티셔츠'와 '아파트'는 둘 다 외래어이다.
(2) '잠', '살구'는 외국에서 들여온 말이 아니라 본디부터 우리나라에 있었던 말이다.
(3) '냉면'은 명사이고 '입다'는 동사이다. 또한, 둘 다 외국에서 온 말이 아니다.

• 확인 문제 • • 본문 p.072

01. ④ 02. ⑤ 03. ③ 04. ⑤ 05. ② 06. 계절, 고유어 07. ② 08. ④ 09. ③ 10. ③ 11. ③ 12. ③ 13. ④ 14. ② 15. ④ 16. ① 17. ④ 18. ② 19. 일반 국민이 법률의 내용을 쉽게 이해할 수 있도록 하기 위해 20. ② 21. ③ 22. ③ 23. ⑤ 24. ⑤ 25. 같은 지역 사람들끼리 친밀감을 느낄 수 있다. 26. ② 27. ② 28. ① 29. ② 30. ① 31. 유대감, 친근감(친밀감) 32. ③ 33. ① 34. ④ 35. ② 36. ④ 37. ⑤ 38. ② 39. ④ 40. ③ 41. ⑤ 42. ⑤ 43. ④ 44. ② 45. ④ 46. ④

01. 운동화(運動靴)는 한자어이다.

02. '안경(眼鏡)', '수건(手巾)'은 외래어가 아닌 한자어에 속하는 단어들이다.

03. ③의 '공원(公園)'과 '자전거(自轉車)'는 한자어이다.

오답 해설

① '봄', '나들이'는 순우리말인 고유어에 해당한다.
② '올겨울'은 고유어이고, '패션(fashion)', '컬러(color)', '핑크(pink)'는 모두 외래어이다.
④ '벤치(bench)'는 외래어, '너', '얘기(이야기)'는 고유어이다.
⑤ '수풀', '사이'는 고유어이다.

04. 한자어도 우리말의 일부로 쓰이고 있는 우리말 어휘이다.

05. 〈보기〉의 단어들은 모두 신체를 나타내는 고유어이다.

06. 제시된 단어들은 모두 '계절'과 관련된 것들이며 순우리말인 '고유어'에 해당한다.

07. '세배, 화로'는 우리 민족의 문화를 나타내는 단어이기는 하나 고유어가 아닌 한자어이다.

오답 해설

① 그네 타기와 씨름은 우리의 명절인 단오에 했던 대표적인 민속놀이로, '그네'와 '씨름'은 우리 민족의 문화를 나타내 주는 고유어이다.
③ 길쌈놀이와 달맞이는 우리의 명절인 추석에 했던 대표적인 민속 행사로, '길쌈'과 '달맞이'는 우리 민족의 문화를 나타내 주는 고유어이다.

④ 부럼 깨기, 강강술래는 각각 정월 대보름, 추석에 했던 대표적인 민속 행사로, '부럼'과 '강강술래'는 우리 민족 문화를 나타내 주는 고유어이다.
⑤ '제기차기'는 주로 설날을 중심으로 한 겨울철 민속놀이, '쥐불놀이'는 정월 대보름에 했던 민속놀이로 우리 민족 문화를 나타내 주는 고유어이다.

08. 고유어의 특성에 관한 설명으로, ㉠에는 한자어, ㉡에는 일상생활이 들어가야 한다.

09. ㉠은 문맥상 '대화'라는 한자어로 바꾸어 쓸 수 있다.

10. 고유어인 '말'을 한자어 '해명'으로 바꾸면서 그 의미가 좀 더 정확해졌다.

11. 고유어와 한자어의 특성에 관한 설명이다. 고유어는 하나의 단어가 다양한 뜻을 표현하는 경우가 많은 데 비해, 한자어는 좀 더 구체적이고 정확한 뜻을 나타내는 경향이 있다.

12. ①, ②, ④, ⑤는 외래어, ③은 고유어이다.

13. 외래어는 과거에는 없던 사물이나 개념이 우리나라에 유입되면서 그것들을 표현하기 위해 외국어를 한글로 나타낸 것들이 대부분이다. 그래서 고유어로 바꾸어 쓰기 어렵다.

14. ㉡ '고급'은 한자어이다.

15. 외래어를 무분별하게 사용하면 '고유어'의 자리를 위협하게 되어 우리 민족의 고유한 정서를 해칠 수도 있다.

오답 해설

①, ③ 외래어는 새로운 사물이나 개념을 가리키는 말로 모든 사람이 알아들을 수 있는 말은 아니다. 그렇기 때문에 지나치게 많이 사용하면 그 말을 모르는 사람과 의사소통에 문제가 생길 수 있고 상대방에게 불쾌감을 줄 수도 있다.
② 외래어를 고유어로 바꾸기 어려운 경우가 많다고 해서 무조건 그대로 쓴다면 우리말에서 외래어가 차지하는 비중이 많아지고 우리말의 정체성이 흔들릴 수 있다.
⑤ 외래어는 고유어와 달리 우리 고유의 정서를 담은 말이 아니므로 지나치게 외래어를 많이 사용하게 되면 우리 문화에 대한 자긍심이 손상될 수 있다.

16. 만화는 '에어캡'이라는 외래어를 고유어로 바꾸는 과정, 즉 말다듬기 상황을 보여 주고 있다. 이는 우리말을 지키고 가꾸기 위한 노력의 일환으로 이해할 수 있다.

17. '잔반'은 '남은 밥'이라는 뜻을 가진 한자어이다. 한자어를 고유어로 바꿀 때는 한자가 가진 뜻을 고려해 정확히 바꾸어야 한다.

18. '맹도견(盲導犬)', '망실(忘失)되다'는 모두 어려운 한자 표현이다.

19. 법제처에서는 누구나 법령을 쉽게 읽고 이해할 수 있도록 하기 위해 어려운 법률 용어나 표현을 쉬운 우리말로 바꾸고 있다.

20. '우리말 다듬기'는 우리말을 지키고 가꾸기 위한 좋은 방법이다.

21. '데이터'와 '서비스 센터'는 외래어이고, '노후된 건물'은 한자어이다. 이러한 말들을 고유어로 바꾸어 쓰려는 노력이 우리말 다듬기이다.

22. 외래어를 지나치게 많이 사용하면 의사소통을 하는 데 문제가 생길 수 있다. 외래어를 우리말로 바꾸어 쓰면 효과적으로 대화하는 데 도움이 된다.

23. 한글에 비해 갖는 한자의 장점을 알게 되는 것을 말 다듬기의 효과로 보기는 어렵다.

오답 해설

① 말 다듬기 활동을 통해 외래어나 한자어를 고유어로 바꾸는 것이 불가능하지만은 않은데도 그냥 사용해 왔다는 점을 깨닫고 반성하는 계기가 될 수 있다.
②, ③ 외래어나 한자어를 고유어로 바꾸는 말 다듬기 활동을 하다 보면 우리말 어휘의 다양한 의미와 우리말의 아름다움을 느낄 수 있다.
④ 다듬을 말을 선정하다 보면 우리가 사용하는 말에 외래어가 많다는 것과 무분별한 외래어 사용의 문제점을 아는 계기가 될 수 있다.

24. 뉴스 보도는 공적인 말하기 상황으로서 우리나라 사람이라면 누구나 이해할 수 있는 말인 표준어를 사용해야 한다.

25. 나에서 남자는 지역 방언을 사용하여 할머니와 정감 있게 대화를 나누고 있다.

26. 공식적인 말하기 상황에서 정확한 의사소통이 필요한 경우에는 표준어를 사용해야 한다.

27. 사적인 상황에서 친한 사람을 만나 친근감을 표현하고자 할 때에는 평소 표준어를 사용했던 화자라도 지역 방언을 사용할 수 있다.

28. 제시된 지도는 지리적 요인에 의해 '부추'라는 단어가 어떻게 달리 불리는지 보여 주는 방언 지도이다.

29. ①, ③, ④, ⑤는 모두 '부추'를 가리키는 지역 방언이다. '승귀'는 '심어'라는 뜻을 가진 말로 함경도 지역의 방언이다.

30. ①은 지역 방언이 아닌 표준어의 기능이다.

오답 해설

② 지역 방언에는 국어의 옛 모습이 담겨 있는 경우가 있어 이를 국어의 역사 연구에 이용할 수 있다.

③ 언어에는 그 언어를 사용하는 사람들의 정서가 담기게 마련이기 때문에 방언에도 그 사용 지역만의 특성이 담겨 있다.

④ 방언은 같은 방언을 사용하는 사람끼리의 유대감을 형성하고 자신이 사용하는 방언을 쓰는 지역에 대한 애향심을 느끼게 한다.

⑤ 고유어가 우리의 전통 문화를 담고 있는 것과 마찬가지로 방언은 예로부터 사용해 온 언어로서 사용 지역의 전통적 정서와 문화를 담고 있기 때문에 결과적으로 우리 민족 전체의 전통과 풍습을 이해하는 데 도움이 된다.

31. 지역 방언은 같은 방언을 사용하는 사람들에게 친근감과 문화적 유대감을 느끼게 해 준다.

32. 이 시는 1연은 표준어로, 2연은 지역 방언으로 쓴 시이다. 수박을 의인화해서 표현해 수박의 마음을 잘 드러내 보여 주고 있다.

오답 해설

㉡ 지역 방언이 사용된 2연 부분에 시의 주제가 나타나 있다.

㉢ 이 시에서는 수박 형제가 지역 방언으로 이야기를 나누고 있는 것으로 설정되어 있으며 표준어의 의의를 드러내고 있지 않다.

33. 지역 방언으로 표현된 시를 표준어로 바꾸자 실제적이고 향토적인 느낌이 덜해졌다.

34. 지역 방언이 쓰인 문학 작품을 읽을 때, 그 지역 방언을 사용하지 않는 독자라면 내용을 이해하기 어려울 것이다.

오답 해설

① 지역 방언에는 그 지역만의 특색이 담겨 있기 때문에 지역 방언을 사용할 경우 향토색을 효과적으로 드러낼 수 있다.

②, ③ 실제로 방언을 사용하고 있는 사람들의 말을 그대로 제시하는 방식으로 대화를 통해 사건을 제시하면 작품에 사실감과 현장감을 부여하여 사건 진행에 생동감을 더해 줄 수 있다.

⑤ 작품에 사용된 방언은 방언 자체만으로도 재미를 줄 수도 있고 생동감에서 느껴지는 재미를 통해 독자에게 더욱 흥미를 갖게 할 수 있다.

35. 의사는 동료에게 말할 때는 전문어를 사용하고, 환자에게는 전문어를 쉽게 풀어서 설명함으로써 효율적으로 의사소통을 하고 있다.

오답 해설

① 의사는 ㉮에서는 전문 용어를 사용하고 있고 ㉯에서는 일반적인 용어를 사용하고 있을 뿐 지역 방언은 사용하지 않았다.

③ 의사는 '비티(BT)'라는 전문 용어, '뇌', '막' 등의 한자어를 사용하고 있을 뿐 외래어는 사용하지 않았다.

④ ㉮에서 의사는 전문 용어를 사용해 빠르고 간편하게 의미 전달을 하고 있는 것이지 준말 때문에 빠른 의미 전달이 이루어진 것이 아니다.

⑤ '피'라는 고유어는 일상적인 말일 뿐 ㉯에서 의사가 의미 이해를 쉽게 하기 위해 의도적으로 사용했다고 보기는 어렵다.

36. 전문어는 해당 분야의 복잡하고 어려운 내용을 간단하고 정확하게 전달하는 데 도움을 주지만, 내용을 모르는 사람들은 그 의미를 이해하기 어려운 경우가 많다.

오답 해설

① 전문어는 한 가지 의미만을 나타내기 때문에 정확한 의사 전달을 할 수 있다.

② 전문어는 특정 전문가 집단에서 사용되는 말이므로 다양한 사람들의 요구를 반영하지는 않는다.

③ 전문어는 명확한 의사소통을 목적으로 하므로 감정 전달과는 관계가 없다.

⑤ 전문어는 특정 전문 업종과 관계된 것이기 때문에 현대 사회에서 생겨난 새로운 직종에 따른 용어가 많다. 따라서 고유어보다는 주로 외국어와 한자어가 전문어로 많이 쓰인다.

37. 〈보기〉는 전문어에 대한 설명이다. 산삼을 캐는 심마니들이 쓰는 말은 전문어와 유사한 점이 많지만, 어휘의 양상에 따라 분류하면 '은어'에 해당한다.

38. 손자는 '피방, 열공, 쩔다' 등의 준말과 비속어를 사용해 말을 함으로써 할아버지와의 의사소통이 자연스럽게 이어지지 않고 있다.

39. 할아버지는 '자당', '별고' 등의 한자어를 사용했는데, 이는 어린 손자가 이해하기 어려운 말이므로 쉽게 풀어서 설명해야 의사소통의 효과를 높일 수 있다.

40. 전문어는 그 의미를 이해할 수 있는 집단 내에서 필요에 따라 사용해야 한다. 전문어를 모르는 일반인들에게 전문어를 사용하면 원활한 의사소통을 하기 어렵다.

오답 해설

① 준말은 주로 나이가 적은 세대에서 사용하기 때문에 나이가 많은 사람이 이해할 수 없는 경우가 많은데 누구나 알아듣기 쉽게 본래의 말을 쓰는 것이 좋다.
② 비속어는 상대방을 기분 나쁘게 하므로 세대 차에 관계없이 사용하지 않는 것이 의사소통에 도움이 된다.
④ 같은 세대에서는 설명 없이 서로 이해가 가능한 말도 세대 차이가 나는 사람 간에 사용하면 그 의미를 파악하기 어려워 의사소통에 방해가 될 수 있다.
⑤ 나이가 많은 어른은 나이가 적은 사람이 뜻을 파악하기 어려운 한자어 사용을 줄여야 서로 의사소통을 원활하게 할 수 있다.

41. 은어는 다양한 동기로 만들어지는데, 대부분의 은어는 소속 집단의 비밀을 유지하기 위한 목적으로 생성된다.

42. 〈보기〉는 도매상인들 간의 대화를 보여 주고 있다. '야리', '후리'는 도매상인들이 사용하는 은어에 해당하며, '야리'는 만 원, '후리'는 2만 원을 뜻한다. '최소'는 한자어이다.

오답 해설

① '야리', '후리'는 도매상인들이 사용하는 어휘이다.
②, ③ '야리'는 만 원, '후리'는 이만 원을 뜻하는 은어에 해당한다.
④ '야리', '후리'는 대화의 맥락상으로 유추하여 뜻을 알아낼 수 있는 단어가 아니기 때문에 단어의 뜻을 모르면 〈보기〉의 대화 내용을 이해할 수 없다.

43. 일제 강점기에 독립운동가들은 자신들의 작전을 비밀리에 진행하고 성공시키기 위해 은어를 사용했다.

44. 은어 사용은 언어 사회 전체적으로 보면 부정적인 면이 있으나 집단 내에 있는 사람들끼리는 소속감과 친밀감을 느낄 수 있다는 점에서 긍정적이다.

45. 은어 사용은 한 집단에 속한 사람들에게는 소속감을 주지만 한 집단에 속하지 않은 사람들과는 의사소통을 하기 어렵고 은어의 의미를 모르는 사람들에게 소외감을 줄 수 있다.

오답 해설

㉠ 사용 집단에 속한 사람들은 불쾌감을 느끼지 않고 오히려 소속감을 느낄 수 있다.
㉢ 은어는 고유어를 사용해서 이해하기 어려운 것이 아니라 그 집단의 비밀을 유지하기 위해서 집단 밖의 사람들이 의미를 파악할 수 없도록 만들었기 때문에 의미를 이해하기 어려운 것이다.

46. 지역 방언은 지리적 요인에 의해 분화된 말로 경상도 방언, 충청도 방언 등이 이에 속한다.

창의·융합 활동

• 본문 p.085

01. ⑤ **02.** ② **03.** ② **04.** ④

01. '미각'이 혀에 느껴지는 감각만을 뜻하는 데 비해, '맛'은 이보다 더 다양한 감각까지 포함하는 고유어이다.

02. '들큼하다'는 음성 모음으로 이루어진 말로, 달지 않아야 할 음식이 달아서 비위에 상하는 맛이라는 부정적인 뜻을 지닌다.

03. (마)의 마지막 문장을 통해 고유어가 우리의 삶을 담아내는 데 적합한 어휘임을 알 수 있다.

오답 해설

① '감미'가 '단맛'과 비교하여 의미 영역이 넓은 것이 아니라 맛 이외의 표현에 더 잘 어울리는 것일 뿐이다. (나)의 '미각'과 '맛'의 예로 볼 때 오히려 고유어가 한자어보다 의미 영역이 넓다.
③ 외래어와 한자어는 고유어와 함께 우리말 어휘를 풍부하게 하기는 하지만 고유어를 풍요롭게 하는 것은 아니다.
④ (마)에서 살펴본 한자어 '감미'와 고유어 '-롭다'는 서로를 더 잘 이해하게 해 주는 역할을 하고 있지는 않다.
⑤ (마)에 나타나는 것은 맛을 나타내는 한자어('감미')가 맛 이외의 표현에 더 잘 어울리는 경우일 뿐이다.

04. 오미자에서 느낀 맛을 '새콤하다', '달콤하다' 등의 고유어를 활용하여 표현했다.

소단원 핵심 문제

• 본문 p.088

01. ④ **02.** ④ **03.** ③ **04.** ③ **05.** ① **06.** ④ **07.** ④ **08.** 고유어는 다양한 의미로 해석되는 경우가 많지만, 한자어는 고유어보다 좀 더 구체적이고 정확한 의미를 지닌다. **09.** ④ **10.** ② **11.** ① **12.** ② **13.** ② **14.** ③ **15.** (가)에서는 뉴스를 전달하면서 표준어를 사용했고, (나)에서는 할머니 댁을 방문해 대화를 나누는 상황에서 지역 방언을 사용했다. **16.** ② **17.** ⑤ **18.** ② **19.** 손자는 '피방', '열공' 등 할아버지가 모르는 말을 사용하고 있다. 그러므로 할아버지가 이해하기 쉬운 말로 바꾸어 대화하는 것이 좋다. **20.** ② **21.** ② **22.** 점원은 사장과 옷의 가격을 '야리', '후리' 등의 은어로 표현하고 있다. 이는 가격에 관한 점원과 사장의 대화를 손님이 알아듣지 못하도록 하기 위해서이다. 이렇듯 은어는 집단 내 비밀을 유지하기 위한 목적으로 쓰인다.

01. 고유어, 한자어, 외래어는 모두 우리말에 속하는 어휘들이다. 이들 중 외래어가 차지하는 비중이 가장 크다고 할 수는 없다.

02. ④의 '아들'은 고유어이기는 하나 우리 민족의 전통과 문화를 보여 주는 단어라고 볼 수는 없다.

오답 해설

① '길쌈'은 직물을 짜는 일로 우리의 전통과 관련된 단어이다.

② '부럼'은 대보름날과 관련된 우리의 전통적인 민속에 해당한다. 따라서 우리 민족의 전통과 문화가 담긴 고유어라고 할 수 있다.

③ '달맞이'는 우리의 전통 민속과 관련된 단어로 우리 민족의 문화와 전통을 담고 있다.

⑤ '강강술래'는 우리 고유의 명절 '추석'에 하는 민속놀이로, 우리 민족의 삶과 전통을 담고 있는 고유어이다.

03. '대표(代表)'는 한자어이다.

오답 해설

① '학급(學級)'은 한자어이다.

② '계주(繼走)'는 '이을 계', '달릴 주'라는 한자가 결합된 한자어이므로 '이어달리기'라는 고유어로 바꿀 수 있다.

④ '출전(出戰)'은 '시합 경기 따위에 나감.'을 의미하는 한자어이므로 '출전하게'는 '나가게'라는 고유어로 바꿀 수 있다.

04. '주방'은 한자어이다.

05. ②의 단어는 모두 한자어, ③의 '주스'는 외래어, ④의 '라켓'과 '샌드위치'는 외래어, '공원'은 한자어, ⑤의 '벤치'와 '텔레비전'은 외래어이다. 고유어만으로 짝지어진 것은 ①이다.

06. 고유어는 일상생활에서 자주 사용하다 보니 다양한 의미로 해석되는 경우가 많지만, 한자어는 그렇지 않다. 이러한 특징을 비교하여 서술하도록 한다.

07. '말'이라는 고유어가 다양한 의미로 해석되는 상황을 보여 주는 대화이다. ㉢의 '말'은 '표현'의 의미이므로 '토론'으로 바꾸어 쓰는 것은 적절하지 않다.

오답 해설

① '말'은 여러 가지 의미를 지닌 다의어로, 고유어에 해당한다.

② '너와 말할'이라고 한 데서 ㉠이 마주 대하여 이야기를 주고받는 '대화'의 의미를 포함하고 있음을 알 수 있다.

③ '뭐가 문제인지 말해 봐.'라고 했으므로 ㉡은 상대편이 알 수 있게 밝혀 말하라는 의미의 '설명'으로 바꾸어 쓸 수 있다.

⑤ ㉣은 오해를 빚은 상황에 대한 '말'이므로 '까닭이나 내용을 풀어서 밝힘.'의 뜻을 지닌 '해명'으로 바꿀 수 있다.

08. 고유어인 '생각'은 여러 가지 뜻으로 사용될 수 있다. '구상'은 앞으로 이루려는 일에 대하여 그 일의 내용이나 규모, 실현 방법 따위를 어떻게 정할지 이리저리 생각함을 뜻하는 말로서, 이 대화의 '생각'과 바꾸어 쓸 수 있다.

오답 해설

① '사고(思考)'는 '생각하고 궁리함.'을 뜻하는 말로 논리적인 생각에 가깝기 때문에 제시된 대화에서 쓰이기에 적절하지 않다.

② '고찰(考察)'은 '어떤 것을 깊이 생각하고 연구함.'의 뜻으로, 제시된 대화에서와 같이 이리저리 다양한 방안을 생각하는 것을 나타내기에는 적절하지 않다.

③ '각오(覺悟)'는 '앞으로 해야 할 일이나 겪을 일에 대한 마음의 준비'를 뜻하는 말이므로 제시된 대화의 '생각'과는 거리가 멀다.

⑤ '추측(推測)'은 '미루어 생각하여 헤아림.'을 뜻하는 말로 상상이나 불확실한 판단의 의미를 지니고 있으므로 제시된 대화의 '생각'을 나타내기에 적절하지 않다.

09. 외래어를 고유어로 바꾸면 어색한 경우가 많다. 그 이유는 외래어는 원래 우리나라에 없던 사물이나 개념을 표현하기 위해 들여온 말이기 때문이다.

10. 지나치게 많은 외래어를 사용하고 있는 상황을 보여 주고 있다.

11. ②, ③, ④, ⑤는 모두 다듬을 말과 다듬은 말의 관계인데, ①은 모두 고유어로 나머지 선지와 이질적이다.

12. 제시된 메모는 무분별한 외래어 사용으로 오염된 우리말을 다듬는 활동을 담고 있다.

13. 외래어를 고유어로 바꾸면 어색한 경우가 많다. 그 이유는 외래어는 원래 우리나라에 없던 사물이나 개념을 표현하기 위해 외국에서 들여온 말이기 때문이다.

14. (가)는 뉴스라는 공식적인 말하기 상황이다. 뉴스 보도의 목적은 다수의 시청자에게 다양한 정보를 정확하게 전달하는 데 있다.

15. (가)와 (나)는 같은 사람이 각각 표준어와 지역 방언을 쓰는 상황을 보여 주고 있다. 이렇게 다른 어휘를 사용한 이유를 말하기 상황과 관련지어 이해해 보도록 한다.

16. 뉴스와 달리 예능 방송이나 드라마 등에서는 특정 지역의 특색을 드러내 보여 줘야 하는 경우나 방송 출연자들에게 친근감을 전해야 할 때 등 때에 따라서는 지역 방언을 사용해도 무방하다.

오답 해설

① 연설은 다수의 청중이 듣는 상황에서 하는 공적인 말하기

이므로 특별한 이유가 있지 않는 한 표준어를 사용해야 한다.

③, ④ 표준어는 우리나라 사람이 공통적으로 사용하는 말이므로 서로 다른 방언을 사용하는 사람들이라 해도 표준어로 말할 때에는 의사소통이 잘될 수 있다. 따라서 누구든 내용을 이해하고 원활하게 의사소통을 할 수 있어야 할 때에는 표준어를 사용해야 한다.

⑤ 표준어가 의사소통에 장애가 되는 것은 아니지만 같은 지역 사람끼리는 그 지역 고유의 정서가 담긴 방언을 사용할 때 오히려 더 의사소통 효과가 높아질 수 있다.

17. 의사는 전문어를 이해하지 못하는 환자의 상황을 고려해 병명을 쉽게 풀어서 설명하고 있을 뿐 환자의 흥미를 고려한 것은 아니다.

오답 해설

①, ② (가)는 두 의사가 '비티(BT)', '경막 외 출혈'이라는 전문어를 사용하여 대화하고 있어 일반인이 알아들을 수 없는 상황을 나타내고 있다.

③, ④ (나)는 의사와 환자가 대화를 나누는 상황에서 (가)에서 전문어를 사용하던 의사가 '경막 외 출혈'이라는 전문어를 '뇌를 싸고 있는 막에서 피가 나는 것'으로 일반인이 알 수 있도록 쉽게 설명하고 있는 장면이다.

18. 전문어는 해당 분야의 복잡한 내용을 간결하게 전달할 수 있고(㉠), 일반인들은 이해하기 어려우므로 의미를 쉽게 풀어서 설명하는 것이 좋다(㉢). 전문어는 ㉡의 설명과는 달리 외래어나 한자어로 이루어진 것들이 많다.

오답 해설

㉡ 전문어는 외래어나 한자어로 이루어진 것들이 많다.

19. 세대에 따라 경험이나 처한 상황이 다르므로 사용하는 말도 차이가 있다. 따라서 원활한 의사소통을 위해서는 서로가 알아듣기 쉬운 말을 사용하는 것이 좋다.

20. ②의 '짱'은 준말이 아닌 은어에 해당한다.

오답 해설

①의 '먹방'(먹는 방송), ③의 '완소템'(완전 소중한 아이템), ④의 '생파'(생일 파티), '생선'(생일 선물), ⑤의 '베플'(베스트 리플)은 모두 준말에 해당한다.

21. 지역 방언은 '지리적 요인'에 따라 분화된 말의 체계를 일컫는다.

22. 은어는 '은밀한 말'이라는 의미이다. 즉 어떤 집단 내에서 비밀을 유지하기 위해 사용하는 말들을 일컫는데, 이 대화에도 이러한 은어의 특징이 잘 드러나 있다.

2 배려하는 말하기

개념 확인 콕콕 • 본문 p.092

01. (1) ○ (2) ○ **02.** ㉠, ㉣, ㉢, ㉡ **03.** ④

01. (1) 농부의 대답을 바탕으로 할 때 황희 정승이 농부에게 어떤 소가 일을 더 잘하는지 물었음을 알 수 있다.

(2) 농부는 소가 말을 할 수 없는 짐승이지만 자신의 말을 다른 소가 듣고 서운해할 수 있다고 여겨 황희 정승에게 귓속말로 답하고 있다.

02. 황희 정승의 일화에는 상대방을 배려하고, 상대방이 처한 상황에 공감하는 태도가 잘 드러나 있다.

03. 대화 상대가 누군지에 관계없이 대화할 때는 상대를 배려하는 태도를 가져야 한다.

오답 해설

① 상대의 상황과 마음을 이해하고 공감해야 진심을 담은 배려의 말을 할 수 있다.

② 상대방의 처지를 고려하여 말하는 것은 상대에 대한 배려가 담긴 데서 나오는 것이라고 할 수 있다.

③ 상대를 배려하는 말하기를 하려면 말하기에 앞서 자신이 할 말이 상대에게 상처가 되지는 않는지, 상대에게 도움이 되는지를 점검해 보아야 한다. 그러한 과정에서 자신의 언어생활을 돌아볼 수 있다.

⑤ 배려는 곧 상대를 도와주고 보살펴 주려고 마음을 쓰는 것이다. 상대의 기분이 상하게 하지 않게 하는 것이 기본적인 배려라고 할 수 있다.

• 확인 문제 • • 본문 p.094

01. ①	**02.** ③	**03.** ①	**04.** ④	**05.** ②	**06.** ④
07. ①	**08.** 별명(예림이 싫어하는 말)			**09.** ③	**10.** ②
11. ①	**12.** ④	**13.** ②	**14.** ③	**15.** ⑤	**16.** ②
17. ④					

01. 영상은 자음 두 개를 보고 비속어를 떠올리는 청소년들이 많은 상황을 제시하고 있다. 이는 청소년들이 비속어를 자주, 매우 익숙하게 사용하고 있음을 전제하고 있다. 즉 이 영상은 '청소년 언어생활의 문제점'을 다루고 있다.

02. 학생들이 'ㅂㅅ'을 보고 비속어 '병×'을 가장 먼저 떠올린 이유는 그 비속어가 그들에게 가장 익숙한 말이었기 때문이다.

오답 해설

① 비속어를 떠올린 것은 습관적인 언어생활과 관련된 것이지 생각을 깊이 하는 것을 싫어해서가 아니다.

② 제시된 장면은 대화의 상황이 아니므로 상대방의 감정에 공감하지 못해서 비속어를 떠올렸다고 볼 수 없다.
④ 초성을 보고 말을 떠올려 보는 상황에서 일어난 일이므로 말이 갖는 중요성을 아는지의 여부와는 관계가 없다.
⑤ 비속어의 의미를 정확히 안다고 해서 초성을 보고 말을 떠올릴 때 비속어를 일부러 배제하게 되는 것은 아니므로 적절하지 않다.

03. 습관적으로 비속어를 사용하는 학생들이 문제의식을 갖고 함께 노력하면서 욕 대신 다른 말로 자신을 표현하는 장면이다. 이를 통해 함께 애쓰면 바람직한 언어생활을 할 수 있다는 가능성을 보여 주고 있다고 볼 수 있다.

04. 이 영상은 청소년들이 폭력적인 언어를 습관적으로 사용하는 자신들의 생활을 반성하고, 바람직한 언어생활을 할 수 있도록 돕기 위해 만들어졌다.

05. 댓글의 내용을 고려할 때 빈칸에는 폭력적인 언어를 사용하는 것에 관한 내용이 들어가야 한다.

06. 이 대본은 청소년들이 일상적으로 나누는 대화 상황을 대사를 통해 드러내 주고 있다.

07. 지연은 '주둥이'라는 비속어를 쓰면서 말을 하고 있다.

08. 별명은 친근한 사이에서는 흔하게 사용되지만, 상대방이 그런 별명으로 불리는 것을 불쾌해 한다면 사용하지 않는 것이 좋다.

09. 미혜는 예림이 '나가수'로 불리는 것을 싫어한다는 사실을 알고 그렇게 부르는 민진에게 화를 내고 있다.

오답 해설

① 미혜는 소심한 예림 대신 나서서 민진에게 할 말을 하고 있다.
② 민진이 언어폭력을 쓰는 이면에 다른 진심이 있는지는 알 수 없으며, 미혜는 민진이 하는 말을 드러난 것 그대로 받아들이고 있다.
④ 미혜와 예림은 민진의 말에 불쾌감을 느끼거나 상처를 받을 뿐 민진과의 관계 회복을 위한 행동은 하지 않고 있다.
⑤ 미혜는 예림이 싫어하는 별명으로 불리는 것을 막으려고 한 것일 뿐, 노래를 잘 부른다는 사실을 알리지 않으려고 한 것이 아니다.

10. 영지는 예림의 노래를 들어 보지 못했으면서 예림의 실력을 무시하는 듯한 말로 예림에게 상처를 주고 있다.

11. 홍찬은 여러 명의 친구가 예림에게 폭력적인 언어를 사용하는 것을 보고 화를 내고 있다.

오답 해설

② 홍찬은 친구들의 노래 실력을 문제 삼는 것이 아니라 친구들의 언어폭력을 비판하고 있다.
③ 예림이 다른 친구들과 생각 차이를 보여서 갈등이 일어난 것이 아니고, 홍찬 또한 생각의 다름과 관련하여 친구들을 비판한 것은 아니다.
④ 친구들이 예림의 말을 듣지 않는 것이 아니라 비아냥거리는 태도를 보이는 것이 문제이며, 홍찬은 그러한 언어폭력을 문제 삼고 있다.
⑤ 홍찬은 친구들이 예림의 노래 실력을 평가하려는 것에 화가 난 것이 아니라, 예림에게 언어폭력을 가한 것을 비판한 것이다.

12. 대화에 드러난 상황으로 볼 때 기우는 정혁이 왜 화를 내고 있는지 이해하지 못하고 있다.

오답 해설

① 기우는 정혁을 '춤신춤왕'이라는 별명으로 부르고 있다.
②, ③ 정혁은 별명을 부르지 말라는 말을 여러 번 했음을 상기하며 기우에게 짜증 내고 있다. 이를 통해 정혁이 별명으로 불리는 것을 싫어하며 별명을 부른 기우의 말에 기분 나빠 하고 있음을 알 수 있다.
⑤ 친한 사이이고 좋은 뜻에서 별명을 부른 것이라고 해도 상대방이 싫어한다면 언어폭력이 될 수 있다.

13. 예림을 비난하는 말이 친구들과의 약속을 어기게 되는 것이라고는 볼 수 없다. 영지의 말은 친구들과의 대화 중 하게 된 언어폭력으로, 바람직하지 못한 것이지만 친구들 간에 언어폭력을 사용하지 않겠다는 약속을 한 내용은 찾아볼 수 없기 때문이다.

오답 해설

①, ③ 영지가 예림에게 한 말은 예림의 기분을 상하게 하고 자존감을 무너뜨릴 수도 있는 언어폭력이다.
④ 폭력적인 언어를 사용한 영지 또한 자신의 인간관계를 해치게 될 수 있다. 폭력적인 언어는 상대방에게 상처를 줄 뿐 아니라 결국 그러한 말을 하는 당사자나 공동체 전체에 부정적인 영향을 끼칠 수 있다.
⑤ 예림이 자신을 비난한 영지를 좋게 생각할 수는 없다.

14. 비속어는 상대방의 처지와 상황, 감정을 배려하지 않은 폭력적인 언어 표현이다. 습관적으로 비속어를 사용하는 버릇을 없애기 위해서는 대화 상대의 처지에 공감하고 배려하는 태도를 가져야 한다.

15. ⑤는 상대방을 비아냥거리는 표현이다. 상대방을 배려하며 말하려는 ㉯의 의도와는 어울리지 않는다.

16. 제시된 말들은 모두 상대방의 기분을 상하게 하는 부정적인 표현들이다. 대화 상대방의 처지를 배려하고 공감한다면 이런 표현들은 삼가야 한다. 참신함을 기준으로 평가할 수는 없는 말들이다.

17. 아무리 좋은 뜻을 가진 별명이라도 상대방이 기분 나빠 한다면 사용하지 말아야 한다.

소단원 핵심 문제

• 본문 p.102

01. ② **02.** ① **03.** ② **04.** 습관이 되어서, 일상생활 속에서 습관적으로 폭력적인 언어를 사용하는 태도(기본적인 언어 습관) **05.** ③ **06.** ⑤ **07.** 부드러운 / 다정한 / 네 노래 한번 듣고 싶어. 노래 한번 불러 줄 수 있겠니?

01. 이 영상은 습관적으로 비속어를 사용하는 청소년 언어생활의 문제점을 보여 주고 있다.

02. 학생들은 'ㅂㅅ'을 초성으로 사용하는 단어가 다양한데 제일 먼저 비속어 '병×'을 떠올린 이유가 자신들의 잘못된 언어생활에 있다고 생각하고 있다.

오답 해설

② 학생들이 초성을 보고 제일 먼저 떠올린 말이 비속어인 것을 두고 반성해야 하는 것이지 상황에 어울리는 말을 쓰지 않았던 것은 아니다.
③ 비속어를 쓰지 말자는 것이지 뜻을 바로 알고 쓰자는 의도가 아니다.
④ 여기서 떠올린 비속어는 다른 나라 말에 해당하지 않는다.
⑤ 초성에서 비속어를 가장 먼저 떠올린 것이 일상생활에서 자주 쓰는 말의 뜻을 모르는 데서 비롯한 문제라고 볼 수는 없다.

03. 말을 하기 전에 잠시 멈추어 보고, 상대의 마음이 어떨지 생각해 보는 것은 바람직한 언어생활을 하기 위해 꼭 필요한 태도이다.

04. 설문 조사 결과를 통해 지수네 반 학생들의 언어 사용의 문제점을 확인할 수 있다. 이러한 문제 상황과 그것을 해결할 수 있는 방안이 아래에 서술되어 있는데, 설문 조사의 내용을 잘 분석하면 빈칸을 채울 수 있다.

05. ㉢은 예림에게 언어폭력을 행하는 친구들이 문제가 있다고 생각한 미혜가 화를 내며 하는 말이다.

06. 말의 앞부분에서 언어폭력의 문제점과 그것의 부정적인 효과를 제시했기 때문에 '그러니까'로 이어지는 문장에서는 언어폭력을 삼가야 한다, 즉 상대방을 배려하며 말하도록 해야 한다고 결론을 제시할 수 있다.

07. 상대방의 상황이나 감정을 고려해서 말을 하려면 어떤 대사와 말투, 표정이 필요한지 생각해서 빈칸을 채워 넣도록 한다. ㉮의 핵심은 '예림의 노래를 듣고 싶다'는 것이다.

대단원 확인 문제

• 본문 p.105

01. ④ **02.** ① **03.** 우리 민족의 삶과 전통 등을 나타내주는 **04.** ⑤ **05.** ① **06.** ③ **07.** ⑤ **08.** ① **09.** '컬러', '디자인' 등과 같은 외래어를 지나치게 많이 사용하고 있다. **10.** ② **11.** ④ **12.** ① **13.** 향토적이고 토속적인 분위기를 만들 수 있을까 **14.** ④ **15.** ⑤ **16.** ② **17.** ⑤ **18.** '꿩', '여우' 등의 은어를 활용해 일제가 독립운동가들의 작전을 알아챌 수 없도록 하였다. 이렇듯 은어는 집단 내 비밀을 유지하게 해 준다는 특징을 갖고 있다. **19.** ② **20.** ③ **21.** 상대방에게 씻을 수 없는 상처를 입힐 수 있다 **22.** ③ **23.** ① **24.** 화가 났을 때는 말하기 전에 몇 초를 세어 볼 거야. 잠시 쉬고 나면 기분이 훨씬 나아질 때가 많더라고. 그리고 말하기 전에 상대방의 마음이 어떨지 먼저 생각해 보려고 해. 또한 '미안해, 고마워' 같은 말을 아낌없이 하고 싶어.

01. 우리말 어휘 체계 내에서는 외래어보다 한자어의 역사가 더 길다.

02. '수풀'은 '나무들이 무성하게 우거지거나 꽉 들어찬 것', '풀, 나무, 덩굴 따위가 한데 엉킨 것'이라는 뜻을 지닌 고유어이다.

오답 해설

② 안경(眼鏡): 시력이 나쁜 눈을 잘 보이게 하기 위하여나 바람, 먼지, 강한 햇빛 따위를 막기 위하여 눈에 쓰는 물건
③ 공원(公園): 국가나 지방 공공 단체가 공중의 보건 · 휴양 · 놀이 따위를 위하여 마련한 정원, 유원지, 동산 등의 사회 시설
④ 수건(手巾): 얼굴이나 몸을 닦기 위하여 만든 천 조각
⑤ 운동-화(運動靴): 운동할 때 신는 신. 또는 평상시에 활동하기 편하게 신는 신

03. 고유어는 그 특성상 우리 조상들의 삶의 모습이 잘 드러나 있는 단어들이 많다.

04. 고유어인 '말'은 일상생활에서 자주 쓰이며, 여러 가지 뜻을

갖는다. 고유어를 뜻이 분명한 한자어로 바꾸어 쓴다고 해서, 대화로 인한 정서가 급격하게 달라지지는 않는다.

오답 해설

① 진우는 ㉠을 자신의 "무슨 일 있어?"라는 질문에 대한 설명의 의미로 해석했다.

② 진우는 ㉠을 '설명'으로 해석했지만, 윤하는 '대화'라는 뜻으로 사용한 것이다.

③ ㉢을 '얘기'로 바꿔 써 "내 얘기는 지금 내가 ~"로 문장을 바꾸어도 전달하려는 의미에 변동은 없다.

④ 〈보기〉는 '말하다'라는 고유어가 다양한 뜻으로 해석되어서 각각 다른 의미로 이해한 두 사람의 대화를 보여 주고 있다.

05. 제시된 단어들은 모두 고유어인데, 신체를 나타낸다는 의미상의 공통점도 갖고 있다.

오답 해설

② 제시된 단어들은 신체를 나타내는 고유어로, 우리나라의 문화적 특성을 드러낸다고 보기는 어렵다.

③ 제시된 단어들은 누구나 한 가지 의미로만 해석하는, 신체를 나타내는 명사이다.

④ 제시된 단어들은 사람의 몸을 나타내는 단어로 실생활과 관련되어 있기 때문에 자주 사용되고, 사라질 가능성이 없는 단어들이다.

⑤ 제시된 단어들은 모두 고유어이다.

06. ①의 '피아노', ②의 '주스', ④의 '컴퓨터', ⑤의 '엘리베이터'는 모두 외래어에 해당한다. ③에는 외래어가 사용되지 않았고, '소문', '사실' 등은 한자어이다.

07. 외래어도 우리말의 일부이긴 하지만 지나친 외래어의 사용은 우리말을 혼탁하게 하므로 필요할 때에만 적절하게 사용해야 한다.

오답 해설

① '에어캡'이라는 외래어를 우리말로 순화하는 것이므로 우리말 가꾸기 노력에 해당한다.

②, ③ 외래어는 대체할 수 있는 고유어가 있다면 가능한 한 고유어로 바꾸는 것이 바람직하다.

④ 한자어가 우리말 범주에 들어간다고 해도 고유어로 바꿀 수 있는 것은 바꾸는 것이 바람직하다.

08. 〈보기〉에 제시된 내용은 모두 외래어를 지나치게 많이 사용했을 때의 문제점에 해당한다.

09. 상품 판매자는 '컬러', '디자인', '크리스털', '액세서리', '포인트'와 같은 외래어를 지나치게 많이 사용하며 말하고 있다.

10. 첫 번째 장면에서는 공식적인 상황에서 표준어를 사용하는 상황이 제시되었고(㉠), 두 번째 장면에서는 사적인 관계에서 지역 방언을 사용하여 친밀감과 유대감을 형성하는 상황이 제시되었다(㉢).

오답 해설

㉡ 제시된 두 개의 장면에서는 표준어를 사용하는 사람도 사적인 상황에서 지역 방언을 자연스레 쓰는 것을 확인할 수 있다.

㉣ 두 번째 장면에서는 사적인 상황에서 지역 방언을 사용하여 의사소통의 효과를 높이는 경우를 보여 주고 있으므로 적절하지 않은 설명이다.

11. 슬기는 우진의 말을 듣고 우진이 자신과 같은 지역 방언을 알고 있다는 사실을 알게 된다. 제시된 상황으로 보아 슬기가 우진을 통해 새로운 지역 방언을 배웠다고 보기는 어렵다.

오답 해설

① '정구지' 또한 '부추'를 가리키는 말임을 알 수 있다.

②, ③ '정구지'와 '부추'는 같은 대상을 지역에 따라 다르게 부르는 경우에 해당한다.

⑤ 우진은 자신과 같은 지역에서 와 자신이 알고 있는 방언을 잘 알고 있는 슬기에게 반가움을 표하며 친근감을 드러내고 있다.

12. 이 시는 1연은 표준어로, 2연은 지역 방언으로 서술된 시이다. 수박을 의인화해서 표현해 수박의 마음을 잘 드러내고 있다.

13. 지역 방언을 사용했을 때 얻을 수 있는 효과에 대한 내용을 담아 전체 문장과 어우러지도록 빈칸에 써 넣으면 된다.

14. 신문 기사를 작성할 때에는 표준어를 사용해야 한다.

15. 전문어는 의미가 정확하고 다의성이 적다는 특징이 있다.

오답 해설

①, ② 의사는 처음에 '비티(BT)'와 '경막 외 출혈'이라는 전문어를 써서 말함으로써 환자가 잘 알아들을 수 없었다.

③ '경막 외 출혈'을 '뇌를 싸고 있는 막에서 피가 나는 것'이라는 말로 쉽게 풀었을 때 환자가 이해할 수 있었다.

④ 같은 전문 직종의 사람들이 아닌 사람들과 대화를 나눌 때에는 전문어를 쓰지 않고 풀어서 말을 해야 의사소통이 잘 이루어질 수 있다.

16. ① '피방', ③ '쩔지', ④ '열공', ⑤ '먹방' 등이 사회 방언에 해당한다. ②는 '부추 내가 먹을 겁니다.'라는 뜻의 지역 방언이 사용된 문장이다.

오답 해설

①, ④, ⑤ '피방'은 '피시방', '열공'은 '열심히 공부', '먹방'은 '먹는 방송'의 줄임말로, 청소년들이나 젊은 계층에서 주로 쓰는 사회 방언에 속한다.

③ '쩔다'는 '멋있다'라는 뜻으로, 젊은 계층에서 쓰이는 사회 방언에 속한다.

17. 이 대화에서는 '그랑 바뜨망'이 전문어, '간지'가 은어에 해당한다. 경수는 은희가 말한 전문어의 의미를 알지 못하고, 은희는 경수가 말한 은어의 의미를 알지 못한다. 이것으로 보아 전문어와 은어는 그 언어를 사용하지 않는 집단의 사람들이 그 의미를 이해하기 어렵다는 공통점이 있음을 알 수 있다.

오답 해설

① '그랑 바뜨망'이라는 발레에서의 전문어가 우리말에 속하는 외래어라고는 할 수 없으며, 전문어로는 한자어도 많이 쓰인다.

② 같은 집단의 사람끼리는 친근감의 표현이 될 수 있지만 그 집단에 속하지 않는 사람과 대화할 때에는 상대방이 알아듣기 어려운 말이기 때문에 더 거리감을 느끼게 한다.

③ 전문어와 은어를 고유어로 바꾼다고 해서 의미 전달이 명확히 되는 것은 아니며, 같은 집단 사람들 간의 의사소통을 위해 만들어진 말이기 때문에 모든 사람에게 의미 전달을 명확하게 하기 위해 말을 바꾸는 것도 적절하지 않다.

④ 은어의 경우는 사용하는 사람들이 많아지면 집단의 비밀 유지라는 사용 목적이 사라지게 되어 은어로서의 역할을 더 이상 할 수 없게 된다.

18. 일제 강점기 독립운동가들의 대화를 통해 그들이 사용하던 어휘의 종류와 그러한 어휘를 사용한 이유를 알 수 있다.

19. 이 글에서 비속어를 사용한 학생은 '지연'이다. 비속어 사용은 남에게도 상처가 되는 일이지만 결국 자기 자신을 해치는 나쁜 습관이라고 할 수 있다.

20. 미혜는 친구들의 말에 상처를 받고 제대로 말을 못 하는 예림을 대신해 친구들에게 화를 내고 있다.

오답 해설

①, ④ 미혜는 예림이 '나가수'라는 별명을 싫어한다는 것을 알고 예림을 대신하여 민진에게 화를 내고 있다.

② 상대방이 싫어하는 별명으로 부르는 것도 언어폭력에 해당한다.

⑤ 미혜는 자신의 일이 아니지만 예림이 상처 받았을 것을 알고 예림의 감정을 고려하여 민진에게 화를 내고 있다.

21. 폭력적인 언어는 대화 상대방에게 상처를 줄 뿐 아니라, 말을 하는 자신도 해치는 일이 된다. 더 나아가 공동체 전체의 언어생활을 오염시킬 수 있다는 점에서 매우 위험하다.

22. ㉡에는 폭력적인 언어 표현이 드러나 있다. 제시된 대사는 이를 상대방에 대한 배려와 공감의 태도가 잘 드러나도록 바꾼 것이다.

오답 해설

① 바꾼 영지의 말에 경험이 드러나 있지는 않다.

② 언어폭력인 비아냥거리는 말을 배려하는 말로 바꾼 것은 바람직한 언어 사용의 예를 보여 주는 것일 뿐 인물의 성격에 다양한 면이 있음을 드러내지는 않는다.

④ 대화 상대인 예림의 흥미와 관심이 노래라는 것은 다른 대화 내용에 드러나 있을 뿐 바뀐 영지의 말에는 나타나지 않는다.

⑤ 예림이 노래 부르는 모습을 보고 싶어서 비아냥거라는 언어폭력을 사용한 것이라고 볼 수 없다.

23. 예림은 여러 친구가 자신에게 공격적인 말을 하는 것을 듣고 마음에 상처를 입었다.

24. 폭력적인 언어를 사용하는 것의 문제점을 아는 것에서 그치지 않고 바람직한 언어생활을 해 나가기 위해 어떤 구체적인 노력이 필요한지 학습한 내용을 바탕으로 쓰도록 한다.

4 간추리고, 따져 보고

• 본문 p.127

확인 문제 **01.** 요약(하기) **02.** ① – ㉡, ② – ㉠ **03.** ⑤

01. 요약하기는 읽은 글에서 핵심 내용을 찾아 간추리는 것으로 독해력을 키우는 데 도움이 된다.

02. 글을 요약할 때에는 글의 특성을 고려해야 한다. 설명하는 글은 중요한 정보를 중심으로, 이야기 글은 글의 전개 방식이나 갈등 관계 등을 중심으로 요약해야 한다.

03. 주장하는 말하기에서는 주장과 근거를 파악하고, 근거를 통해 주장을 증명하는 과정의 타당성을 판단해야 한다.

1 열두 살에 나라를 세우다

개념 확인 콕콕

• 본문 p.128

01. ⑤ **02.** ⑤ **03.** 사건

01. 이야기 글은 중심인물이 벌이는 사건과 갈등의 전개 과정에 따라 주제를 드러내는 글로, 전달하는 사람의 시각에 따라 사건의 세부 내용이나 분위기 등은 달라질 수 있어도 중심 사건은 변함이 없다.

02. 이야기 글을 요약하면 중심 사건을 정확히 이해하여 글의 내용을 바르게 감상하는 데 도움이 된다.

03. 이야기 글을 구성하는 요소는 인물, 사건, 배경이다. 그중 중심 사건을 바르게 파악하여 해당 인물이 언제, 어디서, 어떤 사건을 벌이고 해결해 가는지를 순서에 따라 정리하는 것이 내용을 요약하는 방법이다.

• 확인 문제 •

• 본문 p.130

01. ⑤ **02.** ④ **03.** ④ **04.** 천제의 명령, 물의 신, 하늘나라 임금 **05.** ① **06.** ① **07.** 금와는 유화가 낳은 알을 없애 버리려고 하였다. **08.** ① **09.** ⑤ **10.** 아이가 스스로 알을 깨고 나온 점, 빼어난 용모와 재주를 갖춘 점, 아이의 활쏘기 실력이 매우 뛰어난 점 등 **11.** ④ **12.** 사람의 몸에서 태어난 자가 아니라는 점 / 주몽의 뛰어난 실력을 시기하고 **13.** ③ **14.** ② **15.** ⑤ **16.** ② **17.** ③ **18.** 부여를 떠난 주몽은 대소에게 쫓기지만, 엄수에서 물고기와 자라의 도움을 받아 무사히 강을 건넜다. **19.** ① **20.** ④

01. 이 글에서는 '물의 신'의 딸인 유화가 정절을 중시하는 당시의 가치관에 따라 벌을 받는 내용을 다루고 있다.

오답 해설

① 이 글에서 금와왕은 우연히 유화라는 여인을 만나게 된다.
② 이 글에서 사건의 공간은 동부여, 우발수라는 강, 동부여의 궁궐 등으로 구체적으로 드러나 있다.
③ 사건의 시간적 배경이 언제인지 알려 주는 부분은 드러나 있지 않다.
④ 해부루가 천제의 명령을 받은 인물이며, 유화가 물의 신의 딸로 그려져 있다.

02. 이 글은 이야기를 담고 있는 글이므로 이야기의 흐름을 주도하는 사건을 찾아 사건의 변화에 따라 내용을 요약하는 것이 적절하다.

오답 해설

① 사건이 특정 공간에서 일어나지만 사건 전개 과정에서 공간의 이동을 중심으로 요약하기보다는 의미 있는 공간에 대해서만 요약한다.
② 이야기 글에서는 갈등 전개 과정이 드러나므로 각 인물의 갈등 해결 과정과 결과를 요약해야 한다. 다만 갈등 해결의 방법을 중점으로 요약할 필요는 없다.
③ 이야기 글에는 다양한 인물이 나타나지만 요약할 때에는 주인공을 중심으로 일어난 사건을 요약한다.
⑤ 작가의 서술 태도의 변화를 중심으로 요약하면 줄거리를 드러내기 힘들기 때문에 이야기 글을 요약하는 방법으로는 적절하지 않다.

03. 1에 등장하는 중심인물에는 금와와 유화가 있으나 사건의 흐름으로 보아 유화에게 일어난 일이 더 중요한 의미가 있음을 알 수 있다. 금와에 대한 구체적인 정보는 이야기의 흐름에 중요한 의미가 없으므로 요약에서 제외할 수 있다.

04. 이 글은 초월적 존재인 신의 세계를 언급하면서 그와 관련하여 신격화된 인물을 등장시키고 있다.

05. 2에서 유화가 알을 낳았다는 것은 결국 유화에게서 태어난 인물이 비범하고 신비한 능력을 갖춘 초월적인 존재임을 암시하는 것이다.

오답 해설

② 금와는 유화가 알을 낳고, 그 알과 관련된 신비한 일이 일어나는 것을 이상하게 여기지만 유화를 두려워하지는 않는다.
③ 유화는 금와의 행동에 대해 받아들이고 있다가 알을 돌려받지만, 금와에게 해를 입히기 위한 행동을 하지 않고 있다.

④ 금와가 알을 버리려고 한 것은 일반적인 인간의 모습과 다른 것에 대한 두려움 때문이지 아이를 무시하는 풍조 때문은 아니다.
⑤ 개, 돼지, 소, 말 등의 동물이 등장하는 것은 당시 사회에 있었던 가축들을 보여 주는 것이며, 동물 존중의 태도가 드러나는 것은 아니다.

06. 금와는 알을 없애기 위해 알을 짐승들에게 던지기도 하고 들판에 버리기도 하지만 비현실적이고 신비로운 힘으로 알이 보호되어 결국 유화의 품으로 돌아가게 되었다.

07. ㉠~㉣은 유화가 낳은 알을 없애려는 금와의 다양한 시도들이 구체적으로 나열된 것이다. ㉠~㉣처럼 구체적이고 개별적인 내용을 요약할 때는 이를 모두 포함할 수 있는 표현으로 바꾸어 본다.

08. 하늘(햇빛)의 기운을 받고 알의 형태로 태어나서 동물들의 보호를 받는다는 일련의 사건은 영웅 설화에서 주인공이 신비하고 고귀한 혈통을 받아 특별한 모습으로 출생하는 구조적 특성과 일치한다.

오답 해설
② ㉯는 주몽이 대소와 왕자들의 시기, 질투를 받는 부분에 해당한다.
③ ㉰는 주몽이 대소 등의 시기와 질투를 받으면서 말을 키우며 성장하는 부분에 해당한다.
④ ㉱는 주몽이 물고기와 자라의 도움을 받아 무사히 강을 건너는 부분에 해당한다.
⑤ ㉲는 주몽이 고구려를 건국하는 부분에 해당한다.

09. 이야기 글을 요약할 때에는 중심인물의 행동과 특성을 중심으로 사건 전개 과정을 정리해야 한다. 3~4에서는 주몽의 특별한 탄생과 비범한 재주를 중심으로 내용을 전개하고 있다.

10. 3~4에서는 영웅적 면모를 지닌 인물의 탄생과 성장 과정, 용모와 재능을 다루면서 인물이 지닌 비범함을 드러내고 있다.

11. 5에서는 금와왕의 아들들이 자신들에 비해 뛰어난 능력을 지닌 주몽을 시기하여 갈등을 예고하고 있다. 금와왕은 주몽이 태어나기 전의 신비한 경험을 바탕으로 주몽을 함부로 해치지 말아야겠다는 판단을 한 것이다.

오답 해설
① 주몽은 금와왕의 보호를 받으며 성장하지만 왕의 아들로 인정받기를 원하는 내용은 드러나 있지 않다.
② 금와왕은 아들들의 말을 귀담아듣지 않았지만, 아들들보다 주몽을 더 아낀다고 말할 근거는 없다.
③ 주몽이 대소와 왕자들이 자신에게 친근감을 느끼고 있다고 생각했는지 알 수 있는 내용은 없다.
⑤ 금와왕의 아들들은 어렸을 때에는 주몽과 어울려 놀았다. 다만 성장하면서 주몽의 뛰어난 능력에 열등감을 느끼며 주몽을 시기하게 된 것이다.

12. 금와왕의 아들들은 주몽의 재능에 비해 자신들의 능력이 부족함을 깨닫고, 이에 대소는 아버지에게 주몽을 없앨 것을 주장하고 있다.

13. 6에서는 주몽이 말을 기르면서 보여 준 비범함이 중심을 이루고 있으므로 말을 마르게 하여 자신이 그 말을 갖게 되었다는 내용을 함께 요약해야 한다.

오답 해설
① 주몽의 의도적인 행동이므로 반드시 필요한 내용이다.
② 주몽이 여러 마리의 말을 길렀지만 이야기의 핵심은 그 중 주몽이 좋은 말을 골라 내는 능력이 있다는 점이다.
④ 주몽의 비범한 능력을 더 자세하게 드러낼 필요는 없다.
⑤ 금와왕이 탄 말은 주몽의 말에 대한 비교 대상일 뿐이므로 굳이 요약문에 추가할 필요는 없다.

14. 6에서는 좋은 말을 알아보고 얻어 내는 주몽의 지혜와 전략, 자신의 앞날을 내다보는 비범한 면모를 보여 주고 있다.

15. 대소와 왕자들은 비범한 재능을 지닌 주몽이 왕위를 물려받을까 봐 미리부터 주몽을 제거하고자 하는 것이다.

오답 해설
① 대소는 금와왕이 주몽으로 인해 피해를 당할 것이라는 생각보다 자신의 권력을 지키기 위해 주몽을 해칠 음모를 꾸미고 있다.
② 주몽의 뛰어난 재능을 시기하고 있을 뿐 스스로 노력하는 내용은 드러나 있지 않다.
③ 유화와 주몽의 관계를 이간질하는 내용은 드러나 있지 않다.
④ 대소의 동생들은 대소와 같은 입장에서 주몽을 음해하고 있다.

16. 유화는 아들 주몽에게 닥친 위기를 파악하고, 아들이 무사하기를 바라는 마음에서 하루빨리 피신하기를 권하고 있다.

17. 건국 신화는 한 나라의 건국 시조에 관한 이야기로 비범한 인물이 신비한 힘을 발휘하여 건국하게 되었다는 과정을 제시하여 국민으로서의 긍지를 지니도록 한다.

18. 8은 이 이야기의 절정에 해당하는 부분으로 주몽의 피신

과 대소의 추격, 엄수에서의 신비한 현상, 주몽의 위기 극복 등을 중심 사건으로 제시하고 있다.

19. 8 에서 주몽은 대소를 피해 도망하다가 큰 강을 만났을 때 물고기와 자라의 도움으로 무사히 강을 건너게 된다. 여기서 물고기와 자라는 영웅을 돕는 조력자들이다.

오답 해설

② 주몽은 대소와 화해하지 못하고 강을 건넌다.
③ 주몽이 대소와 맞서 싸우는 내용은 이후에도 나타나지 않는다.
④ 주몽은 초능력을 직접 발휘하지 않고 신비한 힘의 도움을 요청한 것이다.
⑤ 주몽은 강을 건너면서 대소의 위협으로부터 완전히 벗어나게 된다.

20. 이 이야기에 의하면 고구려는 부여의 정통성을 이은 나라이며, 주몽이 열두 살에 졸본에서 건국하였음을 알 수 있다.

학습 활동 다지기

• 본문 p.135

이해 다지기 문제 **1.** ⑤ **2.** ②
목표 다지기 문제 **1.** ② **2.** ⑤ **3.** ④ **4.** ③ **5.** ①
6. ① **7.** ④ **8.** ⑤ **9.** ②

이해 1. 대소는 인간인 금와왕의 아들로, 뛰어난 재능을 지닌 주몽을 시기하고 질투하는 인물이다. 주몽의 아버지는 하늘의 기운을 지닌 해모수이며, 어머니는 물의 신 하백의 딸인 유화이다.

2. 대소는 주몽이 금와왕에게서 왕위를 물려받을까 봐 주몽을 없애려는 여러 가지 음모를 꾸미고, 피신하는 주몽을 뒤쫓기도 하는 인물이다.

목표 1. 이 이야기는 시간 순서에 따라 사건이 전개되고 있다. 금와왕이 유화를 데리고 와서(㉡), 유화가 알을 낳고, 거기서 태어난 주몽(㉢)이 뛰어난 능력을 발휘하자 대소가 시기하여 주몽은 말을 기르는 일을 하게 되며(㉤), 대소가 음모를 꾸며 주몽을 없애려 하자(㉣) 이를 피해 도망간 주몽이 졸본에 고구려를 건국한다(㉠).

2. '평소 주몽을 따르던 인물의 이름'에 관한 정보는 중심 내용과는 거리가 먼 세부 내용이므로 삭제해도 된다.

3. ㉣ 부분은 주몽이 조력자의 도움으로 위기를 극복하는 내용으로, 대소를 피해 도망하던 중 엄수에서 물고기와 자라가 만들어 준 다리로 무사히 강을 건넌 사건을 연결할 수 있다.

4. 이야기 글은 글 속에 등장하는 인물, 사건, 배경과 같은 구성 요소를 중심으로 요약해야 하며, 글 속에서 반복되는 내용을 여러 번 제시하는 것은 바람직하지 않다. 개별적 사건들은 상위 내용으로 일반화하여 요약해야 한다.

5. 시간에 따른 사건의 변화나 인물의 심리 변화가 드러나면 시간에 따라 내용을 요약하는 것이 바람직하다.

6. 제시된 줄거리는 고구려가 어디서 시작되었는지 그 과정을 말하고 있다. 즉 요약문에서 고구려가 북부여, 동부여에 이어 세워진 나라임을 밝히고 있어 고구려의 연원에 대한 이해를 목적으로 글을 읽고 요약했음을 알 수 있다.

7. 이 글에서 주몽의 할아버지는 하늘나라의 임금이며, 외할아버지는 물의 신이다. 또 평범한 사람들과 달리 알에서 태어난 인물로 묘사되어, 고귀한 혈통과 기이한 탄생 과정을 보여 준다.

8. 글을 읽는 목적이 무엇이냐에 따라 각 내용의 중요도가 달라지는데, 글을 요약할 때는 중요한 의미가 있는 부분을 중심으로 요약하기 때문이다.

9. 이야기 글의 요약문을 평가할 때에는 이야기의 구성 요소가 잘 드러나는지, 시간의 흐름에 따른 사건 전개 과정이 잘 드러나는지를 중심으로 요약한다.

소단원 핵심 문제

• 본문 p.140

01. ② **02.** ㉮: 알, ㉯: 활쏘기, ㉰: 주몽 **03.** ④ **04.** ③
05. 동물들이 알을 보호해 주었다. **06.** ② **07.** ④
08. ⑤ **09.** 대소 무리의 음모와 위협 때문에 언젠가 부여를 떠나야 할 것이다. **10.** ② **11.** ① **12.** ④ **13.** ⑤
14. ② **15.** ③

01. 이 글은 건국 신화이다. 이와 같은 글은 나라를 세운 주인공을 영웅적 인물로 묘사하여 영웅 설화의 구조에 따라 이야기가 전개되는 경우가 많다.

오답 해설

① 흥미 위주의 사건 전개는 설화 중에서 민담의 특징에 해당한다.
③ 특정 지역이나 자연물의 유래를 소재로 하는 것은 전설이다.

④ 일반적으로 신화는 시간적 배경을 '태초'와 같이 나타내어 막연하게 제시한다.
⑤ 신화는 신적인 존재를 주인공으로 내세우며, 전설이나 민담에서는 평범한 인간을 주인공을 내세운다.

02. (가)~(라)는 주몽의 탄생 과정과 비범한 재주를 보여 주는 부분이다. 주몽이 알로 태어났으며, 활쏘기에 능하다는 점이 중심 내용이다.

03. 동부여에서는 활을 잘 쏘는 사람을 주몽이라고 부르는 풍속이 있었다.

오답 해설

① 금와왕이 유화를 부인으로 삼았는지에 관한 언급은 없다.
② 유화가 해모수와 만났다가 벌을 받은 일을 보면 남녀의 사랑과 결혼이 자유롭지 않았을 것으로 추측해 볼 수 있다.
③ 유화가 자식을 교육하는 방식에 관해 구체적으로 언급하지 않고 있다.
⑤ 이 글에서는 백성들의 삶에 관해 언급하지 않고 있어 임금의 권력과 백성들의 관계에 대해 알 수 없다.

04. (라)에서는 주몽이 어렸을 때부터 빼어난 용모와 뛰어난 재주를 지니고 있었다는 점을 강조하고 있다. 일반적으로 영웅 설화에서 주인공은 남다른 재능을 가지고 있어 영웅적 면모를 드러낸다.

오답 해설

①, ② 이 신화에서 주몽이 하늘과 물의 혈통을 받아 알에서 탄생한 인물이라는 부분에 해당한다.
④ 대소와 왕자들의 음모와, 음모를 피해 주몽이 도망하는 내용에 해당한다.
⑤ 주몽이 물고기와 자라의 도움으로 무사히 위기를 넘기고 고구려를 건국하는 부분에 해당한다.

05. '개, 돼지, 소, 말, 새들'이 '알을 먹지 않고, 피해 다니고, 깃털로 덮어 주는' 행위를 하고 있는데 이런 점을 일반화하여 요약할 수 있다.

06. (나)에서는 주몽이 앞날을 예견하고 날쌔고 좋은 말을 일부러 비쩍 마르게 하여 왕에게서 그 말을 받고 자신의 말로 삼을 수 있게 도모하고 있다.

07. 금와왕의 아들들은 뛰어난 재능을 지닌 주몽이 왕위를 물려받을까 봐 주몽을 없애려고 시도하고 있다.

오답 해설

① 주몽이 금와왕과 직접적으로 갈등을 겪는 내용은 없다.
② 주몽이 말의 능력을 알아보고 자신의 뜻대로 길러 좋은 말의 주인이 되는 것으로 이야기가 전개되고 있다.
③ 유화는 주몽의 어려움을 이해하고 도와주는 인물이다.
⑤ 금와왕이 주몽을 없애라는 아들들의 말을 들어주지는 않았지만 그것으로 인한 갈등 양상이 드러나지는 않았다.

08. 주몽은 알에서 태어나 뛰어난 재능을 지닌 영웅으로 성장한다. 대소와 왕자들이 자신을 모함하고 적대시하는 것에 대해 포용하지도, 맞서지도 않고 자신이 피신하는 것으로 대응한다.

09. 주몽은 자신이 대소 무리로부터 미움을 받고 있어 그들로부터 위협을 당하여 언젠가는 부여를 떠나게 될 날이 올 것을 예상하고 있다.

10. ㉡은 외적 갈등의 대상인 대소와 왕자들을 피해 달아나던 주몽을 도와주는 조력자로 등장한다.

오답 해설

① 물고기와 자라는 이 글에서 주몽의 갈등을 해결해 주는 존재이다.
③ 이 글에서 사건의 주인공은 처음부터 끝까지 주몽이다.
④ 물고기와 자라는 물에 사는 동물이지만 사건의 주요 배경이 강으로 바뀌는 것은 아니다.
⑤ 물고기와 자라가 새로운 존재로 나타나지만 이전의 사건을 해결하는 데 도움을 주는 역할이다.

11. 신화는 한 개인을 주인공으로 내세우는 이야기이지만 국가나 민족, 집단과 관련된 인물을 다루며, 그 사회의 독특한 문화나 가치관, 생활 방식을 반영하여 만들어진다.

12. 고구려의 건국 과정이라는 객관적인 정보를 중심으로 요약하는 것이므로 주몽의 부여 탈출과 졸본이라는 지명, 고구려라는 국가명이 드러나도록 요약해야 한다.

오답 해설

① 고구려의 연원이 된 나라(동부여)나 고구려의 첫 도읍지(졸본)가 언급되지 않았다.
②, ③ 고구려 건국에 관한 언급이 없으므로 고구려의 연원을 알 수 없다.
⑤ 이야기의 내용과 다른 요약이다.

13. 인물의 생애를 전반적으로 설명할 때에는 인물의 탄생과 성장 과정, 중요한 시기 및 생애의 마지막 순으로 시간 순서에 따르는 것이 좋다.

14. 이 이야기에서 주몽은 하늘나라 임금의 아들인 해모수와 물

의 신의 딸인 유화 사이에서 태어난 인물이다. 이야기 속에서 햇빛이 유화를 따라다니다 유화가 임신하게 된 것으로 묘사하여 주몽이 하늘의 기운을 타고난 인물임을 표현하는 한편 태양을 숭배하던 고대인들의 사상을 드러내고 있다.

오답 해설

① (가)에서 금와왕은 유화가 낳은 알을 버리려고 한 것이며, 이는 극진한 보살핌과 무관한 것이다.

③ 주몽이 나라를 세운 것은 (가)와 무관하게 이야기의 후반부에서 언급된다.

④ 유화의 사랑은 자연에 대한 경외심과 무관한 내용이다.

⑤ 주몽이 시련을 겪으면서 성장하는 것은 영웅 설화의 구조로 이야기가 전개됨을 보여 준다.

15. ㉢은 알에서 태어난 주몽에게 왕위를 빼앗길 것 같은 생각에 주몽을 적대시하는 대소의 심리를 담고 있는 대사이다.

2 동양의 그림과 서양의 그림

개념 확인 콕콕 • 본문 p.144

01. ⑤ **02.** ① **03.** ④

01. 설명하는 글은 새로운 지식이나 정보를 독자가 이해하기 쉽도록 풀어서 서술해야 하므로 쉽고 명확한 용어를 사용하며 '처음 – 중간 – 끝'의 구성이 체계적이다. 표현도 정확한 소통이 될 수 있도록 해야 한다.

02. 설명문에서는 각 문단을 읽고 문단의 중심 문장이 무엇인지 바르게 파악해야 한다. 그리고 문단의 연결 관계를 바탕으로 전체 내용을 요약하되, 이때 글쓴이의 의도를 고려해야 한다.

03. 설명문은 어떤 정보를 전달하는지에 집중하여 내용을 요약해야 한다. 따라서 글의 중심 내용을 바탕으로 요약해야 한다.

확인 문제 • 본문 p.146

01. ① **02.** ⑤ **03.** 설명 대상을 분명히 밝히고 대상에 대한 독자의 흥미를 유발하기 위해서이다. **04.** ② **05.** ② **06.** ② **07.** 어떻게 정확하게 그리느냐(그리는지) **08.** ⑤ **09.** ② **10.** ② **11.** ③ **12.** 동양에서는 한지나 화선지, 비단에 먹으로 그림을 그려 그림을 그리는 순간 먹이 바탕에 스며들어 덧칠하거나 고치는 것이 어려웠기 때문이다. **13.** 선 **14.** ③ **15.** ② **16.** 자신이 생각한 바를 자신만의 방법으로 그리는 것을 중요하게 생각하기 때문이다. **17.** ③

01. 이 글은 동양의 그림과 서양의 그림이 가지는 차이에 대하여 원인을 분석하여 밝힌 설명문이다. 구체적인 자료로 그림을 보여 주면서 내용을 설명하여 독자의 이해를 돕는다.

오답 해설

② 1~2에서는 일화가 언급되지 않았다.

③ 1~2에서는 전문적인 지식을 알기 쉬운 일상어로 설명하고 있다.

④ 1~2에서 글쓴이는 객관적인 지식을 바탕으로 서술하고 있다.

⑤ 1~2에서는 객관적 정보를 알기 쉽게 풀이하여 설명하고 있다.

02. 이 글에서는 동양의 그림과 서양의 그림의 차이점을 중심으로 내용을 전개하고 있다. 두 대상의 차이에 집중하여 설명하는 방식을 대조라 한다.

오답 해설

① 서사의 방법으로, 1에서는 시간의 변화가 드러나 있지 않다.

② 1에서는 분류의 방법이 드러나 있지 않다.

③ 1에서는 묘사의 방법이 드러나 있지 않다.

④ 1에서는 정의의 방법이 드러나 있지 않다.

03. 동양과 서양의 그림에 차이가 발생한 이유를 설명하기에 앞서 동양과 서양 그림의 예를 시각 자료로 제시함으로써 독자의 흥미를 끌고 있다.

04. 글쓴이는 동양화와 서양화가 차이를 보인다는 점을 설명하면서 먼저 채색에서의 차이를 설명하고 다음으로 여백 처리의 차이를 설명하고 있다.

05. 동양에서는 사물에 대한 사실적 묘사를 그림을 그리는 기초로 보았고, 이 수준에서 나아가 정신 세계까지 표현할 수 있어야 한다고 보았다.

06. 2에서는 동양에서 그림을 기록적 수단으로 생각하지 않고 인격 수양의 수단으로 삼았다는 점을 설명하고 있다.

오답 해설

㉡ '시, 글, 그림' 모두에 대한 언급은 핵심 내용을 뒷받침하는 세부 내용에 해당하며, ㉣도 동양화의 그림에 대한 시각을 보여 주는 사례이므로 중요 내용 요약에서 다루어야 할 내용은 아니다.

07. 3으로 보아 서양에서는 그림이 어떤 대상을 기록하는 수단이었으며 따라서 사실적으로 기록하느냐에 관한 관심이

높았음을 알 수 있다. 사실적인 기록을 위해 원근법이나 빛에 따른 대상의 변화, 형태의 파악 방법 등이 발달하게 된 것이다.

08. 4의 앞부분에서는 동양의 그림의 재료를, 뒷부분에서는 이와 다른 서양의 그림 재료를 설명하고 있으므로 ㉡에는 대조적인 관계로 연결됨을 표현하는 말이 들어가야 한다.

09. 5는 그림을 그리는 재료 차이로 동양화는 수정이 어려운 반면 서양화는 수정이 쉽다는 점을 밝히고 있다.

오답 해설

① 동서양의 그림에 대한 시각의 차이는 그림을 인격 수양의 대상으로 보느냐, 기록물로 보느냐이다.
③ 새로운 그림을 만드는 방법에 따른 차이는 언급되어 있지 않다.
④ 동양화는 먹물로 그리므로 물을 사용하고 서양화는 대체로 유화가 많으므로 물을 사용하지 않지만, 이 글에서 언급된 내용이 아니다.
⑤ 그림을 그리는 데 필요한 사람의 수에 대한 언급은 없다.

10. 6과 7에서는 동양화와 서양화가 표현 방법에서 동양화는 순간적으로 선을 강조하는 표현을, 서양화는 꼼꼼하게 면과 입체를 강조하는 표현을 중시하면서 서로 다르게 발달해 왔음을 설명하고 있다.

오답 해설

① 미술 재료의 차이는 4에서 설명하고 있다.
③ 여백 처리의 차이는 8에서 설명하고 있다.
④ 그림에 대한 인식의 차이는 2~3에서 설명하고 있다.
⑤ 이 글에서는 동서양 그림의 차이의 역사가 드러나 있지 않다.

11. ㉢은 6에서 설명하는 중심 내용을 상술하기 위해 구체적인 내용을 덧붙인 것으로, 뒷받침 내용에 해당한다.

12. '일필휘지'는 '글씨를 단숨에 죽 내리씀.'을 뜻하는 말이다.

13. 동양화는 먹으로 그리기 때문에 가늘게 그리는 작업이 수월하여 선의 표현이 중요했다.

14. 8에서는 그림의 여백에 대한 동양과 서양의 인식 차이를 설명하고 있고, 9에서는 그와 관련된 일화를 제시하여 부연 설명하고 있다.

오답 해설

① 주장은 글쓴이의 의견이며, 근거는 주장의 타당성을 뒷받침하는 내용이다.
② 원인은 어떤 사물이나 상태를 변화시키거나 일으키게 하는 근본이 된 일이나 사건을 말하며, 결과는 어떤 원인으로 생긴 결말이다.
④ 예시는 설명 대상의 구체적인 사례를 들어 보이는 것이며, 중심 내용은 그 사례를 통해 말하고자 하는 핵심 내용이다.
⑤ 문제 제기는 해결이 필요한 문제를 들어 보이는 것이며, 문제 해결은 그에 대한 해결책을 제시하는 것이다.

15. 10 문단은 중간 부분에서 구체적으로 설명한 내용을 간략하게 요약하면서 내용을 마무리하는 맺음말에 해당한다.

오답 해설

①, ③ 설명문의 머리말에 해당하는 내용이다.
④ 설명문의 본문에 해당하는 내용이다.
⑤ 글쓴이의 주관적인 의견은 드러나 있지 않다.

16. 글쓴이는 동양화와 서양화의 차이를 구체적으로 설명한 후 오늘날 그 차이가 줄어들고 있다는 점을 덧붙이고 있다. 그리고 그 이유를 오늘날의 그림은 자신이 생각한 바를 자신만의 방법으로 그리는 것을 중시하기 때문이라고 말하고 있다.

17. ㉡은 동양화와 서양화의 차이가 줄어든 사례로 제시한 그림이다.

학습 활동 다지기

• 본문 p.150

이해 다지기 문제 **1.** ① **2.** ④
목표 다지기 문제 **1.** ④ **2.** ① **3.** ② **4.** ③ **5.** ① **6.** ⑤

이해 **1.** 「세한도」는 우리나라의 대표적인 동양화로, 여러 가지 장식적인 요소를 배제하고 최소한의 먹으로 빈집과 소나무, 세 그루의 잣나무를 그려 넣은 그림이다. 최소한의 표현으로 여백을 충분히 활용하고 있다.

오답 해설

②, ③, ④, ⑤는 「오르낭의 큰 떡갈나무」에 해당하는 설명이다.

2. 이 글에서 글쓴이는 동양화와 서양화를 대등한 비중으로 바라보면서 그 특징을 설명하고 있다. 독자는 글을 읽고 동양화와 서양화가 가지는 특성을 바르게 이해할 수 있다.

목표 **1.** 이 글은 대상에 관한 객관적인 정보를 전달하는 설명문이므로 중요 정보를 중심으로 내용을 간추려야 한다. 따라서 대상의 구체적인 사례나 부연 설명 등은 요약하기에서는 배제하는 것이 바람직하다.

2. 2~3에서는 동양화에서는 그림을 인격 수양의 방법으로 바라보고 서양에서는 사실적 기록의 방법으로 바라본다는 점을 설명하고 있다. 이는 그림에 대한 시각의 차이를 보여 준다.

3. 2~9에서는 동양화와 서양화가 가지는 차이를 네 가지 항목으로 나누어 첫째, 둘째와 같은 표지어를 활용해 설명하고 있다.

4. 10에서는 과거와 달리 오늘날에는 동양화와 서양화의 차이가 줄어들고 있으며, 그 이유가 화가 개인의 독특한 표현 방법이 중시되기 때문이라고 설명하고 있다. 이는 시대에 따라 그림에 대한 생각이나 표현의 방법이 달라지고 있다는 점을 보여 준다.

5. 8~9의 경우 8에서는 동서양의 여백 처리의 차이를 개략적으로 설명하고, 9에서는 그 차이로 인한 사례를 제시하였다. 이를 요약할 때에는 중심 내용을 뒷받침하는 구체적 내용을 생략하는 것이 바람직하다.

6. 설명문을 요약할 때는 글쓴이의 의도를 고려하되, 요약문에서 그 의도를 구체적으로 드러내야 하는 것은 아니다.

소단원 핵심 문제 • 본문 p.155

01. ① **02.** ② **03.** ④ **04.** ⑤ **05.** 동양화의 특징과 서양화의 특징이 섞여 나타나 있는 그림 **06.** ④ **07.** ② **08.** 덧칠하거나 다시 고치기(수정하기) 어렵습니다. **09.** ④ **10.** ④ **11.** 동양에서는 한지나 화선지, 비단에 먹으로 그림을 그리며, 서양에서는 캔버스에 유화 물감으로 그림을 그린다. **12.** ③

01. 이 글은 설명문으로 핵심 정보를 중심으로 내용을 요약하는 것이 바람직하다.

오답 해설

② 논설문을 요약하는 방법이다.
③ 소설이나 희곡을 요약하는 방법이다.
④ 수필이나 기행문을 요약하는 방법이다.
⑤ 소설이나 희곡을 요약하는 방법이다.

02. (가)에서는 동양에서 그림을 어떻게 보았는지를 설명하고 있다. 〈보기〉에서는 서양에서 그림을 보는 시각을 밝히고 있으므로 (가)의 뒤에 이어지는 것이 자연스럽다.

03. (나)에서는 그림을 보는 동서양의 시각의 차이 중 동양에서 인격과 정신을 강조했음을 설명하고 있다.

04. ㉠은 그림을 그리거나 글을 쓸 때 붓을 여러 번 놀리지 않고 한 번에 그려 내는 특성을 표현하는 말로, 먹이 한지에 순간적으로 스며드는 동양화의 재료의 특성을 설명하기 위해 사용되었다.

오답 해설

① ㉠은 동양화의 붓질의 특성을 나타낸 말로, 서양화에 비해 그림 완성 속도가 빠름을 나타내는 것은 아니다.
② 동양화가 서양화에 비해 스케치의 비중이 덜 중요하지만 필요없다는 언급은 없다.
③ ㉠은 서예나 그림에 모두 적용되는 말로, 서예와 그림을 달리 보는 시각을 표현하는 것은 아니다.
④ 동양화에서는 그림의 수정이 어렵다는 것이지, 그 자체를 바람직하지 않다고 여기는지에 관한 설명은 없다.

05. 이 글의 흐름으로 볼 때 ㉡은 예전과 달리 동서양 그림의 차이가 뚜렷하게 드러나지 않는 현대의 그림임을 알 수 있다.

06. 캔버스와 유화 물감의 특성상 서양화는 덧칠이나 수정이 쉽다. 한편 한지나 화선지의 경우 물이 스며드는 특성이 있어서 수정이 어렵기는 하지만, 원근이나 빛에 따른 대상의 변화를 드러낼 수 없다는 설명은 나타나 있지 않다.

07. (가)에서는 그림을 보는 시각의 차이를, (나), (다)에서는 재료의 차이를, (라)에서는 선과 입체의 표현 차이를, (마), (바)에서는 여백 처리의 차이를 설명하고 있다.

08. (다)에서는 동양화와 서양화가 재료를 달리하므로 그림을 수정하는 데 있어 서로 차이를 보인다는 점을 설명하고 있다. 서양화의 경우 덧칠과 수정을 할 수 있다고 설명하고 있으므로 이와 대조되는 동양화의 특징을 설명하는 문장이 들어가야 한다.

09. (라)에서는 동양화와 서양화가 여백을 처리하는 방법에서 서로 차이가 있음을 설명하고 있다.

10. 〈보기〉와 (라)에서는 동양화에서의 여백의 의미를 설명하고 있다.

11. ㉠은 재료의 차이로 인하여 동양화와 서양화가 그림을 표현할 때 서로 다른 방법을 활용하게 되었음을 지시한다.

12. ㉡은 앞에서 설명한 내용을 한 문장으로 요약하여 독자가 오래 기억하도록 돕는 문장이다. 즉 설명문의 끝부분에서 내용을 요약, 정리하면서 글을 마무리하도록 하는 부분이다.

3 로봇, 친구가 될 수 있을까

개념 확인 콕콕 • 본문 p.158

01. (1) ○ (2) × (3) ○ **02.** ④ **03.** 비판적 **04.** ②

01. 강연은 일정한 주제에 대한 정보 전달이나 설득을 목적으로 하는 공식적인 말하기이다.

02. 의견은 객관적으로 증명하기 어려우며, 가치 판단이나 평가, 느낌 등 주관적인 요소가 담겨 있는 것들이다.

03. 다른 사람의 말을 들을 때는 자신의 입장에서 분석하고 평가하면서 옳고 그름을 따져서 수용하는 것이 바람직하다.

04. 타당성을 판단할 때에는 주장과 근거를 구분하여 주장과 근거 사이의 연관성과 타당성을 판단한다. 근거는 사실적이고 객관적인 것으로 믿을 만한지 판단해야 한다.

• 확인 문제 • • 본문 p.160

01. ④ **02.** 인사, 자기소개, 강연 주제 소개 **03.** ③ **04.** ② **05.** ④ **06.** ⑤ **07.** ① **08.** 우리나라의 고령 인구 비중이 점점 늘어나고 있다. **09.** ④ **10.** ⑤ **11.** ② **12.** 강연자는 로봇이 인간 생활에 도움을 준다고 보는 데 비해 ㉠은 로봇이 인간을 해치는 존재가 될 수 있다는 입장을 밝히고 있다. **13.** ① **14.** ③ **15.** ② **16.** 로봇을 개발해야 한다.

01. 강연자는 (가)에서 로봇을 굳이 만들 필요가 있냐고 생각하는 청중도 있을 것이라고 말하고 있다.

02. 이 강연의 강연자는 처음 부분에서 가벼운 인사말과 함께 자신을 소개하면서 어떤 주제로 강연하게 될지 소개하고 있다.

03. (나)에서 강연자는 자신이 로봇 과학자가 된 계기를 밝히고 있다. 어린 시절 몸이 불편한 동생을 보면서 동생을 도울 수 있는 힘센 로봇에 대해 관심을 두게 된 것이다.

오답 해설

① 강연자의 어머니가 동생을 돌봐 왔다고 말하고 있다.
② 강연자의 가정사는 강연자가 로봇을 개발하게 된 동기를 이해하는 데 도움을 주기 위한 것으로, 청중이 강연을 들을 때 연민의 마음을 가져야 하는 것은 아니다.
④ 강연자의 어린 시절 경험은 과학적 사고의 경험이라고 볼 수 없다.
⑤ 만화 영화를 좋아한 것이 아니라 동생을 돌볼 존재에 대한 동경이 드러나 있는 것이다.

04. 강연자는 로봇을 자신의 동생이 겪고 있는 어려움을 도와줄 수 있는 존재로 보고, 로봇을 개발하는 사람이 되고자 한 것이다.

오답 해설

① 글쓴이는 '동생을 번쩍 들어서 욕조에 데려다주는' 존재로서 로봇을 꿈꾸는데, 이러한 로봇은 인간 생활을 지배하는 존재가 아니다.
③ 글쓴이는 인간의 삶을 보조해 주는 존재로서의 로봇을 꿈꾸고 있으므로 인간보다 우월한 존재로 인식한다고 볼 수 없다.
④ 글쓴이의 눈에 영웅으로 보이는 로봇을 언급하고 있지만, 로봇을 만드는 일을 인간의 초능력과 관련짓고 있지는 않다.
⑤ 로봇이 인간을 돕기는 하지만 실제 인간적인 감성을 지니고 서로 교감하는 존재로 여기는 것은 아니다.

05. 강연에 활용되는 보조 자료는 강연의 내용에 관한 이해를 돕는 자료이므로, 청중은 보조 자료를 통해 내용을 이해하고자 노력해야 한다.

06. (라)의 그래프는 우리나라의 저출산 · 고령화 현상을 시각적으로 보여 주는 자료이며, 이 자료를 근거로 일손이 부족해질 것을 예측하면서 로봇이 이 일손을 대체할 수 있다고 말하고 있다.

오답 해설

① 그래프는 시각 자료이다.
②, ③, ④ 우리나라의 고령화 현황을 포괄적으로 이해하도록 돕는 자료이다.

07. (라)에서는 우리나라의 저출산 · 고령화 문제와 관련하여 일손 부족을 예측하면서 로봇을 통해 일손 부족의 문제를 해결할 수 있으므로 로봇을 개발해야 한다는 입장을 밝히고 있다.

오답 해설

② 로봇이 인간에게 필요한 존재라는 점을 바탕으로 로봇 개발의 필요성을 강조하고 있으므로 '로봇과 인간의 관계'는 글의 내용을 지나치게 포괄적으로 말하는 것이다.
③ 로봇이 저출산, 고령화 문제의 해결에 도움이 된다는 점을 근거로 하여 로봇을 개발하자는 것이므로, ③을 중심 내용으로 볼 수 없다.
④, ⑤은 세부 내용에 해당한다.

08. 그래프에서는 우리나라의 고령 인구가 점차 늘어나고 있는 상황을 보여 준다.

09. (마)에서는 현재 의학계에서 로봇을 활용하여 수술하고 있다고 말하고 있으며, 일부 수술 로봇은 인간보다 더 나은 의술을 발휘할 수 있다고 보고 있다.

오답 해설

① 로봇이 정교한 수술에 있어 효과적이라는 내용은 있으나 인간보다 의료 기술이 더 뛰어나다는 내용은 없다.
② 우리나라에서 로봇을 의학에 활용한다는 내용은 있으나 의학 기술 발전에 힘쓰고 있다는 내용은 없다.
③ 로봇이 교통 상황이 좋지 않은 곳의 의료 행위에 유용하다는 내용은 있으나 실제 보급되어 있다는 내용은 없다.
⑤ 로봇 개발 연구에 의사들이 참여하고 있다는 내용은 없다.

10. (마)~(바)에서는 로봇이 인간보다 더 정교하고 위험을 감수하는 데 유용하다는 점을 강조하고 있다. 즉 인간이 직접 할 수 없는 일을 대체해 주어 인간의 부족함을 보완하는 능력을 지녔음을 밝히고 있다. 강연자는 로봇의 이로운 점을 근거로 로봇을 개발하는 것이 필요하다는 입장을 취하고 있다.

오답 해설

① 로봇이 인간의 일자리를 차지하고 있으므로 인간과 같은 세금 납부의 의무도 져야 한다는 의미이다.
② 로봇의 활용 영역이 사회 전반으로 확산되고 있다는 의미이다.
③ 로봇의 위험성을 강조하는 내용이다.
④ 로봇이 경제 격차를 악화시킬 수 있다는 우려를 담고 있다.

11. (바)에서는 위험한 사고 현장을 수습하는 데 로봇이 유용하게 활용될 수 있음을 언급하면서 그 구체적인 근거로 후쿠시마 원전 사고 현장에 투입된 로봇의 사례를 제시하고 있다.

오답 해설

① 서사의 방법을 설명하고 있다.
③ 인과의 방법을 설명하고 있다.
④ 정의의 방법을 설명하고 있다.
⑤ 대조의 방법을 설명하고 있다.

12. ㉠은 인간이 개발한 로봇이 인간을 죽이고 인류를 멸망시킬 수 있다는, 로봇에 대한 부정적인 시각을 보이는 사람들의 생각이다.

13. (아)에서는 자신의 주장에 대한 반대 입장의 주장을 반론으로 제시하고, 그에 대하여 그 반론이 타당하지 않은 것이었음을 증명함으로써 자신의 주장에 대한 설득력을 확보하고 있다.

오답 해설

② 객관적인 자료를 근거로 내세웠으므로 감정적인 호소로 볼 수 없다.
③ 자동차 한 가지를 사례로 제시하고 있다.
④ 글쓴이의 개인적인 경험을 제시하지는 않았다.
⑤ 주장을 뒷받침하는 자료가 신문 기사이다.

14. ㉠은 자동차가 인류를 멸망시키는 살인 기계가 될 것이라는 입장에서 인류의 미래를 우려하는 내용을 담은 기사이다. 강연자는 이 기사의 우려와 달리 오늘날 법과 제도의 정비를 통해 자동차가 인류의 필수품이 된 것을 근거로 로봇도 인류에게 안전한 필수품이 될 수 있다고 말하고 있다.

오답 해설

① 자동차에 대해 부정적인 입장이다.
② 자동차의 위험성을 극대화하여 표현한 것일 뿐 인류의 멸망을 말하는 것은 아니다.
④ 자동차에 대한 부정적인 시각으로 자동차의 미래를 암담하게 바라보고 있다.
⑤ 법과 제도의 정비는 ㉠의 이후에 나온 것이다.

15. (자)는 강연의 마지막 부분으로 강연의 주요 내용을 요약하면서 중심 내용을 다시 한 번 강조한 부분이다. 강연자는 앞서 로봇이 저출산 · 고령화 사회에서 부족해진 일손을 채워 우리 사회가 유지될 수 있을 것이라고 말하였다.

16. 강연자는 로봇에 대한 우려가 있기는 하지만 이에 대한 대안이 있으며, 로봇이 인간 생활에 여러 모로 유용하게 활용될 수 있음을 근거로 들어 로봇을 개발해야 한다고 주장하고 있다.

학습 활동 다지기 • 본문 p.164

이해 다지기 문제 **1.** ③ **2.** ③
목표 다지기 문제 **1.** ② **2.** ② **3.** ④ **4.** ② **5.** ③

이해 **1.** 강연자는 로봇이 인간 생활에 유용하게 활용될 수 있다는 점을 근거로 들어 로봇 개발이 필요하다는 점을 주장하면서 그에 관하여 강연을 전개하고 있다.

2. 강연자는 뇌 병변 장애를 가진 동생을 좀더 효율적으로 돌봐 줄 존재로 만화 속의 로봇을 떠올리게 되었고, 로봇이 인간에게 유용한 존재라는 인식을 바탕으로 로봇을 개발하고 연구하는 직업을 가지게 된 것이다.

목표 **1.** 이 강연에서 강연자는 '로봇, 친구가 될 수 있을까'라는 질문을 제목으로 제시하면서 로봇이 인간 생활에 유용한 존재이므로 로봇을 개발해 나가야 한다는 점을 주장하고자 한다. 강연자는 이처럼 청중을 설득하기 위해 다양한 근거를 들어서 제시하고 있다.

2. 강연자는 로봇이 저출산 · 고령화로 인한 일손 부족 문제 해결, 정교한 수술, 위험한 사고 현장의 수습 등에 도움이 된다는 점을 근거로 들고 있으며, 로봇의 위험성에 대한 대안으로 법과 제도의 정비를 근거로 제시하면서 로봇이 위험한 존재가 아니라는 의견을 제시하고 있다.

3. 이 강연은 강연자의 주관적인 주장이 담겨 있으므로 청중은 강연을 들으면서 강연자의 주장이 무엇인지 파악하고, 주장이 타당하게 전개되고 있는지 판단하며 비판적인 태도를 유지해야 한다.

4. 주장이 드러나는 강연을 들을 때에는 근거의 적절성과 타당성을 판단해야 한다. 즉 독창성과 흥미성보다 정확성, 객관성, 신뢰성이 더 중요한 요소이다.

5. 로봇에 대한 긍정적 입장을 뒷받침하기 위해서는 로봇이 인간과의 관계에 있어 긍정적인 역할을 하고 있다는 점을 밝힐 수 있는 근거를 제시해야 한다.

소단원 핵심 문제 • 본문 p.168

01. ② **02.** ④ **03.** 로봇이 부족한 일손을 채워 줄 수 있다면 어떨까요? **04.** ② **05.** ④ **06.** ② **07.** 인간의 어려움을 도와주는 로봇이 있었으면 좋겠다는 마음 **08.** ④ **09.** ① **10.** ② **11.** 로봇은 인간 생활에 필요하다. 로봇은 인간의 일자리를 빼앗는 것이 아니라 새로운 일자리를 만들어 낸다. 〈보기〉에서 단순한 일자리는 로봇으로 대체되었지만 그 로봇을 제어하고 통제하는 새로운 일자리가 인간에게 만들어졌을 것이다.

01. 이 강연에서는 로봇을 개발해야 한다는 입장에서 통계 자료나 실제 사례 등을 뒷받침 내용으로 제시하고 있다.

오답 해설

① 시각 자료로 그래프를 제시하고 있다.
③ '로봇을 좋아하시나요?', '~익숙한 말이죠?', '~어떤 일이 벌어질까요?' 등과 같이 청중에게 여러 가지 질문을 던지고 있다.
④ (다)에서 통계청 자료를 활용하여 말하고 있다.
⑤ (라)에서 후쿠시마 원자력 발전소의 사례를 들어 주장을 뒷받침하고 있다.

02. (가)에서 강연자는 자신의 직업을 밝히면서 자신이 로봇을 만드는 사람이 된 이유를 밝힐 것이라고 말하고 있다.

03. (다)에서는 닥쳐올 저출산 · 고령화 사회에서는 힘들고 어려운 일을 하는 사람이 줄어듦에 따른 사회적 문제를 예상하고 있다. 그리고 로봇이 그런 문제를 해결해 줄 수 있다고 말하고 있다.

04. (라)에서는 후쿠시마 원자로에 로봇이 투입되어 사고 현장을 수습했다는 사례를 통해 사람이 가기 위험한 사고 현장 수습에 로봇이 활용될 수 있음을 설명하고 있다.

오답 해설

① 원자로 폭발 사고 수습에 로봇이 활용되었음을 말할 뿐 로봇으로 인해 원자로를 더 많이 가동할 수 있다는 내용은 없다.
③ 로봇이 통신 장애로 임무 수행을 못했다는 내용이 있을 뿐, 로봇이 통신 장애를 막는다는 내용은 없다.
④ 사고 초기에 로봇이 임무를 제대로 수행하지 못했다는 내용이 드러나 있다.
⑤ 로봇이 사고 자체를 예방할 수 있다는 내용은 없다.

05. 주장하는 말하기는 주장과 근거의 타당성을 판단하며 들어야 한다. 청중의 입장에서 잘 알고 있는 내용인지의 여부보다는 그 근거가 주장을 뒷받침하는 데 얼마나 적절한지를 판단해야 한다.

06. (다)에서 강연자는 로봇이 부정적으로 사용될 경우에 대한 우려와 자동차에 대한 개발 초기의 부정적 시각을 제시하고 있지만, 이에 대해 다시 법과 제도로 극복 가능하다면서 반박하고 있다.

오답 해설

① 자동차에 대한 부정적 시각을 사례로 들어 로봇에 대한 반대 입장에 대해 법과 제도의 정비를 통해 극복할 수 있다는 대안을 밝히고 있다.
③ 강연자는 로봇 개발을 주장하면서 그에 대한 반대 입장을 반박하기 위해 자동차의 사례를 제시하고 있다.
④ 자동차에 대한 부정적 시각을 담고 있는 신문 기사의 우려가 현실화되지 않았음을 객관적 근거로 제시하여 자신의 주장을 정당화하고 있다.
⑤ 강연자는 여러 차례 질문을 제기하여 청중들이 내용 전개에 대해 생각해 보도록 유도하고 있다.

07. 강연자는 어린 시절 동생과 가족이 겪는 어려움을 생각하며, 사람보다 더 힘이 세고 강한 로봇이 있다면 그 어려움을 쉽게 해결할 수 있을 것이라고 생각하였다.

08. 이 강연의 강연자는 로봇이 인류의 삶에 도움이 된다는 입장에서 로봇 개발을 주장하고 있다.

09. (가)에서는 의료계에 로봇이 도입되어 기대할 수 있는 긍정적 효과를 설명하고 있다. 내용을 심화하여 이해하기 위해서는 유사한 사례를 찾아보는 것이 바람직하다.

오답 해설

② 인력 지원으로 인한 의료 복지 확대를 보도하는 제목이다.
③ 의료 체계 정비의 필요성을 제기하는 제목이다.
④ 직업으로서의 의사에 대한 전망을 보여 주는 제목이다.
⑤ 수술 로봇 개발에 대한 정부의 투자 현황은 수술 로봇의 효과와 그 영향을 알기에는 적절하지 않은 자료이다.

10. 〈보기〉에서는 로봇 도입으로 인한 인간 사회의 문제점을 제기하고 있다. 따라서 두 글에서 로봇이 인간 생활에 도움이 되는 것인지에 대한 찬반 입장을 두고 토론의 논제를 선정할 수 있다.

오답 해설

① 이 글과 〈보기〉는 모두 로봇의 안전성에 대한 내용은 다루지 않고 있다.
③ 로봇의 능력에 대해 이 글에서는 세 가지를, 〈보기〉에서는 단순 노동, 한 가지를 제시하고 있으나, 로봇의 능력에 대한 견해를 적극적으로 제시하고 있는 것은 아니다.
④ 이 글과 〈보기〉에서는 모두 로봇의 능력과 인간의 능력을 비교하여 말하지 않았다.
⑤ 이 글과 〈보기〉에서 로봇이 인류의 필수품이라는 입장에서 내용을 전개한 것은 아니다.

11. 〈보기〉에서는 로봇이 인간의 일자리를 대체하여 인간으로 하여금 직업을 잃게 한다는 부정적 입장을 제기하고 있다.

대단원 확인 문제 • 본문 p.172

01. ⑤ **02.** ② **03.** ① **04.** ⑤ **05.** 서양에서 그림을 보는 시각 **06.** ③ **07.** ④ **08.** ③ **09.** ⑤ **10.** 고령화 사회가 되면서 일손이 부족해질 수 있으나 로봇이 일손을 보충해 줄 수 있다. **11.** ③ **12.** 동양화는 한번 그린 그림을 수정하기 어렵고 서양화는 덧칠이나 수정이 가능하다. **13.** ⑤ **14.** ④ **15.** ③ **16.** ④ **17.** 로봇이 군사적으로 이용되어서 사람을 죽이고 인류를 멸망시킬 수 있으므로 로봇을 개발하지 말아야 한다. **18.** ① **19.** ④ **20.** ⑤ **21.** 서양에서는 그림의 수정이 쉽다는 점을 포함하지 않고 요약하였다. **22.** ② **23.** ⑤

01. 이 글은 고구려 건국 신화이다. 신화는 신적인 인물을 주인공으로 하여 우주나 국가의 기원 등을 설명하고자 한다. 주로 한 민족이나 국가 단위로 이야기가 전승되며 전승 과정에서 이야기가 첨삭, 변형되면서 집단 창작의 성격을 띠게 된다.

오답 해설

① 신화는 한 민족의 범위 안에서 오랜 세월 동안 전승되면서 여러 세대에 걸쳐 완성되는 이야기로, 창작에 참여하는 사람이 매우 많다.
② 신화의 주인공은 자연이나 초자연의 힘을 가진 신적 존재이다.
③ 신화는 한 민족이나 국가 내에서 민족의 자긍심을 기르는 데 활용되는 이야기이다.
④ 신화는 대체로 우주의 탄생이나 나라의 건국 과정과 같은 내용을 다루게 된다.

02. (나)에서는 알에서 태어난 주몽이 어려서부터 뛰어난 재주, 특히 뛰어난 활쏘기 실력을 지니고 있어 주몽이라는 이름을 갖게 되었다는 점이 더 중요한 내용이다.

03. ㉠은 주몽이 하늘의 기운을 받고 태어난 인물임으로 표현하기 위한 장치이다.

오답 해설

② ㉡을 통해 주몽이 비범한 능력(활쏘기 능력)을 지녔음을 드러낸다.
③ ㉢을 통해 주몽이 비범한 능력을 가진 존재임을 드러낸다.
④ ㉣을 통해 주몽이 위기를 겪게 될 것임을 알게 한다.
⑤ ㉤을 통해 주몽이 영웅적 면모를 완성했음을 표현한다.

04. 동양에서는 사물을 보이는 대로 그린다거나 대상의 색을 그대로 칠하는 것을 그림을 그리는 기초에 불과하다고 보고, 여기에 더해 정신이 담겨 있어야 좋은 그림이라고 보았다.

05. (가)에서는 동서양에서 그림을 보는 시각이 서로 다르다는 점을 이야기하며 먼저 동양에서 그림을 보는 시각을 설명하고 있다.

06. 이 글에 따르면 동양화는 선을 중시하며 여백을 충분히 살려 그 여백을 작품의 일부로 포함해서 완성한다.

오답 해설

① 동양화에서는 여백이 대상과 조화를 이룰 때 좋은 그림으로 본다고 할 수 있으므로 적절한 답이 아니다.
② 동양화에서 재료 때문에 작품 전체를 채색할 수 없는 것은 아니므로 적절한 답이 아니다.
④ 여백에 대한 의문에 답해야 하는 상황에서 그림의 의미를 관객이 스스로 찾으라는 것은 적절하지 않다.

⑤ ㉠이 작가의 창작 활동 자체를 부정하는 것은 아니며, 구매자가 여백의 의미를 바르게 이해하지 못한 것에 대해 설득시키는 것이 적절하다.

07. 강연자는 청중들에게 로봇이 인간의 생활에 어떤 부분에서 도움이 되는지를 근거로 하여 로봇 개발의 필요성을 주장하고 있다.

오답 해설

① 강연자는 자신의 가정사를 통해 로봇 개발에 참여하게 된 동기를 밝히고 있다.
② 강연자가 로봇을 만들게 된 사연을 이미 밝혔다.
③ 강연자가 자신이 만든 로봇을 홍보하지는 않았다.
⑤ (가)~(라)에서는 로봇에 대한 긍정적 입장만 드러나 있으며, 강연자도 긍정적 시각에서 말하고 있다.

08. (다)에서는 로봇을 이용하여 환자를 치료할 수 있다는 점을 밝히고 있다. 수술 로봇은 사람보다 정교한 수술을 할 수 있고 오지의 응급 환자도 빠르게 치료할 수 있다는 점을 긍정적 입장에서 말하고 있다.

09. ㉠~㉣은 객관적인 사실에 해당하며, ㉤은 사실을 바탕으로 하여 강연자가 주관적 입장에서 주장하는 내용에 해당한다.

오답 해설

① ㉠은 현재 자신의 직업을 사실대로 말하고 있다.
② ㉡은 동생의 장애 사실을 밝히고 있다.
③ ㉢은 통계청 조사 자료를 사실적으로 제시하고 있다.
④ ㉣은 현재 수술 로봇들의 활약상을 사실대로 밝히고 있다.

10. ㉮의 구체적인 내용은 (나)에서 다루고 있다. (나)에서는 고령화로 인해 힘들고 어려운 일을 할 일손이 모자랄 때 로봇을 투입하면 이러한 일손 부족 문제를 해결할 수 있다고 말하고 있다.

11. 요약하기는 글의 내용을 간결하게 정리하는 활동으로, 글을 있는 그대로 읽고 내용을 간추리는 것이다.

12. (다)에서는 동양화와 서양화의 재료에 따른 수정의 용이성 차이를 설명하고 있다.

13. 주몽은 좋은 말을 알아보고 일부러 그 말을 마르게 길렀고 결국 자신이 그 말을 차지하게 된다.

오답 해설

①, ② 말을 기르는 일은 금와왕의 지시였으며, 이를 통해 주몽은 자신의 위기에 대비하게 된다.
③ 주몽의 출생의 비밀은 이미 밝혀져 있는 것이다.
④ 금와왕은 주몽에게 말을 기르도록 하였는데, 이에 대해 주몽의 불만은 드러나 있지 않다.

14. (라)에서는 동양화와 서양화는 원래 차이가 컸지만 현대로 올수록 그 차이가 줄어들고 있다고 말하고 있다.

15. ⓐ, ⓑ, ⓓ, ⓔ는 금와왕이 알을 버리기 위해 한 행동들이며 ⓒ는 동물들이 알을 보호하려고 한 행동이다.

16. (가)는 동양화와 서양화의 차이에 대한 정보를 제공하고 있고, (나)는 로봇 개발의 필요성을 주장하고 있다.

오답 해설

①, ② (가)는 설명적 내용이므로 정보의 정확성을, (나)는 주장의 타당성을 판단해야 한다.
③, ⑤ (가)와 (나)는 모두 실용적 성격의 내용이므로 창의적인 표현보다 정확하고 명료한 표현이 더 적절하다.

17. (나)의 강연자는 로봇을 개발하는 일에 대한 긍정적 입장에서 그 필요성을 주장하고 있다. (나)에서는 강연자가 반대편의 입장에서 로봇에 대한 부정적 입장을 제시한 뒤 그에 대해 다시 반박하고 있다.

18. ㉠은 서양의 그림이 대상을 사실적으로 기록하거나 다양한 표현 방법을 발전시키는 수단으로 인식되고 있음을 잘 보여 주는 그림들이다.

오답 해설

② ㉠은 서양화에 해당하며 서양화는 기록성을 중시한다. 화가의 정신세계는 동양화의 관심사였다.
③ ㉠은 기록의 사실성을 중시한 서양화의 대표적 그림들로서, 대상의 특성을 구체적으로 표현한 그림이라 할 수 있다.
④ ㉠은 사물에 대한 작가의 해석보다 기록적인 측면이나 표현 방법을 중시한 그림이다.
⑤ ㉠의 신화나 종교화 등은 역사적 사실로 보기 어렵다.

19. ㉡은 로봇이 인간이 겪을 수 있는 위험한 상황을 예방하거나 대신해 주는 역할을 함으로써 인간 생활에 도움이 된다는 점을 말하고 있다.

오답 해설

① 로봇의 성능이 인간의 능력을 초월할 수 있음을 강조한다.
② 로봇이 점점 인간의 일자리를 대신하는 일이 늘어남을 강조한다.
③ 우리나라가 로봇 개발을 시작하게 되었음을 의미한다.
⑤ 로봇이 만화와 영화 제작의 소재로 활용되는 일이 늘었음을 표현한다.

20. 이야기 글을 읽고 내용을 요약할 때는 읽기 목적을 고려해야 한다. 인물의 혈통과 탄생 과정을 탐구하기 위한 목적이므로 혈통에 관한 정보를 가장 중요하게 다뤄야 한다.

21. (나)에서는 동양화와 서양화의 재료의 차이와 그로 인한 작품 수정의 용이성 차이를 설명하고 있다. 따라서 요약할 때에는 두 대상의 차이점이 명확하게 드러나도록 요약해야 한다.

22. ㉠은 동양화 재료의 특성을 드러낸 부분으로, 이는 동양화를 그릴 때 한 번의 붓질로 빠르게 그려 내야 한다는 특성과 연관된다.

오답 해설

① 감개무량(感慨無量)은 '마음속에서 느끼는 감동이나 정서가 헤아릴 수 없을 정도로 큼'을 의미한다.

③ 지필연묵(紙筆硯墨)은 '종이 · 붓 · 벼루 · 먹'을 가리킨다.

④ 일맥상통(一脈相通)은 '상황이나 성향 등이 어느 면에서 한 가지로 서로 통(通)하거나 어울림'을 뜻한다.

⑤ 일사불란(一絲不亂)은 '질서(秩序)나 체계(體系) 따위가 잘 잡혀 있어서 조금도 흐트러짐이 없음'을 이르는 말이다.

23. ⓐ~ⓓ는 인간 생활에 도움을 주는 존재로서의 로봇을 의미하며, ⓔ는 그 로봇을 만드는 사람이다.

5 독서는 폭넓게, 표현은 다양하게

• 본문 p.179

확인 문제 **01.** ①, ③ **02.** 누리소통망 **03.** '응전'의 뜻을 『국어사전』이나 인터넷 사전에서 찾아본다.

01. 화면과 자막은 영상 언어의 구성 요소 중에서 시각적 요소에 해당한다.

02. 누리소통망은 '소셜 네트워크 서비스(SNS)'를 다듬은 말로, 요즘 활발하게 사용되는 인터넷 매체이다.

03. 단어의 뜻을 알고 싶을 때는 사전을 활용하고, 단어와 관련된 다양한 정보를 알고 싶을 때는 백과사전을 사용한다.

1 천국의 아이들

개념 확인 콕콕 • 본문 p.180

01. 영상 언어 **02.** ④ **03.** ㉠ → ㉡ → ㉣ → ㉢ → ㉤
04. 온라인 대화

01. 영상 언어는 영화로 대표되는 영상물에서 의미를 전달하는 수단이 된다.

02. 영상 언어는 일반 언어와 다르게 국경을 초월한 만국 공통어적인 특징을 가지고 있다.

03. 영상물을 만들 때는 가장 먼저 주제와 목적 등을 정해 계획서를 작성하고, 시나리오 작성, 이야기판 작성, 촬영, 편집의 순서로 진행한다.

04. 온라인 대화로 인터넷상에서 일 대 일, 또는 일 대 다의 형태로 동시에 대화를 나눌 수 있다.

• 확인 문제 • • 본문 p.182

01. ① **02.** ① **03.** ① **04.** ④ **05.** ② **06.** ⑤ **07.** ② **08.** ⑤ **09.** 정훈, 일 등을 못 할 테니 상금도 못 받을 것이고, 따라서 '학생 동아리 한마당'에 참가할 필요가 없다고 생각하고 있다. **10.** ④ **11.** ③ **12.** ⑤ **13.** ① **14.** 악보를 보지 못하는 것이 창피했기 때문이다. **15.** ④ **16.** ② **17.** ④ **18.** ① **19.** ② **20.** ① **21.** 지루하고 무기력함이 느껴지는 분위기를 말한다. **22.** ⑤ **23.** ② **24.** ④ **25.** 성아는 정훈을 좋아하고 있다. **26.** ③ **27.** ④ **28.** ③ **29.** 상상에서 현실로 자연스럽게 연결한다. **30.** ③ **31.** ① **32.** 연습에 집중하는 아이들의 전체적 분위기를 표현하기 위해 카메라와 대상의 거리는 먼 것이 효과적이다. **33.** ③ **34.** ② **35.** 〈보기〉에서 홍구 선생님은 아이들을 문제 학생들로 바라보고 있지만, S# 58에서는 아이들에게 마음의 문을 열고 있다. **36.** ④ **37.** ④ **38.** ① **39.** ① **40.** ⑤ **41.** ④ **42.** 카메라와 대상의 거리를 가깝게 한다. **43.** ④ **44.** ② **45.** ④ **46.** ① **47.** 긴장감이 조성된다. **48.** ② **49.** ② **50.** 홍구가 등장하기 전에는 풀이 죽은 표정이었지만 홍구가 등장한 후에는 표정이 점점 밝아지고 있다. **51.** ④ **52.** ① **53.** ④ **54.** ④

01. 다른 장소에서 벌어지는 두 개 이상의 독립적인 장면들을 연관 지어 교대로 제시하는 편집 방법을 '평행 편집'이라고 하는데, 이는 시간을 압축적으로 제시하거나 긴장감을 조성하기 위해 사용한다.

02. 유진이 확신을 갖고 의욕적인 태도로 '학생 동아리 한마당'에 나가려는 뜻을 밝히고 있으므로 밝고 빠른 느낌의 경쾌한 음악이 어울린다.

오답 해설

② 신나고 즐거운 마음을 드러내야 하므로 밝고 빠른 느낌의 음악이 적절하지만 이국적인 느낌과는 어울리지 않는다.

03. 홍구는 학생 주임으로서 특별반 아이들에 대해 잘 알고 있으므로 유진의 생각에 대해 의아한 마음을 가졌을 것이다.

04. 특별반을 맡게 된 유진은 학생들을 위해 '학생 동아리 한마당'에 나가려고 하는 것이지 학교를 위해 나가려는 것이 아니다.

05. 유진은 다른 사람들이 편견을 가지고 있는 특별반 아이들과 '학생 동아리 한마당'에 출전하여 아이들에게 꿈과 희망을 심어 주기 위해 노력하는 적극적이고 긍정적인 인물이다.

06. 유진은 학생들의 관심을 끌 수 있는 '상금'을 언급하여 학생들의 관심을 유도하고 있다.

07. 유진은 '학생 동아리 한마당' 참가에 학생들이 호응을 보이자, 자신의 의도대로 일이 잘 풀린 것 같아 보람을 느끼고 있다.

08. '길고 짧은 건 대어 보아야 안다'는 '크고 작고, 이기고 지고,

잘하고 못하는 것은 실지로 겨루어 보거나 겪어 보아야 알 수 있다.'는 말로 ㉡과 어울린다.

오답 해설

① 세 살 버릇 여든 간다.: 어릴 때 몸에 밴 버릇은 늙어 죽을 때까지 고치기 힘들다는 뜻으로, 어릴 때부터 나쁜 버릇이 들지 않도록 잘 가르쳐야 함을 비유적으로 이르는 말.
② 천 리 길도 한 걸음부터: 무슨 일이나 그 일의 시작이 중요하다는 말.
③ 부뚜막의 소금도 넣어야 짜다.: 가까운 부뚜막에 있는 소금도 넣지 아니하면 음식이 짠맛이 날 수 없다는 뜻으로, 아무리 좋은 조건이 마련되었거나 손쉬운 일이라도 힘을 들이어 이용하거나 하지 아니하면 안 됨을 비유적으로 이르는 말.
④ 가다 말면 안 가느니만 못하다.: 어떤 일을 하다가 도중에 그만두려면 처음부터 하지 않는 편이 낫다는 말로, 일을 시작했으면 포기하지 말고 끝까지 하라는 뜻.

09. 정훈은 일 등을 할 수 없으므로 상금도 탈 수 없으며 '해 봤자 뻔하'다며 부정적인 반응을 보이고 있다.

10. ㉠은 유진의 표정과 심리가 잘 드러나야 하는 장면이므로 카메라와 대상의 거리를 가깝게 하여 촬영하는 것이 좋다.

11. 하나는 악보를 나누어 주며 노래를 불러 보자고 하였지만, 아이들이 노래를 부르지 않아서 당황하고 있다.

12. 살짝 한숨을 쉬는 것은 당황스러움, 답답함의 표현이고 이맛살을 찌푸리는 것은 짜증이 났음을 드러낸다.

13. S# 41에는 뮤지컬을 가르치는 하나와 뮤지컬 연습에 비협조적인 정훈의 갈등이 드러나고 있다.

오답 해설

③ 하나가 학생들의 반응에 당황하고는 있지만 갈등 상황에까지 이른다고 보기는 어렵다.

14. 정훈이 음계를 읽어 보라는 하나의 지시를 따르지 않은 것은 악보를 볼 줄 몰랐기 때문이다.

15. 공을 주고받는 행위는 두 사람이 서로 마음을 주고받는 행위를 상징하는 것으로 둘 간의 소통과 이해를 의미한다.

16. ㉠은 정훈이 자신을 대하는 어른들의 태도에 얼마나 부정적인 느낌을 받았는지를 잘 보여 준다. 이는 어른들에 대한 불신과 관련되어 있다.

17. 유진은 정훈의 말을 있는 그대로 들으며 이해하고 공감하는 태도를 보여 주고 있다.

오답 해설

① 유진은 정훈에게 적절한 조언을 하고 있으므로 무조건 정훈 편에서 말하고 있다고 보기는 어렵다.
② 예의를 지키는 문제에 대해 말하고 있는 것이 아니라, 자기 마음을 정확히 표현해 달라고 말하고 있다.
③ 유진은 자신의 마음을 존중하는 것이 아니라, 정훈의 마음을 존중하는 태도를 보이고 있다.
⑤ 문제에 대해 우회적이기는 하지만 적극적으로 해결하려는 모습을 보이고 있다.

18. 지혜는 덤덤하게 노래를 부른다고 지시문에 제시되어 있으므로 '열정적으로 노래 수업에 임하는 모습을 보여 주'는 것은 적절하지 않다.

오답 해설

② 정훈은 아이들과 연습을 하던 중에 뛰쳐나갔다가 아이들이 연습을 하는 중간에 들어오고 있는 것이므로 쑥스러운 듯 들어오는 것이 자연스럽다.
③ 하나는 앞에서 박자를 맞추고 음계를 부르며 아이들에게 노래를 가르치고 있다.
④ 성아는 정훈이 들어오자 안도하는 기색을 보인다.
⑤ 유진은 아이들의 모습을 지켜보면서 아이들의 마음을 이해하고 분위기를 바꿔 보려고 한다.

19. '서비스 시간이 종료되었습니다. 다음에 또 만나요.'는 자막이 아니라 노래방 기계의 화면을 비춘 시각 이미지이다.

20. 고은은 뮤지컬 대본에 관한 제안을 유진에게 하고 있다.

21. 아이들은 노래 연습을 하면서 재미를 느끼지 못하고 무기력해한다. 유진은 지루하고 무기력한 분위기에 문제를 제기하고 있다.

22. S# 46은 현실이고 S# 47은 상상 속의 장면이다. 상상 속의 장면에서 고은은 해설자에 해당하므로 그 목소리를 효과음으로 처리하는 것이 자연스럽다.

23. 고은의 일상이 반영되었다고 볼 수 있지만, 고민과 방황까지 담겨 있다고 확대 해석하는 것은 적절하지 않다.

오답 해설

①, ③ S# 47, 48은 고은이 뮤지컬의 대본 내용으로 상상해 낸 장면이다.

④ 성아가 유진에게 다가가서 '선생님 좀 마음에 드네요.'라고 하는 내용이 있다.
⑤ 시간이 정지되어 성아만 움직이는 상황이다.

24. 배경 음악은 인물의 심리를 간접적으로 보여 주거나 상황의 분위기를 형성하므로 종합적으로 볼 때, 인물이 처한 상황을 효과적으로 보여 준다고 할 수 있다.

25. 정훈의 앞에서 하는 행동이나 분위기로 볼 때, 성아가 정훈에게 호감을 갖고 있음을 알 수 있다.

26. 뮤지컬 공연에서 대본을 쓸 사람이 정해졌다는 것은 이제 본격적으로 뮤지컬 공연 준비가 시작되었음을 의미한다.

27. 유진은 고은의 이야기에 집중하고 적극적으로 반응하고 있을 뿐 홍구 선생님이 괴물로 표현되는 것에는 큰 반응을 보이지 않고 있다.

28. 카메라를 사람의 눈높이에 맞추어 수평적인 각도로 촬영하는 것을 '수평 촬영, 평각 촬영'이라고 하는데, 이 방법으로 촬영하면 자연스럽고 안정적인 느낌의 화면이 된다. 그러나 특정 인물을 돋보이게 하지는 않는다.

오답 해설
④ 대상을 위에서 촬영하면 우월한 입장에서 대상을 바라보게 되고, 대상을 아래에서 촬영하면 대상을 돋보이게 하는 느낌을 줄 수 있다. 이렇게 눈높이에서 수평으로 촬영하면 객관적인 느낌을 준다.
⑤ 눈높이에서 촬영하는 것은 가장 평범한 촬영 각도이므로 일상적인 느낌을 준다.

29. 상상 속에서는 성아를 제외한 인물이 모두 정지한 상태이다. ㉠에서 유진의 눈이 움직였다는 것은 현실로 돌아가게 될 것을 암시하는 표현이다.

30. 립싱크를 하다가 걸린 병민으로 인해 화기애애한 분위기가 형성되고 있다.

31. 아이들이 뮤지컬 연습에 열심히 참여하는 상황이므로 밝고 희망을 느끼게 하는 음악이 가장 적합하다.

32. 아이들의 모습을 전체적으로 보여 주어야 하므로 카메라와 대상의 거리를 멀게 하는 것이 바람직하다.

33. 유진은 학생 주임인 홍구가 아이들을 이해하고 지원해 준다면 뮤지컬을 더 의미 있게 진행할 수 있다고 생각한다.

오답 해설
① 홍구가 아이들을 엿본 것은 아이들을 감시하려는 것이 아니라 아이들의 뮤지컬에 관심이 있기 때문이다.
④ 유진은 홍구의 이해가 필요한 것이지 뮤지컬 지도에 대한 특별한 도움을 얻으려는 것은 아니다.

34. 유진이 홍구에게 돈이 있는지 물어본 것은 다음 장면을 참고할 때, 아이들에게 저녁을 사 주었으면 하는 마음에서 한 것임을 알 수 있다.

35. 〈보기〉에서 홍구는 문제 학생들인 특별반 아이들이 대회에 나간다는 것에 의문을 품지만, S# 58에서는 아이들과 한결 친근해진 모습을 보여 주고 있다.

36. 홍구 선생님이 평소에 뮤지컬에 관심이 많았는지는 알 수 없다. 다만 아이들을 좀 더 이해하게 되었다는 것은 확인할 수 있다.

오답 해설
① '작은 딸내미는 중학교 삼 학년'이라는 대사가 있다.
② 아이들과의 대화를 보면 아이들에 대한 관심과 아끼는 마음을 지니고 있음을 알 수 있다.
③ 오토바이 사고로 아들이 죽은 아픔을 지니고 있다.
⑤ 형주 아버지와 동갑이라는 대사가 나온다.

37. 아이들은 홍구의 아들이 어린 나이에 사고로 죽었다는 것을 알게 되자 당황하여 말을 잇지 못하고 있다.

38. ㉠은 홍구가 아이들을 이해하는 폭이 넓어지고 아이들도 홍구의 사정을 알게 되어 예전보다 더 가깝게 느끼고 있는 상황에서 한 말이므로 따뜻한 느낌이 들도록 표현하는 것이 적절하다.

39. 바다를 보고 싶다는 병민의 말은 모두 바다로 나들이를 가자는 의견으로 확대되면서 전체 분위기를 바꾸고 있다.

40. 계속되는 연습에 지친 아이들이 자리에 그냥 주저앉아서 나누는 대화 장면이다. 병민과 정훈이 갈등하는 관계가 아니므로, 서로 긴장된 분위기로 대화를 나눌 필요는 없다.

오답 해설
① 유진은 아이들을 격려해서 연습을 시키려고 한다.
② 병민이 작은 목소리로 말하는 있으므로 소심하게 연기하는 것이 적절하다.
③ 정훈은 병민이의 말에 과장되게 반응하고 있다.
④ 아이들과 유진이 정훈의 말에 집중하고 있음을 알 수 있다.

41. 아이들이 안무에 맞추어 연습하고 있지만 잘 되지 않는 상황으로 답답한 분위기에서 바다에 가자는 이야기가 나오면서 점점 분위기가 밝아지고 활발해지고 있다.

42. 병민의 표정이나 심리가 잘 드러나야 하므로 카메라의 거리를 대상과 가까이하는 것이 바람직하다.

43. ㉠에서 유진은 병민의 처지를 안쓰럽게 여겨 병민을 도와주고 싶다는 생각을 하였을 것으로 추측할 수 있다. 하지만 자책감까지 느끼고 있는 것은 아니다.

오답 해설

② 유진은 15년 동안 바다에 가 보지 못했다는 말을 의아스럽게 여긴다.
③ 유진은 병민의 처지를 이해하고 바다를 보여 주고 싶은 마음이 있음을 알 수 있다.
⑤ 유진은 병민이 거짓말을 하는 것이 아닌지 확인하고자 하는 의도도 있다.

44. 바다로 학생들과 나들이 가는 것을 허락해 달라는 유진에게 교장이 허락할 수 없다고 하면서 갈등이 발생하고 있다.

45. 교장은 아이들에게 문제가 생기면 자신이 책임을 져야 하므로 아이들을 바다로 보낼 수 없다고 말하고 있다.

46. 교장 선생님이 사고가 생길 것을 우려하여 학생들과 바다로 가는 것을 허락하지 않는다고 생각한 유진은 문제가 생겨도 자신이 책임지겠다며 교장 선생님을 설득하려고 한다.

47. 교장 선생님의 말 중간에 유진의 반응이 드러나도록 한 것은 교장 선생님의 다음 말이 나오기 전까지 긴장감을 조성하기 위해서이다.

48. 교장 선생님이 홍구에게 아이들과 함께 바다에 다녀올 것을 부탁하는 것으로 볼 때 아이들의 마음을 이해하는 사람임을 알 수 있다.

49. S# 68에서는 유진과 아이들이 대화하고 있으며 자동차 경적이 효과음으로 들리고 있지만, 자막과 해설은 드러나지 않는다.

오답 해설

① 자동차 경적이 효과음으로 쓰였다.
③ 유진과 아이들, 홍구의 대사가 등장한다.
④, ⑤ 카메라의 각도와 거리는 모든 장면에 등장하는 요소이다.

50. 홍구가 등장하기 전까지는 바다에 갈 수 없다는 말을 아이들에게 할 생각에 풀이 죽은 표정을 짓고 있었지만, 홍구가 등장한 후에는 바다에 갈 희망이 생겨 표정이 점점 밝아진다.

51. 유진은 아이들과 바다에 가는 것을 허락받지 못한 것을 아이들에게 어떻게 전달할까 고심하며, 되도록 아이들이 실망하지 않게 말하고 있다. 지금은 뮤지컬 연습을 할 때라고 말한 것은 난처한 상황을 풀어 보려고 꺼낸 말일 뿐이다.

오답 해설

① 유진은 아이들의 마음을 잘 이해하고 위로하려고 하고 있다.
② 유진은 아이들이 바다를 가지 못하게 된 것을 알고 실망할까 봐 걱정하고 있다.
③ 유진은 아이들에게 뮤지컬이 끝난 후에 바다에 가자는, 새로운 제안을 하고 있다.
⑤ 유진은 교장 선생님이 바다에 가는 것을 허가하지 않았다는 사실을 숨기고 있다.

52. 아이들은 교장 선생님이 자신들을 사고뭉치로 생각하고 있다고 생각한다. 이는 교장 선생님에 대한 불신을 바탕으로 한 생각이다.

53. 등장인물 한 명 한 명의 심리를 분명하게 표현하기 위해서는 카메라를 대상에 가깝게 하여 촬영하는 것이 좋다.

오답 해설

①~③ 카메라를 대상으로부터 멀리서 촬영하면 전체적인 분위기, 배경과 인물이 어우러지는 장면을 보여 줄 수 있다.
⑤ 아이들이 바다를 향해 자유롭게 뛰어가는 모습을 전체적으로 보여 주어 자유로움과 해방감을 효과적으로 표현하고 있다.

54. 이 영화는 교사와 학생이 서로 배려하고 소통하면서 공동의 작업을 이루어 나가는 내용을 담고 있다.

학습 활동 다지기

• 본문 p.195

이해 다지기 문제 **1.** ③

목표 다지기 문제 **1.** ④ **2.** ⑤ **3.** ④ **4.** ④ **5.** ⑤ **6.** 촬영된 영상만으로 전달하기에 부족한 내용을 구체적으로 보여 준다. **7.** ② **8.** ⑤ **9.** 자동차 경적 소리(E.) **10.** ①

이해 **1.** 이 영화는 특별반 학생들과 선생님이 협력하여 뮤지컬을 만들어 가는 과정을 그리고 있다.

목표 **1.** '한 줄 감상'이므로 글자 수의 제한이 당연히 존재할 것으로 예측할 수 있다.

오답 해설

①, ③ 별점으로 영화를 평가하고 있고, 별점 5개, 10점이 만점임을 알 수 있다.
② 작성자는 본명이 아니라 '참사랑', '어린 왕자', '수선화' 등으로 표시되고 있다.
⑤ 감상평만 있을 뿐, 감상평에 대한 댓글은 없다.

2. 감상평만으로 영화 내용의 자세한 줄거리를 파악할 수는 없다.

3. 이 영화는 교사와 학생이 소통과 배려를 통해 공동의 작업을 이루어 나가는 것을 보여 준다.

4. 누리집은 한번에 실시간으로 의견을 주고받기에는 적합하지 않다. 실시간으로 의견을 주고받기에 적합한 인터넷 매체는 온라인 대화이다.

5. 영상물을 촬영할 때, 카메라를 대상에 가깝게 하면 등장인물의 표정과 심리 상태를 더 잘 표현할 수 있다.

오답 해설

① 자연스럽고 안정적인 느낌을 주려면 대상에서 카메라의 거리가 적당하게 유지되어야 한다.
② 배경이나 등장인물의 전체 모습을 보여 주려면 대상에서 카메라의 거리가 멀어야 한다.
③ 인물의 활동 범위에 대해서 알기 위해서는 카메라의 거리가 멀어야 한다.
④ 대상을 크고 강력하며 권위적으로 보이게 하기 위해서는 카메라의 거리보다는 각도를 조절하여 카메라를 아래에서 위로 향하도록 촬영해야 한다.

6. 이 장면에서는 자막을 통해 인물에 관한 정보를 제공하고 있다.

7. 사건을 전개하고 인물의 심리나 성격을 분명하게 표현할 수 있는 요소는 등장인물들끼리 주고받는 말이나 혼잣말인 대사이다.

8. 배경 음악은 인물의 심정이나 사건의 분위기를 효과적으로 드러내는 역할을 한다. 하지만 배경 음악 자체가 인물의 성격이나 사건의 전개, 주제 등을 직접적으로 제시하지는 못한다.

9. 화면 밖에서 들리는 자동차 경적 소리를 통해 자동차가 왔다는 것을 알 수 있다.

10. 이 활동은 영상물 촬영 직전에 이루어지는 이야기판 작성 활동이다. 이야기판은 촬영을 위한 최종 준비 단계라고 할 수 있다. 즉 그림이나 사진으로 장면을 표현해 보고 촬영을 위해 준비할 것을 정리하는 활동이다.

오답 해설

④ 시나리오를 작성하는 단계는 이 활동의 전 단계이다.
⑤ 이야기판을 작성하는 단계는 이 활동이 일어나는 단계이다.

소단원 핵심 문제

• 본문 p.201

01. ② **02.** ① **03.** ⑤ **04.** 정훈이 하나에게 짜증을 내며 예의에 어긋나는 말을 했기 때문이다. **05.** ② **06.** ④ **07.** ⑤ **08.** 장면이 현실에서 상상으로 자연스럽게 넘어갈 수 있게 한다. **09.** (나)는 인물들을 사람의 눈높이에서 촬영하여 자연스럽고 안정적인 느낌을 주지만 [A]는 아래에서 위로 촬영하여 인물이 뛰어나 보이도록 하는 것이 더 효과적이다. **10.** ④ **11.** 성아 혼자만 움직이는 비현실적인 상황을 실감 나게 전달한다. **12.** ④ **13.** 화기애애한 분위기에서 숙연한 분위기로 바뀌었다. **14.** ③ **15.** ⑤ **16.** ③

01. 이 글의 갈래는 시나리오이다. 시나리오는 영화의 대본으로 희곡에 비해 시간적 · 공간적 제약을 받지 않는다.

오답 해설

①, ④ 이 글은 시나리오로 영화의 대본이다. 시나리오는 S#(장면 번호)를 기본 단위로 한다.
③ 영상물은 영상 언어를 기본적인 표현 수단으로 하는데, 영상 언어를 구성하는 요소에는 시각 이미지, 자막, 대사, 효과음, 배경 음악 등이 있다.
⑤ 시나리오는 대사와 지시문을 통해 사건을 전달한다.

02. 평행 편집이 이루어진 부분이다. 이러한 편집 방법은 시간을 압축적으로 제시하거나 긴장감을 준다. 화면이 겹치면서 전환되는 것은 '오버랩(O. L.)'이라고 하는데 여기에서는 드러나지 않는다.

03. 유진은 대회에 참여해 보자는 입장이고, 정훈은 어차피 일등을 못 할 것이므로 참여할 필요가 없다는 입장이다.

04. 정훈은 사실 악보를 보지 못한다. 이런 사정을 모르고 계속 노래 부르기를 강요하는 하나에게 정훈이 짜증을 내며 예의에 어긋나는 말을 한 것이다.

05. 이 글은 청소년들과 선생님이 서로 소통하고 이해하며 공동의 목표를 이루어 나가는 이야기를 담고 있다. 사회적 현상에 대한 비판 의식은 담고 있지 않다.

오답 해설
① 이 글은 문제 학생들이 모인 특별반의 청소년들이 뮤지컬을 만들며 성장해 가는 과정을 중심 내용으로 한다.
③ S# 48은 고은의 상상으로 이루어져 있다.
⑤ 시각 이미지, 대사, 음향 효과 등 적절한 영상 언어의 구성 요소가 사용되었다.

06. 인물의 행동을 지시하는 것은 대사의 역할이 아니라 지시문의 역할이다.

오답 해설
② 대사를 통해 사건이 전개되고 인물의 성격이 드러나기 때문에 대사를 통해 전체적 분위기를 형성할 수 있다.

07. 유진은 지루해하고 있는 아이들에게 공감하며 분위기를 바꿔 보려 하고 있다.

08. 고은의 대사를 효과음으로 제시한 것은 장면의 내용이 현실이 아니라는 점을 자연스럽게 드러내기 위해서이다. 이런 장치를 통해 장면이 현실에서 상상으로 자연스럽게 넘어갈 수 있다.

09. (나)는 일상적인 대화 장면이므로 눈높이에서 촬영하는 것이 자연스럽지만, 〈보기〉의 [A]는 옥림이 육교 위에서 우쭐해하며 걸어가는 모습이므로 아래에서 위로 촬영하여 인물이 뛰어나 보이도록 하는 것이 좋다.

10. 아이들이 병민이 노래를 부르지 않은 것에 실망하기는 했지만 반감을 드러낸다고 볼 수는 없다.

오답 해설
① 아이들이 악보를 보며 열심히 노래하는 모습이다.
② 병민은 자신이 립싱크를 하고 있는 것을 아이들에게 들켰으므로 당황했을 것이다.
⑤ 유진이 먼저 아이들에게 눈짓을 보내는 장면을 통해 병민이 립싱크를 하고 있다는 것을 알고 있었음을 알 수 있다.

11. 일반적으로 배경 음악은 그 장면의 분위기를 조성하는 역할을 한다.

12. 댓글에 대해 반드시 즉각적으로 반응할 필요는 없다. 생각을 정리하지 못한 채 너무 즉각적으로 한 반응은 오히려 상대의 오해를 불러올 수도 있다.

오답 해설
① 인터넷 매체에는 다양한 종류가 있으므로 자신에게 잘 맞는 인터넷 매체를 선정해야 한다.
② 인터넷 매체를 선택했으면 그 매체의 특성을 잘 알아야 올바르게 사용할 수 있다.
③ 인터넷은 기본적으로 익명성을 바탕으로 하기 때문에 상대방을 존중하지 않는 경우도 많이 있다. 인터넷 매체를 활용할 때에는 상대방을 존중하고 배려하는 표현을 사용해야 한다.
⑤ 영화평을 쓰는 것이므로 먼저 영화에 대한 자신의 생각과 느낌을 잘 정리해야 한다.

13. 아이들과 학생 주임인 홍구가 화기애애한 분위기에서 대화를 나누다가 홍구의 아들에 관한 이야기가 나오자 분위기가 숙연해지고 있다.

14. 여러 명이 대화를 나누며 연습하는 장면이므로 카메라를 대상에서 멀리하여 전체적인 분위기를 표현하는 것이 자연스럽다.

15. 유진은 아이들과 바다에 가려던 것을 부끄러워하는 것이 아니라 원칙을 내세우는 교장 선생님에게 그런 말을 꺼냈다가 거절당해 무안해하는 것으로 볼 수 있다.

오답 해설
① 아이들을 바다에 보내는 문제로 교장과 유진이 갈등하고 있다.
② 교장은 유진에게 "정유진 선생님 고생하시는 것은 제가 다 압니다."라고 말한다.
③ 교장은 '애들이 사고를 치면' 그 책임을 자신이 지게 될까 걱정하고 있다.
④ 유진이 침을 꿀꺽 삼키는 것으로 유진이 긴장하고 있음을 알 수 있다.

16. 자동차 경적은 화면 밖에서 들리는 효과음으로, 주제를 드러낸다고는 볼 수 없다.

2 포기하고 싶을 때 딱 한 걸음만 더 나아가라

개념 확인 콕콕 • 본문 p.205

01. ⑤ **02.** ① **03.** 인터넷 검색하기 **04.** ②

01. 읽은 내용이 잘 정리되지 않을 때에는 자료를 찾을 것이 아니라 읽은 내용을 다시 살펴보아야 한다.

02. 단어의 뜻은 국어사전에서 찾아보는 것이 제일 좋다.

03. 요즘에는 컴퓨터뿐만 아니라 휴대 전화를 통해서도 인터넷에 쉽게 접속하여 자료를 검색할 수 있다.

04. 자료 찾아 읽기는 글을 정확하게 읽는 것과 관련이 있지, 글을 빠르게 읽는 것과는 관련이 없다.

• 확인 문제 •

• 본문 p.207

01. ⑤ **02.** ③ **03.** 황허강 유역이 양쯔강 유역에 비해 땅이 척박했기 때문이다.(환경이 험난했기 때문이다.) **04.** ② **05.** ① **06.** ④ **07.** ⑤ **08.** 글쓴이는 두려움으로 인해 도전을 회피하는 현상에 대해 문제를 제기하고 있다. **09.** ⑤ **10.** ① **11.** ④ **12.** 어른이 되었을 때 그 나이에 겪어야 할 고통에 사춘기의 고통까지 함께 겪게 된다. **13.** ③ **14.** ④ **15.** ④ **16.** ④

01. 토인비의 『역사의 연구』는 글쓴이가 자신의 주장을 뒷받침하기 위해 제시한 근거로, 반론과 관련되어 있지는 않다.

02. 토인비는 『역사의 연구』를 통해서 인류가 가혹한 환경의 위협에 대항하며 발전해 왔다는 점을 주장하고 있다.

오답 해설

④ 인류의 문명이 강가에서 발전했다는 내용은 언급되어 있지만, 핵심 내용으로 보기는 어렵다.

03. 토인비의 이론에 의하면 풍요로운 양쯔강 유역보다 척박하고 험난한 황허강 유역에서 인류가 더 자연의 위협을 극복하기 위해 노력했기 때문임을 알 수 있다.

04. '인류 역사'에 관한 정보는 백과사전이나 인터넷 등을 통해 찾아보는 것이 좋다.

05. 청어는 물메기로부터 도망치기 위해 열심히 헤엄을 쳤고 그것이 끝까지 살아남는 이유가 되었으므로 물메기는 '생명을 살리는 시련'을 의미한다고 볼 수 있다.

06. 글쓴이는 시련에 맞서 싸우는 과정에서 우리는 더욱 성숙해지고 강인해지기 때문에 시련이나 고통이 꼭 나쁜 것만은 아니라고 말하고 있다.

07. 도서관에서 이 글이 실린 책을 찾아 참고 문헌(출처)을 확인하여 실험 내용이 나와 있는 책을 찾아 읽거나, 인터넷에서 해당 실험 내용과 관련된 정보를 검색하여 관련 자료를 찾을 수 있다.

오답 해설

② 쥐 격리 실험은 쥐의 생태와 관련된 실험이 아니라 스트레스의 긍정적 효과를 알아보는 실험이다.

④ 도서관에서 쥐에 관한 실험 기록을 모두 찾아보는 것은 자료를 참고하는 태도로 효율성이 현저하게 떨어지는 행동이다.

08. 글쓴이는 요즘 우리 사회에서 시련이나 고통이 찾아오면 겁을 먹고 그 두려움으로 인해 도전하기를 꺼려하는 현상에 대해 안타까워하고 있다.

09. (사)의 중학생은 리셋 증후군을 보여 주는 예라고 할 수 있다. 이 중학생은 게임을 리셋하는 것처럼 자신의 문제도 이사를 가서 새롭게 출발하면 해결될 것이라고 생각한다.

10. 국어사전에는 '리셋 증후군'이란 말이 등재되어 있지 않으므로 적절한 방법이 아니다.

11. 지금 상황을 리셋하고 싶은 마음을 누구나 가질 수 있지만 (아)에서는 그것에 대해 언급하고 있지 않다.

오답 해설

① '리셋 증후군'의 리셋은 컴퓨를 재부팅하는 버튼인 리셋 버튼과 관련이 있다.

②, ⑤ 글쓴이는 역경을 완전히 피할 수는 없을 것이라고 말하고 있다. 따라서 비현실적인 문제 해결 방식이라고 할 수 있다.

③ 현실도 컴퓨터처럼 리셋할 수 있다고 여기는 현상이다.

12. 적절한 좌절을 경험하지 않고 리셋 증후군에 걸려 어려움을 회피했던 청소년은 어른이 되었을 때 그 나이에 겪어야 할 고통에 사춘기의 고통도 함께 겪게 된다.

13. '늙은 매'는 제레미에게 시련을 이겨 내기 위해서는 시련만큼 큰 힘이 있어야 하는 것이 아니라 시련을 견디어 낼 힘만 있으면 된다고 말하고 있다.

14. 책에 관해 인터넷을 검색해 보면 책과 관련된 정보를 다양하게 찾을 수 있지만 책에 수록된 참고 문헌은 찾기 어렵다.

15. 의문문의 형식으로 내용을 강조하는 표현 방법을 설의법이라고 한다. ㉢에서도 의문의 형식으로 내용을 강조하고 있다.

오답 해설

① 반어법에 대한 설명이다.

② 역설법에 대한 설명이다.

③ 대조법에 대한 설명이다.

⑤ 비유법에 대한 설명이다.

16. 시련을 견디고 이겨 내겠다는 의지를 가지고 포기하지 않는 것을 말한다.

학습 활동 다지기 • 본문 p.211

이해 다지기 문제 **1.** ② **2.** 다양한 사례를 제시하였다. **3.** ⑤ **4.** ①

목표 다지기 문제 **1.** ④ **2.** ① **3.** ② **4.** ④ **5.** ④

이해 **1.** 이 글은 어려움을 회피하려고만 하지 말고 당당히 맞서 견디어 내라고 말하고 있다.

오답 해설

③ 어려움을 극복하면 즐거움도 따라올 수 있지만, 글쓴이는 어려움을 극복하는 태도를 중심으로 언급할 뿐 이후의 즐거움을 언급하지 않았다.

2. 이 글에서는 토인비의『역사의 연구』와 쥐 격리 실험,『그래도 계속 가라』라는 책의 내용을 예로 들어 주장을 뒷받침하고 있다.

3. 물메기는 청어에게 시련을 상징한다. 이와 같은 관계로 짝지어진 선지는 ⑤이다. 국토의 25%가 저지대인 것은 네델란드인에게 큰 시련이었지만 저지대인 점 때문에 풍차나 방조제 기술을 발전시킬 수 있었다는 점에서 수조 속의 청어와 물메기의 관계와 유사하다고 할 수 있다.

4. 쥐 격리 실험과 유사한 실험을 찾아보기에는 인터넷 검색이 더 적절하다.

목표 **1.** ④만 이미지 자료이고 나머지는 글 위주의 자료이다.

2. 자료를 찾을 때 가장 손쉽고 빠른 방법은 인터넷 검색이다. 인터넷은 컴퓨터와 휴대 전화로 언제든지 쉽게 접근하여 자료를 검색할 수 있기 때문이다.

3. 글을 읽으면서 어려운 내용이 나오면 도서관이나 인터넷에서 관련 자료를 찾아 참고하며 읽는 것이 좋다. 신문은 관련 내용의 일부분이나 최신의 정보를 검색하기에 알맞은 매체이다.

오답 해설

① 참고 문헌에는 해답 내용에 대한 많은 정보가 있다.

③ 백과사전에는 대상에 대한 자세한 설명이 실려 있다.

④ 인터넷에는 정보가 업데이트 된 날짜가 나와 있으므로 자료의 최신성을 파악할 수 있다.

⑤ 책의 정보는 인터넷 정보에 비해 신뢰도가 높고 깊이가 있다.

4. 도서관에서 만날 수 있는 도서 자료는 우선 신뢰성이 있다. 그리고 관련 책들을 함께 볼 수 있다는 장점도 있다.

5. 이용자가 많은 사이트라고 해서 꼭 정확한 정보가 게재되어 있는 것은 아니므로 비판적 사고로 접근할 필요가 있다.

소단원 핵심 문제 • 본문 p.216

01. ④ **02.** ⑤ **03.** ⑤ **04.** ③ **05.** ⑤ **06.** 이사를 가서 환경이 바뀌더라도 다른 어려움이 생길 거야.(힘든 일이 있다고 항상 새롭게 시작할 수는 없잖아.) **07.** ③ **08.** ④ **09.** ⑤ **10.** ① **11.** 황허강 유역은 농사를 짓고 살기에 어려운 환경이었다. **12.** ⑤

01. 청어와 물메기의 관계에 대한 자료는 인터넷에서 찾아보는 것이 가장 적절하다. 교과서에는 그런 정보가 나와 있을 가능성이 매우 적다.

오답 해설

① '범람'의 경우 단어의 뜻만 알면 되므로 국어사전을 찾아 보는 것이 적절하다.

② '토인비'는 유명인이므로 백과사전을 찾아 정보를 더 찾아 보는 것은 적절하다.

③『역사의 연구』라는 책을 인터넷에서 찾아보면 다양한 내용을 검색할 수 있다.

⑤ '쥐 격리 실험'과 유사한 실험을 찾아보기 위해서는 인터넷을 검색해 보는 것이 가장 좋다.

02. (가)에서 토인비는 고대 문명이 토지 환경이 좋은 곳에서 발전한 것이 아니라 가혹한 환경에서 발전했다고 말하고 있다.

03. 글쓴이는 (다)에서 시련에 맞서 싸우는 과정을 통해서 더욱 성숙해지고 강인해질 수 있다는 것을 말하고 있다.

04. 쥐 격리 실험은 새끼였을 때 겪었던 좌절이 오히려 자라면서 긍정적인 역할을 하게 되었음을 보여 주는 실험이다.

05. (마)에는 글쓴이의 주장과 유사한 내용을 인용한 것이므로 글쓴이의 주장이 직접적으로 담겨 있다고 보기는 어렵다.

오답 해설

① 실패에 대한 두려움으로 인해 도전을 회피하는 사회 현상을 언급하고 있다.

② 한 중학생의 말을 직접적으로 인용하고 있다.

③ '리셋 증후군'이라는 용어를 설명하고 있다.

④ 청소년기에 적절한 좌절을 겪지 않으면 어떻게 될지 질문을 던지고 답하고 있다.

06. (나)의 중학생은 리셋 증후군을 잘 보여 주는 사례이다. (다)에서 글쓴이가 의문을 품었던 내용을 바탕으로 조언해 주면 좋을 것이다.

07. 글쓴이는 청소년기에 적절한 좌절을 경험하지 못하면 어른이 되어 그 나이에 겪는 고통에 사춘기의 고통까지 한꺼번에 겪게 된다고 말하고 있다.

08. 『그래도 계속 가라』라는 책을 인터넷에서 검색하여 목차를 찾아보면 전체적으로 어떤 내용인지 알 수 있어서 글을 이해하는 데 도움이 된다.

09. 이 글의 글쓴이는 역사학자의 저서, 리셋 증후군 사례 등을 끌어와 자신의 주장을 내세우고 있다. 글쓴이의 개인적인 경험은 나타나지 않는다.

오답 해설

① (라)에서 어떤 사람들의 반박 의견을 제시한 후 그에 대해 다시 반박하고 있다.

②, ③ 토인비의 저서를 인용하면서 저서 속에 구체적인 사례를 제시하고 있다.

10. 글쓴이는 포기하고 싶을 때 이를 견디어 내고 한 발자국을 내어 딛는 노력이 필요하다고 말하고 있다.

11. '적절한 좌절'이란 긍정적인 역할을 하는 시련을 의미한다. (가)에서 황허강 유역은 농사를 짓기 어려운 험난한 환경이었다는 것이 이에 해당한다.

12. '봉착'은 단어의 뜻만 알면 되는 경우이므로 국어사전을 찾아보면 된다. 나머지는 모두 '빅터 파파넥'처럼 백과사전이나 인터넷에서 정보를 탐색할 필요가 있다.

대단원 확인 문제

• 본문 p.220

01. ③ **02.** ③, ⑤ **03.** ⑤ **04.** ④ **05.** 전체 인물들의 모습을 자연스럽게 안정적으로 표현해야 하므로 카메라는 수평의 각도로 대상과 적당한 거리를 두어 촬영하는 것이 적절하다. **06.** ④ **07.** ② **08.** ③ **09.** 홍구의 아들이 중학교 때 교통사고로 죽었다는 것을 아이들이 알게 되었기 때문이다. **10.** ② **11.** ① **12.** ③ **13.** ⑤ **14.** 포기하고 싶은 마음이 들 때는 더도 말고 덜도 말고 딱 한 발자국만 앞으로 나아가 보세요. **15.** ④ **16.** (가)에서는 황허강의 척박한 환경, (나)에서는 막 태어난 쥐를 어미 쥐와 격리시키는 것이 〈보기〉의 물메기와 같은 의미를 지닌다. **17.** ② **18.** ③ **19.** ⑤ **20.** 인생에서 고통이나 시련이 몰려올 때를 의미한다.

01. 〈보기〉는 이야기판이다. 이야기판 작성은 시나리오 작성 다음에, 촬영 전에 이루어지는 과정이다.

02. 이와 같은 편집을 평행 편집이라고 하는데, '중심 사건의 변화'와는 거리가 멀다. 또한 평행 편집은 화면의 전환이 빠르므로 편안하고 안정된 분위기와도 거리가 멀다.

03. 성아는 "우리가 거기 나가서 뭐해요?"라며 부정적인 반응을 보이고 있다.

오답 해설

① 유진은 특별반 아이들을 데리고 '학생 동아리 한마당'에 나가려고 하는 적극적이고 주도적인 성격이다.

② 홍구는 특별반 아이들을 데리고 대회에 나간다는 유진에게 반문하고 있다.

③ 아이들은 자신들이 '학생 동아리 한마당'에 나가 뭐하는지 묻고 있으며 연습에도 적극적이지 않다.

④ 하나는 아이들이 노래를 잘 따라하지 못하자 당황하고 있다.

04. 유진과 정훈이 공을 주고받는 행위는 유진이 정훈의 마음을 이해해 주려는 노력에서 비롯된 것으로 서로 공을 주고받음으로써 서로의 마음을 주고받는 것으로 이해할 수 있다.

05. 카메라를 대상으로부터 멀리하고 사람의 눈높이에서 수평으로 촬영하면 자연스럽고 안정적인 느낌을 줄 수 있다.

06. 이 글에는 내레이션이 나오지 않는다. 인물의 심리는 인물의 대사와 지시문을 통해 드러난다.

07. (가)의 장면은 아이들이 단합하지 못하고 의욕이 없는 상황이라고 할 수 있으므로 이와 관련된 연출자의 지시가 필요하다.

오답 해설

① 아이들은 유진에 대해 불만을 표출하고 있지 않다.

③ 아이들은 무기력할 뿐 서로 다투지는 않는다.

④ 연습에 있어 아이들의 모습이 의욕적이지 못하며 이로 인해 분위기가 처져 있다.

⑤ 다들 무기력한 모습이다.

08. 고은의 대사가 효과음으로 처리된 것은 그 장면이 현실의 장면이 아니기 때문이다.

09. 아이들이 홍구의 아들 이야기를 듣고 보인 반응이다.

10. 자기의 생각을 인터넷에 올리는 것이므로 꼭 다른 사람의 생각을 인용할 필요는 없다.

11. (가)의 상황을 보면 학생들이 연습 중에 갈등을 겪고 있음을 알 수 있다.

12. (나)에서는 아이들이 홍구에게 달려가는 장면이 드러나지 않는다. 다음 장면에는 제시될 수도 있다.

13. '가혹한 환경'이 어떤 환경인지 궁금하다면 인터넷을 검색해 보는 것이 가장 적절하다. 이런 정보는 백과사전에는 나오지 않는다.

오답 해설

① 'E.'는 '효과음'을 나타내는 시나리오 용어로, 시나리오 용어 사전을 통해 정보를 얻을 수 있다.

② '도전'과 '응전'이라는 단어는 국어사전에서 뜻을 찾아볼 수 있다.

③ 지리부도에는 다양한 지도가 나와 있으므로 '북해'의 위치를 잘 알 수 있다.

④ 인터넷에서 이미지를 검색하면 둘의 생김새를 쉽게 비교할 수 있다.

14. (라)에서 글쓴이는 시련이 닥쳤을 때, 포기하지 말고 견디어 내는 의지가 필요하다고 말하고 있다.

15. 국어사전에서는 다양한 정보를 찾을 수 없을뿐더러 '리셋 증후군'과 같은 전문 용어는 국어사전에 나오지 않는 경우가 많다.

16. 청어에게 물메기는 청어를 살아남을 수 있게 한 시련의 의미를 지닌다. 황허강 유역이 척박했던 것이나 새끼 쥐가 어미 쥐와 일정 시간 격리되는 것과 관련이 깊다.

17. 리셋은 컴퓨터에서 온 개념이기는 하지만, 리셋 증후군에 걸렸다고 컴퓨터를 많이 사용하는 것은 아니다.

18. '늙은 매'는 폭풍에 저항하기 위해 폭풍만큼 강한 힘이 아니라 폭풍을 견디어 낼 수 있는 힘 정도만 필요하다고 말하고 있다.

오답 해설

② 어려움을 이기기 위해 정신적으로 강해져야 한다고 막연하게 말한 것이 아니라, 어려움을 견디는 힘만 있으면 된다고 말하고 있다.

19. '스스로 깨달아 얻음.'은 '자득'의 뜻이다. '터득'의 뜻은 '깊이 생각하여 이치를 깨달아 알아냄.'이다.

20. '폭풍'은 인생을 살면서 겪게 되는 어려움과 고통, 고난, 시련 등을 의미한다.